ŚMIERTELNI NIEŚMIERTELNI

ŚMIERTELNI NIEŚMIERTELNI

KEN WILBER

Prawdziwa opowieść o życiu, miłości, cierpieniu, umieraniu i wyzwoleniu

przełożyła Aldona Możdżyńska

Jacek Santorski & Co Agencja Wydawnicza

Warszawa 2007

Tytuł oryginału
GRACE AND GRIT. SPIRITUALITY AND HEALING IN THE LIFE
AND DEATH OF TREYA KILLAM WILBER

Przekład rozdziałów 1 i 2
Konsultacja w sprawach religii
JERZY DMUCHOWSKI

Konsultacja medyczna
dr n. med. CEZARY SZCZYLIK

Redakcja
ANNA TABACZYŃSKA

Projekt okładki i projekt graficzny serii
RAFAŁ OLECH

Skład i łamanie
PAWEŁ LUBOŃSKI

Korekta
PRZEMYSŁAW KUTNYJ

WYDANIE III

Jacek Santorski & Co Agencja Wydawnicza Sp. z o.o.
ul. Alzacka 15a, 03-972 Warszawa
e-mail: *wydawnictwo@jsantorski.pl*
Dział handlowy: tel. 22 616 29 36, 22 616 29 28
tel/fax 22 433 51 51
Zapraszamy do naszego sklepu internetowego:
www.jsantorski.pl

Druk i oprawa
EDIT, Warszawa

ISBN 978-83-89763-63-1

Spis treści

Sue i Radcliffowi Killamom, na osiemdziesiąte urodziny Rada;
Vicky, Lindzie, Rogerowi, Frances, Samowi, Seymourowi, Warrenowi i Kati, za to, że byli przy nas w radości i w strapieniu;
Davidowi i Mary Lamarom, za wytrwałość;
Tracy i Michaelowi, za cierpliwość;
Zahirudeen i Bradowi, za obronę domowych fortyfikacji;
ludziom z Cancer Support Community, kontynuującym dzieło Trei i Vicky;
Kenowi i Lucy, za wyrozumiałość dla naszej nieobecności;
Edith Zundel, naszemu duchowi opiekuńczemu,
oraz pamięci Rolfa Zundela i Boba Doty'ego, może najporządniejszych ludzi, jakich znaliśmy, którzy padli w tej straszliwej wojnie.

Do czytelnika

Kiedy spotkaliśmy się z Treyą po raz pierwszy, oboje mieliśmy to przedziwne wrażenie, że szukaliśmy się przez całe życie, choć nie wiem, czy rzeczywiście tak było. Wiem jednak, że zaczęła się wtedy najbardziej niezwykła historia, jaką znam, niewiarygodna, a zatem – zapewniam was – prawdziwa.

Przedstawiam tę historię w tej książce, która jest zarazem wprowadzeniem do filozofii wieczystej czy też do tradycji wielkiej, światowej mądrości; oba tematy ściśle się łączą.

Treya miała pięć pasji: przyrodę i środowisko (od ochrony po odtwarzanie środowiska naturalnego), rzemiosło i sztukę, duchowość i medytację, psychologię i psychoterapię oraz społeczne organizacje pomocy. Przyroda, rzemiosło i sztuka nie wymagają wyjaśnień. Jeśli chodzi o „duchowość" Trei, to miała ona charakter kontemplacji czy – jeśli wolicie – medytacji, a oba te określenia odnoszą się do filozofii wieczystej. Ponieważ Treya mało mówiła o swej mistycznej duchowości, wiele osób, nieraz nawet bardzo jej bliskich, sądziło, że było to zainteresowanie mało istotne. Tymczasem ona uważała potrzeby i poszukiwania duchowe za „gwiazdę przewodnią swojego życia". Ta sfera odgrywa więc najważniejszą rolę w całej tej historii.

Tak się złożyło, że ja również interesuję się psychologią i religią, a co więcej, napisałem kilka książek właśnie na ten temat. W opowieść, która zaraz nastąpi, wplecione są więc objaśnienia i komentarze do wielkich tradycji duchowych (od chrześcijaństwa po hinduizm i buddyzm), rozważania o istocie medytacji, związkach psychoterapii i duchowości oraz naturze zdrowia i uzdrawiania. Właściwie głównym celem książki jest przystępne dla laika wprowadzenie w te dziedziny.

Części poświęcone objaśnieniom teoretycznym, zajmujące około jednej trzeciej tekstu, są wyraźnie wyodrębnione, tak że czytelnikowi pochłoniętemu przede wszystkim opowieścią Trei łatwo będzie je opuścić i, jeśli będzie chciał, w dogodnym czasie wrócić do nich i przeczytać bez pośpiechu (szczególnie dużo teorii jest w rozdziale 11).

Po raz pierwszy spotkałem Treyę latem 1983 roku w domu przyjaciół, w wietrzną noc nad Zatoką San Francisco.

1

Kilka uścisków, kilka snów

Mówiła zawsze, że pokochaliśmy się od pierwszego dotknięcia.

Minęło trzydzieści sześć lat, nim wreszcie połączyłam się z „mężczyzną moich marzeń", tak bliskim ideału, jak tylko jest to w dzisiejszych czasach możliwe – niesamowicie bliskim. Kiedy już przyzwyczaiłam się do jego ogolonej głowy, to znaczy...

W wieku, kiedy dziewczęta marzą o takich sprawach, gdy dorastałam w południowym Teksasie, nigdy nie wyobrażałam sobie, że wyjdę za mierzącego sześć stóp i cztery cale filozofa-psychologa-transcendentalistę, wyglądającego na przybysza z jakiejś odległej planety. Jedyny w swoim rodzaju zestaw cech osobowości, niezwykła kombinacja: wyjątkowo dobre serce i błyskotliwy, ostry intelekt. Wyglądało to inaczej niż we wszystkich moich poprzednich doświadczeniach z mężczyznami: ci ciepli i wrażliwi nigdy nie byli bystrzy, a bystrzy zdecydowanie nie byli wrażliwi. Zawsze pragnęłam połączenia obu tych cech.

Spotkaliśmy się 3 sierpnia 1983 roku. Dwa tygodnie później postanowiliśmy się pobrać. Tak... to się stało szybko. Ale w jakiś sposób zdawaliśmy się wiedzieć niemal natychmiast, że jesteśmy sobie przeznaczeni. Ostatecznie przecież całe lata chodziłam na randki i byłam w tylu bardzo dobrych związkach, ale choć już miałam trzydzieści sześć lat, nigdy przedtem nie spotkałam kogoś takiego, kto sprawiłby, żebym pomyślała o małżeństwie. Może się bałam albo byłam nastawiona zbyt perfekcyjnie czy nazbyt idealistycznie, lub po prostu byłam beznadziejnie neurotyczna.

Nieraz przez jakiś czas zastanawiałam się nad sobą (i martwiłam), po czym zwykle uspokajałam się, akceptując swoją sytuację. Potem coś się wydarzało – i znowu zaczynałam mieć do siebie zastrzeżenia. Najczęściej było to zdarzenie, które budziło we mnie wątpliwości, czy jestem „normalna". Inni zakochiwali się, żenili, byli z kimś.

Przypuszczam, że każdemu jakąś częścią siebie zależy, żeby być „normalnym", akceptowanym. Pamiętam, że jako dziecko nigdy nie chciałam zwracać na siebie uwagi i dlatego starałam się nie zachowywać inaczej niż moi rówieśnicy. A jednak skończyło się tak, że żyję obecnie w sposób, którego nie da się uznać za normalny. Zaczęło się od zwyczajnej nauki w jednym z siedmiu siostrzanych college'ów.* Potem rok pracy nauczycielskiej i magisterium z literatury angielskiej. Ale nagle nastąpiło gwałtowne zejście z tej zwyczajnej drogi – rzuciłam się z pasją w problemy środowiska naturalnego i wyjechałam w góry Kolorado. Tam – praca związana z ochroną przyrody, narty, dorywcze zajęcia, żeby zarobić na utrzymanie, prowadzenie nauki jazdy na nartach. I jeszcze jedna nieoczekiwana zmiana kierunku. Pod wpływem tęsknoty za czymś, czego nie potrafiłabym opisać, wyruszyłam w podróż rowerem po Szkocji. Kiedy przejeżdżałam przez Findhorn, trafiłam do duchowej wspólnoty na wschód od Inverness. Znalazłam odpowiedź – przynajmniej częściową – na moją tęsknotę. Zostałam tam przez trzy lata. Zrozumiałam, że owa tęsknota wyraża głęboką potrzebę duchową i na-

* Siedem żeńskich college'ów na wschodzie Stanów Zjednoczonych, odpowiedników siedmiu najbardziej prestiżowych college'ów męskich (przyp. tłum.).

uczyłam się wielu sposobów pielęgnowania jej. Uporczywe wezwanie dobywające się z wnętrza człowieka. Opuściłam wspólnotę tylko dlatego, że przyjaciele poprosili, bym pomogła w tworzeniu innego niekonwencjonalnego ośrodka w okolicy Aspen w Kolorado; miał się nazywać Windstar. Spodziewałam się, że miejsce to będzie sprzyjało zarówno moim poszukiwaniom duchowym, jak i realizacji zainteresowań związanych ze środowiskiem naturalnym. Stamtąd wyruszyłam na studia doktoranckie w California Institute of Integral Studies, znowu niekonwencjonalne – poświęcone głównie interdyscyplinarnym badaniom relacji kultur Wschodu i Zachodu oraz filozofii transcendentalnej i psychologii transpersonalnej.

To tam pierwszy raz zetknęłam się z pracami Kena Wilbera, przez wielu uważanego za czołowego teoretyka psychologii transpersonalnej – nowej dziedziny, która poza obszarem studiów psychologii klasycznej zajmuje się psychologicznymi aspektami doświadczeń duchowych. Już wtedy mówiono o nim: „długo oczekiwany Einstein badań nad świadomością", „geniusz naszych czasów". Uwielbiałam jego książki. Rzucały światło na wiele problemów, które nie dawały mi spokoju. Były pisane z odświeżającą, inspirującą prostotą. Pamiętam, że podobało mi się zdjęcie na odwrocie *A Sociable God.* Przedstawiało eleganckiego mężczyznę z ogoloną głową, o silnym, skoncentrowanym spojrzeniu, wzmocnionym dodatkowo przez okulary; w tle widać było ścianę z książek.

Latem 1983 roku pojechałam na Doroczną Konferencję Psychologii Transpersonalnej. Słyszałam, że uczestniczy w niej słynny Ken Wilber, choć w programie nie było jego wystąpienia. Widziałam go kilka razy z daleka – trudno nie zauważyć łysielca o wzroście sześciu stóp i czterech cali, otoczonego przez wielbicieli. Raz natknęłam się na niego, gdy był sam, siedział rozparty niedbale na kanapie; wyglądał samotnie. Nie myślałam o nim więcej, przynajmniej do czasu, kiedy kilka tygodni później zadzwoniła Frances Vaughan – znajoma, jedna z uczestniczek grupy, z którą podróżowałam po Indiach – zapraszając mnie na kolację z Kenem.

Nie mogłem uwierzyć, że w końcu znalazła się osoba, co do której Frances i Roger zgadzali się ze sobą: Terry Killam. Bardzo piękna, niezwykle inteligentna, ma wspaniałe poczucie humoru, cudowne ciało, medytuje, jest nadzwyczaj popularna. Wszystko to brzmiało zbyt pięknie, żeby mogło być prawdziwe. Jeżeli jest taka wspaniała, to dlaczego nie ma nikogo? Byłem sceptyczny. Tego mi trzeba. Jeszcze jedna randka, z której nic nie wynika – myślałem, kiedy do niej dzwoniłem. Nie znosiłem całej tej rutyny chodzenia ze sobą. I oto znowu miałem się poddać owemu nieprzyjemnemu zabiegowi. Czy to jest takie złe – umrzeć w samotności, nędznie i żałośnie?

Mieszkałem z Frances Vaughan i Rogerem Walshem w ich uroczym domu w Tiburon przez większą część roku. Miałem do dyspozycji pokój na dole. Frances to naprawdę ktoś; była przewodnicząca Stowarzyszenia na rzecz Psychologii Transpersonalnej, niebawem – przewodnicząca Stowarzyszenia na rzecz Psychologii Humanistycznej, autorka wielu książek, z których najbardziej godną uwagi jest *The Inward Arc.* Nie wspomnę już o jej urodzie; chociaż miała jakieś czterdzieści pięć lat, wyglądała o dziesięć młodziej. Roger pochodził z Australii. Mieszkał w Stanach od dwudziestu lat. Prowadził zajęcia na Uniwersytecie Kalifornijskim w Irvine. Wykładał tam od poniedziałku, a w piątek wsiadał do samolotu, żeby weekend spędzić z Frances. Roger, który w Australii uzyskał odpowiednik naszego M.D. i Ph.D., również napisał kilka książek, a także wspólnie z Frances wydał najpopularniejsze i najlepsze wprowadzenie do psychologii transpersonalnej – *Beyond Ego.* Żywiłem do Rogera prawdziwie braterskie uczucia – coś, co nigdy wcześniej mi się nie zdarzyło. I tak osiedliśmy wszyscy jak mała, kochająca się rodzinka w domu przy ulicy Rajskiej.

Brakowało tylko jednej osoby – oczywiście partnerki dla mnie. Frances i Roger z troską rozglądali się za kobietą, która by się nadała. Sytuacja stale się powtarzała – Frances wychodziła z jakąś propozycją, co Roger komentował: „Ona nie jest przesadnie ładna, ale w końcu o tobie – zwracał się do mnie – też nie można tego powiedzieć". Kiedy indziej Roger wynajdywał kolejną kandydatkę, na co Frances mówiła na przykład: „Ona nie jest zbyt bystra, ale przecież ty też nie jesteś". O ile pamiętam, Roger i Frances nie zgadzali się co do żadnej kobiety, z którą miałbym się ewentualnie umówić.

Ciągnęły się te podchody przez rok, aż pewnego dnia wpadł do mnie Roger: „Sam w to nie wierzę, ale znalazłem doskonałą kobietę dla ciebie. Zupełnie nie rozumiem, dlaczego wcześniej o niej nie pomyślałem. Nazywa się Terry Killam". Oczywiście – powiedziałem do siebie – już to przerabialiśmy, tym razem chyba sobie daruję.

Trzy dni później przychodzi Frances: „To niesłychane, mam doskonałą kobietę dla ciebie. Nie wiem, jak to się stało, że nie pomyślałam o niej wcześniej. Nazywa się Terry Killam".

Jakby mi ktoś dał po głowie. Frances i Roger zgadzają się co do tej samej osoby. I w dodatku oboje są pełni entuzjazmu. To musi być – pomyślałem – kobieta piękna i odpowiadająca mojej duszy. Spojrzałem na Frances nieco żartobliwie i oświadczyłem: „Ożenię się z nią".

Nasze pierwsze spotkanie było niezwykłe. Udało się wreszcie znaleźć wieczór, który oboje mieliśmy wolny, i odbyła się kolacja u wspólnego przyjaciela i jego partnerki – mojej koleżanki szkolnej, która kiedyś była dziewczyną Kena. Przyjmowałam klientów do późna, więc gdy przyszłam, było po dziewiątej. Ledwo zdołaliśmy się z Kenem przywitać, a już nasi gospodarze zaczęli mówić o najtrudniejszych problemach ich związku. Poprosili Kena, aby na ten wieczór został terapeutą i pomógł im rozmawiać ze sobą. Tak minęły trzy godziny. Możecie się domyślić, że chcieliśmy z Kenem spędzić ten czas inaczej. A jednak on całkowicie się zaangażował i był w pełni obecny i uważny, wspaniale pracując nad ich niezwykle głębokimi i trudnymi problemami.

Prawie się do siebie nie odezwaliśmy – nie było okazji! Większość czasu spędziłam, usiłując przyzwyczaić się do jego ogolonej głowy, która wprawiała mnie w zakłopotanie. Bardzo podobała mi się z przodu, ale z boku... musiałabym wykazać nieco dobrej woli, żeby się oswoić z takim profilem. Natomiast wielkie wrażenie wywarło na mnie to, jak pracował – łagodny, wrażliwy i pełen współczucia, szczególnie kiedy rozmowa skupiła się na niej, na cierpieniu, jakiego doświadczała w tym związku, a zwłaszcza gdy mówiła, jak bardzo pragnie dziecka.

W pewnej chwili, kiedy wszyscy poszliśmy do kuchni na herbatę, Ken objął mnie ramieniem. Nie czułam się swobodnie, ponieważ prawie go nie znałam, ale powoli wyciągnęłam rękę i zrobiłam to samo. Potem – coś mnie popchnęło – objęłam go też drugą ręką. Zamknęłam oczy. Nie jestem w stanie opisać tego, co poczułam. Ciepło, jakby zlewanie się, poczucie, że pasujemy do siebie, przenikamy się wzajemnie, łączymy w jedno. Pozwoliłam sobie przez chwilę płynąć z tym uczuciem, po czym zaskoczona otworzyłam oczy. Moja przyjaciółka patrzyła na mnie. Zastanawiałam się, czy coś zauważyła, czy mogłaby powiedzieć, co się stało.

Co się stało? Jakbyśmy się wzajemnie rozpoznali, rozpoznali poza teraźniejszym światem. To nie miało nic wspólnego z ilością słów, które zamieniliśmy. Było to niesamowite, jak nawiedzenie przez zjawę. Uczucie, które może się zdarzyć tylko raz w życiu.

O czwartej nad ranem postanowiłam wracać do domu. Ken zatrzymał mnie, zanim wsiadłam do samochodu. Powiedział, że to bardzo dziwne, ale czuje, jakby nie chciał pozwolić, bym kiedykolwiek odeszła. Dokładnie tak samo było ze mną – jak gdybym niemal mistycznie należała do jego ramion.

Tej nocy śnił mi się Ken: wyjeżdżałam z miasta przez most Golden Gate, jak poprzedniego wieczora, ale jechałam mostem, którego w rzeczywistości nie było. Ken podążał za mną innym samochodem i wkrótce miało dojść do rendez-vous. Most prowadził do magicznego miasta, które było prawie realne, ale miało w sobie coś ulotnego, co zdawało się przydawać mu znaczenia, ważności, a przede wszystkim piękna.

Miłość od pierwszego dotknięcia. Nie wymieniliśmy z sobą nawet pięciu słów. I z tego, jak patrzyła na moją ogoloną głowę, wiedziałem, że nie miała to być miłość od pierwszego wejrzenia. Treya bardzo mi się podobała, jak prawie wszystkim, ale właściwie zupełnie jej nie znałem. A jednak, kiedy objąłem ją, czułem, że znika wszelka odrębność i dystans; jakbyśmy się łączyli ze sobą – takie miałem wrażenie. Jakbyśmy – ona i ja – spędzili razem całe życie. Wszystko wydawało się bardzo rzeczywiste i oczywiste, ale nie wiedziałem, co z tym zrobić. A ponieważ nawet jeszcze z sobą nie rozmawialiśmy, nie zdawaliśmy sobie sprawy, że każde z nas przeżywa to samo. Myślałem, pamiętam: „O rany! Jest czwarta, siedzę w kuchni najlepszego przyjaciela i ledwie dotykając kobiety, której nigdy przedtem nie spotkałem, doświadczam czegoś niesamowicie mistycznego. Trudno to wytłumaczyć...".

Tej nocy nie mogłem spać. Wciąż stał mi przed oczami obraz Trei. Była doprawdy piękna. Ale na czym dokładnie to polegało? Zdawało się, że promieniuje z niej jakaś energia; bardzo spokojna i kojąca, ale także niezwykle silna, pełna mocy; bardzo inteligentna, przesycona wyjątkowym pięknem, ale przede wszystkim żywa. Ta kobieta uosabiała ŻYCIE w o wiele większym stopniu niż wszyscy ludzie, których spotkałem. Sposób, w jaki się poruszała, w jaki trzymała głowę, przychylny uśmiech goszczący na jej twarzy – najbardziej otwartej i szczerej, jaką widziałem. Boże, ona była żywa!

Jej oczy patrzyły nie tylko na wszystko, ale i na wskroś wszystkiego. Nie chodzi o to, że miała przenikliwe spojrzenie. Takie określenie sugeruje agresję. Tymczasem ona po prostu zdawała się widzieć rzeczy na wskroś i jednocześnie całkowicie akceptować to, co widzi; rodzaj łagodnego i współczującego prześwietlenia. Oczy oddane prawdzie – ostatecznie przystałem na takie określenie. Kiedy patrzyła na ciebie, wiedziałeś z całą pewnością, że nigdy by cię nie okłamała. Ufałeś jej natychmiast. Każdy najmniejszy jej gest, cały sposób bycia wyrażał prawość i niezwykły klimat jej osobowości. Robiła wrażenie najbardziej pewnej siebie ze wszystkich znanych mi osób, ale nie było w tym ani trochę dumy czy chełpliwości. Zastanawiałem się, czy zdarzyło jej się kiedyś pogubić; trudno było sobie to wyobrazić. A jednak spoza wręcz onieśmielającej solidności charakteru wyglądały żywe oczy, niezwykle uważne, ale nie surowe, lecz raczej skłonne do zabawy. Ta kobieta – myślałem – jest gotowa na wszystko, nie sądzę, by mogła zrezygnować z czegoś ze strachu. Otaczało ją coś, co sprawiało wrażenie lekkości; gdyby zechciała, mogłaby wyzwolić się z siły ciążenia i poszybować do samych gwiazd.

Dobiłem do brzegu. Przebudziłem się z uczuciem, że ją odnalazłem. Ta myśl nieustannie powracała: odnalazłem ją.

Tego rana Treya napisała wiersz.

Uroczy wczorajszy wieczór, obficie zakrapiany brandy,
Rozmowa przerywana napełnianiem kieliszków,
parzeniem kawy,
jakby menuet słów i drobnych czynności
splecionych z delikatnym sondowaniem i głęboką troską,
kiedy on pomagał im zrozumieć się nawzajem.
Łagodność, miękkość, gotowość wsparcia
pytaniami, których zwykle się unika,
wchodzenie głębiej,
jak płukanie piasku w poszukiwaniu złota prawdy,
odrobina cennego proszku, małe kamyczki,
zagłębianie się dalej w poszukiwaniu macierzystego złoża,
i znajdowanie go wreszcie.
Jakże on ładnie prowadził tę rozmowę, jak uważnie i cierpliwie;
badanie, zagłębianie się, troska,
i to wzruszające rozwiązanie, miękkość w powietrzu, między
nami wszystkimi.
Pamiętam i czuję teraz, że moje serce się otwiera,
jak otworzyło się wczorajszego wieczoru.
Być dotkniętą,
tak jak on mnie dotknął,
najpierw słowami, pokazaniem siebie,
miękką głębią brązowych oczu,
i potem swobodne stopienie się naszych ciał;
coś się wtedy wydarzyło –

> zamknęłam oczy, żeby poczuć – poza słowami,
> namacalne, rzeczywiste, nawet jeśli prawie nie do wyrażenia.
> Czuję moje otwarte serce,
> ufam mu bardziej
> niż całemu światu.

Kiedy już leżałem w łóżku, poczułem przepływ następujących po sobie strumieni subtelnej energii, przypominających *kundalini,* którą religie Wschodu uważają za energię przebudzenia duchowego, pozostającą zwykle w uśpieniu do czasu, gdy obudzi się pod wpływem właściwej osoby lub wydarzenia. Doświadczałem podobnych przepływów wcześniej – medytowałem od piętnastu lat, a subtelne energie pojawiają się często podczas medytacji – jednak nigdy przedtem nie były tak charakterystyczne. Niewiarygodne – w tym samym czasie to samo przeżywała Treya.

> Fascynujące doznania podczas leżenia w łóżku tego ranka. Odczucie malutkich fal wibracji, bardzo wyraźnych. Szczególne doznania w ramionach i nogach, ale zwłaszcza w dolnej części tułowia. Co się dzieje? Skąd pochodzi? Coś puściło? Rozpuszczają się długo trzymane napięcia z przeszłości?
>
> Skupiłam się na sercu. Myślałam o wczorajszym spotkaniu z Kenem i bardzo, bardzo jasno czułam, jak otwiera się moje serce. Zdumiewająco silna fala wypływająca z serca – w dół, ku środkowi ciała i potem w górę, w stronę wierzchołka głowy. Doznanie tak przyjemne i błogie, że aż prawie bolesne, jak ból, tęsknota, sięganie całym sobą, chcenie, pragnienie, otwartość, podatność na zranienie. Prawdopodobnie tak bym się czuła, gdybym się nie chroniła, gdybym porzuciła obronę; cudowne uczucie, uwielbiam je, jakże realne i żywe, pełne energii i ciepła. Szarpnięcie. Moja dusza ożywa.

Żeby nie było wątpliwości – nie spaliśmy ze sobą wtedy. Nawet naprawdę nie rozmawialiśmy. Po prostu objęliśmy się – raz w kuchni i jeszcze wkrótce potem, tuż przedtem, zanim odjechała. Odbyliśmy piętnastominutową rozmowę. Nic więcej, a przecież oboje byliśmy wstrząśnięci tym, co się działo. To było zbyt silne. Usiłowaliśmy opanować sytuację, jak pijani starający się zachować pozory trzeźwości. Bez większych sukcesów.

Nie widziałam Kena przez następny tydzień. Powiedział, że musi pojechać do Los Angeles i odezwie się po powrocie. W tym czasie śnił mi się jeszcze dwa razy. Gdzieś głęboko wewnątrz wiedziałam, że nasze spotkanie było znaczące, że było bardzo ważne, ale na poziomie świadomości próbowałam je zlekceważyć. Mogłam przecież coś sobie wyobrażać, budować zamki na lodzie, poza tym już tyle razy w przeszłości rozczarowałam się. I o co właściwie chodzi? Kilka uścisków, kilka snów.

Kiedy wreszcie tydzień później poszliśmy na pierwszą prawdziwą randkę, przez całą kolację Ken mówił o dziewczynie, do której pojechał do Los Angeles. Wstydzi się, gdy mu o tym przypominam, ale wtedy odpowiadało mi to i bawiło. Okazało się, że mówił o kimś innym po to, żeby ukryć swoje uczucia. Odtąd już byliśmy razem. Jeśli zdarzało nam się spędzać jakiś czas osobno, to zawsze wiadomo było, co drugie robi. Nie lubiliśmy się rozstawać. Kiedy byliśmy razem, lubiliśmy być blisko, dotykając się. Czułam się tak, jakbym go od dawna pragnęła nie tylko fizycznie, ale także uczuciowo i duchowo. Jedyny sposób, aby zacząć zaspokajać to pragnienie, to być razem tak bardzo, jak to możliwe. Syciłam się nim na wszystkich poziomach istnienia.

Pewnego uroczego, wrześniowego wieczoru piliśmy wino na drewnianym tarasie mojego domu w Muir Beach, pośród zapachu oceanu i eukaliptusów, serenady odgłosów letniego wieczoru, wiatru w drzewach, szczekania psa w oddali, fal daleko w dole rozbijających się o plażę. Jakoś udawało nam się pić, mimo że byliśmy całkowicie spleceni ramionami – nie byle jaka sztuka! Po kilku chwilach ciszy Ken zapytał: „Czy kiedykolwiek przytrafiło ci się coś podobnego?". „Nie, nigdy nic takiego jak to". Zaczęliśmy się śmiać. „To większe niż nas dwóch, pielgrzymie" – powiedział Ken, naśladując Johna Wayne'a.

Myślałam o nim obsesyjnie. Uwielbiałam sposób, w jaki chodzi, mówi, porusza się, ubiera – wszystko. Stale miałam przed oczyma jego twarz. Z tego powodu zaczęły mi się przytrafiać różne pomyłki i drobne katastrofy. Kiedyś pojechałam do księgarni, żeby kupić którąś z jego książek. Zaparkowałam przy krawężniku. Kiedy wracałam, ruszyłam prosto pod nadjeżdżający samochód dostawczy. A przecież odkąd nauczyłam się prowadzić, nigdy nie miałam wypadku. Innego wieczoru jechałam na spotkanie z Kenem, znowu opętana myślami o nim, nie pamiętając o niczym. Niedaleko wjazdu na Golden Gate skończyła mi się benzyna. Szybko wróciłam na ziemię, ale dotarłam na miejsce bardzo spóźniona.

Oboje czuliśmy się tak, jakbyśmy już wzięli ślub i pozostało jedynie wszystkich powiadomić. Ani razu nie rozmawialiśmy o małżeństwie. Myślę, że zarówno Trei, jak i mnie taka rozmowa nie wydawała się potrzebna. To po prostu miało nastąpić. Zdumiewało mnie, że oboje daliśmy sobie spokój z poszukiwaniem mitycznej „właściwej osoby". Treya od ponad dwóch lat odrzucała wszelkie propozycje randek; pogodziła się z myślą o życiu w pojedynkę. Ze mną było podobnie. I oto oboje jesteśmy pewni, że się pobierzemy, pewni do tego stopnia, iż nie potrzebujemy w ogóle rozmawiać na ten temat.

Chciałem jednak, aby przed dopełnieniem formalności, nim poproszę ją o rękę, poznała mojego drogiego przyjaciela – Sama Berholza. Sam mieszkał w Boulder z żoną Hazel i dziećmi – Sarą i Ivanem (Groźnym). To on był twórcą, a potem prezesem wydawnictwa Shambhala Publications, powszechnie uznawanego za najlepsze w świecie w dziedzinie prac na temat relacji kultur Wschodu i Zachodu, buddyzmu, filozofii ezoterycznej i psychologii. Przebyliśmy z Samem długą drogę. Poza wydawnictwem, które mieściło się wtedy w Boulder, w stanie Kolorado, Sam otworzył w Berkeley niezwykłą i słynną teraz księgarnię – Shambhala Booksellers. Dawniej, w samych początkach istnienia księgarni – miał wtedy dwadzieścia lat – zostawał zwykle do późna w nocy i w suterenie pakował książki, które następnego dnia wysyłał pocztą, odpowiadając na zamówienia z różnych stron kraju. Raz na miesiąc przyjmował wielkie zamówienie od jakiegoś chłopaka z Lincoln w stanie Nebraska. Myślał wtedy: „Jeżeli on rzeczywiście czyta te wszystkie książki, to jeszcze o nim usłyszymy".

A ja je naprawdę czytałem. Miałem dwadzieścia dwa lata i byłem w samym środku studiów magisterskich z biochemii. Początkowo chciałem zostać lekarzem. Wstąpiłem na Duke University w Durham, w Karolinie Północnej, na wydział przygotowujący do studiów medycznych. Po dwóch latach doszedłem jednak do wniosku, że zawód lekarza nie zaspokaja dostatecznie mojego intelektualnego apetytu; jest zbyt mało twórczy. Trzeba po prostu uczyć się na pamięć faktów i zbierać informacje. Później całą tę wiedzę dosyć mechanicznie wypróbowuje się na wdzięcznych i niczego nie podejrzewających pacjentach. Praca hydraulika w uszlachetnionym wydaniu. Zdałem sobie również sprawę, iż nie odpowiada mi podejście medycyny do człowieka. Opuściłem uniwersytet i wróciłem do domu (ojciec pracował w lotnictwie wojskowym i stacjonował razem z mamą w bazie Offut tuż za Omaha, w stanie Nebraska). Następnie zrobiłem dwie specjalizacje – z chemii i z biologii – po czym rozpocząłem studia magisterskie z biochemii w University of Nebraska w Lincoln. Biochemia była twórcza; mogłem przynajmniej robić badania, które dostarczały nowych danych, mogłem coś odkrywać, formułować nowe idee i teorie, a nie zaledwie stosować to, czego mnie nauczono.

Niemniej, chociaż uzyskałem magisterium z wyróżnieniem, moje serce nie należało do biochemii. Właściwie nauka nie zadawała sobie pytań, które dla mnie stawały się najważniejsze, głupich pytań: „Kim jestem? Jaki sens ma życie? Dlaczego jestem tutaj?".

Tak jak Treya poszukiwałem czegoś, czego w nauce znaleźć nie można. Z zapamiętaniem zacząłem badać wielkie światowe religie, systemy filozoficzne i psychologiczne Wschodu i Zachodu.

Czytałem dwie, trzy książki dziennie. Ograniczyłem liczbę zajęć z biochemii i zmieniłem program prac laboratoryjnych tak, aby zajmowały mniej czasu (polegały one wtedy na niewątpliwie odrażającym zadaniu krojenia setek krowich gałek ocznych w ramach badań nad siatkówką). Moje „zbłąkane zainteresowania" bardzo martwiły profesorów, którzy obawiali się, że wdałem się w coś niedobrego, to znaczy nienaukowego. Pewnego razu, kiedy w programie był mój wykład z biochemii dla studentów i wykładowców, zamiast mówić o czymś tak fascynującym jak „fotoizomeryzacja rodopsyny wyizolowanej z zewnętrznych segmentów pręcików oka wołu", wygłosiłem dwugodzinny wykład zuchwale zatytułowany: „Czym jest rzeczywistość i jak ją poznajemy?" – zjadliwy atak na nieadekwatność naukowej metodologii empirycznej. Zebrani słuchali bardzo uważnie, zadawali inteligentne i przemyślane pytania, świadczące o doskonałym rozumieniu moich tez. A na koniec z tylnych rzędów rozległ się wypowiedziany szeptem, ale świetnie słyszalny komentarz, który streszczał uczucia wszystkich: „Ufff... z powrotem do rzeczywistości".

To było naprawdę komiczne; wybuchnęliśmy śmiechem. Smutne jednak, że „rzeczywistość" znaczyła naturalnie empiryczną rzeczywistość naukową, czyli w gruncie rzeczy wyłącznie to, co podlega percepcji ludzkich zmysłów lub ich przedłużenia w postaci mikroskopu, teleskopu, płyt fotograficznych i tak dalej. Poza tym wąskim światem wszystko, co mogłoby dotyczyć duszy człowieka, Ducha, Boga czy wieczności, moi koledzy uznawali za nienaukowe, zatem nierzeczywiste. Całe życie poświęciłem nauce, żeby uzmysłowić sobie jedynie, iż nauka jest – nie zła, ale bardzo ograniczona, a obszar jej zainteresowań niezmiernie wąski. Chociaż istota ludzka składa się z materii, ciała, umysłu, duszy i ducha, nauka szczodrze zajmuje się materią i ciałem, skąpo umysłem, a duszą i duchem wcale.

Nie zależało mi, żeby wiedzieć więcej o materii i ciele, dławiłem się już prawdami na ich temat. Chciałem poznać umysł, a szczególnie duszę i ducha. Chciałem odnaleźć sens w bezładnej mieszaninie faktów, którymi dotąd się karmiłem.

Robiłem więc użytek z katalogu zamówień pocztowych Shambhala Booksellers. Zrezygnowałem ze studium doktoranckiego, okroiłem pracę doktorską do rozmiarów magisterium. Ostatni wyraźny obraz z tego okresu, jaki mam w pamięci, to przerażenie na twarzach moich profesorów, kiedy powiedziałem, że planuję napisać książkę na temat świadomości, filozofii, duszy i istoty wszystkiego.

Zacząłem zmywać naczynia, żeby mieć pieniądze na czynsz za wynajęte mieszkanie. Zarabiałem trzysta pięćdziesiąt dolarów miesięcznie, z czego sto wysyłałem do Shambhala z zamówieniami kolejnych tytułów.

Rzeczywiście napisałem książkę. Nazywała się *The Spectrum of Consciousness*. Miałem dwadzieścia trzy lata. Udało się, recenzje były entuzjastyczne. Właśnie pozytywny odbiór *Spectrum* pomógł mi wytrwać. Przez następne pięć lat sprzątałem ze stołów, zmywałem naczynia, pracowałem w sklepie spożywczym i napisałem pięć kolejnych książek.* Wszystkie odnosiły wspaniałe sukcesy. Byłem zadowolony. Już prawie dziesięć lat praktykowałem medytację zen. Miałem za sobą dziewięć lat szczęśliwego małżeństwa i szczęśliwy rozwód (przyjaźnimy się po dziś dzień).

W 1981 roku przeniosłem się do Cambridge w stanie Massachusetts z zamiarem ratowania „ReVISION Journal". Założyliśmy to czasopismo trzy lata wcześniej wspólnie z Jackiem Crittendenem. Pod wieloma względami „ReVISION" było znakomite, głównie dzięki wnikliwości, intuicji i zaraźliwemu zapałowi Jacka. W czasach, kiedy filozofia ponadkulturowa i badania interdyscyplinarne nie były poważnie traktowane, „ReVISION" stanowiło drogowskaz dla wielu intelektualistów i uczonych interesujących się relacjami kultur Wschodu i Zachodu oraz badaniami punktów stycznych nauki i religii. Jako pierwsi opublikowaliśmy obszerne artykuły na temat paradygmatu holograficznego, korzystając ze współpracy Karla Pribrama, Davida Bohma, Fritjofa Capry i innych osób. Wydałem później te teksty w formie książki *The Holographic Paradigm: Exploring the Leading Edge of Science.*

Niewiarygodne – całe „ReVISION" było imprezą dwuosobową. Ja, pozostając w Lincoln, organizowałem, wybierałem i opracowywałem materiały, a Jack w Cambridge robił całą resztę – od redakcji, wpisywania w komputer, łamania i składu po drukowanie

---

* *No Boundary: Eastern and Western Approaches to Personal Growth*; *The Atman Project: A Transpersonal View of Human Development*; *A Sociable God: A Brief Introduction to a Transcendental Sociology*; *Up from Eden: A Transpersonal View of Human Evolution*; *Eye to Eye: The Quest for the New Paradigm.*

i rozsyłanie gotowych egzemplarzy. W końcu zatrudnił niezwykle inteligentną, a zarazem przepiękną kobietę do prowadzenia działu subskrypcji, po czym natychmiast poślubił ów dział subskrypcji, który z kolei niezwłocznie zaszedł w ciążę. Jack musiał zostawić „ReVISION" i wziąć się za prawdziwą pracę. W ten sposób znalazłem się w drodze do Cambridge.

Właśnie w Cambridge wreszcie osobiście poznałem Sama. Polubiliśmy się od razu. Potężny, brodaty mężczyzna, geniusz biznesu, człowiek o niezwykle otwartym i wszechstronnym umyśle i jednocześnie gorącym sercu; przypominał mi wielkiego, pluszowego misia. Przyjechał wówczas, żeby zorientować się w możliwościach przeniesienia wydawnictwa Shambhala do Bostonu, co w jakiś czas później uczynił.

Ale jeszcze przed końcem roku miałem dosyć Cambridge. Przyjaciele myśleli, że pokocham to miasto ze względu na intelektualną stymulację, jakiej miało rzekomo dostarczać tamtejsze środowisko uniwersyteckie. Czułem jednak nie tyle stymulację, co irytację. Zgrzytanie zębów zdawano się tam brać za myślenie. „ReVISION" zostało ostatecznie uratowane – przejęte przez Heldreff Publications. Mogłem opuścić Cambridge. Udałem się do San Francisco, dokładniej do Tiburon, gdzie zamieszkałem u Frances i Rogera, którzy rok później przedstawili mnie Trei.

Sam był wtedy z rodziną w Boulder. Zanim zaproponowałem Trei małżeństwo, chciałem, aby ona i Sam sprawdzili się nawzajem. Dlatego w drodze do Aspen, gdzie mieliśmy odwiedzić rodzinę Trei, zatrzymaliśmy się w Boulder. Po pięciu minutach rozmowy z Treyą Sam odciągnął mnie na bok i powiedział: „Nie tylko aprobuję, ale nawet obawiam się, iż ten związek może się mniej opłacać jej niż tobie".

Wieczorem, na chodniku przed restauracją Rudiego na Pearl Street w Boulder, poprosiłem Treyę o rękę. Odpowiedziała tylko: „Gdybyś mnie nie poprosił, to sama miałam to zrobić".

Już wcześniej zaplanowałam odwiedziny u rodziców w Aspen, w Kolorado. Chociaż znaliśmy się z Kenem niecałe dwa tygodnie, bardzo chciałam, żeby się z nimi spotkał. Wymyśliliśmy wszystko tak, aby mógł połączyć podróż w sprawach zawodowych do wydawnictwa Shambhala w Boulder z wizytą w Aspen. Poleciałam pierwsza i, porzuciwszy wszelką ostrożność, spędziłam trzy dni, opowiadając rodzicom i przyjaciołom, jak wspaniały, niezwykły i kochany jest Ken. Nie obchodziło mnie, co sobie pomyślą, chociaż nigdy w życiu nie mówiłam z zachwytem o żadnym mężczyźnie, a od ponad dwóch lat nawet z nikim nie chodziłam. Z jakiegoś powodu nie bałam się, że wyjdę na idiotkę; byłam pewna swoich uczuć. Wielu przyjaciół znało mnie dobrze od ponad dziesięciu lat i byli na ogół przeświadczeni, że nie wyjdę za mąż. Mama nie mogła się powstrzymać – po prostu musiała zapytać, czy weźmiemy ślub. A przecież nie wspomniałam o takiej możliwości, a z Kenem nie rozmawialiśmy na ten temat. Cóż miałam zrobić? Musiałam powiedzieć prawdę: „Tak, pobierzemy się".

Kiedy leciałam do Denver spotkać się z Kenem, na lotnisku nagle zaczęłam się okropnie denerwować. Zamówiłam drinka. Nigdy przedtem, czekając na niego, nie byłam tak niespokojna. Nerwowo przyglądałam się wszystkim wychodzącym z samolotu i żywiłam w duchu niezrozumiałą dla siebie nadzieję, że go nie będzie. Kim jest ten wysoki, absolutnie niezwykły mężczyzna z ogoloną głową, na którego czekam? Czy jestem wystarczająco gotowa? Nie, nie byłam jeszcze gotowa.

Nie przyleciał. Miałam więc czas, żeby jeszcze raz wszystko przemyśleć. Ale lęk przed jego przybyciem, ulga, że nie przyleciał, zmieniły się w rozczarowanie i prawie panikę, że go nie będzie. A jeśli jest wytworem moich snów? A jeśli istnieje naprawdę, ale został w Los Angeles ze swoją byłą dziewczyną? A jeśli... Teraz bardzo mocno zapragnęłam go zobaczyć.

I oto pojawił się; przyleciał następnym samolotem. Ktoś, kogo nie można z nikim pomylić, nie można nie zauważyć. Gdy witaliśmy się, byłam pełna zachwytu, ale czułam też zdenerwowanie i skrępowanie. Nadal czułam się skrępowana uwagą, jaką budziła specyficzna uroda Kena.

Kilka dni spędziliśmy z jego przyjaciółmi w Boulder. Ponieważ prawie ciągle dotykaliśmy się, zarówno gdy byliśmy sami, jak i wśród ludzi, zaczęłam się zastanawiać, co myślą o mnie ci przyjaciele. Kiedyś wieczorem, kiedy staliśmy przed restauracją, w której mieliśmy zjeść kolację z Samem i Hazel, zapytałam Kena, co mówił Samowi na mój temat. Wziął mnie za ręce, popatrzył wielkimi brązowymi oczami i powiedział: „Jeżeli mnie zechce, to ożenię się z nią". Zareagowałam bez chwili zastanowienia czy wahania: „Oczywiście". Pomyślałam, a może powiedziałam: „Miałam zamiar ci to zaproponować". Poszliśmy wszyscy uczcić szampanem nasze wzajemne oświadczyny – zaledwie w dziesięć dni po pierwszej randce. Był uroczy, wietrzny wieczór późnego lata; świeży, jasny, naładowany energią. Czułam obecność Colorado Rockies, majaczących za nami w oddali, udzielających nam błogosławieństwa świadków naszego przyrzeczenia. Moje ulubione góry. Wymarzony mężczyzna. Byłam nieprzytomna ze szczęścia.

Kilka dni później pojechaliśmy do Aspen, gdzie spędziłam dziesięć lat życia. Rodzice pokochali Kena. Pokochali go mój brat i bratowa. Pokochali go wszyscy moi przyjaciele. Siostra zadzwoniła, żeby mi pogratulować. Druga dzwoniła zaniepokojona – chciała zadać kilka pytań, które jej zdaniem miały wykazać, czy moje uczucie jest poważne: egzamin zdałam.

Spacerowaliśmy z Kenem ścieżką, którą uwielbiałam – w górę Conundrum Creek, idealnej polodowcowej doliny o pięknie rzeźbionych stokach, gęsto porośniętych pełnymi wdzięku osikami i potężnymi drzewami zimozielonymi, ze skalistymi wybierzyskami prowadzącymi ku rozbudowanym graniom, ostro wrzynającym się w krystaliczne, intensywnie niebieskie niebo. W przeszłości wiele razy chodziłam i biegałam tą ścieżką. Zawsze, kiedy chciałam poczuć się dobrze i spokojnie, przypominałam sobie obraz doliny. I oto znaleźliśmy się tu oboje; kojące mruczenie strumyka, przypadkowy koliber przecinający powietrze, delikatny szelest osikowych liści, wonne indiańskie krzewy, goryczki, astry, dziki pasternak i orliki, porozrzucane dokoła przepiękne orliki. Chcieliśmy spędzić ten wieczór spokojnie we dwoje. Schroniliśmy się w małym domku w osikowym lesie. Można by pomyśleć, że zbudowały go gnomy albo elfy. Jedną ścianę stanowił czerwonawy głaz porośnięty mchem, naroża tworzyły żywe osiki, a pozostałe ściany zrobione były z grubo ciosanych osikowych pni. Chatynka ginęła w zaroślach, wtapiając się w tło, tak że łatwo było przejść obok i nie zauważyć jej. Wiewiórki ziemne czuły się tu jak w domu. Rozmawialiśmy z Kenem o naszej przyszłości, a potem szczęśliwi zasnęliśmy, zanurzeni w swoich ramionach.

Jesteśmy sami. Siedzimy przy kominku – ogień bucha, zmagając się z chłodem i ciemnością nocy, nie ma prądu, znowu coś się popsuło w domowej elektryczności.

– Tam, na twoim lewym ramieniu, Ken. Widzisz?

– Czy widzę? Nie, nie widzę. Co mam widzieć?

– Śmierć. Jest tam, na twoim lewym ramieniu.

– Mówisz poważnie? Nie, żartujesz. Nie rozumiem.

– Rozmawialiśmy o śmierci, że jest wielkim nauczycielem, i nagle ujrzałam tę ciemną, potężną postać na twoim lewym ramieniu. To śmierć. Jestem pewna.

– Czy często miewasz halucynacje?

– Nie, nigdy. Po prostu zobaczyłam śmierć na twoim lewym ramieniu. Nie wiem, co to znaczy.

Nie mogę się powstrzymać. Patrzę na lewe ramię. Nic nie widzę.

2

Poza fizyką

Data ślubu została ustalona na 26 listopada. Tymczasem zajęliśmy się niezbędnymi przygotowaniami. To znaczy Treya zajęła się niezbędnymi przygotowaniami. Ja pisałem książkę.

Książka ta, *Quantum Questions,* dotyczyła niezwykłego tematu, a mianowicie tego, że właściwie wszyscy wielcy pionierzy nowożytnej fizyki – ludzie tacy jak Einstein, Schrödinger i Heisenberg – byli m i s t y k a m i. Najbardziej wyrafinowana spośród dziedzin wiedzy, fizyka, zderzyła się z najsubtelniejszą z religii, z mistycyzmem. Dlaczego? Co to jest mistycyzm?

Zgromadziłem dzieła Einsteina, Heisenberga, Schrödingera, Louisa de Broglie'a, Maksa Plancka, Nielsa Bohra, Wolfganga Pauliego, sir Arthura Eddingtona i sir Jamesa Jeansa. Geniusz tych ludzi nie podlega dyskusji (wszyscy prócz dwóch byli laureatami Nagrody Nobla). Jak już powiedziałem, zdumiewające jest, że ich stosunek do rzeczywistości nacechowany był głęboką duchowością, mistycyzmem, co na pierwszy rzut oka wydaje się bardzo dziwne.

Istota mistycyzmu polega na tym, że w najgłębszej głębi istnienia człowieka, w samym centrum czystej świadomości każdy – nieskończenie, wiecznie i niezmiennie – zjednoczony jest z Duchem, z Bóstwem, ze Wszystkim. Posłuchajcie Erwina Schrödingera, laureata Nagrody Nobla, współtwórcy nowożytnej mechaniki kwantowej:

„To niemożliwe, aby ta jedność wiedzy, uczuć i wyborów, którą nazywasz s w o j ą w ł a s n ą, nagle z nicości przemieniła się w istnienie, i to tak całkiem niedawno; ta wiedza, uczucia i wybory są wieczne i niezmienialne i są jednym we wszystkich ludziach, a nawet we wszystkich czujących istotach.

„Choć zdaje się to niepojęte, ty – i wszystkie inne istoty obdarzone świadomością – jesteś wszystkim. Dlatego twoje życie nie jest jedynie częścią istnienia, lecz w pewnym sensie jest całością... Oto święta, mistyczna formuła, prosta i jasna: Jam jest na zachodzie i na wschodzie, jam jest na dole i na górze, jestem cały tym światem.

Dlatego możesz upaść, przywrzeć do Matki Ziemi, mając pewność, że jesteś z nią zjednoczony i że ona jest zjednoczona z tobą. Jesteś tak samo trwały, tak samo niezniszczalny jak ona – a nawet tysiąc razy bardziej niż ona trwały i niezniszczalny. Pewne jest, że jutro cię pochłonie, lecz równie pewne jest, że na nowo wyda cię na świat. Nie kiedyś; ona wyda cię na świat teraz, dzisiaj. I nie raz, lecz tysiąc razy, podobnie jak co dzień tysiąc razy cię pochłania. Gdyż wiecznie i zawsze istnieje tylko teraz, jedno i to samo teraz. Jedynie teraźniejszość nigdy się nie kończy".*

Mistycy twierdzą, że gdy wykraczamy poza poczucie oddzielonego ja, poza nasze ograniczone ego, wówczas zamiast Wyższej Tożsamości odkrywamy tożsamość ze Wszystkim, z uniwersalnym Duchem, nieskończonym i wszechobecnym, wiecznym i niezmiennym. Jak ujął to Einstein: „Istota ludzka jest częścią całości, zwanej przez nas «wszechświatem», częścią ograniczoną w czasie i przestrzeni. Doświadcza siebie, swoich myśli i uczuć jako oddzielonych od reszty – jest to coś w rodzaju «optycznego złudzenia» świadomości. To złudzenie jest dla nas rodzajem więzienia, ogranicza nas bowiem do osobistych pragnień i związku uczuciowego z kilkoma najbliższymi osobami. Naszym zadaniem jest wyzwolić się z tego więzienia".

Celem medytacji i kontemplacji – na Zachodzie czy na Wschodzie, w chrześcijaństwie, islamie, buddyzmie czy w hinduizmie – jest wyzwolenie się z tego „optycznego złudzenia", że jesteśmy jedynie odrębnymi ego, oddzielonymi od siebie nawzajem i od wiecznego Ducha. Po wyzwoleniu się z więzienia indywidualizmu odkrywamy, że jesteśmy jednością z Bóstwem i w ten sposób wieczną i nieskończoną jednością z całym stworzeniem. Nie jest

---

* Wszystkie cytaty w tym rozdziale pochodzą z *Quantum Questions*.

to tylko teoria, lecz bezpośrednie doświadczenie, które od niepamiętnych czasów poświadczają identyczne na całym świecie przekazy. Schrödinger napisał: „W środowisku, w którym pewne pojęcia zostały zawężone i sprecyzowane, byłoby zuchwalstwem wyrazić tę konkluzję w sposób tak prosty, jak tego wymaga. W terminologii chrześcijańskiej stwierdzenie: «Jestem zatem Bogiem Wszechmogącym» brzmiałoby i bluźnierczo, i niedorzecznie. Ale zapomnijcie na chwilę o tych konotacjach i rozważcie owo stwierdzenie. Nie jest nowe. W tradycji hinduskiej nie jest bluźnierstwem; określa kwintesencję najgłębszego wglądu w zjawiska świata. Niezależnie od siebie, choć w idealnej zgodzie (na podobieństwo cząstek doskonałego gazu), mistycy od wieków opisują niezwykłe doświadczenia swojego życia słowami, które można ująć w jednym zdaniu: *Deus factus sum* – stałem się Bogiem".

To nie konkretne ego jest Bogiem – daleko mi do takiego myślenia. Chodzi o to, że w najgłębszej części świadomości bezpośrednio dotykam wieczności. I to bezpośrednie dotknięcie, ta mistyczna świadomość tak bardzo zainteresowały fizyków.

W *Quantum Questions* chciałem pokazać, w jaki sposób – i dlaczego – ci wybitni uczeni byli mistykami. Chciałem, by każdy z nich mógł powiedzieć w swoim imieniu, dlaczego „najpiękniejszym uczuciem, jakiego możemy doświadczyć, jest przeżycie mistyczne" (Einstein) i dlaczego „mechanizm wymaga mistyki" (de Broglie), powiedzieć o istnieniu „w umyśle jakiegoś wiecznego Ducha" (Jeans) i o tym, dlaczego „synteza obejmująca zarówno racjonalne zrozumienie, jak i mistyczne doświadczenie jedności jest *mythos* naszych czasów i naszego wieku" (Wolfgang Pauli), powiedzieć wreszcie o najważniejszym związku ze wszystkich, o związku „ludzkiej duszy i boskiego ducha" (Eddington).

Zauważcie, iż nie twierdzę, że nowoczesna fizyka wspiera lub uprawomocnia światopogląd mistyczny. Twierdzę jedynie, że fizycy byli mistykami, a nie, że ich dyscyplina jest wiedzą mistyczną czy duchową, wiodącą do światopoglądu religijnego. Innymi słowy, zupełnie nie zgadzam się z takimi książkami, jak *Tao fizyki* i *Tańczący Mistrzowie Wu Li*, które zawierają stwierdzenia, że nowoczesna fizyka potwierdza albo nawet dowodzi prawdziwości mistycyzmu Wschodu.* Jest to kolosalny błąd. Fizyka jest ograniczona, skończona, względna i cząstkowa, a jej dziedzina obejmuje bardzo ograniczony aspekt rzeczywistości. Nie dotyka na przykład biologii, psychologii, ekonomii, literatury czy historii, podczas gdy mistycyzm zajmuje się nimi, zajmuje się bowiem Całością. Twierdzić, że fizyka udowadnia prawdę mistyczną, to tak, jakby powiedzieć, że ogon dowodzi istnienia psa.

Przykładem niech będzie Jaskinia Platona. Fizyka ukazuje nam obraz cieni na ścianie Jaskini (prawda względna), gdy mistycyzm prowadzi nas bezpośrednio ku Światłu poza nią (prawda absolutna). Można całe życie badać cienie, nigdy nie docierając do Światła.

Żaden z wymienionych przeze mnie fizyków nie uważał, że współczesna fizyka wspiera światopogląd mistyczny czy religijny. Wszyscy natomiast wyrażali przekonanie, że nauka nie może już dłużej zaprzeczać światopoglądowi religijnemu. Nowoczesną fizykę bowiem, w przeciwieństwie do fizyki klasycznej, przenika niezwykła świadomość ograniczonych możliwości, kompletnej niemożności zmierzenia się z ostateczną rzeczywistością. Eddington, również posługując się analogią Platona, mówi: „Uczciwe wyznanie, że fizyka zajmuje się światem cieni, jest jednym z najbardziej znaczących osiągnięć naszych czasów".

Uznaję tych uczonych za mistyków właśnie dlatego, że chcieli przekroczyć wewnętrzne ograniczenia swojej dziedziny i osiągnąć głęboką, mistyczną świadomość, która wychodząc poza świat cieni, ukazuje wyższe i trwalsze poziomy rzeczywistości. Byli mistykami nie z powodu fizyki, lecz wbrew niej.

Jak oni sami oceniali próby potwierdzania światopoglądu religijnego za pomocą interpretowania współczesnej fizyki? Einstein nazwał takie postępowanie „karygodnym". Schrödinger określił je jako wręcz „grzeszne", wyjaśniając: „Fizyka nie ma z tym nic wspólnego. Fizyka bierze swój początek z codziennego doświadczenia. Jest mu pokrewna, nie przekracza go, nie może wstąpić w inny wymiar... ponieważ prawdziwa domena [religii] daleko wykracza poza możliwości nauki". Eddington zaś powiedział: „Nie uważam, by

* Fritjof Capra, autor *Tao fizyki,* ostatnio zrewidował swoje poglądy; mam na myśli nie jego, lecz jego marnych naśladowców, takich jak Gary Zukov i Fred Alan Wolf.

nowa fizyka «uzasadniała religię» czy dawała jakiekolwiek podstawy wiary. Osobiście jestem absolutnie przeciwny takim twierdzeniom".

Jakie jest źródło tak stanowczego sprzeciwu? Wyobraźmy sobie, co by się stało, gdybyśmy rzeczywiście uznali, iż fizyka potwierdza mistycyzm. Gdybyśmy uznali doskonałą zgodność dzisiejszej fizyki z oświeceniem Buddy. Może się przecież zdarzyć – i jest to wielce prawdopodobne – że fizyka jutra wyprze lub zastąpi dzisiejszą. Czy nieszczęsny Budda utraci wówczas swoje oświecenie? Jeżeli zwiąże się Boga z dzisiejszą fizyką, a ona się zachwieje, wówczas Bóg zachwieje się razem z nią. I to był problem fizyków-mistyków. Nie chcieli ani wypaczać swej dziedziny, ani pomniejszać wartości mistycyzmu.

Treya obserwowała tę pracę z ogromnym zainteresowaniem. Wkrótce stała się moim najlepszym redaktorem i najbardziej zaufanym krytykiem. Była to szczególnie satysfakcjonująca książka. Oboje z Treyą medytowaliśmy. To, że tak wielu wybitnych fizyków było mistykami, stanowiło dla nas ogromną podporę. Już dawno doszedłem do wniosku, że istniały dwa rodzaje ludzi wierzących w uniwersalnego Ducha – niezbyt bystrzy (np. Oral Roberts) i wybitnie mądrzy (np. Einstein). Ludzie mieszczący się pomiędzy tymi skrajnościami nie wierzą w Boga ani w nic, co nie jest racjonalne. Oboje z Treyą w każdym razie wierzyliśmy w Boga jako najgłębszą Podstawę i Cel, co oznaczało, że byliśmy albo wyjątkowo mądrzy, albo nieco głupawi. Przez pojęcie „Bóg" rozumiem nie jakąś antropomorficzną postać ojca (czy postać matki), lecz raczej czystą świadomość, świadomość jako taką, która jest t y m, co jest, w s z y s t k i m, co jest, i którą rozwija się podczas medytacji i realizuje w codziennym życiu. To mistyczne zrozumienie było absolutnie najważniejsze dla nas i naszego wspólnego życia.

Treya obserwowała powstawanie książki także z pewnym rozbawieniem. Mówiła, że poza wszystkim próbuję wymigać się od przygotowań do ślubu. Może i miała rację.

Nasz związek stawał się coraz głębszy, jeżeli to w ogóle było możliwe. Przebywaliśmy hen, hen „poza fizyką"! Miłość jest sposobem na przekroczenie poczucia odrębnego ja; wzięliśmy się za ręce, zamknęliśmy oczy i rzuciliśmy się w otchłań.

Kiedy patrzę wstecz, widzę, że mieliśmy wtedy żałośnie mało czasu – zaledwie kilka miesięcy – na scementowanie naszego związku, zanim spadło na nas to straszne nieszczęście. Więzy, które połączyły nas w czasie kilku ekstatycznych miesięcy, musiały później wytrzymać pięć lat koszmarnej wędrówki przez piekło medycyny. Była ona tak trudna, że w końcu oboje się załamaliśmy. Nasza miłość niemal przestała istnieć, by znowu się pojawić i znowu nas połączyć.

Tymczasem dzwoniliśmy i pisaliśmy do przyjaciół, którzy wykazali wobec nas wiele cierpliwości i uprzejmości. Moi znajomi, gdy raz spojrzeli na Treyę, w lot rozumieli, dlaczego mówiąc o niej, bełkotałem od rzeczy. Znajomi Trei, którzy nigdy przedtem nie widzieli jej tak rozgorączkowanej, uznali całą sytuację za niezwykle zabawną. Ja byłem wyjątkowo małomówny, Treya wyjątkowo rozmowna.

Muir Beach
2 września 1983

Drogi Bobie!

Postaram się streszczać. Odnalazłem ją. Nie jestem całkiem pewien, co to znaczy, ale ją znalazłem. Nazywa się Terry Killam i jest... wspaniała, inteligentna, nawet błyskotliwa, opiekuńcza, kochająca, ciepła, życzliwa... Czy powiedziałem już, że jest wspaniała? I błyskotliwa? Jest coś jeszcze: ma o wiele więcej odwagi niż wszyscy ludzie, których poznałem. Nie wiem, Bob, co się ze mną dzieje, poszedłbym za nią w ogień. Właściwie to ona nie jest taka bystra, bo czuje to samo do mnie. Dziesięć dni po naszym pierwszym spotkaniu poprosiłem ją o rękę. Możesz w to uwierzyć? Powiedziała „tak" – czy możesz uwierzyć? Przyślę ci zaproszenie na wesele. Przyprowadź osobę towarzyszącą, jeżeli masz kogoś takiego.

Na razie
Ken

Muir Beach
24 września 1983

Droga Alyson!

No cóż, moja kochana, wreszcie go odnalazłam. Pamiętasz tę listę, którą sporządziłyśmy pod wpływem sherry, naszą listę cech idealnego mężczyzny? Ile lat temu to było i jakie cechy ja wybrałam?

Nie pamiętam... Już dawno się poddałam. Nigdy, przenigdy nie pomyślałabym, że przydarzy mi się coś takiego.

Nazywa się Ken Wilber. Pewnie o nim słyszałaś, a może nawet czytałaś którąś z jego książek. Pisze o świadomości i psychologii transpersonalnej. Jego książki są niezwykle popularne na wielu uniwersytetach (również w moim, California Institute of Integral Studies). Jeżeli nie czytałaś jego książek, to myślę, że cię zainteresują. Wyślę ci kilka. Wielu uważa go za czołowego teoretyka badań transpersonalnych. Ken żartuje, że „być czołowym teoretykiem psychologii transpersonalnej to tak, jak być najwyższym budynkiem w Kansas City".

Spotkanie go uświadomiło mi, iż w głębi serca doszłam już do wniosku, że nigdy nie spotkam mężczyzny, którego chciałabym poślubić, i dalej będę wiodła wygodne, niezależne życie. Nie myślałam o tym, żeby wyjść za mąż, choć mam już trzydzieści sześć lat, a tu nagle pojawia się pan Ken Wilber!

Mamy wrażenie, że jesteśmy razem od zawsze. Z żadnym mężczyzną nie czułam takiej bliskości. To tak, jakby każda komórka mojego ciała była z nim połączona i jakby to było najbardziej konkretnym i bezpośrednim wyrazem związku pomiędzy nami, związku, który istnieje na wszystkich poziomach, nawet na tych najbardziej wysublimowanych. Nigdy nie czułam się tak kochana, tak kochająca i nigdy tak bardzo nie akceptowałam innej osoby. Niewątpliwie jest to mężczyzna przeznaczony mi! Prawdę mówiąc, najtrudniej było mi zaakceptować to, że Ken goli sobie głowę (jest buddystą – od dwunastu czy trzynastu lat medytuje i ma zwyczaj golenia głowy). Ma trzydzieści cztery lata, metr dziewięćdziesiąt wzrostu, bardzo piękną, jasną twarz, jest szczupły i ma cudowne ciało. Postaram się dołączyć do listu jego zdjęcie, posyłam ci również parę książek.

Spotkanie go sprawiło również, że poczułam się jak gdyby usprawiedliwiona... brzmi to dosyć dziwnie, ale tak właśnie czuję. Podążanie za wewnętrznym kompasem, choć z zewnątrz mogło wyglądać dosyć niejasno, gdzieś jednak mnie doprowadziło. Oboje mamy wrażenie, że już kiedyś znaliśmy się i że w tym życiu szukaliśmy siebie nawzajem... Jest to odpowiednia metafora tego, co czujemy. On jest naprawdę moją bratnią duszą, choć brzmi to nieco staroświecko. Przebywanie z Kenem wypełnia puste miejsca zwątpienia w siebie i we wszechświat. Bardzo szanuję jego pracę i intelekt. Patrzę z zachwytem, jak jego inteligencja przejawia się we wszystkich aspektach życia. Ma również niesamowite poczucie humoru – cały czas mnie rozśmiesza! – i ogromną lekkość istnienia, co jest dla mnie dobre. Czuję się bardzo kochana i podziwiana, i to w taki sposób, jakiego jeszcze nie doświadczyłam. Jest najbardziej kochającym, miłym, opiekuńczym mężczyzną spośród wszystkich, których znałam. Nasz związek wydaje się bardzo naturalny, bardzo prosty, nie mamy zbyt wielu problemów. Jesteśmy świetną parą i naprawdę już nie mogę się doczekać wspólnej przyszłości. Jakie to dziwne, że minie, powiedzmy, dwadzieścia lat, a my wciąż będziemy razem... jakie to ekscytujące! Naprawdę z niecierpliwością oczekuję naszej wspólnej przyszłości.

Czasami nie mogę w to uwierzyć. Nie wierzę, że wszechświat na to pozwoli, wydaje mi się, że coś się stanie... Jesteśmy z sobą bardzo związani i myślę, że będzie to fascynujące: obserwować, jak nasz związek i nasza praca będą się rozwijały w ciągu naszych wspólnych lat. Jesteśmy teraz zajęci planowaniem ślubu, co też wydaje mi się niewiarygodne. Już czuję się jego żoną, a cała ceremonia będzie tylko dla rodziny.

Kochanie, tak brzmi moja wielka wiadomość. Ostatnio nic, tylko chodzę gdzieś z Kenem i spotykam się z pacjentami. Jest już późno i jestem zmęczona. Opowiem ci więcej, kiedy się zobaczymy... na moim weselu!

Całuję
Treya

Patrzę na swoje lewe ramię, mało oczu nie wypatrzę, ale niczego nie mogę dojrzeć. Treya chyba się ze mnie nabija; w końcu nie znam jej zbyt dobrze.

– Mówisz, że ją widziałaś?

– Nie wiem, co to znaczy, ale z pewnością widziałam śmierć siedzącą na twoim lewym ramieniu. Widziałam ją tak wyraźnie, jak teraz widzę twoją twarz. Wyglądała jak, no, nie wiem, jak czarny gremlins. Siedziała sobie na twoim ramieniu i uśmiechała się.

– Jesteś pewna, że nie przydarza ci się to częściej?

– Jestem pewna.

– Dlaczego na lewym ramieniu? Dlaczego właśnie na moim?

Zaczyna się robić dziwnie. Gdyby nie ogień na kominku, w pokoju byłoby zupełnie ciemno. Jest też trochę strasznie.

– Nie wiem. Ale to chyba coś bardzo ważnego. Mówię poważnie.

Jest tak poważna, że nie mogę jej nie wierzyć. Znowu spoglądam na lewe ramię. I znowu nic nie widzę.

Miesiąc przed ślubem Treya poszła na badania.

Leżę na fotelu ginekologicznym. Nogi mam szeroko rozłożone, jestem przykryta białym prześcieradłem, wystawiona na chłód i dotyk rąk lekarza. W mojej sytuacji powinno się zrobić ogólne badanie lekarskie. Moi pacjenci regularnie robią sobie badania, ja badam się bardzo nieregularnie. Oczywiście czuję się dobrze. Zawsze byłam zdrowa jak, przepraszam za wyrażenie, koń. Ken będzie miał zdrową żonę. Wyobrażam sobie, jak jakiś afrykański wódz bada zęby i nogi dziewczyny, zanim zgodzi się, by została żoną jego syna.

Umysł mam zaprzątnięty planami i myślami związanymi ze ślubem. Ile osób zaprosić, jaką wybrać porcelanę, jakie kryształy – wszystkie te szalenie ważne kwestie muszą być rozwiązane, zanim nasz związek zostanie uświęcony. Nie ma zbyt wiele czasu na przygotowania. O tym, że się pobierzemy, postanowiliśmy tydzień po naszym pierwszym spotkaniu, a datę ustaliliśmy na trzy miesiące później.

Trwa badanie. Lekarz teraz ugniata mój brzuch. Miły człowiek, bardzo go lubię. Jest internistą i interesuje się zdrowiem na wszystkich poziomach, praktykuje nie tylko jako lekarz, ale także jako terapeuta, co się objawia w jego podejściu do pacjentów, w atmosferze tego gabinetu. Miły człowiek.

Teraz bada moje piersi. Najpierw lewą. Mam duże piersi. Zawsze były takie – odkąd ukończyłam dwanaście lat. Pamiętam, że kiedyś się bałam, że nie urosną, pamiętam, jak siedziałam w łazience z koleżanką i obie masowałyśmy sobie sutki, żeby przyspieszyć wejście w kobiecość. Urosły – nagle i zbyt obficie, co stało się widoczne na obozie letnim, kiedy musiałam pożyczyć znoszony biustonosz. Piersi nieraz były dla mnie powodem wstydu. Kiedy byłam nastolatką, chłopcy brutalnie ocierali się o mnie na zatłoczonych ulicach. Gdy nieco podrosłam, oczy mężczyzn nie mogły się skupić na mojej twarzy. Bluzki pękały w szwach, ubrania, które dobrze leżały na innych, dla mnie były fatalne, w szerokich bluzkach wyglądałam, jakbym była w ciąży, w bluzkach obcisłych z kolei wyglądałam grubo. Ramiączka biustonoszy wpijały mi się w ramiona. Nie ma ładnych, koronkowych, seksownych biustonoszy w moim rozmiarze. Zawsze muszę nosić biustonosz. Kiedy idę biegać albo jeździć konno, zakładam szczególnie solidny. W kostiumie kąpielowym, nawet dwuczęściowym, jeśli znajdę swój rozmiar, wyglądam wyzywająco. Kostiumy jednoczęściowe nigdy wystarczająco mnie nie zakrywają.

Przyzwyczaiłam się jednak i nawet polubiłam swoje piersi. Są miękkie, jędrne i dosyć ładne, takie jak z „Playboya". Najwidoczniej odziedziczyłam tę cechę budowy po matce mojego ojca. Jestem jedyną wśród czterech kobiet w rodzinie, która ma ten problem. Kiedyś mama rzuciła myśl, żebym poddała się operacji zmniejszenia piersi. Chyba chodziło jej o moje problemy z dobieraniem ubrania. Pomyślałam, że nie jest to konieczne, ale poszłam do chirurga plastycznego. Było to wiele lat temu. Lekarz wyjaśnił mi, na czym polega taka operacja, ale zgodził się ze mną, że moje piersi nie są aż tak ogromne, by sięgać po tak drastyczne środki.

Teraz lekarz bada prawą pierś. Jest to dokładne badanie, takie, jakie sama powinnam sobie robić co miesiąc. Pamiętam, że zawsze mi zalecano, bym sobie robiła badania piersi, ale chyba nikt nigdy mnie tego nie nauczył. Lekarz kontynuuje badanie.

– Czy pani wie, że ma pani guzek w prawej piersi?

– Co? Guzek? Nie, nie wiedziałam o tym.

– O tutaj, w dolnej zewnętrznej ćwiartce piersi. Może go pani z łatwością wyczuć.

Prowadzi moją rękę. Tak, rzeczywiście czuję. Aż nadto dobrze. Z pewnością sama bym go znalazła, gdybym tylko poszukała.

– Jak pan myśli, panie doktorze, co to może być?

– No, cóż, jest dosyć duży i twardy, ale nie jest przyczepiony do mięśnia pod spodem i łatwo się przesuwa. Uważam, że nie ma powodów do obaw. To może być tylko cysta.

– Co pan mi radzi? – Słowo „rak" jeszcze nie padło.

– Wziąwszy pod uwagę pani wiek, istnieje niewielkie prawdopodobieństwo, że to rak. Proszę poczekać miesiąc i sprawdzić, czy guzek się powiększy. Może się zmieniać wraz z cyklem menstruacyjnym. Proszę się do mnie zgłosić za miesiąc.

Oddycham z ulgą. Ubieram się, mówię do widzenia i wychodzę. Głowę mam wypełnioną planami, numerami telefonów osób, do których muszę zadzwonić, decyzjami, które muszę podjąć. Przygotowuję się również do zrobienia dyplomu z psychologii i poradnictwa, mam więc mnóstwo nauki i jeszcze pracę w poradni. A jednak poczułam jakiś zimny powiew lęku. Czy to może być rak piersi? Bałam się. Nie potrafię tego opisać – jakieś niejasne uczucie strachu. Czy miałam przeczucie? Czy był to po prostu strach, jaki w mojej sytuacji odczuwałaby każda kobieta? Zaprzątam sobie głowę wszystkim, co jest do zrobienia w tym ekscytującym okresie. A jednak... A jednak moje palce ukradkiem sięgają do piersi. Jest, nie znika. Idę żwawo ulicami San Francisco, szukając butów pasujących do sukni ślubnej – on wciąż jest. Siedzę na zajęciach z psychologii – jest. Siedzę przy biurku, załatwiając telefonicznie sprawunki przed ślubem – wciąż jest. Tulę się w nocy do mojego przyszłego męża – on wciąż tam jest.

Myślałem, że ten guzek to nic takiego. Był bardzo twardy, jak kamień, co było złym znakiem, lecz był również symetryczny i oddzielony od mięśnia pod spodem, co było dobrym znakiem. Zresztą istniała tylko jedna szansa na dziesięć, że to rak. Nasi znajomi również uważali, że to nic takiego. Poza tym Terry i ja byliśmy zakochani. Co złego mogło nam się przytrafić? Na horyzoncie był tylko nasz ślub. A po nim – „i żyli długo i szczęśliwie".

Biegałam po całym mieście jak szalona, załatwiając różne sprawy przed ślubem, który miał odbyć się za trzy tygodnie. Niesamowicie mnie to ekscytowało. Byłam strasznie pewna siebie, choć oczywiście nieco podenerwowana. Przygotowywałam się do tego wydarzenia, nie mając pojęcia, że wszystko tak się skomplikuje. I od czasu do czasu czułam ostry ból w prawej piersi. Wtedy zaczynałam się martwić; szukałam twardego, gładkiego guzka i myślałam o nim.

Było mnóstwo rzeczy do załatwienia. Właśnie wróciliśmy z krótkiej podróży na Wschodnie Wybrzeże, gdzie odwiedziliśmy rodziców Kena. Moi rodzice przyjechali, by wesprzeć nas w przygotowaniach, pomogli nam w znalezieniu najlepszego miejsca na ceremonię, w dobraniu wzoru zaproszeń.

Oczywiście, mogliśmy poczekać. Zawsze chciałam wziąć ślub na zielonej, górskiej łące w górach Kolorado, o ile to nieoczekiwane wydarzenie w ogóle miało dojść do skutku. Ale nie chciałam czekać do następnego lata, nawet gdyby miało to oznaczać, że wyjdę za mąż w tym samym miesiącu, w którym mam urodziny, gdybym musiała się zmieścić między świętem Dziękczynienia a Bożym Narodzeniem. Miło byłoby obchodzić rocznicę ślubu w mniej zatłoczonym miesiącu, to nie ulega wątpliwości. Ale ja się spieszyłam, mówiłam: „Z jakiegoś powodu bardzo mi się spieszy, żeby wyjść za mąż". Pamiętam to doskonale, mówiłam tak, zanim wykryto u mnie ten guzek.

Po wszystkich tych latach, kiedy odczuwałam niepokój, że szukam niedoścignionego ideału lub że podświadomie boję się zaangażowania, wreszcie wyszłam za mąż. Znałam Kena niespełna cztery miesiące, ale byłam pewna swego. Kiedy jechaliśmy do ślubu, mówił wspaniałe rzeczy – o tym, że mnie szukał w poprzednich żywotach, że zabijał smoki, by mnie odnaleźć, szeptał mi do ucha romantyczne, poetyckie, piękne słowa, które brzmiały tak prawdziwie. Byłam nawet nieco zażenowana, obawiając się, że rodzice mogą usłyszeć.

Dzień ślubu był cudownie czysty, słoneczny, pierwszy pogodny dzień po tygodniu gwałtownych burz. Wszystko lśniło w słońcu, powietrze zdawało się być wypełnione światłem. Zaczarowany dzień. Ślubu udzielili nam nasi dwaj serdeczni przyjaciele – David Wilkinson, pastor metodystów, którego znałam od czasu pobytu w Findhorn, i ojciec Michael Abdo, opat katolickiego klasztoru nieopodal mojego poprzedniego domu w Kolorado. (Kiedy zaręczyliśmy się, posłałam Ojcu Michaelowi pudło z książkami Kena wraz z listem o naszym planowanym ślubie. Ojciec Michael otworzył pudło i powiedział: „Och, widzę, że Terry odkryła mojego ulubionego pisarza". Potem otworzył list i powiedział: „Och, widzę, że Terry wychodzi za mąż za mojego ulubionego pisarza"). Mój przyjaciel metodysta przypomniał nam, że małżeństwo może być więzieniem – za naszymi plecami z połyskującej w słońcu Zatoki San Francisco wyrastało więzienie Alcatraz – lecz może też przynieść piękno i wolność – wskazał na stromy łuk mostu Golden Gate, łączącego dwie części lądu.

Przyjęcie weselne było bardzo miłe. Spodobało mi się to, co powiedziała Judith Skutch, wydawca *A Course in Miracles*: „Toż to królewskie małżeństwo!". Byłam oszołomiona! Potem żałowałam, że w tym wirze nie zatrzymałam się choć na chwilę. W nocy spałam w objęciach męża, wyczerpana i szczęśliwa.

Tego dnia i następnego nie było czasu na strach ani sprawdzanie, czy guzek jeszcze jest na swoim miejscu. Mój początkowy lęk, że coś może być nie tak, przybladł. Gdy wróciłam do lekarza na kontrolę, czułam się zupełnie beztrosko.

Nasz miesiąc miodowy na Hawajach był zaplanowany dwa tygodnie po ślubie, gdyż Treya musiała skończyć zajęcia i zdać egzaminy końcowe. Wówczas żadne z nas już się nie martwiło.

– Nadal jest. Wygląda na to, że w ogóle się nie zmienił – mówi mój lekarz. – Czy zauważyła pani jakieś zmiany?

– Nie, ani w wielkości, ani w dotyku. Odczuwam jakieś ostre bóle, których wcześniej nie miałam, ale w innej części piersi. Nadal nic nie czuję w okolicy guzka – odpowiadam. Przez jakiś czas trwa milczenie. Mój lekarz zastanawia się, co robić.

– Cóż – mówi w końcu. – Trudno powiedzieć, co to może być. Nie wydaje mi się, by to było coś poważnego, może to tylko cysta. Pani wiek, zdrowie, wygląd guzka – wszystko to wskazuje, że nie jest to nic poważnego. Ale również z powodu pani wieku uważam, że aby się upewnić, powinna go pani usunąć. Tak będzie najbezpieczniej.

– OK, jeżeli pan tak uważa. Mam aż nadto tkanki piersiowej! Jak pan myśli, kiedy powinnam poddać się zabiegowi? Za tydzień wyjeżdżamy na miesiąc miodowy. Czy to może poczekać trzy tygodnie? Bardzo mi zależy na naszej podróży.

– Tak, chyba tak. Nie ma żadnego niebezpieczeństwa w trzytygodniowej zwłoce. Lepiej przeżyć miesiąc miodowy bez nacięcia ze szwami – mówi. – Chciałbym również, żeby poszła pani do innego lekarza, do chirurga, żeby ułyszeć jego opinię. Oto nazwisko. Jego gabinet jest niedaleko Marin General.

Nie bardzo się tym przejmując – w końcu tylko podejmuję konieczne środki ostrożności – następnego dnia idę do chirurga. Dokładnie bada guzek i pierś. Każe mi podnieść rękę nad głowę, napiąć mięśnie, a potem położyć ręce na kolanach, łokcie na zewnątrz i napiąć mięśnie. Uważnie przygląda się skórze na guzku. Wtedy jeszcze o tym nie wiedziałam, ale na podstawie takiego zewnętrznego badania można odgadnąć, czy guz jest złośliwy, czy nie. Jeżeli jest złośliwy, wówczas skóra nad nim często jest nieco pomarszczona. Skóra na moim guzku jest gładka, poza tym jest on oddzielony od mięśnia, więc również i ten lekarz uważa, że to prawdopodobnie tylko cysta. Potem próbuje zaaspirować treść guzka. Do tego zabiegu potrzebna jest szeroka igła; jeżeli jest to wypełniona płynem cysta, płyn wydostaje się przez igłę i – *voila* – po kilku sekundach ani śladu guzka. Ale kiedy lekarz próbuje się wkłuć w mój guzek, igła natrafia na coś twardego. Lekarz wygląda na zdziwionego i nieco zatrwożonego. „Och – mówi – to pewnie łagodna narośl". Zaleca mi zabieg usunięcia guzka, uważa również, że dobrze będzie zaczekać z operacją do naszego powrotu z podróży poślubnej. Wychodzę z gabinetu z siniakiem na piersi i guzkiem...

A więc zostało zdecydowane. Lekarze utrzymują, że guzek powinien być usunięty, ale nie ma się czym martwić, więc wszyscy przestali się martwić. Poza Sue, matką Trei.

Mama jest strasznie natarczywa. Chce, żebym poszła do chirurga onkologa, kogoś, kto specjalizuje się w raku, by usłyszeć trzecią opinię, mimo że za cztery dni wyruszamy w podróż poślubną, a przedtem mam dwa końcowe egzaminy. Sprzeciwiam się, w końcu niechętnie się godzę. Ostatecznie mama wie, co mówi. Przecież to ona piętnaście lat temu zaszokowała i przeraziła całą rodzinę, kiedy okazało się, że ma raka okrężnicy.

Doskonale pamiętam dni pełne przerażenia i zamieszania, gdy nastąpiło to odkrycie, i jej operację, która odbyła się tuż po tym, jak ukończyłam college. Wszyscy byli zaszokowani, oszołomieni i zdezorientowani, błąkaliśmy się zapłakani po ogromnym Centrum Onkologicznym M. D. Andersona w Houston. Pamiętam mamę leżącą w szpitalnym łóżku, podłączoną do różnych rurek, przyjazd do domu, to straszne uczucie zagubienia, niewiedzy, przylot do Houston i szpital M. D. Andersona, hotelowy pokój, mojego kochanego ojca, chodzącego tam i z powrotem, próbującego zaopiekować się mamą, próbującego nam wszystko wytłumaczyć, żyjącego sam na sam ze strachem, czyniącego wszystkie przygotowania i podejmującego wszystkie decyzje. Wydaje mi się, że powaga sytuacji jakoś do mnie nie dotarła. Przeszłam przez to w oszołomieniu. Nie bardzo zdawałam sobie sprawę, czym jest rak. Nie wtedy. Nie wtedy nawet, gdy odwiedziliśmy mamę po operacji, wciąż odurzoną środkami uspokajającymi, nie wtedy, gdy w domu znowu pojawiło się całe to napięcie i strach, i nie wtedy, gdy co rok wracała do szpitala na kontrolę.

Od tamtej pory minęło piętnaście lat. Mama miała dobre wyniki i za każdym razem nasza rodzina oddychała z ulgą, poziom strachu nieco się obniżał. Świat wydawał się bardziej ustabilizowany, bardziej godny zaufania. Prawie przestałam się martwić, co tata pocznie bez mamy; byli sobie tak bliscy, że po prostu nie mogłam sobie wyobrazić, jak mogliby żyć jedno bez drugiego. Ani razu nie pomyślałam, co by się stało, gdyby mama umarła na raka. Wówczas zbyt mało wiedziałam, żeby martwić się takimi sprawami. Niewiedza uratowała mnie przynajmniej przed niepotrzebnym zmartwieniem. Mama wciąż żyje, czuje się dobrze i jest nieustępliwa w sprawie zasięgnięcia porady u trzeciego lekarza.

Tym razem onkologa, specjalisty od raka. Może poszłabym do szpitala Andersona? – proponuje. W ciągu paru lat moi rodzice coraz silniej byli związani z tym szpitalem, wdzięczni za doskonałą opiekę, jaką otrzymała tam matka, ale też dlatego, że zajmują się wspieraniem prac naukowych z dziedziny onkologii. Ostatnio ufundowali katedrę badań nad genetycznymi uwarunkowaniami raka.

Ale ja chcę jechać na Hawaje, a nie do Houston. Zadzwoniłam do kuzyna, który jest tam ginekologiem, i spytałam, czy może mi polecić jakiegoś onkologa. Uczynił to i umówiłam się na wizytę. Mama chce dowiedzieć się czegoś więcej o tym doktorze – Peterze Richardsie – zanim odda mnie w jego ręce. Okazuje się, że doktor Richards odbywał praktykę w szpitalu Andersona razem z chirurgiem, który piętnaście lat temu operował moją matkę! Co za przypadek... Ma bardzo dobre rekomendacje z tego szpitala. Podobno był tam jednym z najlepszych i chcieli go zatrzymać, ale postanowił wrócić do szpitala dziecięcego w San Francisco, gdzie jego ojciec był głównym chirurgiem. To miło. Podoba mi się to, a mama jest zadowolona.

Następnego dnia znajduję się w gabinecie Petera Richardsa. Od razu czuję do niego sympatię. Jest młody, przystojny i najwyraźniej inteligentny. Czuję się swobodnie w jego gabinecie; w porównaniu z tym poprzedni gabinet, w którym byłam, wydaje mi się nieprzyjemny i staroświecki. Po zbadaniu obu piersi on również proponuje usunięcie guzka. Jednakże nie chce czekać trzech tygodni. Czuje, że ten guzek od razu powinien zniknąć. Zapewnia mnie, że to prawdopodobnie nic takiego, ale wolałby go usunąć już teraz.

Być może wciąż jeszcze jestem pod wrażeniem ślubu, miłości, myśli o podróży na Hawaje. Niczym się nie przejmuję. Ustalamy datę wycięcia guzka na następny dzień, czwartek, godzinę czwartą po południu. Ponieważ ma to być zabieg tylko pod częściową narkozą, zakładam, że tego samego dnia będę mogła pójść na egzamin. Tuż po egzaminie chcemy jechać na Hawaje.

– A jeżeli będą jakieś problemy? – pyta łagodnie doktor Richards.

– Wtedy nie pojedziemy – odpowiadam szczęśliwa jak każdy ignorant. Po kilku tygodniach skradającego się strachu, który czułam po odkryciu guzka, teraz przybrałam taką postawę: poradzę sobie ze wszystkim, co się wydarzy.

Wieczór i większą część następnego dnia spędzam na przygotowaniach do egzaminu. Ken ciężko pracuje nad ukończeniem *Quantum Questions.* Jestem tak pewna siebie, że mówię Kenowi, by nie jechał ze mną do szpitala, gdyż nie chcę mu przeszkadzać w pracy. Jestem przyzwyczajona, że wszystko robię sama, nie zwykłam prosić ludzi o pomoc. Ken jest zaszokowany moją prośbą. W głębi ducha czuję ulgę, gdy jednak jedzie ze mną.

W drodze rozmawialiśmy o Hawajach. W szpitalu znalazłem właściwy oddział i zaczęliśmy załatwiać formalności. Nagle poczułem niepokój i zdenerwowanie. Operacja nawet jeszcze się nie zaczęła, a już czułem, że coś jest nie w porządku.

Ken denerwuje się bardziej niż ja. Rozbieram się, wkładam szlafrok, zamykam swoje rzeczy w szafce i zakładam na rękę szpitalną bransoletkę identyfikacyjną. Czekamy. Przychodzi jakiś młody lekarz, Skandynaw, aby mi zadać parę pytań. Będzie asystował doktorowi Richardsowi przy operacji. Jego pytania brzmią zupełnie niewinnie, dopiero poźniej zaczynam rozumieć ich wagę.

– Ile lat pani miała, kiedy wystąpiła pierwsza miesiączka?

– Chyba czternaście. Nieco później niż większość dziewcząt. (Kobiety, kóre wcześnie mają menstruację, częściej chorują na raka piersi).

– Czy pani rodziła?

– Nie. Nigdy nawet nie byłam w ciąży. (Kobiety, które do trzydziestego roku życia nie rodziły, częściej chorują na raka piersi).

– Czy ktoś w pani rodzinie miał raka piersi?

– Nic mi o tym nie wiadomo. (Zupełnie zapomniałam – czy też nie chciałam pamiętać – że siostra mojej mamy pięć lat temu chorowała na raka piersi. Teraz już jest zdrowa. Kobiety z rodzin, w których wystąpił rak piersi, są wystawione na większe niebezpieczeństwo).

– Czy ten guzek panią boli? Czy kiedykolwiek bolał?

– Nie, nigdy. (Guzy złośliwe prawie nigdy nie bolą).

– Czy bardzo się pani denerwuje przed operacją? Jeżeli pani się boi, możemy dać coś na uspokojenie.

– To nie będzie konieczne. Czuję się dobrze. (Badania wykazały, że kobiety, które najbardziej boją się przed operacją usunięcia guzka, przeważnie nie mają raka. U tych, które są spokojne, istnieje większe prawdopodobieństwo raka).

– Czy są państwo wegetarianami? Potrafię to ocenić na podstawie koloru skóry.

– Tak, jesteśmy wegetarianami. Ja jestem wegetarianką od 1972 roku, czyli ponad dziesięć lat. (Dieta wysokotłuszczowa – taka, na jakiej zostałam wychowana – zwiększa ryzyko zachorowania na raka).*

Wkrótce znalazłam się na łóżku i zaczęto mnie wieźć przez szpitalne korytarze. W sali operacyjnej jest zdumiewająco zimno – niska temperatura nie sprzyja bakteriom. Pielęgniarka przynosi mi jeszcze jedno prześcieradło, rozkosznie ciepłe, jakby wyjęte prosto z pieca. Gawędzę z nią, gdy ona czyni przygotowania. Jestem wszystkim zainteresowana, o wszystko się dopytuję. Pielęgniarka podłącza mnie do monitora serca, wyjaśniając, że maszyna da sygnał,

---

* Są to tzw. czynniki rokowania – sugerują prawdopodobieństwo wystąpienia określonych chorób, nie są natomiast podstawą ich rozpoznania (przyp. red.).

jeżeli moje tętno spadnie poniżej sześćdziesięciu uderzeń na minutę. Mówię, że moje tętno i tak jest dosyć niskie, więc obniża poziom do pięćdziesięciu sześciu.*

Tak więc ja, przyjacielska pielęgniarka, miły skandynawski lekarz i mój kumpel doktor Richards rozmawiamy o wszystkim – o wakacjach, nartach, wycieczkach (wszyscy lubimy przebywać na świeżym powietrzu), rodzinach, filozofii. Pomiędzy moimi ciekawskimi oczami a miejscem akcji – moją prawą piersią – została umieszczona cienka zasłona. Żałuję, że nie mogę tego widzieć, ale potem dochodzę do wniosku, że to zbyt krwawe. Miejscowe znieczulenie działa, lecz gdy doktor Richards tnie głębiej, trzeba jeszcze kilku zastrzyków. Moja wyobraźnia tworzy wyrazisty, lecz pewnie błędny obraz operacji. Tylko parę razy monitor daje sygnał, co oznacza, że puls spadł poniżej pięćdziesięciu sześciu uderzeń na minutę – taka jestem spokojna. Doktor Richards mówi coś do drugiego lekarza o podskórnej metodzie zszywania i już jest po wszystkim.

Ale kiedy słyszę, jak prosi: „Proszę wezwać dr X", serce podchodzi mi do gardła.

– Coś nie tak? – pytam. W moim głosie brzmi panika, serce wali jak oszalałe.

– Och, nie – odpowiada doktor. – Zawiadamiamy tylko patologa, który ma obejrzeć guz.

Oddycham z ulgą. Wszystko poszło dobrze. Nie rozumiem, dlaczego tak nagle wpadłam w panikę. Rozbierają mnie, myją i wiozą na wózku. Czuję się teraz o wiele mniej bezbronna niż wtedy, gdy leżałam na plecach wśród obcych ścian. Muszę wypełnić jakieś dokumenty. Myślę o teście, który mam następnego dnia, kiedy pojawia się doktor Richards i pyta o Kena. Niczego nie podejrzewając mówię, że jest w poczekalni.

---

* 60 uderzeń serca na minutę jest wartością graniczną, poniżej której mogą wystąpić poważne zaburzenia w funkcjonowaniu układu krążenia (przyp. red.).

Zrozumiałem, że Treya ma raka, w chwili, kiedy zobaczyłem Petera schodzącego po schodach i proszącego siostrę oddziałową o klucz do pokoju przeznaczonego do prywatnych rozmów.

> Parę minut później w pokoju siedzi cała nasza trójka. Doktor mamrocze coś, że mu bardzo przykro, ale guz jest złośliwy. Jestem zaszokowana, niemal sparaliżowana. Nie płaczę. W oszołomieniu spokojnie zadaję kilka inteligentnych pytań, próbując wziąć się w garść i nie patrzeć na Kena. Ale kiedy doktor Richards wychodzi, by zawołać pielęgniarkę, odwracam się i spoglądam na Kena. Wybucham płaczem, wszystko się rozmazuje. Nagle jestem w jego objęciach i szlocham, szlocham.

Dziwne rzeczy dzieją się z umysłem, kiedy na człowieka spada takie nieszczęście. Czułem się tak, jak gdyby cały wszechświat przemienił się w jakąś cienką bibułkę, którą ktoś na moich oczach przedarł na pół. Byłem tak oszołomiony, że przez chwilę nie docierało do mnie to, co się stało. Zstąpiła na mnie wielka siła, siła oszołomienia i ogłupienia. Byłem trzeźwy, obecny i całkowicie zdeterminowany. Jak to sucho ujął Samuel Johnson, perspektywa śmierci sprawia, że umysł w jakiś niezwykły sposób staje się skoncentrowany. Rzeczywiście, byłem niesamowicie skoncentrowany, tylko że wszechświat gdzieś tam we mnie został zniszczony.

> Wszystko pamiętam jak przez mgłę. Ken trzymał mnie w ramionach, płakałam. Jak w ogóle mogłam pomyśleć o przyjściu tutaj samej! Przez następne trzy dni cały czas płakałam, nie mogąc niczego zrozumieć. Doktor Richards wyjaśnił nam różne metody leczenia, mówił coś o mastektomii,* naświetlaniach, implantacji, węzłach chłonnych. Zapewnił, że jeśli nie zdołamy tego wszystkiego zapamiętać, to chętnie powtórzy jeszcze raz. Mieliśmy tydzień do dziesięciu dni na podjęcie decyzji. Pielęgniarka przyniosła nam pakiet informacji, jednak zbyt podstawowych, byśmy

---

* Chirurgiczny zabieg usunięcia piersi (przyp. red.).

się nimi zainteresowali. Zresztą byliśmy za bardzo zrozpaczeni, żeby słuchać.

Nagle zapragnęłam wyjść, wyjść ze szpitala, na powietrze, chciałam znaleźć się tam, gdzie wszystko pachnie normalnie i nikt nie nosi białego fartucha. Poczułam się jak zepsuta zabawka. Chciałam przeprosić Kena. Ten wspaniały człowiek, mój mąż od zaledwie dziesięciu dni, ma żonę, która, jak się okazuje, jest chora na RAKA. To zupełnie tak, jakby rozpakować prezent, na który strasznie długo się czekało, i odkryć, że piękny kryształ w środku jest pęknięty. Wydawało mi się, że to nie fair obarczać go tym brzemieniem na samym początku wspólnego życia. Prosić go, by dał sobie z tym radę – to było zbyt wiele.

Ken od razu sprawił, że przestałam tak myśleć. Zdawał sobie sprawę z tego, co czuję, i powiedział, że rak niczego nie zmienia. „Szukałem cię przez całe stulecia i cieszę się, że cię odnalazłem. Wszystko inne nie ma znaczenia. Nigdy nie pozwolę ci odejść, zawsze będę tutaj, z tobą. Nie jesteś zepsutą zabawką, jesteś moją żoną, moją bratnią duszą, światłem mojego życia". Nie zamierzał pozwolić mi odejść, nawet nie było sensu próbować. Nie miałam żadnych wątpliwości, że będzie ze mną zawsze, na dobre i na złe. Odkryłam to podczas kilku następnych tygodni. Co by było, gdybym mu wyperswadowała pójście ze mną do szpitala?

Pamiętam, jak jechaliśmy do domu. Pamiętam, jak Ken pytał mnie, czy się wstydzę, że mam raka. Zaprzeczyłam, powiedziałam, że ani przez chwilę nie czułam wstydu. Nie czułam w bezpośredni sposób, że jest to moja wina, raczej że to pech, ślepy los. Jeden na czterech Amerykanów choruje na raka. Jedna kobieta na dziesięć choruje na raka piersi. Tylko że przeważnie są one starsze ode mnie. Raka piersi nawet się nie szuka u kobiet poniżej trzydziestego piątego roku życia. Ja miałam trzydzieści sześć lat, czyli dopiero co przekroczyłam limit wieku. Nigdy nie słyszałam, że duże piersi stwarzają większe zagrożenie rakiem. Ale urodzenie dziecka przed trzydziestką rzeczywiście może być dobrym zabezpieczeniem.

Wróciliśmy do naszego domu w Muir Beach, gdzie musieliśmy się zmagać z trudnym zadaniem odbierania telefonów przez całą noc.

W domu zwinęłam się w kłębek na kanapie i znowu zaczęłam płakać. Łzy płynęły same, jak gdyby były odruchową odpowiedzią na słowo RAK, jak gdyby były jedyną właściwą reakcją. Po prostu siedziałam i płakałam, a Ken dzwonił do naszych krewnych i znajomych ze złą wiadomością. Czasami szlochałam, czasami łzy płynęły cicho. Nie nadawałam się do rozmowy z nikim. Ken chodził tam i z powrotem, ode mnie do telefonu. Tulił mnie, rozmawiał przez telefon, tulił mnie, rozmawiał przez telefon.

Po jakimś czasie nastąpiła pewna zmiana. Litowanie się nad sobą straciło smak. Słowo RAK-RAK-RAK pulsujące w mojej głowie stało się mniej natarczywe. Łzy już nie przynosiły ulgi. Zupełnie jak wtedy, gdy zje się zbyt dużo ciastek i w końcu ma się ich dość. Kenowi zostało jeszcze tylko kilka rozmów. Wreszcie na tyle się uspokoiłam, by móc trochę porozmawiać przez telefon. Było to lepsze niż siedzenie jak kupka zmiętych łachmanów na kanapie. Pytanie: „Dlaczego ja?" wkrótce straciło moc. Zastąpiło je: „Co teraz?".

Mieliśmy parę telefonów ze szpitala, wszystkie ze złymi wiadomościami. Guzek miał 2,5 centymetra średnicy, był dość spory. To plasowało Treyę na drugim etapie, co oznaczało większe prawdopodobieństwo przerzutów do węzłów chłonnych. Co gorsza, raport patologa ujawnił, że komórki w guzie są niezwykle słabo zróżnicowane (co oznaczało, że są bardziej złośliwe). W skali od jednego do czterech Treya miała szczególnie niebezpieczny guz czwartego stopnia – złośliwy, trudny do pokonania, bardzo szybko rosnący. Wówczas właściwie to do nas nie docierało.

Choć wszystko przebiegało w boleśnie zwolnionym tempie, każde zdarzenie było zbyt silnym doświadczeniem i niosło zbyt dużo informacji, co dawało dziwaczne wrażenie, że wszystko dzieje się jednocześnie bardzo szybko i bardzo wolno. Ciągle miałem przed oczami siebie grającego w baseball: stoję na boisku z rękawicą na dłoni, kilka osób rzuca w moim kierunku piłki, które mam złapać. Ale piłek jest tyle, że odbijają się od mojej twarzy i tułowia i spadają na ziemię, a ja stoję z głupią miną. „Hej, chłopaki, może byście tak zwolnili i dali mi szansę, co?". Nadal odbierałem telefony ze złymi wiadomościami.

„Dlaczego ktoś nie zadzwoni z dobrą wieścią? – pomyślałam. – Czy to nie dosyć? Skąd wziąć promyczek nadziei?". Z każdym telefonem odradzała się we mnie litość dla samej siebie. Dlaczego ja? Pozwalałam sobie na taką reakcję, a gdy minęło nieco czasu, mogłam przyjąć wszystko tak spokojnie, jakby to był zwyczajny, suchy fakt. Tak to już jest. Usunięto mi guz o średnicy 2,5 centymetra. Był to nowotwór złośliwy. Komórki były słabo zróżnicowane.

Tyle wtedy wiedzieliśmy.

Zrobiło się późno. Ken poszedł do kuchni zrobić herbatę. Świat wokół był taki spokojny, odpoczywał. Z oczu znowu zaczęły mi płynąć łzy. Ciche łzy rozpaczy. To prawda, to rzeczywistość, to przydarzyło się właśnie mnie. Ken wrócił do pokoju, spojrzał na mnie; nie odezwał się ani słowem. Usiadł, objął mnie i bardzo mocno przytulił. W milczeniu patrzyliśmy w ciemność.

3

Skazani na znaczenie

Nagle budzę się niespokojna, zdezorientowana. Musi być trzecia albo czwarta rano. Zdarzyło się coś bardzo, bardzo złego. Ken głęboko śpi. Noc jest ciemna i cicha, widzę gwiazdy. Czuję w sercu straszny ból, coś zaciska mi gardło. Strach. Przed czym? Zauważam rękę na prawej piersi, moją rękę, widzę, jak głaszcze bandaże. Przypominam sobie. Och, nie, nie. Zaciskam oczy, czuję, jak wykrzywia mi się twarz, gardło kurczy ze strachu. Tak, pamiętam. Nie chcę pamiętać, nie chcę wiedzieć. Ale on tu jest. Rak. Rak budzi mnie w ciszy tej spokojnej nocy, piątej po mojej nocy poślubnej. Mam raka. Mam raka piersi. Zaledwie kilka godzin temu wycięli mi z piersi twardego guza. Nie był łagodny. Mam raka.

To jest prawda. To naprawdę się stało. Mnie się stało. W ciszy otaczającego świata leżę w łóżku zesztywniała, ogłuszona, zszokowana, niedowierzająca. Ken leży obok; jego obecność jest krzepiąca, ciepła, silna. Nagle jednak czuję się strasznie samotna. Mam raka. Mam raka piersi. Wierzę, że to prawda, i jednocześnie nie wierzę; nie mogę tego dopuścić do siebie. A jednak ta prawda budzi mnie w nocy, łapie za gardło, przyprawia o bicie serca, takie głośne pośród spokojnej, miękkiej nocy, wypełnionej głębokim oddechem Kena. Mam świeżą ranę na piersi. To nie pomyłka, nie da się temu zaprzeczyć. Nie, nie mogę spać z tym bólem w gardle i w piersi, z oczami mocno zaciśniętymi w obronie przed prawdą, której nie akceptuję. Nie zasnę z tym okropnym strachem przed nieznanym, gęstniejącym wokół mnie. Co robić? Wstaję ostrożnie, by nie obudzić Kena. Porusza się, znowu układa do snu. Widzę niewyraźne, znajome kształty. W domu jest zimno. Znajduję różowy, aksamitny szlafrok, owijam się w jego krzepiącą powszedniość. Jest grudzień i tu, w domu na wybrzeżu Pacyfiku, nie mamy centralnego ogrzewania. Słyszę upiornie brzmiący tej nocy odgłos fal rozbijających się daleko w dole, na Muir Beach. Nie rozpalam ognia, lecz owijam się kocem, żeby nie zmarznąć.

Teraz już jestem rozbudzona, bardzo rozbudzona. Sama ze swoim szokiem i strachem. Co robić? Nie jestem głodna, nie mogę myśleć, nie chce mi się czytać. Nagle przypominam sobie, że pielęgniarka z Breast Health Education Center dała mi plik informacji do przeczytania. Dobrze, przeczytam je teraz. To mnie trochę uspokoi, ukoi mój strach, bo zmniejszy niewiedzę, którą strach się karmi. Zwijam się na kanapie, ciaśniej owijam kocem. Jest cicho, bardzo spokojnie. Zastanawiam się, ile kobiet, tak jak ja, obudziło się w środku nocy z taką samą niepodważalną wiedzą. Ile obudziło się wczoraj, ile obudzi się jutro? Ile kobiet usłyszy słowo RAK, uparte, bezwzględne, dudniące w głowie jak nieustające uderzenia bębna. RAK. RAK. RAK. To nie może być nieodwracalne, to nie może być niezniszczalne. RAK. Wokół mnie narasta chmura głosów, obrazów, lęków, opowieści, zdjęć, reklam, artykułów, filmów, programów telewizyjnych, niewyraźna, bezkształtna, ale gęsta i złowieszcza. To wszystko, co na temat tej rzeczy – Wielkiego R – zgromadziła i wytworzyła kultura, w której żyję. Te głosy, opowieści i obrazy są pełne strachu, bólu i bezradności. Mówią, że Wielkie R jest niedobre, że niesie śmierć, długie umieranie, najczęściej pełne cierpienia, straszne. Nie znam szczegółów. Wiem tylko, że rak jest przerażający i bolesny, i że nie można go ujarzmić. Jest tajemniczy i potężny, potężny właśnie dlatego, że tajemniczy. Nikt nie pojął, czym jest ta narośl, która wymyka się wszelkiej kontroli. Nie można jej powstrzymać ani ukierunkować, ani unicestwić. Ślepa, dzika narośl, która przez swoją żarłoczność w końcu niszczy siebie i swojego żywiciela. Ślepa, autodestrukcyjna, złośliwa. Nikt nie wie, jak powstaje ani jak ją zniszczyć.

I teraz to coś rosło we mnie. Drżę i ciaśniej owijam się kocem jak kokonem, aby się od tego odgrodzić. Ale to we mnie jest. Było już wtedy, kiedy tak dobrze się czułam, przebiegałam prawie dwie mile dziennie, odżywiałam się surówkami i duszonymi warzywami, kiedy regularnie medytowałam, uczyłam się, wiodłam spokojne życie. Jak to wytłumaczyć? Dlaczego teraz, dlaczego ja, dlaczego w ogóle ktokolwiek?

Siedzę na kanapie owinięta kocem, na kolanach trzymam stos papierów i broszur. Sięgam po nie, opętana pragnieniem, by jeszcze się czegoś dowiedzieć. Czy jest coś jeszcze poza przekazami kultury, w której żyję? Może jest. Wiem, że niewiedza karmi mój strach, chmura, która mnie otacza, robi się coraz gęstsza. Czytam. O kobiecie, która odkryła swój guzek, kiedy miał wielkość pestki jabłka (mój miał dwa i pół centymetra). O dzieciach z białaczką – jak to może być, żeby dzieci tak cierpiały? O różnych rodzajach raka, które nigdy przedtem nie istniały w moim świecie; nic o nich nie wiedziałam. O operacjach, chemioterapii, naświetlaniach. O liczbie ludzi, którzy przeżyli, tej najważniejszej liczbie dla chorych na raka. Ona oznacza ludzi takich jak ja. Po pięciu latach tyle procent przeżywa, a tyle procent umiera. Gdzie będę? W której rubryce? Chcę to wiedzieć teraz. Nie mogę znieść niewiedzy, szukania po omacku, tego strachu w nocy. Chcę wiedzieć teraz. Czy mam się przygotować na życie? Czy mam się przygotować na śmierć? Nie wiem. Nikt mi nie potrafi odpowiedzieć. Mogą mi podawać liczby, ale nikt mi nie potrafi odpowiedzieć.

Zagłębiam się w słowa, obrazy, liczby. Zajmują mnie, odwracają umysł od tworzenia własnych, strasznych wizji. Oglądam kolorowe zdjęcia pacjentów leżących pod ogromnymi maszynami, na stołach operacyjnych, rozmawiających z zaaferowanymi lekarzami, pozujących z rodzinami, uśmiechających się do aparatu fotograficznego. Niedługo będę taka sama. Niedługo zostanę pacjentem i w końcu liczbą w statystykach raka. Nie jestem osamotniona, widzę to na tych zdjęciach. Tyle osób zaangażowanych w wojnę z rakiem, która teraz będzie się toczyła w moim własnym ciele.

Czytanie działa uspokajająco. To, czego dowiaduję się tej nocy, jest moją drogą od bezużytecznego strachu i zmartwienia do życia. Najlepszy rodzaj terapii. Później miałam odkryć, że zawsze jest nim prawda. Im więcej wiedziałam, tym bezpieczniej się czułam, nawet jeżeli wiadomość była zła. Niewiedza mnie przeraża, wiedza mnie uspokaja. Najgorsza jest niewiedza... z pewnością najgorsza jest niewiedza.

Wczołguję się z powrotem do łóżka, przytulam do ciepłego ciała Kena. Nie śpi, cicho patrzy na rozjaśnione niebo.

– Wiesz, że cię nie opuszczę.

– Wiem.

– Naprawdę myślę, że możemy to pokonać, maleńka. Tylko musimy wymyślić, co u licha mamy zrobić.

Jak Treya to sobie uświadomiła, naszym podstawowym problemem nie był rak; była nim informacja. A bardzo szybko okazuje się, że właściwie żadna nie jest prawdziwa.

Mogę to wytłumaczyć. W każdej chorobie człowiek musi się zmierzyć z dwoma różnymi jej aspektami. Po pierwsze, staje twarzą w twarz z samym procesem chorobowym – złamaną kością, grypą, zawałem serca, złośliwym guzem. Nazwijmy ten aspekt „jednostką chorobową". Na przykład rak jest dość dokładnie opisany i określony przez medycynę i naukę. W tym sensie jako choroba jest mniej lub bardziej wolny od ocen: nie jest ani prawdziwy, ani fałszywy, dobry ani zły, po prostu jest – tak jak góra nie jest ani dobra, ani zła, po prostu jest.

Po drugie, człowiek staje twarzą w twarz również z tym, co społeczeństwo, w którym żyje, i kultura tworzą wokół choroby – ze wszystkimi osądami, lękami, nadziejami, mitami, opowieściami, wartościami i znaczeniami. Nazwijmy ten jej aspekt schorzeniem. Rak jest nie tylko „jednostką chorobową", zjawiskiem naukowym i medycznym; jest również „schorzeniem", „brakiem zdrowia", zjawiskiem obciążonym kulturowymi i społecznymi znaczeniami. Społeczeństwo ocenia, kiedy i jak jesteś chory; kultura, w której żyjesz, wyznacza granice twego zdrowia: kiedy jesteś, a kiedy już nie jesteś zdrowy.

Nie jest to czymś szczególnie złym. Kiedy w danej kulturze traktuje się określoną chorobę ze współczuciem i światłym zrozumieniem, staje się ona wyzwaniem, sytuacją kryzysową i zarazem szansą naprawy. Brak zdrowia nie tylko nie spotyka się wtedy z potępieniem ani moralnym osądem, ale stanowi początek procesu zdrowienia i odnowy. Kiedy o schorzeniu myśli się pozytywnie, a choremu człowiekowi daje wsparcie, wtedy szanse na wyleczenie są większe. Wówczas osoba, której udziałem stało się schorzenie, może w tym procesie rozwinąć się i wzbogacić.

Ludzie skazani są na nadawanie znaczenia, na tworzenie wartości i ocen. Nie wystarczy wiedzieć, że jest się chorym, że ma się określoną „jednostkę chorobową". Muszę wiedzieć dlaczego. Dlaczego ja? Co to znaczy? Co złego zrobiłem? Jak to się stało? Innymi słowy, mam potrzebę nadania jakiegoś znaczenia swojej chorobie. I przede wszystkim z tego powodu jestem tak bardzo zależny od społeczeństwa, od wszystkich przekazów, wartości i znaczeń, w które moja kultura „ubiera" określoną jednostkę chorobową. Moje schorzenie, w przeciwieństwie do mojej choroby, określane jest głównie przez społeczność – kulturę lub subkulturę – w której żyję.

Na przykład rzeżączka. Jako jednostka chorobowa jest całkiem prosta: infekcja – przede wszystkim błony śluzowej narządów płciowych – przenoszona drogą kontaktu seksualnego, wysoce wrażliwa na leczenie antybiotykami, zwłaszcza penicyliną.

Ale nasze społeczeństwo przypisuje rzeżączce różne znaczenia i wydaje na jej temat wiele osądów. O schorzeniu i tych, którzy na nie zapadli, po części mówi prawdę, w większości jednak głosi fałsz i okrutnie ich osądza. Zakażeni są nieczyści, zboczeni, moralnie zdegenerowani; rzeżączka staje się chorobą moralną, bolesną karą. Chorzy zasługują na nią, gdyż są moralnie skażeni – i tak dalej.

Nawet gdy penicylina zniszczy chorobę, schorzenie pozostaje, potępienie zżera duszę człowieka, tak jak bakterie niegdyś zjadały jego ciało: „Jestem zepsutym człowiekiem. Jestem do niczego, jestem straszny...".

Tak oto za pomocą nauki próbuję z r o z u m i e ć moją jednostkę chorobową (w tym przypadku infekcję układu płciowego, wywołaną przez *Neisseria gonorrheae*), ale to społeczeństwo wyjaśnia mi, czym jest moje schorzenie – co ono o z n a c z a (w przypadku rzeżączki oznacza ono chorobę moralną). Każda kultura, każde środowisko oferują zestaw znaczeń i osądów schorzenia. W zależności od tego, jak głęboko jestem zanurzony w określonej kulturze, te znaczenia i osądy są we mnie mniej lub bardziej zinternalizowane i stanowią część mojej wiedzy o sobie samym, o schorzeniu i braku zdrowia. Negatywne czy pozytywne, osądzające czy karzące, wspierające czy potępiające – osądy te mogą wywierać ogromny wpływ na mnie i na przebieg mojej choroby. Tak więc schorzenie jest często bardziej niszczące niż sama choroba.

Najbardziej niepokojący jest fakt, że kiedy społeczeństwo osądza brak zdrowia jako zło, kiedy ocenia schorzenie negatywnie, to prawie zawsze czyni tak wyłącznie ze strachu lub niewiedzy. Zanim zrozumiano, że podagra jest dziedziczna, przypisywano ją słabości moralnej; niewinna choroba stała się „winna" po prostu przez brak dokładnej informacji. Podobnie, zanim zrozumiano, że gruźlicę wywołują prątki Kocha, uważano, że choroba ta zjada ludzi o słabym charakterze; w ten sposób stała się ona schorzeniem wskazującym na słaby charakter. Wcześniej myślano nawet, że plagi i klęski głodu są bezpośrednią interwencją rozgniewanego Boga, karą za grzechy.

Jesteśmy skazani na znaczenie. Nawet jeśli staje się ono przyczyną bólu, przynosi szkody, to jesteśmy do niego przywiązani, jest nam w jakiś sposób potrzebne. I kiedy zaatakuje choroba, społeczeństwo spieszy z ogromnym zasobem gotowych znaczeń i ocen, poprzez które człowiek próbuje ją zrozumieć. A jeśli społeczeństwo nie zna prawdziwej przyczyny choroby, ta niewiedza zazwyczaj rodzi strach. Ten z kolei prowadzi do negatywnych ocen charakteru osoby, która miała nieszczęście zachorować. Jest ona nie tylko chora, lecz także staje się n i e z d r o w a. Społecznie uwarunkowany osąd przybiera charakter samowzmacniającej i samospełniającej się przepowiedni: Dlaczego właśnie ja? Dlaczego jestem chory? Bo byłeś niedobry. Ale skąd wiesz, że byłem niedobry? Bo nie jesteś zdrowy.

Krótko mówiąc, im mniej rozumie się medyczne przyczyny choroby, tym silniejsza tendencja, by przekształciła się ona w schorzenie otoczone chaosem mitów i metafor; tym częściej traktowana jest jak ułomność wywołana słabością charakteru albo moralnymi wadami, rozumiana jako schorzenie duszy, defekt osobowości, słabość moralna.

Oczywiście są przypadki, kiedy słabość moralna, słabość woli (powiedzmy, nieumiejętność rzucenia papierosów) albo czynniki osobowościowe (powiedzmy, depresja) mogą bezpośrednio przyczynić się do choroby. Umysł i emocje odgrywają ważną rolę w powstawaniu pewnych chorób (jak zobaczymy dalej). To jednak zupełnie co innego niż choroba, której podstawowe medyczne przyczyny – na skutek ignorancji czy braku informacji – interpretuje się błędnie jako spowodowane przez defekt moralny lub słabość. To jest ten przypadek, kiedy społeczeństwo próbuje wyjaśnić brak zdrowia, potępiając duszę.

Rak jest chorobą, o której właściwie wiadomo bardzo niewiele (np. nie wiadomo, jak go leczyć). I dlatego narosła wokół niego tak ogromna liczba mitów, przez co przybrał – jako schorzenie – przerażające rozmiary. Niezwykle trudny jako choroba, stał się tym bardziej przytłaczający. Tak więc pierwszą rzeczą, którą musisz zrozumieć, kiedy masz raka, jest to, że prawie wszystkie informacje, jakie uzyskasz, będą przefiltrowane przez mity. A ponieważ medycyna jako nauka dotąd nie umie wytłumaczyć przyczyn raka i znaleźć sposobu leczenia, także ona sama – a wraz z nią lekarze – jest zarażona ogromną liczbą przesądów, mitów i przekłamań.

Tylko jeden przykład: według danych National Cancer Association (Narodowego Stowarzyszenia Walki z Rakiem) „połowa przypadków raka jest obecnie uleczalna". Tymczasem w ciągu ostatnich czterdziestu lat nie odnotowano żadnego znaczącego wzrostu w przeciętnych statystykach przeżycia chorych na raka, pomimo „walki z rakiem", którą się bardzo chełpiono, i wprowadzenia wyrafinowanych technik naświetlania, chemioterapii i operacji. Nie wpłynęło to na statystyki przeżycia chorych na raka. (Szczęśliwym wyjątkiem są nowotwory krwi – choroba Hodgkina i białaczka – które dobrze reagują na chemioterapię. Żałosne 2% wzrostu w statystykach przeżycia dla pozostałych rodzajów raka jest związane głównie z wczesnym wykrywaniem; reszta wskaźników nie podskoczyła ani o milimetr). Jeżeli zaś chodzi o raka piersi, statystyki przeżycia właściwie spadły!*

Lekarze o tym wiedzą. Znają statystykę. I niekiedy spotyka się lekarza, który otwarcie to przyznaje. Peter Richards, chwała mu za to, powiedział nam: „Jeżeli spojrzycie na statystyki raka z ostatnich czterdziestu lat, zobaczycie, że żadna z nowych terapii nie spowodowała wzrostu wskaźnika przeżycia naszych pacjentów. To tak, jakby komórka rakowa miała na sobie wypisaną datę (to znaczy datę twojej śmierci). Czasami możemy wydłużyć „przerwę w chorowaniu", ale nie możemy zmienić tej daty. Jeżeli przypada za pięć lat, to pięć lat możemy cię utrzymać bez choroby i w stanie normalnego funkcjonowania, ale żadna z naszych terapii nie spowoduje przekroczenia tego terminu. To dlatego statystyki przeżycia chorych na raka nie poprawiły się od prawie czterdziestu lat. Zanim dokona się prawdziwy postęp w leczeniu raka, musi nastąpić poważny przełom w dziedzinie biochemii i genetyki".

Cóż ma więc robić typowy lekarz? Wie, że jego leczenie – operacja, chemioterapia, naświetlanie – nie będzie zbyt efektywne, a jednak coś robić musi. I działa następująco: skoro nie może naprawdę kontrolować choroby, próbuje kontrolować schorzenie. Próbuje więc określić z n a c z e n i e choroby, zalecając pacjentowi

---

* „New York Times" z 24 kwietnia 1988 r.: „Opublikowana ostatnio statystyka sugeruje, że daleko nam do zwycięstwa w wojnie z rakiem piersi, a nawet zaczynamy ją przegrywać. (...) Kobiety po pięćdziesiątce żyją z chorobą średnio nie dłużej niż przed dekadą, a wśród młodszych śmiertelność była w 1985 roku o 5% wyższa niż w 1975".

pewien sposób myślenia o nowotworze. Ten sposób myślenia to uznanie, że lekarz rozumie chorobę i może ją leczyć, i że inne podejścia są bezużyteczne albo nawet szkodliwe.

W praktyce wygląda to tak, że lekarz zaleca na przykład chemioterapię, chociaż w i e, że nie będzie skuteczna. Było to dla nas absolutnym szokiem, ale jest to postępowanie dość powszechne. W wysoko ocenianym i miarodajnym tekście o raku, *Nieobliczalnej komórce* Victora Richardsa (który jest, nawiasem mówiąc, ojcem Petera Richardsa), autor długo rozważa problem nieskuteczności chemioterapii w wielu przypadkach, by w końcu stwierdzić, że nawet wówczas ta metoda leczenia powinna być zalecana. Dlaczego? Bo „zwraca pacjenta w kierunku właściwych autorytetów medycznych". Innymi słowy, powstrzymuje go przed szukaniem innej terapii i nastawia na klasyczną medycynę, nawet jeżeli ta medycyna w danej sprawie nie jest w stanie pomóc.

To nie jest leczenie konkretnej choroby; to jest leczenie schorzenia. Próba wywarcia wpływu na rozumienie choroby przez pacjenta i w ten sposób również na jego wybór leczenia. Chodzi o to, że sama terapia może nie oddziaływać znacząco na samą chorobę, ale wpłynie na n a s t a w i e n i e pacjenta do choroby: na wybór autorytetów, których zalecenia będzie wykonywał, i rodzaje lekarstw, które zacznie przyjmować. Nasza bliska znajoma, osoba z zaawansowanym nowotworem, zgodnie ze stanowczym zaleceniem lekarzy powinna była poddać się kolejnej serii bardzo intensywnej chemioterapii. Jeżeli to uczyni, powiedzieli, może żyć jeszcze około dwunastu miesięcy. W końcu przyszło jej do głowy, żeby zapytać: jak długo jeszcze mogę żyć bez chemioterapii? Odpowiedź brzmiała: czternaście miesięcy. Zalecenie: chemioterapia... Ludzie, którzy przez to nie przeszli, nie mogą uwierzyć, że to naprawdę tak wygląda, co świadczy o tym, jak całkowicie zaakceptowaliśmy klasyczną, medyczną interpretację i „leczenie" schorzenia.

Naprawdę, nie winię za to lekarzy – są przeważnie bezradni w obliczu oczekiwań zdesperowanych pacjentów. Nie spotkałem też ani jednego lekarza, o którym mógłbym pomyśleć, że złośliwie usiłuje manipulować pacjentami. Są to w większości niewiarygodnie uczciwi ludzie, robiący wszystko, co w ich mocy, w beznadziejnych okolicznościach. Są bezradni tak jak my. Choroba jest całkiem jasno określoną jednostką medyczną, brak zdrowia zaś, schorzenie, jest religią. Ponieważ jako choroba rak nie poddaje się na ogół leczeniu, lekarze zmuszeni są leczyć go jako schorzenie; muszą działać bardziej jak księża niż jak naukowcy, a jest to rola, której nie potrafią sprostać i do której są kiepsko przygotowani. Ale w demokracji chorych lekarz jest najwyższym kapłanem.

Od tego miejsca zacząłem: informacje najbardziej uczciwych lekarzy naładowane są mitami po prostu dlatego, że ludzie ci są zmuszeni działać także jako kapłani, jako manipulatorzy *znaczenia* choroby. „Rozdają" nie tylko naukę, lecz także religię. Poddaj się ich terapiom, a będziesz zbawiony; idź leczyć się gdzie indziej, a będziesz potępiony.

Tak więc od tego pierwszego strasznego tygodnia, który upłynął między postawieniem diagnozy i rozpoczęciem leczenia, przez całe pięć lat nieustannie stawaliśmy twarzą w twarz z problemem oddzielenia raka jako choroby od raka jako schorzenia, usiłując wybrać najlepszy sposób *leczenia* choroby i najbardziej normalną drogę *rozumienia* schorzenia.

W związku z chorobą jako taką i paniką, którą w nas wywołała, w pierwszą noc po diagnozie zaczęliśmy z Treyą kurs onkologii. Przeczytaliśmy wtedy wszystko, co nam wpadło w ręce. Do końca tygodnia przejrzeliśmy około czterdziestu książek (głównie teksty medyczne, trochę popularnych sprawozdań) i tyle samo artykułów w gazetach. Chcieliśmy uzyskać jak najwięcej informacji; wiele było mało przekonujących, wszystkie były przygnębiające.

Zaczęliśmy również intensywnie badać właściwie wszystkie dostępne alternatywne sposoby leczenia: makrobiotykę, dietę Gersona, enzymy Kelleya, terapię Burtona, Burzynskiego, chirurgię psychiczną, leczenie wiarą, metodę Livingstona-Wheelera, Hoxseya, laetril, megawitaminy, immunoterapię, wizualizację, akupunkturę, afirmacje i tak dalej (wiele z tych metod opiszę później). I gdy informacje naukowo-medyczne w większości są albo nieprzekonujące, albo wrogo negatywne, informacje alternatywne brzmią jak anegdoty i są nieubłaganie optymistyczne i pozytywne. Czytając literaturę alternatywną, odnosi się wrażenie, że *wszyscy* leczeni metodami medycyny klasycznej umierają, a leczeni przez medycynę alternatywną żyją (poza tymi, którzy najpierw zawierzyli medycynie klasycznej; ci wszyscy umierają). Wkrótce zdajesz sobie sprawę, że to, co może zrobić medycyna alternatywna w sprawie choroby nowotworowej (a może zrobić wiele, jak zobaczymy), polega głównie na leczeniu schorzenia, na dostarczaniu pozytywnego znaczenia, wsparciu moralnym, a przede wszystkim budzeniu nadziei. Działanie takie bliższe jest religii niż medycynie i dlatego właściwie literatura alternatywna nie przytacza wyników badań naukowych, lecz setki świadectw.

Naszym pierwszym zadaniem było przekopanie się przez to całe piśmiennictwo, zarówno klasyczne, jak i alternatywne, i zebranie chociaż garści faktów (a nie pobożnych życzeń), na których moglibyśmy się oprzeć.

Drugim zadaniem, jakiemu mieliśmy stawić czoło, było danie sobie rady ze schorzeniem, poradzenie sobie z rozmaitymi znaczeniami i ocenami, które nasza kultura i różne środowiska wiązały z tą chorobą. Musieliśmy zmierzyć się z tą „chmurą głosów, obrazów, idei, lęków, opowieści, zdjęć, ogłoszeń, artykułów, filmów i programów telewizyjnych, niewyraźną, bezkształtną, lecz gęstą, złowieszczą, pełną strachu i bólu i bezradności" – jak powiedziała Treya.

Nie tylko samo społeczeństwo określało znaczenie. Byliśmy z Treyą wystawieni na wpływ różnych kultur, z których każda miała coś bardzo konkretnego do powiedzenia:

1. Chrześcijaństwo: przekaz podstawowy – choroba w zasadzie jest karą Boga za jakiś grzech. Im gorsza choroba, tym trudniejszy do wypowiedzenia grzech.

2. New Age: choroba jest lekcją. Fundujesz sobie chorobę, bo jest coś ważnego, czego musisz się dzięki niej nauczyć, aby wzrastać duchowo i rozwijać się. Sam umysł wywołuje chorobę i sam umysł może ją uleczyć. Wymyślona przez yuppies nowa wersja nauki chrześcijańskiej.

3. Medycyna: choroba jest zaburzeniem spowodowanym czynnikami biofizycznymi (od wirusów do urazów, od predyspozycji genetycznych do czynników środowiskowych). Nie powinieneś angażować się w psychologiczne czy duchowe metody leczenia chorób, bo takie alternatywne podejścia zazwyczaj są nieefektywne i w zasadzie mogą przeszkodzić w uzyskaniu właściwej opieki medycznej.

4. Karma: choroba jest rezultatem negatywnej karmy; to znaczy, że niektóre uczynki z przeszłości teraz owocują w postaci cho-

roby. Choroba jest zła w takim sensie, że reprezentuje niechwalebną przeszłość, ale jest dobra w takim sensie, że sam proces chorobowy jest oczyszczaniem się i wypalaniem złych uczynków.

5. Psychologia: jak to ujął Woody Allen – „nie złoszczę się, zamiast tego wyhodowałem sobie guzy". Chodzi o to, że – przynajmniej w myśl popularnej psychologii – chorobę powodują tłumione emocje. Forma ekstremalna: choroba jest pragnieniem śmierci.

6. Gnoza: choroba jest złudzeniem. Cały widzialny wszechświat jest snem, cieniem, człowiek jest wolny od choroby, kiedy jest wolny od wszelkich iluzji, gdy budzi się ze snu i pod widzialnym wszechświatem odkrywa Jedyną rzeczywistość. Duch jest tą Jedyną rzeczywistością, a w Duchu nie ma choroby. Ekstremalna i nieco odchodząca od głównego nurtu wersja mistycyzmu.

7. Egzystencjalizm: sama choroba jest bez znaczenia. Zgodnie z tym sam mogę nadać jej takie znaczenie, jakie dla niej wybiorę, i tylko ja sam jestem odpowiedzialny za ten wybór. Ludzie są skończeni i śmiertelni, a najlepszą odpowiedzią jest zaakceptowanie choroby jako części skończoności, nawet jeżeli naładowuje się ją osobistymi znaczeniami.

8. Podejście holistyczne: choroba jest efektem działania czynników fizycznych, emocjonalnych, umysłowych i duchowych, z których żadnego nie da się oddzielić od pozostałych, żadnego też nie można pominąć. Leczenie musi obejmować wszystkie te wymiary (chociaż w praktyce często sprowadza się to do unikania klasycznych metod leczenia, nawet jeśli mogą pomóc).

9. Magia: choroba jest karą. „Zasługuję na to, bo chciałem, żeby taki a taki umarł". Albo: „Lepiej, żebym się za bardzo nie wywyższał, bo coś złego mi się zdarzy". Albo: „Jeżeli przydarza mi się zbyt dużo dobrego, musi się wydarzyć coś złego". I tak dalej.

10. Buddyzm: choroba stanowi nieodłączną część widzialnego świata. Pytać, dlaczego istnieją choroby, to jak pytać, dlaczego istnieje powietrze. Narodziny, starość, choroba i śmierć są znakami świata, którego zjawiska charakteryzują się przemijaniem, cierpieniem i brakiem stałej tożsamości. Jedynie w stanie oświecenia, w czystej świadomości nirwany dokonuje się transcendencja choroby wraz z transcendencją świata zjawisk.

11. Nauka: choroba ma określone przyczyny. Niektóre z tych przyczyn są zdeterminowane, inne po prostu są dziełem przypadku

lub ślepego losu. Nie ma „znaczenia" choroby, jest tylko przypadek albo konieczność.

Ludzie muszą pływać w oceanie znaczeń – Treya dusiła się w ich zalewie. Kiedy wracaliśmy samochodem do domu, o mało razem nie utonęliśmy w tym wszystkim.

> Jakie symboliczne znaczenie miał dla mnie fakt, że w prawej piersi miałam najpierw jedną, a teraz ogromną liczbę komórek raka? Tylko o tym mogłam myśleć, gdy Ken prowadził samochód. Ta narośl, która wciąż się rozrasta i nie chce się zatrzymać, która żywi się sąsiednimi tkankami, której komórki oddzielają się i podróżują z limfą układem krwionośnym; jeśli system odpornościowy nie zdoła pozbawić ich aktywności, mogą w ten sposób zasadzić kolejne narośle. Lewa pierś nie jest wystarczająco sprawdzona, na pewno przez to umrę. Czy miałam jakieś utajone pragnienie śmierci? Czy byłam dla siebie zbyt twarda, zbyt samokrytyczna, zbyt wymagająca, tak że spowodowało to nienawiść do samej siebie? Albo – może byłam zbyt miła, tłumiłam swój gniew i oceny, aż w końcu wszystko to zamanifestowało się w formie objawów fizycznych? Czy jest to kara za to, że tak wiele w życiu dostałam, za rodzinę, którą się cieszyłam, za inteligencję i dobre wykształcenie, atrakcyjny wygląd i teraz za tego niewiarygodnie fantastycznego męża? Czy można dostać tak dużo, że więcej to jest już za dużo? Czy zarobiłam na to karmą z jakiegoś poprzedniego życia? Czy to doświadczenie jest lekcją, której muszę się nauczyć, albo niezbędnym pchnięciem w kierunku bardziej zaawansowanej duchowej ewolucji? Być może po latach niespokojnego poszukiwania dzieła życia znalazłabym w tym wszystkim zalążek tego dzieła, gdybym zdołała je rozpoznać?

Wracaliśmy do tego na okrągło, wracaliśmy do znaczenia, jakie miał fakt, że Treya zachorowała na raka. Ten problem wciąż się wyłaniał, zawsze wisiał w powietrzu, a każde z nas miało w związku z nim jakąś teorię. Stał się niechcianym, lecz nieuchronnie dominującym tematem naszego życia, wobec którego wszystko inne traciło znaczenie. Leczenie raka – choroby zajmowało przeciętnie kilka dni w miesiącu, leczenie raka – schorzenia było pracą na pełny etat – istniało w każdym aspekcie naszego życia, pracy, rozrywki; nawiedzało nasze sny i nie pozwalało, byśmy o nim zapomnieli. Tego ranka rak był obecny jak szczerzący zęby kościotrup na balu, uparcie przypominający o nieobliczalnej komórce, która wtargnęła do ciała Trei i która nosiła w sobie datę jej śmierci.

Dwa dni temu poznałam diagnozę. Dzisiaj podczas lunchu, pomiędzy wizytami u dwóch lekarzy, zapytałam Kena:

– Jak sądzisz? Dlaczego mam raka? Wiem, że to uproszczone zastosowanie idei, iż umysł wpływa na ciało, ale strach, który towarzyszy nowotworowi, utrudnia dokonywanie wyraźnych rozróżnień! Kiedy napotykam teorię o emocjonalnych przyczynach mojego raka, trudno mi nie obwiniać samej siebie. Czuję, że być może zrobiłam coś złego, że myślałam źle albo czułam źle. Czasami zastanawiam się, czy inni też będą tworzyli teorie o moim raku, kiedy dowiedzą się, że jestem chora. Być może pomyślą, że za bardzo tłumiłam w sobie emocje, byłam zbyt chłodna, na uboczu. Może uznają, że jestem zbyt uległa, zbyt miła, dobra, aby to było prawdziwe. A może, że byłam za bardzo pewna siebie, zadowolona z siebie, że zasłużyłam na tę ciężką próbę. Nie jest ze mną aż tak źle, jak z tą kobietą, o której słyszałam, że odebrała raka jako porażkę życiową, ale kiedy jestem w takim nastroju, rozumiem ją. Co o tym myślisz?

– Do diabła, mała, nie wiem, co o tym myślę. Może byś zrobiła listę? Spróbuj teraz. Spisz wszystko, co według ciebie przyczyniło się do twojej choroby.

Oto, co napisałam, czekając na zupę jarzynową:

– tłumiłam swoje uczucia, zwłaszcza gniew i smutek;

– przeszłam okres ważnych życiowych zmian, stresów i depresji, w czasie którego przez dwa miesiące prawie codziennie płakałam;

– moja samoocena była zbyt surowa;

– w okresie młodości jadłam zbyt dużo tłuszczu zwierzęcego i piłam za dużo kawy;

– martwiłam się o prawdziwy cel w życiu; odczuwałam wewnętrzną presję, by znaleźć swoje powołanie, swoje dzieło;

– jako dziecko czułam się bardzo samotna, wyizolowana, brakowało mi nadziei, że to może się zmienić; nie umiałam wyrazić swoich uczuć;

– przez długi okres życia miałam tendencję do samowystarczalności, niezależności i samokontroli;

– zbyt mało energicznie dążyłam do znalezienia ścieżki duchowej, takiej jak np. medytacja, choć zawsze było to moim podstawowym celem;

– nie poznałam wcześniej Kena.

– Co o tym myślisz? Jeszcze nic nie powiedziałeś.

Ken spojrzał na listę.

– Kochanie, podoba mi się zwłaszcza ten ostatni punkt. No, dobra, co o tym myślę... Myślę, że raka powodują dziesiątki różnych przyczyn. Jak by powiedziała Frances Vaughan, istota ludzka ma wymiar fizyczny, emocjonalny, umysłowy, egzystencjalny i duchowy. Wydaje mi się, że na każdym z tych poziomów mogą znajdować się problemy, których skutkiem jest powstanie choroby. Przyczyny fizyczne: dieta, zatrucie środowiska, napromieniowanie, palenie papierosów, predyspozycje genetyczne i tak dalej. Przyczyny emocjonalne: depresja, sztywna samokontrola i hiperniezależność. Umysłowe: nieustanna samokrytyka, trwale pesymistyczny stosunek do świata, a zwłaszcza depresja, która najprawdopodobniej wpływa na układ odpornościowy. Egzystencjalne:

nadmierny strach przed śmiercią, powodujący nadmierny strach przed życiem. Duchowe: nieumiejętność słuchania swojego wewnętrznego głosu.

– Możliwe, że to wszystko daje w efekcie chorobę fizyczną, ale mój problem polega na tym, że nie wiem, na ile ważny jest każdy z tych poziomów. Czy umysł i psychologia to 60% czy 2%? Ze statystyk, które widziałam, wynika, że jeśli chodzi o przyczyny raka, to około 30% stanowi genetyka, 55% środowisko (picie, palenie, tłuszcze, błonnik, toksyny, promieniowanie ultrafioletowe, promieniowanie elektromagnetyczne itd.), a 15% wszystko inne – przyczyny emocjonalne, umysłowe, egzystencjalne, duchowe. Oznacza to, że przynajmniej 85% stanowią przyczyny fizyczne.

Kelner przyniósł moją zupę.

– Właściwie żaden z tych problemów nie miałby takiego znaczenia, gdyby nie mój strach, że jeżeli teraz jestem jakoś odpowiedzialna za raka, to znowu mogę zrobić sobie to samo. Po co w ogóle się leczyć, jeżeli to powtórzę? Chciałabym na to wszystko spojrzeć jako na coś, co przydarzyło mi się przypadkowo, być może z przyczyn genetycznych albo z powodu naświetlania promieniami X, gdy byłam młoda, lub dlatego, że mieszkałam blisko składowiska odpadów toksycznych, albo z jakiegoś innego powodu. Teraz boję się, że jeżeli wpadnę w depresję, to moja wola życia może osłabnąć. Kiedy wyobrażam sobie sceny śmierci w szpitalnych łóżkach, obawiam się, że wspieram w sobie pęd ku takiemu właśnie końcowi, że nieomal sama go kreuję. Po prostu nie mogę oderwać się od tych myśli – co zrobiłam, że mi się to przytrafiło? Co zrobiłam złego? Co chciałam sobie „załatwić", zapadając na raka? Czy nie chciałam żyć? Czy teraz mam wystarczająco silną wolę życia? Czy karzę się za coś?

Zaczęłam szlochać nad moją zupą jarzynową. Ken przysunął swoje krzesło i objął mnie.

– Wiesz, to dobra zupa.

– Nie chcę, żebyś musiał się przeze mnie martwić – powiedziałam w końcu.

– Kochanie, tak długo, jak oddychasz i płaczesz, nie będę się martwił o ciebie. Jeżeli przestaniesz to robić, wtedy zacznę się martwić.

– Boję się. Jak mam się zmienić? Czy muszę się zmienić? Chcę, żebyś powiedział szczerze, co o tym myślisz.

– Nie wiem, co spowodowało raka, i nie sądzę, by ktokolwiek to wiedział. Ludzie, którzy gadają, że raka powodują głównie tłumione emocje, poczucie niższości czy niedostatki duchowe, nie wiedzą, o czym mówią. Nie istnieją żadne wiarygodne dowody na poparcie takich twierdzeń; tworzą je głównie ludzie, którzy próbują ci coś wcisnąć, sprzedać. Skoro nie wiadomo, co spowodowało twojego raka, to nie wiem, co powinnaś zmienić, żeby pomóc w jego leczeniu. Więc może byś spróbowała posłużyć się rakiem jako metaforą i bodźcem do zmiany wszystkich tych spraw w twoim życiu, które i tak chciałabyś zmienić? Innymi słowy, tłumienie pewnych emocji mogło, ale nie musiało przyczynić się do powstania raka, lecz skoro i tak chcesz przestać tłumić emocje, to użyj raka jako pretekstu, aby to zrobić. Wiem, że to tania rada, ale dlaczego nie użyć raka jako możliwości zmiany tego wszystkiego, co znalazło się na twojej liście, a co może ulec zmianie?

Pomysł ten przyniósł mi ogromną ulgę i zaczęłam się uśmiechać. Ken dodał:

– Nie wprowadzaj zmian dlatego, że uważasz, iż pewne rzeczy w twoim życiu spowodowały raka – to tylko sprawi, że będziesz czuła się winna. Wprowadzaj je dlatego, że i tak tego chciałaś. Nie potrzebujesz, żeby rak ci dyktował, nad czym masz pracować. Już wiesz. Więc zaczynamy. Zróbmy nowy początek. Pomogę ci. To będzie całkiem fajne. Naprawdę. Możemy to nazwać „zabawą z rakiem”. Oboje roześmialiśmy się głośno.

To miało sens – poczułam jasność i determinację. Nie istniał więc problem „nadanego z góry" znaczenia mojej choroby, choć niegdyś ludzie rzeczywiście byli przywiązani do takich interpretacji. Nie czułam się również szczególnie usatysfakcjonowana ogólnym podejściem medycznym, które wszystko redukowało do przypadkowej kombinacji okoliczności materialnych (dieta, genetyka, zatrucie środowiska). Takie wyjaśnienie, prawdziwe na pewnym poziomie, nie wystarczało mi. Chciałam – i potrzebowałam tego – nadać swojemu doświadczeniu jakieś znaczenie i znaleźć jego przyczynę. Jedynym sposobem, aby to osiągnąć, było wypełnienie go swoimi myślami i działaniem.

Jeszcze nie zdecydowałam się na sposób leczenia i o tym właśnie myślałam. Nie chciałam po prostu leczyć choroby, by potem usunąć ją do jakiegoś ciemnego zakątka mojego życia, do którego nigdy nie musiałabym już zaglądać. Rak z pewnością będzie częścią mojego życia, jednak nie w sensie konieczności ciągłych badań czy stałej świadomości, że może dojść do nawrotu. Miałam zamiar posłużyć się nim w tych dziedzinach mojego życia, w których pragnęłam dokonać zmiany. W aspekcie filozoficznym – chciałam, by pomógł mi przygotować się na śmierć, kiedy nadejdzie mój czas, spojrzeć na śmierć z bliska, bym mogła poznać znaczenie i cel mojego życia. W aspekcie duchowym – miał mi pomóc na nowo rozniecić zainteresowanie drogą kontemplacji, pomóc w poszukiwaniu tej, która jest odpowiednia dla mnie, i w podążaniu nią. W aspekcie psychologicznym – miałam nadzieję, że uda mi się wykorzystać raka do tego, by stać się osobą bardziej uprzejmą i bardziej kochającą siebie i innych, by z większą łatwością wyrażać gniew, mniej się bronić przed intymnością i przestać zamykać się w sobie. W końcu aspekt materialny, fizyczny – będę jadła świeże, czyste i zdrowe jedzenie i znowu zacznę się gimnastykować. I przede wszystkim chcę, by choroba pomogła mi stać się wobec siebie łagodną i wyrozumiałą zarówno wtedy, gdy dążę do celu, jak i wówczas, gdy nie udaje mi się go osiągnąć.

Skończyliśmy lunch, który później żartobliwie nazywaliśmy „wielkim wydarzeniem przy zupie jarzynowej" albo „zabawą z rakiem". Był on punktem zwrotnym – zaczęliśmy zupełnie inaczej rozumieć „znaczenie" raka Trei i przede wszystkim inaczej patrzeć na wszystkie zmiany w stylu życia, których dokonała nie z powodu raka, lecz dlatego, że trzeba je było przeprowadzić – koniec, kropka.

– Cóż, sądzę, że nie zobaczysz tego i nie mógłbyś tego zobaczyć. Tylko ja to widziałam.

– Czy to wciąż jest? – Ta myśl jest niepokojąca.

– Teraz nie widzę, ale chyba wciąż jest. – Treya mówi o tym, jakby to była najbardziej naturalna rzecz na świecie: śmierć siedząca na ramieniu ukochanego.

– Nie możesz jej po prostu strzepnąć?

– Nie bądź głupi – mówi tylko.

W końcu wypracowaliśmy nasze własne znaczenie schorzenia i rozwinęliśmy własne teorie na temat zdrowia i leczenia (jak zobaczymy dalej). Ale musieliśmy leczyć chorobę, i to bardzo szybko.

Byliśmy już spóźnieni na wizytę u Petera Richardsa.

4

Kwestia równowagi

– To nowa procedura, po raz pierwszy zastosowana w Europie. Myślę, że jesteś dobrą kandydatką.

Peter Richards wyglądał na zmartwionego. Najwyraźniej miał dużo sentymentu dla Trei. (Jak trudno, pomyślałem sobie, leczyć chorych na raka). Peter nakreślił opcje: mastektomia wraz z usunięciem wszystkich węzłów limfatycznych; pozostawienie piersi, ale usunięcie węzłów limfatycznych, a potem leczenie piersi źródłami promieniotwórczymi; segmentowa lub częściowa mastektomia (usunięcie około jednej czwartej tkanki piersi), usunięcie około połowy węzłów limfatycznych, a potem pięć, sześć tygodni naświetlań obszaru piersi; odcinkowa mastektomia i usunięcie wszystkich węzłów limfatycznych. Trudno było uniknąć wrażenia, że były to rozważane na zimno techniki średniowiecznych tortur. „Och, tak, proszę pani, mamy coś ślicznego, Żelazna Dziewica w rozmiarze ósmym".

Treya już ustaliła ogólny plan akcji. Choć oboje byliśmy wielkimi fanami medycyny alternatywnej i holistycznej, z naszych studiów wynikało, że żadna z alternatywnych metod – włączając w to wizualizację Simontona, dietę Gersona i metodę Burtona na Bahamach – nie odniosła znaczącego sukcesu w walce z guzami czwartego stopnia. Te guzy to naziści wśród nowotworów i nie odstrasza ich sok z pszenicy ani słodkie myśli. I tu właśnie wkracza medycyna białego człowieka.

Po uważnym przyjrzeniu się wszystkim możliwościom Treya zdecydowała, że najbardziej rozsądnym sposobem postępowania będzie wykorzystanie najpierw technik konwencjonalnych, a potem połączenie ich z całą gamą metod holistycznych. Praktycy w dziedzinie medycyny holistycznej oczywiście zazwyczaj odradzają leczenie sposobami medycyny klasycznej – naświetlaniami czy chemioterapią; według nich osłabiają one układ odpornościowy, a wtedy leczenie holistyczne ma mniejsze szanse na sukces.

Trochę w tym prawdy, ale sytuacja jest o wiele bardziej delikatna i złożona. Naświetlania rzeczywiście obniżają liczbę białych ciałek krwi, jednego z podstawowych mechanizmów odpornościowych ciała, jednakże zwykle jest to przejściowe, a nieznaczna redukcja leukocytów nie powoduje obniżenia odporności – nie ma bowiem bezpośredniego powiązania pomiędzy liczbą białych krwinek a jakością odporności. Ludzie, którzy na przykład poddawani są chemioterapii, nie chorują częściej niż inni na przeziębienia, grypy, uogólnione infekcje lub tzw. wtórne nowotwory pomimo obniżonej liczby białych krwinek. To wcale nie jest oczywiste, że mają uszkodzony układ odpornościowy. Gorzka prawda jest taka, że wiele osób, które poddają się leczeniu metodami holistycznymi, umiera; wtedy najwygodniejszą wymówką jest: „Powinien był przyjść najpierw do nas”.

Treya zadecydowała, że przy obecnym stanie wiedzy medycznej jedynym prawidłowym sposobem postępowania będzie połączenie metod klasycznych z alternatywnymi. Jeżeli chodzi o metody klasyczne, to badania przeprowadzone w Europie wykazały, iż mastektomia segmentowa, a potem naświetlania – to sposób leczenia równie skuteczny jak makabryczna całkowita mastektomia. Cała nasza trójka – Peter, Treya i ja – czuliśmy, że mastektomia segmentowa jest najbardziej rozsądnym sposobem postępowania. (Treya nie była próżna; wybrała tę metodę nie dlatego, że pozwalała zachować większą część piersi, ale dlatego, że oszczędzała węzły chłonne).

15 grudnia 1983 roku zaczęliśmy nasz miesiąc miodowy w pokoju 203, na drugim piętrze Children's Hospital w San Francisco.

– Co robisz?
– Chcę, żeby mi wstawili łóżko. Będę tu spał.
– Nie pozwolą ci.
Ken zrobił swoją chyba-żartujesz minę.

– Mała, szpital to straszne miejsce, a ty jesteś chora. W szpitalu są zarazki, których nie znajdziesz na całym świecie. Jeżeli nie dopadną cię zarazki, zrobi to jedzenie. Zostaję. Poza tym, jest to nasz miesiąc miodowy; nie zamierzam cię opuścić.

Przyniesiono mu łóżko i cały czas spędził ze mną w pokoju. Tuż przed operacją przyniósł mi piękne kwiaty. Na karteczce napisał: „Dla drugiej połowy mojej duszy".

Wyglądało na to, że Treya nagle odzyskała grunt pod nogami. Wrócił jej dawny, niezwykły hart ducha i ruszyła śmiało w swoją udrękę.

11 XII. We trójkę [Richards, Treya i Ken] doszliśmy do tego samego wniosku: mastektomia segmentowa [usunięcie około połowy węzłów chłonnych], naświetlania. Było dobrze, dobrze się czułam. Śmiałam się z tego wszystkiego, świetnie sobie radziłam. Lunch u Maksa, zakupy świąteczne z Kenem. W domu późno i zmordowani, ale zrobiliśmy wiele sprawunków. Jestem przepełniona miłością do Kena, chcę wszystkim przebaczyć i wszystkich pozdrowić, zwłaszcza moją rodzinę.

14 XII. Najpierw leczenie akupunkturą. Drzemka, pakowanie. Do hotelu, obiad z Mamą i Tatą, jeszcze więcej prezentów ślubnych. Dzwoniłam do Kati [siostra], żeby przyszła. Tuliłam się do Kena.

15 XII. Godzina dziewiąta – szpital – przygotowanie – poczekalnia – do mojego pokoju – dwie godziny spóźnienia. Czuję się dobrze, wjeżdżając na salę operacyjną, czuję się dobrze, wyjeżdżając, nie za bardzo odurzona. Budzę się o piątej – Ken, Tatuś, Mama, Kati są tutaj. Ken ma swoje łóżko – „druga połowa mojej duszy". Tej nocy morfina. Interesujące doznania – senne dryfowanie, podobne do medytacji. Budzą mnie praktycznie co godzinę, aby zmierzyć temperaturę i ciśnienie krwi. Ciśnienie jest oczywiście bardzo niskie. Ken musiał się co godzinę budzić, by zapewnić pielęgniarkę, która nie mogła znaleźć pulsu, że żyję.

16 XII. Spałam cały dzień – powoli przeszłam z Kenem przez korytarz. Mama, Tata, Kati, Joan (przyjaciółka). Jest tu doktor Richards, wycięli mi dwadzieścia węzłów, wszystkie negatywne (nie ma raka w węzłach limfatycznych, bardzo dobra wiadomość). Spacerowałam z Suzannah. Tej nocy nie mogłam spać, o czwartej poprosiłam o lekarstwa, morfinę i tylenol. Bardzo dobrze, że Ken jest tu przez cały czas, cieszę się, że nalegał na to.

17 XII. Dzwoniłam do różnych ludzi – dużo czytałam – jest tu doktor R. – rodzina wyszła – Ken na zakupach świątecznych – czuję się bardzo dobrze.

18 XII. Mnóstwo gości – Ken coś załatwia – dużo chodzę – czytam *The Color Purple.* Wciąż mnie boli, ciągle wycieka płyn.

19 XII. Wypisali mnie – lunch u Maksa – świąteczne zakupy z Kenem – w domu. Chciałabym więcej o tym napisać – czuję się dobrze, pewna siebie – trochę bolało pierwszego dnia, zwłaszcza tam, gdzie były rurki odprowadzające płyn – czuję się tak dobrze, że czasami martwię się, czy nie jestem zbyt pewna siebie!

Natychmiastowy efekt operacji był psychologiczny: Treya wykorzystała czas, by rozpocząć niemal całkowitą rewizję tego, co zawsze nazywała „dziełem życia", to znaczy – czym miało być jej życie. Jak mi wytłumaczyła, pytanie dotyczyło zagadnienia „bycie kontra działanie", co w naszej kulturze oznacza również „role męskie kontra role kobiece". Treya zawsze ceniła d z i a ł a n i e, które często (choć niekoniecznie) łączy się z męskością, a deprecjonowała b y c i e, które często (choć niekoniecznie) łączy się z kobiecością.*

---

* W preferencjach Trei wyrażają się tradycyjne skojarzenia męskości z działaniem, umysłem, sferą ducha (logiki), a kobiecości z byciem, ciałem, sprawami ziemskimi. Nie trzeba chyba podkreślać, że nie jest to podział prosty i jednoznaczny, raczej kwestia osobistego wyboru. Nie znaczy to więc, że mężczyzna nie może być, a kobieta nie może działać. Opisuję po prostu sposób myślenia,

Wartość działania polega na tworzeniu, produkowaniu, osiąganiu czegoś. Działanie często jest agresywne, rywalizujące i podlega hierarchii; skierowane na przyszłość; opiera się na zasadach i ocenach. Ogólnie rzecz biorąc, wartość działania dotyczy prób zmiany teraźniejszości na „lepszą".

Wartość bycia polega na „obejmowaniu" teraźniejszości – akceptowaniu ludzi dlatego, że są, a nie za to, co potrafią, tworzeniu związków, włączaniu, współczuciu i opiece.

Wydaje mi się, że obie te wartości – działanie i bycie – są równie ważne i chodzi o to, że skoro bycie jest często łączone z kobiecością, to Treya, przeceniając działanie, właściwie tłamsiła w sobie całą gamę bycia – kobiecości.

Działanie nie było dla niej tylko przelotnym zainteresowaniem. Powiedziałbym raczej, że był to główny problem w życiu Trei, przejawiający się w różnych formach. Wśród wielu innych powodów stał się bezpośrednią przyczyną zmiany jej imienia z „Terry" na „Treya" – czuła, że Terry to imię męskie.

> Wiele spraw widzę teraz jaśniej. Odkąd pamiętam, zawsze zmagałam się z pytaniem: „Co jest dziełem mojego życia?". Wydaje mi się, że kładłam zbyt duży nacisk na działanie, a zbyt mały na bycie. Byłam najstarsza z czworga dzieci i gdy dorastałam, chciałam być najstarszym synem mojego ojca. W tamtych czasach w Teksasie naprawdę ważne zajęcia były sprawą męską – wszelką produktywną pracę wykonywali mężczyźni. Ceniłam wartości męskie i nie chciałam być „żoną z Texasu" – więc porzuciłam wiele wartości kobiecych i walczyłam z nimi, kiedy tylko zauważyłam je w sobie. Odrzucenie swojej kobiecości, swojego ciała, funkcji karmicielki, seksualności – wyrównałam głową, ojcem, logiką, wartościami społecznymi.

---

który doprowadził Treyę do poczucia tych różnic, dostrzegalnych między nami. Treya uważała, że w pierwszej fali feminizmu chodziło o wykazanie, iż kobieta może działać nie gorzej niż mężczyzna, ale druga fala powinna być powrotem do sposobu istnienia, który, jak się zdaje, jest dla kobiet z natury bardziej zrozumiały. Przy rozważaniach na ten temat będę korzystał z systemu pojęć Trei, gdyż ona była tu moim najważniejszym nauczycielem.

Teraz, kiedy staję w obliczu raka, wydaje mi się, że odpowiedź na to palące pytanie – co jest moim dziełem? – może być dwojaka.

1. Jak na ironię, wobec ciągłego oporu przed odnalezieniem siebie poprzez mężczyznę, częścią mojej pracy (dzieła) jest niewątpliwie dbanie o Kena, ze wszystkich sił wspieranie go w pracy, uczenie się, jak pozwolić powoli umrzeć staremu strachowi i zarazem nie utracić autonomii. Trzeba zacząć od tego, że jestem po prostu jego żoną, a więc będę go wspierać, prowadzić ładny dom, zorganizuję mu miłe miejsce do pracy (zatrudnić sprzątaczkę!). Trzeba zacząć od wspierania go w jego działaniach, stosując te niedostrzegalne sposoby, znane każdej żonie, przeciwko którym zawsze protestowało moje ego. Ale teraz to co innego, sytuacja już nie dotyczy „żony z Texasu", której nie cierpiało moje ego; ono nie jest już takie, jakie było wówczas. Praca Kena jest dla mnie niezwykle ważna. Czy mogłabym przejść tę całą drogę, czy mogłabym coś osiągnąć bez niego? (Wcale się nie chcę poniżać, jestem szczera). Strasznie go kocham. Jest wyraźnie, całkowicie w samym centrum mojego dzieła. Wydaje mi się, że nie doszłoby do tego, gdyby to Ken chciał, żebym była „dobrą żoną". On niczego ode mnie nie wymaga. Jeżeli już, to on był tą żoną, która się mną opiekowała!

2. Drugim elementem, związanym z poradnictwem i pracą w grupach, czym zajmuję się zawodowo, jest praca nad rakiem. Coraz bardziej jestem przekonana, że mogę to robić. Zacznę od sporządzenia księgi moich doświadczeń z rakiem. Zbiorę różne teorie na temat leczenia. Zapytam terapeutów o związek ciała z umysłem, zapytam innych chorych na raka. A potem – może wideo, zobaczymy. Ale z pewnością będzie to główny punkt mojej pracy.

Rozumiem oba te zadania jako „bezinteresowną służbę"; wymagają, abym usunęła z drogi moje ego i służyła innym. Oba są bezpośrednio związane z moim stałym pragnieniem znalezienia duchowej dyscypliny. Wszystko zaczyna się łączyć!

> Czuję, jak się otwieram.
> Czuję, jak się otwieram pomiędzy głową i sercem,
> ojcem i matką, umysłem i ciałem.
> Tym, co męskie, i co kobiece, moim uczonym i moim
> artystą.
> Jedna – pisarką, druga – poetką.
> Jedna – odpowiedzialnym najstarszym dzieckiem,
> naśladującym ojca
> Który spajał rodzinę;
> Druga wesoła, ciekawa, poszukująca przygód,
> mistyczna.

To na pewno nie było rozwiązanie czy ostateczna wersja poszukiwań przez Treyę jej powołania, poszukiwań jej „prawdziwej pracy", lecz był to początek. Wyczuwałem w niej zmianę, wewnętrzne zdrowienie, integrację, zrównoważenie.

Zaczęliśmy określać jej poszukiwanie „pracy" mianem poszukiwania „daimoniona". Ta grecka nazwa w mitologii klasycznej oznacza „boga wewnątrz", wewnętrzną boskość lub ducha-przewodnika; jego odpowiednikiem jest dżin, geniusz, bóstwo opiekuńcze; daimonion (lub dżin) odpowiada losowi czy przeznaczeniu. Treya nie odkryła jeszcze swojego przeznaczenia, geniusza, losu, swojego daimoniona, a w każdym razie nie odkryła jego ostatecznej postaci. Ja miałem być częścią tego przeznaczenia, ale nie jego centrum, jak to sobie wyobrażała; miałam być raczej katalizatorem. Jej daimonion w rzeczywistości był jej własnym wyższym Ja, co wkrótce objawiło się nie w pracy, lecz w sztuce.

Ja odnalazłem swoje przeznaczenie, swojego daimoniona – było to moje pisanie. Wiedziałem dokładnie, co chcę robić i dlaczego chcę to robić; wiedziałem, dlaczego tutaj jestem i co mam osiągnąć. Kiedy pisałem, wyrażałem swoje wyższe Ja, byłem tego pewny, nie miałem żadnych wątpliwości. Pisząc swoją pierwszą książkę w wieku dwudziestu trzech lat, wiedziałem, że powróciłem do domu, odnalazłem siebie, cel i swojego Boga. Od tamtej pory nie zwątpiłem w to ani razu.

Jest jednak w daimonionie coś dziwnego i strasznego. Kiedy się go szanuje i pracuje nad nim, to rzeczywiście będzie duchem-przewodnikiem; ci, którzy mają Boga w sobie, zmuszają geniusza do pracy. Kiedy jednak daimonion, choć dochodzi do głosu, jest lekceważony, staje się demonem lub złym duchem – boska energia i talent ulegają degeneracji i działają niszcząco. Mistyka chrześcijańska głosi na przykład, że płomienie piekła są niczym innym jak tylko odrzuconą miłością Boga, aniołami zredukowanymi do demonów.

> Trochę się naburmuszyłam, kiedy Ken i Janice [przyjaciółka] rozmawiali o tym, jak bardzo są do siebie podobni, bo jeżeli nie pracują, robią się dziwaczni. Ken pomaga sobie na swoje niepracowanie, popijając drinki i uprawiając inne rozrywki; Janice mówi, że pracuje, żeby odegnać myśli samobójcze. Wydaje mi się, że to różne motywacje – Ken ma daimoniona, który zmusza go do pracy, by się spełnił; Janice ma demona i pracuje po to, by od niego uciec. Chodzi o to, że Ken próbował to jakoś połączyć, a ja zachowałam się nieco dziwacznie z powodu niepewności związanej z tym, co teraz robię. Ta sama stara historia – nie muszę pracować z powodu jakiegoś wewnętrznego demona (Janice) i nie odnalazłem swojego daimoniona (Ken), pracy, którą bardzo pragnę wykonywać. Czasami wydaje mi się, że moim prawdziwym problemem jest to, iż po prostu nie wierzę, że mogłabym być rzeczywiście w czymś dobra, że przeceniam innych i że, być może, do ukończenia przeze mnie pięćdziesiątki wszystko to zostanie ociosane przez doświadczenie – wtedy już będę wiedziała, że mogłam być wystarczająco dobra. Czasami wydaje mi się, że po prostu muszę przestać ścigać mojego daimoniona; muszę za to zostawić mu w swoim życiu trochę przestrzeni, by sam mógł się ukazać i rozwinąć. Chciałabym od razu mieć dorosłą roślinę; zawsze byłam zbyt niecierpliwa, by

pielęgnować małe sadzonki, by później którąś wybrać lub poczekać, aż ona wybierze mnie.

Muszę nauczyć się czytać w głębi swej istoty, muszę odnaleźć swoje własne „przewodnictwo" i daimoniona. Nie chcę żyć bez wiary w wyższy cel, nawet gdyby to miała być tylko wiara w ewolucję! Więc nie chcę też, żeby gniew [z powodu raka] zubożył moje doświadczenia mistyczne i ich moc zmieniania ludzi. Nie chcę, żeby gorycz zniszczyła moje poczucie świętości i sensu w życiu, natomiast chcę użyć jej do pogłębienia potrzeby poszukiwań i zrozumienia. Nawet gniew może być „materią", za której pośrednictwem przejawia się i działa Bóg lub siła ewolucyjna. Wciąż interesuje mnie, jak zmieniają się ludzie, jak odnajdują sens i cel życia. Z pewnością rozpoznaję w sobie potrzebę pracy, jakiś fundament dla nie do końca wykrystalizowanych działań Findhornów i Windstarów. Czuję, że Ken i praca nad rakiem są ogromną częścią tego fundamentu. Ale potrzebuję czegoś, co byłoby odpowiednikiem pisania Kena, architektury Stevena, tańca Cathy. Odnajduję w sobie to, co Haridas Chaudhuri nazywa „potrzebą autokreacji i kreatywnego spełnienia" – moją „wolę samorozwoju".

By podążać tą ścieżką, muszę znaleźć sposób na lepszy kontakt z głębią mojej psychiki, wewnętrzną zasadę osobistego rozwoju. Tak blisko do Boga wewnątrz; uczenie się rozumienia i podążanie za tym jest tym samym, co słuchanie i posłuszeństwo wobec woli Boga. Dotrzeć do wnętrza i wejść w kontakt z najgłębszą, najprawdziwszą częścią siebie... poznać ją, pielęgnować, pozwolić, by dojrzała... naładować ją siłą (uznając za wewnętrznego Boga)... rozwinąć wolę tak, by podążała do wewnątrz... rozwinąć umiejętność sprawdzenia jej prawdy i wiarę, i odwagę, by za nią podążać, nawet jeżeli sprzeciwia się to racjonalnemu umysłowi, naszej uzgodnionej rzeczywistości.

Takie jest teraz moje zadanie...

W koszmarze, który stał się naszym udziałem, poza wszystkim innym Treyę dręczyło to, że jeszcze nie odnalazła swojego daimoniona; ja zaś odnalazłem swojego, lecz pozwoliłem mu się wymknąć – i to było moją udręką. Anioły zmieniły się w demony i niemal zniszczyło mnie to szczególne piekło.

Święta Bożego Narodzenia spędziliśmy w Laredo z rodziną (po krótkim postoju w Houston, w szpitalu Andersona). Potem wróciliśmy do Muir Beach, by Treya mogła zacząć leczenie naświetlaniami u doktora Simeona Cantrila, dla przyjaciół Sima. Był bardzo miłym, błyskotliwym człowiekiem. Jego żona zmarła na raka. Wybitnej inteligencji Sima towarzyszyło niekiedy szorstkie obejście, a nawet chłód, który, choć nieprawdziwy, był onieśmielający. W ten sposób, oprócz świetnej radioterapii, dał Trei okazję do treningu asertywności z lekarzami, treningu, który doprowadziła do perfekcji.

> Oni nie stosują bata. Musisz naciskać i pytać, i naciskać, i przede wszystkim nie czuć się głupio. A zwłaszcza, niech cię nie odstrasza ich zapracowanie, to poczucie, że ich czas jest tak cenny, iż ledwie, ledwie mogą odpowiadać na twoje pytania. To twoje życie się liczy. Zadawaj swoje pytania.

Asertywność była po prostu częścią „wzięcia na siebie odpowiedzialności" – postawy, którą Treya coraz silniej przybierała wobec swojej choroby. W ciągu pięciu i pół tygodnia codziennych naświetlań – bezbolesna procedura, której głównym skutkiem ubocznym jest lekkie, lecz rosnące zmęczenie i niekiedy objawy grypy – Treya zaczęła wywiązywać się ze swoich podstawowych zadań: zmiany w życiu tych rzeczy, które i tak wymagały zmiany.

> Dziś zaczęłam leczenie naświetlaniami. Czuję się bardzo podbudowana dyscypliną i regularnością tego procesu. Regularność pomaga mi w utrzymywaniu dyscypliny na innych obszarach. Zaczęłam codziennie chodzić na długie spacery. Odczuwam potrzebę projekcji, wyrażania swojej energii na zewnątrz, zamiast zwracania jej ku sobie, pracuję

więc nad swoją książką o raku. Ken zaordynował mi terapię megawitaminową – w końcu jest wykształconym biochemikiem! Kupuje ogromne paki odżywek (po pięćdziesiąt w jednej), miesza je w kuchennym zlewie i wygląda przy tym jak zwariowany naukowiec. Przejął również prawie całe gotowanie, stając się moim dietetykiem. Jest świetnym kucharzem! A jego nieoficjalnym zajęciem jest rozśmieszanie mnie. Wczoraj, kiedy wróciłam do domu, zapytałam go, co słychać, a on odpowiedział: „Chryste, jaki okropny dzień! Rozwaliłem samochód, przypaliłem obiad, zbiłem żonę. O, kurczę, zapomniałem zbić żonę..." – i zaczął mnie gonić dookoła kuchennego stołu.

Jako uzupełnienie medytacji, ćwiczeń, akupunktury, witamin, diety i pracy nad książką rozpoczęłam wizualizacje, spotykam się ze swoimi dwoma holistycznymi lekarzami i więcej energii poświęcam na pisanie tego pamiętnika! Jest on częścią leczenia. Jedynym moim zmartwieniem podczas świąt Bożego Narodzenia było lenistwo; jadłam, co podano, nie medytowałam ani nie gimnastykowałam się, wszystko mi się zaczęło wymykać.

Teraz czuję, że biorę na siebie odpowiedzialność, zadaję pytania. W ciągu dwóch dni ból [po operacji] minął. Ważne, bym czuła, że mogę zrobić coś, żeby sobie pomóc, żeby czuć się lepiej, nie tylko powierzać się lekarzom.

Czytam [Normana] Cousinsa *The Healing Heart* – pisze, że nigdy nie miał depresji, zawsze skupiał się na tym, co mógł zrobić, żeby wrócić do zdrowia. To świetne, ale ja wpadam w depresję – czuję, że po części dlatego, iż nie jestem pewna, co spowodowało raka, dlaczego zachorowałam. Choroba serca jest o wiele bardziej zrozumiała – stresy i odżywianie. Ale naprawdę wiem, co muszę zmienić! Wiem, że dopóki czytam i myślę – i pracuję – mój duch szybuje wysoko. Kiedy czuję się jak ofiara albo pozostawiam wszystko lekarzom lub chcę, żeby Ken mnie wyręczał, popadam w depresję. Lekcja woli życia.

Choć „wzięcie na siebie odpowiedzialności" miało ogromną wagę, była to jednak tylko połowa równania. Oprócz nauczenia się, jak przejąć kontrolę i odpowiedzialność, człowiek musi wiedzieć, jak i kiedy poddać się, dać się ponieść, nie opierać się ani nie walczyć. Odpuszczenie sobie *versus* przejęcie kontroli – to oczywiście inna wersja opozycji bycia i działania, odwieczna polaryzacja *jin* i *jang,* która przybiera tysiące różnych form i nigdy się nie wyczerpuje. Nie chodzi o to, że *jin* albo *jang* jest dobre, że bycie jest lepsze od działania – to kwestia znalezienia odpowiedniej równowagi, naturalnej harmonii pomiędzy *jin* i *jang,* którą starożytni Chińczycy nazwali *tao.* Poszukiwanie tej równowagi – pomiędzy działaniem i byciem, kontrolą i odpuszczeniem, oporem i otworzeniem się, walką i akceptacją – stało się zagadnieniem centralnym w konfrontacji Trei z rakiem (a także był to jej główny problem psychologiczny). Wielokrotnie powracaliśmy do problemu równowagi, za każdym razem rozważając go z nieco innej perspektywy.

> Zrównoważyć wolę życia z akceptacją śmierci. Obie potrzebne. Muszę się tego nauczyć. Czuję, że już akceptuję śmierć; martwię się, że nie boję się umierać, martwię się, że to może oznaczać, iż być może chcę umrzeć. Ale ja nie chcę umierać; po prostu nie boję się tego. Nie chcę zostawiać Kena! Więc zamierzam walczyć!
>
> Ale od czasu, który ostatnio spędziłam z Jerrym Jampolskym [napisał kilka książek opartych na *Kursie cudów*; najważniejsza to *Love is Letting Go of Fear*], wiem również, że muszę nauczyć się odpuszczać – jak mówi Jerry: „Odpuść sobie i pozwól Bogu". Naprawdę wyrwał mnie z tego. Zamiast próbować zmieniać siebie albo innych, spróbuj przebaczać, przebacz samej sobie i przebacz innym. A jeśli nie mogę komuś wybaczyć (jeśli moje ego nie pozwala mi komuś wybaczyć), wtedy proszę Ducha Świętego w sobie, żeby wybaczył. To tak jak prośba do mojego wyższego Ja o przebaczenie innym i przebaczenie sobie. „Bóg jest miłością, poprzez którą przebaczam" – jak napisał autor *Kursu.*

> Przebaczenie sobie oznacza akceptację siebie. To zaś sprowadza się do porzucenia starego przyjaciela – samokrytycyzmu. Mój towarzysz skorpion. Kiedy wizualizuję to, co mnie powstrzymuje od pozytywnego myślenia o sobie, wtedy ponad wszystkim unosi się postać skorpiona z ogonem wygiętym nad grzbietem. Zaraz ukąsi samego siebie. To jest mój samokrytycyzm, bezwzględne ścinanie siebie, poczucie, że jest się niekochaną, żal do siebie, który przeszkadza widzieć światło i cuda, które tylko w tym świetle można zobaczyć. Naprawdę wielki problem... Czuję się lepiej, ale wielki problem wciąż istnieje. Ssanie w żołądku, gdy o tym pomyślę. Jak będzie smakowała trucizna, którą sobie zaaplikuję? Kiedyś zapisywałam miłe rzeczy, które ludzie o mnie mówili, bo nie mogłam uwierzyć, że rzeczywiście można o mnie dobrze myśleć. Czasami trudno mi uwierzyć, że ktoś mógłby mnie naprawdę kochać – to jakby luka w mojej wiedzy o tym, że jestem dobrym człowiekiem, że ludzie naprawdę lubią ze mną być, że jestem inteligentna, ładna itd. Czasami po prostu nie rozumiem, jak ktoś (zwłaszcza mężczyzna) może mnie kochać.

Nie chodzi o to, że Treya wiele nie „osiągnęła", wiele nie „zrobiła" – bo zrobiła i osiągnęła. Skończyła z wyróżnieniem Mount Holyoke i zanim wróciła do Boston University, aby zrobić magisterium, uczyła literatury angielskiej; pomagała w założeniu Windstar i przez trzy lata była dyrektorem do spraw edukacji; uzyskała tytuł magistra w poradnictwie psychologicznym w California Institute of Integral Studies; pracowała przez trzy lata w Findhorn; zasiadała w radzie Rocky Mountain Institute; była członkiem Threshold Foundation; działała w USA–USSR Youth Exchange Program. Jej „lista działania", jak ją nazywa, rozciągnęłaby się do niewiarygodnych rozmiarów – na przykład to, co napisała o raku, dotarło do miliona osób na całym świecie.

A jednak, zwłaszcza w tej chwili, ponieważ nie bardzo uświadamiała sobie, w jakim stopniu ceni w życiu aspekt „bycia", naprawdę nie mogła zrozumieć, dlaczego ludzie tak ją lubią, tak ją kochają, tak bardzo chcą z nią przebywać. Właśnie to jej niezwykłe „być" tak ich przyciągało, nie jakaś „lista działania", choć była ona dla niej taka ważna; Treya chyba to przeoczyła, nie doceniła tego.

Zdarzało się, że była zdumiona, iż ją kocham, co z kolei kompletnie zdumiewało mnie. Podczas pierwszego roku naszego małżeństwa setki razy prowadziliśmy takie rozmowy: „Nie rozumiesz, dlaczego cię kocham? Żartujesz chyba? Mówisz poważnie? Kocham cię absolutnie i wiesz o tym. Jestem tu przez dwadzieścia cztery godziny na dobę, bo szaleję za tobą! Myślisz tak, bo jeszcze nie znalazłaś swojego ostatecznego powołania – wydaje ci się, że jesteś do niczego. Jestem pewien, że je znajdziesz, ale tymczasem zupełnie nie doceniasz wartości swojego istnienia, obecności, swojej energii, całej siebie. Żartujesz chyba. Ludzie szaleją za tobą, wiesz o tym. Nigdy nie widziałem człowieka obdarzonego tyloma wspaniałymi i absolutnie oddanymi przyjaciółmi. Wszyscy cię kochamy za to, kim jesteś, nie za to, co robisz".

Te słowa powoli, lecz wyraźnie wtapiają się we mnie. Jerry poruszył tę samą kwestię. „Jesteś kochana taka, jaka jesteś teraz, nie potrzebujesz robić niczego więcej. Jeżeli nie przychodzi ci do głowy żaden powód, dla którego miałabyś być kochana, to pomyśl o tym, że jesteś stworzona przez Boga, jesteś taka, jaką cię Bóg stworzył". Czuję to w tej chwili – czuję właśnie teraz, że jestem kochana – ale kiedy myślę o przeszłości i przyszłości, wydaje mi się, że muszę coś zrobić.

Z Kenem wszystko jest wciąż tak nowe. Wierzę mu absolutnie, ale wciąż istnieje ta mała dziewczynka, która boi się, że któregoś dnia go nie będzie. I nie wiem, jak zadowolić tę małą dziewczynkę, tę dziurę w samym centrum mnie. Czy coś zmieni się w ciągu lat, które przeżyję z Kenem? Czy też ta dziura nigdy się nie wypełni? Kiedy pytam go, czy będzie ze mną, zawsze mówi: „Do diabła, mała, nie wiem, spytaj mnie za dwadzieścia lat". Czy potrzebuję wyraźniejszego dowodu miłości Boga niż to, że Ken jest przy mnie?

Mój strach przed zależnością, przemożna potrzeba, by robić wszystko samodzielnie, wynika ze strachu przed uzależnieniem się od kogoś, kto później może mnie porzucić. Ostatniej nocy śniło mi się, że wraz z innymi przygotowywałam się do zbliżającego się trzęsienia ziemi. W ostatniej minucie zwątpiłam, czy wszystko zrobiłam jak trzeba (czy na przykład spakowałam dostatecznie dużo jedzenia itd.), i spytałam jakąś kobietę, czy mogłabym pójść z nią do jej schronu. Najpierw próbuję robić wszystko sama, a potem proszę o pomoc?

Czuję, że z Jerrym dotarłam do punktu zwrotnego – mam wrażenie, że nie muszę sama wszystkim się zajmować! Po prostu mogę być, nie muszę bezustannie działać. A więc poddam się naświetlaniom, już dłużej nie będę się temu sprzeciwiała. Wizualizuję odrastanie zdrowej tkanki. Mój początkowy sprzeciw wobec naświetlań jest podobny do sprzeciwu wobec odpuszczania. Więc: „odpuść sobie i pozwól Bogu".

Całe to doświadczenie [rak i leczenie naświetlaniami] jest jak zaproszenie do pełniejszego życia, mniej tymczasowego. Wydaje mi się, że to również zachęta, aby być bardziej uprzejmą dla siebie, zachęta do porzucenia skorpiona samokrytycyzmu i poczucia „niekochania". Ujmę to w bardzo prosty sposób: żyje mi się lżej.

Lekcja zadana nam obojgu była więc całkiem jasna: doprowadzić do równowagi między być i działać, między akceptacją siebie i determinacją w zmienianiu tego wszystkiego, co powinno być zmienione. „Być" to znaczy: „odpuszczać sobie i pozwolić Bogu", akceptować, ufać, wierzyć, przebaczać. „Działać" znaczy: przyjmować na siebie odpowiedzialność za to, i tylko za to, co może być zmienione, a potem ciężko pracować nad zmianą. Oto cała ta mądrość wyrażona w prostej, głębokiej modlitwie:

Boże, obdarz mnie spokojem, bym zaakceptował
Rzeczy, których nie mogę zmienić,
Odwagą, bym zmienił rzeczy, które zmienić mogę,
I mądrością, bym umiał je rozróżnić.

Lato spędziliśmy w Aspen. Treya od dziesięciu lat mieszkała tam od czasu do czasu; pod wieloma względami uważała to miejsce za swój dom. Po opuszczeniu Findhorn wróciła do Aspen, gdzie wraz z Johnem Denverem, Thomasem Crumem, Stevenem Crongerem i innymi pomagała w założeniu Windstar. Była również w radzie Rocky Mountain Institute, prowadzonego przez jej przyjaciół, Amory i Huntera Lovinsów, w którym, jak powszechnie uznawano, koncentrowała się światowa wiedza alternatywna. Tak wielu dobrych przyjaciół – Stuart Mace, oryginalny odkrywca (konsultant techniczny „Sergeant Yukon of the Royal Mounties"), najlepsza przyjaciółka Linda Conger, Kathy Crum, Annie Denver, Bruce Gordon; ojciec Michael Abdo (dawał nam ślub) i ojciec Thomas Keating, który prowadził klasztor cystersów w Old Snowmass. To właśnie ci przyjaciele i te miejsca, wraz z oszałamiającym pięknem górskich szlaków i gór, sprawiły, że Treya uważała Aspen za swój dom.

Cóż to było za lato! Treya miała tak wielu wspaniałych przyjaciół, których natychmiast polubiłem. Naprawdę, nigdy nie znałem nikogo, kto budziłby u ludzi tak jawną miłość i przywiązanie; energia i prawość, które emanowały z Trei, przyciągały zarówno mężczyzn, jak i kobiety, takie jak na przykład Siren. Ludzie po prostu chcieli być koło niej, być w jej towarzystwie, a ona zawsze reagowała na ich obecność, nigdy się nie odwracała.

Ja, oczywiście, pisałem książkę, *Transformations of Consciousness: Contemplative and Conventional Perspectives on Development,* wspólnie z Jackiem Englerem i Danielem P. Brownem, profesorami z Harvardu, którzy zajmowali się psychologią Wschodu i Zachodu. Główna teza tej książki brzmi, że jeśli różne psychologiczne modele Zachodu (Freudowski, kognitywny etc.) połączymy z duchowymi modelami Wschodu (a także zachodniej mistyki), to otrzymamy pełnowymiarowy model rozwoju człowieka, obejmujący rozwój ciała, umysłu, duszy, ducha. Co więcej, stosując tę ogólną mapę rozwoju człowieka, możemy z łatwością dokładnie określić różne rodzaje „neuroz" u ludzi i wybrać najbardziej odpowiedni i skuteczny rodzaj terapii. „New York Times" nazwał to „najważniejszą i najbardziej wyrafinowaną syntezą psychologii Wschodu i Zachodu, jaka do tej pory powstała".

Nasze ulubione zajęcie było mało skomplikowane: uwielbialiśmy siedzieć objęci na kanapie i czuć przepływy energii tańczącej w naszych ciałach. Często przenosiliśmy się tam, gdzie śmierć jest czymś obcym, gdzie miłość roztacza swój blask, dusze jednoczą się na wieczność, a jeden uścisk rozjaśnia niebiosa – najprostszy sposób, by odkryć, że Bóg jest miłością ucieleśnioną w oplatających się ramionach.

A jednak zrodziło to mój własny dylemat: im bardziej kochałem Treyę, tym bardziej się bałem i tym większą miałem obsesję na punkcie jej śmierci. Stale przychodziła mi na myśl jedna z głównych prawd buddyzmu (i ogólnie mistycyzmu): wszystko jest nietrwałe, wszystko przemija, nic nie pozostaje, nic nie trwa. Tylko całość trwa wiecznie; wszystkie części skazane są na śmierć i rozkład. W świadomości medytacyjnej, mistycznej, poza więzieniem indywidualności człowiek może posmakować całości i uciec od losu części; uwolnić się od cierpienia i panicznego lęku przed śmiertelnością. Ponieważ jednak wciąż byłem nowicjuszem w praktyce mistycznej, nie potrafiłem przez dłuższy czas utrzymać tej świadomości podczas medytacji. I chociaż często stawaliśmy się całością przez zwyczajny uścisk, wkrótce to mijało, jak gdyby nasze dusze nie były jeszcze gotowe, nie osiągnęły wystarczającego stopnia rozwoju, by pomieścić ten dar.

Tak więc wracałem do zwyczajnego świata – stamtąd, gdzie Ken i Treya byli poza czasem, tam, gdzie część o imieniu Ken kocha część o imieniu Treya, a część Treya może umrzeć. Nie mogłem znieść myśli, że ją stracę. Jedynym źródłem oparcia było dla mnie utrzymywanie świadomości przemijania, kiedy kocha się wszystko właśnie *dlatego*, że tak szybko przemija. Powoli uczyłem się, że miłość nie oznacza trzymania, jak zawsze mi się wydawało, lecz raczej oznacza odpuszczenie.

W czasie trwania tego skądinąd pięknego lata uświadomiliśmy sobie jeden z prawdziwych koszmarów będących udziałem osób chorych na raka. Jeżeli rano boli mnie głowa, stawy albo gardło, zwykle po prostu otrząsam się z tego i podczas dnia funkcjonuję normalnie. Osoba chora w takiej sytuacji myśli sobie: może to guz mózgu, może przerzut do kości, może rak gardła. Każdy najdrobniejszy skurcz i ból nabiera złowieszczego charakteru i przerażających rozmiarów. Po tygodniach, miesiącach, a nawet latach od wyleczenia z raka odczucia ciała spiskują, zadając emocjonalne męczarnie, coś w rodzaju chińskiej wodnej tortury. Pod koniec lata w Aspen właśnie to wywierało na nas, a zwłaszcza na Treyę, przemożny wpływ.

> Przez jakiś czas czułam się źle, spałam do późna, czasami do południa, zawsze do dziewiątej, i martwiłam się: Co to znaczy? Czy to nawrót raka? A potem głos rozsądku: Nie bądź głupia, przesadzasz. Zamieniasz się w hipochondryczkę. Poczekaj, aż wrócisz do Kalifornii na badania krwi. Być może po prostu jesteś przygnębiona, nie mając nic do roboty.
>
> Już dawno temu jednak obiecałam sobie, że będę te uczucia brała pod uwagę, jeżeli nawet większość z nich wprowadza w błąd i sama siebie straszę złym wilkiem, którego nie ma; walcząc z nimi i nazywając siebie hipochondryczką, nie chcę przegapić prawdziwego wilka, prawdziwego objawu. Więc zadzwoniłam do swojego starego lekarza w Aspen.
>
> Gdy wchodziłam do budynku, łzy napłynęły mi do oczu. Dziwna mieszanina lęku, uczucie żalu nad sobą i po prostu potrzeba, by wszystko wypłakać. Strach przed możliwym nawrotem, przed tym, że niewiele mi czasu zostało z Kenem, gwałtowna zmiana wewnętrznego nastawienia wobec życia i śmierci... wszystko to narastało i dlatego łzy były najlepszym sposobem uwolnienia się od napięcia. Prawie jak oczyszczenie rany, by mogła się szybciej zagoić. Powiedziałam pielęgniarce, po co przyszłam. I cały czas czułam tuż, tuż pod powiekami piekące łzy. Przypomniało mi się, że zawsze tak dobrze panowałam nad sobą. Wszystko minęło. Nigdy bym nie pomyślała, że tak źle będę znosić tę wizytę, która naprawdę była potrzebna. Gdy pielęgniarka wyszła, złapałam chusteczkę i zaczęłam

przeglądać „People"; biłam się z myślami, a łzy powoli spływały mi po policzkach. No to co, jak się rozpłaczę, to się rozpłaczę, zadecydowałam. I pewnie dobrze mi to zrobi. Ciekawe, dlaczego wciąż wstydzę się płakać.

Przyszedł doktor Whitcomb. Jest taki kochany; zawsze mu wierzyłam, zarówno jako człowiekowi, jak i jako lekarzowi. Był cudowny. Zapewnił mnie, że uraz, którego doznał mój układ odpornościowy po ogólnej narkozie i naświetlaniach, w połączeniu z katarem siennym i alergiami podczas letnich wakacji w ukochanym Kolorado wystarczy, żeby wytłumaczyć moje zmęczenie. Zrobił mi również wykład – powinnam słuchać tego wykładu co rok – na temat diety. Jeść tylko warzywa, owoce i pieczywo pełnoziarniste, dobrze wszystko myć przed jedzeniem, żeby pozbyć się pestycydów, nie pić chlorowanej wody, nie jeść mięsa naszpikowanego hormonami i antybiotykami, którymi karmione są zwierzęta (biała ryba raz na jakiś czas mi nie zaszkodzi) i znowu zacząć się gimnastykować. Brać tyle, ile organizm zniesie zbuforowanej witaminy C, żeby sobie pomóc na alergie. Nie brać natomiast środków antyhistaminowych, chyba że naprawdę będą potrzebne, bo one tylko maskują objawy. Uważać z witaminami opartymi na drożdżach, zwłaszcza z witaminą B, gdyż ludzie z alergiami zwykle źle reagują na drożdże. Używać witamin hipoalergicznych. Brać acidofilus.

Zdarzyło się jeszcze więcej. Płakałam, ale wiedziałam, że to jest w porządku, doktor współczuł mi z powodu tego, przez co przeszłam, i tego, co może jeszcze być przede mną. Czułam, że jestem rozumiana. I kiedy wyszłam, uzbrojona w hipoalergiczne witaminy, miałam o wiele lepsze samopoczucie niż przedtem. Z pewnością praca lekarza to w dużym stopniu terapia psychologiczna.

Jedna z książek Kena również okazała się zaskakująco lecząca. Czytanie *Up from Eden* dało mi głębokie zrozumienie tego, jak i dlaczego ludzie tłumią w sobie myśli o śmierci, zaprzeczają własnej śmiertelności lub ukrywają się przed nią. Ken prześledził cztery główne etapy rozwoju ludzkości – archaiczny, magiczny, mityczny i etap rozumu – i ukazał, jak na każdym z nich istoty ludzkie próbowały unikać śmierci, tworząc symbole nieśmiertelności. „Wielkie tłumienie" dotyczy śmierci, nie seksu. To śmierć jest największym tabu. Uświadomienie sobie nieskończonej liczby sposobów, do których uciekał się rodzaj ludzki, usiłując zaprzeczyć śmierci, stłumić myśli o niej, unikać jej, pomogło mi spojrzeć na śmierć bardziej otwarcie, bez zaprzeczania jej i bez odsuwania. Zgodnie z głównym założeniem Kena pogodzenie się ze śmiercią, jej akceptacja są niezbędne do rozwoju duchowego. Trzeba umrzeć dla ego po to, by obudzić się jako Duch. Przesłaniem książki było przekonanie, że zaprzeczenie śmierci jest zaprzeczeniem Boga.

Pamiętam doskonale swoją postawę, kiedy po raz pierwszy odkryłam, że mam raka piersi. No cóż, umrę. Kiedyś to musi się stać. Nie bałam się tak bardzo samej śmierci, choć perspektywa długiego i bolesnego procesu umierania była przerażająca. Czułam całkowitą akceptację, nawet rezygnację, wszystko to przemieszane ze strachem niewiedzy, żalem i szokiem po tym odkryciu. Ale dominowało poczucie: „niech będzie, co ma być".

Potem zaczęło się zmieniać. Gdy więcej czytałam i rozmawiałam z ludźmi, zrozumiałam, że taka akceptująca postawa może być niebezpieczna. Zaczęłam się bać, że jeżeli nie będę miała silnej woli życia, to przyniosę sobie wcześniejszą śmierć. Zdecydowałam, że muszę wybrać życie, zmusić się do wybrania życia.

Wszystko pięknie. Doprowadziło to do paru szybkich decyzji dokonania zmian. Ale również zaczęłam się bardziej martwić. Najlepszym tego dowodem była moja reakcja na różne bóle, które przecież wszyscy odczuwają. Za każdym razem myślałam, że to jest nawrót, że powinnam zadzwonić do lekarza. I tak dalej, i tak dalej. Niezbyt przyjemnie tak żyć. Ale lęk narastał stopniowo, w ciągu miesięcy. Zauważałam go i nie zauważałam.

Lektura *Up from Eden* zdarła ostatnią zasłonę, ukazując moje samooszukiwanie się. Pomogła mi zobaczyć, jak i dlaczego to robię. Rozwój naszej kultury osiągnął punkt, w którym śmierć jest rozumiana lepiej niż kiedykolwiek. Wykształciliśmy więc jeszcze silniejsze i bardziej subtelne sposoby zaprzeczania jej, unikania myśli o jej nieuchronności. Filozofowie egzystencjalni dostrzegli, że to zaprzeczenie śmierci owocuje życiem mniej aktywnym. W istocie jest to zaprzeczenie życia, gdyż życie i śmierć idą ramię w ramię. Boję się śmierci, więc będę niezwykle ostrożnie żyć, bo coś może mi się przydarzyć. Im bardziej zatem boję się śmierci, tym bardziej boję się życia – i tym mniej żyję.

Zdałam sobie sprawę, że stopniowo coraz bardziej nasiąkam lękiem przed śmiercią. Dlatego zaczęłam martwić się objawami choroby. Nie rozumiałam, że druga strona woli życia, nieuchronna strona cienia, nie jest lękiem o życie, lecz strachem przed śmiercią. Trzymanie się życia oznacza strach przed odpuszczeniem sobie.

Teraz więc próbuję traktować wszystkie sprawy nieco lżej, nie trzymać ich tak kurczowo, bo doprowadza mnie to do myślenia w sposób „albo – albo": albo będę żyć, albo umrę. Wydaje mi się, że „lekki dotyk" pozwala mi myśleć w sposób „i – i": i chcę żyć, i odpuścić sobie, kiedy nadejdzie mój czas".

To nowe uczucie – i jeszcze się do niego nie przyzwyczaiłam. Nadal się martwię, kiedy czuję sie zmęczona albo bolą mnie oczy. Ale też czuję w sobie więcej akceptacji, więcej gotowości do przejścia przez to, co ma się wydarzyć. Teraz łatwiej mi po prostu zaobserwować objaw i powiedzieć o nim lekarzowi; przedtem, zanim poszłam do lekarza, kurczowo trzymałam się objawu i martwiłam się nim.

Zupełnie jakbym balansowała na cienkiej linie: próbuję – wysilam się – koncentruję – utrzymuję dyscyplinę i jednocześnie pozostaję otwarta – przyzwalam – odpoczywam – jestem. Do tyłu i do przodu, do tyłu i do przodu. Wiem, że najczęściej brak mi równowagi – kiedy uświadamiam sobie wysiłek albo popadam w lenistwo. Także kiedy się martwię, wiem, że równowaga się chwieje, że zbyt kurczowo trzymam się życia. Równowaga pomiędzy wolą życia i akceptacją tego, co jest. To trudne. Ale tak jest o wiele lepiej. Zmartwienie to pasożyt, zwykły i banalny.

To znaczyło również, że Treya nieco się zrelaksowała i na większym luzie podchodziła do swojego „programu leczenia". Wciąż pracowała nad sobą (utrzymując dyscyplinę dla większości ludzi zdumiewającą), a jednak w swej własnej świadomości traktowała wszystko o wiele lżej, mniej obsesyjnie.

Obiad z Nathanielem Brandenem i jego żoną Devers. Nathaniel jest starym przyjacielem Kena. Naprawdę lubię ich oboje. Spytał, czy często wizualizuję; odpowiedziałam, że robiłam to przed naświetlaniem i że pomogło mi. Wizualizacja, tak jak promieniowanie, zabija złe komórki, a dobre komórki szybko się odnawiają. Dawało mi to jakieś poczucie uczestniczenia w procesie leczenia, kontrolowania go, panowania nad nim. Ale potem to się skończyło; wydawało mi się, że muszę mieć wroga – wyobrażać sobie atak na komórki raka, a nie widziałam powodu, żeby w ogóle wizualizować komórki rakowe. Jedyną „zdrową" rzeczą, jaką mogłam sobie wyobrazić, były zdrowiejące komórki piersi. Co jakiś czas wizualizuję działanie układu odpornościowego, który nad wszystkim panuje. Ale jeżeli robię to obsesyjnie, panicznie, wówczas znowu czuję strach przed śmiercią.

Nathaniel odkrył również, że negatywną stroną podejścia Simontona może być obwinianie siebie: jeżeli sama mogę się uzdrowić, to znaczy, że sama spowodowałam chorobę. Podejście Kena wydaje się najlepsze... prawdopodobnie czynniki psychologiczne są przyczyną od 10 do 20% zachorowań (w zależności od choroby), ale wyzdrowień można przypisać im więcej, powiedzmy 40%.

Nathaniel i Ken mieli tę samą co zwykle przyjacielską sprzeczkę. Chyba nigdy żaden z nich nie ustąpi! Nathaniel: „Wydaje mi się, że jesteś najlepszy wśród piszących o mistycyzmie, a jednak przeczysz sam sobie. Mówisz, że mistycyzm to jednoczenie się z całością. Ale jeżeli zjednoczę się z całością, to nie będę miał motywacji jako jednostka. Równie dobrze mógłbym odwrócić się na drugi bok i umrzeć. Istoty ludzkie są indywidualnościami, a nie amorficznymi całościami; jeżeli zdołam stać się jednością ze wszystkim, nie będę miał żadnego powodu, żeby jeść czy w ogóle cokolwiek robić". Ken: „Całość i część nie wykluczają się nawzajem. Mistycy też czują ból, głód, radość. Być częścią większej całości nie oznacza, że część znika; po prostu odnajduje się swoją podstawę lub znaczenie. Jesteś indywidualnością, ale czujesz się także częścią większej jednostki, jaką jest rodzina, która z kolei jest częścią społeczeństwa. Czujesz to, czujesz, że jesteś częścią kilku większych całości, a te całości – jak twoje życie z Devers – nadają życiu wartość i znaczenie. Mistycyzm oznacza tożsamość z jeszcze większą całością, poczucie, że jest się częścią kosmosu, a więc odnalezienie jeszcze większego znaczenia i jeszcze większej wartości. Nie ma w tym nic sprzecznego; po prostu bezpośrednie doświadczenie tożsamości z czymś większym".

I tak dalej!

Kiedy jechaliśmy do domu, wciąż domagałam się, by Ken mówił mi o tym, jak mnie kocha. Powiedział, że są tysiące dowodów na to, jak bardzo mnie kocha, ale będzie mi o nich mówił tylko raz na jakiś czas, może raz na rok. Wymogłam na nim, żeby to było przynajmniej raz na sześć miesięcy. Zdaje się, że to jeden z jego sposobów, by mnie utrzymać przy sobie... Wydaje mu się, że chcę słyszeć to wszystko, by mieć zachętę do życia i by go nie opuścić. Mówi, że nie wie, co by zrobił, gdybym go opuściła. Przypomniał mi to, co powiedział wcześniej, że jeżeli umrę, on przyjdzie i znajdzie mnie w *bardo.** Zawsze obiecywał, że znajdzie mnie niezależnie od tego, co się stanie.

Tego lata miało miejsce zdarzenie, które wywarło ogromny wpływ na nasze życie i na nasze plany na przyszłość. Treya zaszła w ciążę. Był to dla niej szok, ponieważ nigdy przedtem nie była w ciąży i myślała, że jest bezpłodna. Treya była wniebowzięta, ja oszołomiony – a potem ujrzeliśmy okrutną rzeczywistość sytuacji. Lekarze Trei byli jednomyślni: trzeba przerwać ciążę. Zmiany hormonalne zadziałałyby jak pożywka dla pozostałych komórek rakowych (jej guz był estrogenowo pozytywny).

Miałem mieszane uczucia co do siebie w roli ojca (później się to zmieniło) i moja chłodna reakcja na ciążę Trei – zanim dowiedzieliśmy się, że musi być przerwana – była dla niej wielkim rozczarowaniem. W obronie własnej próbowałem wykazać, że większość moich przyjaciół, którzy zostali ojcami, przed urodzeniem dziecka nie bardzo cieszyła się z tego, a zmieniało się to dopiero wówczas, gdy wzięli je na ręce. Po prostu większość facetów wpada w panikę, ale daj im dziecko na ręce, to od razu stają się roztkliwionymi głupcami. Tymczasem matki cieszą się niemal od momentu poczęcia. Dla Trei nie było to przekonywające: mój brak entuzjazmu odebrała jako opuszczenie jej. Po roku wspólnego życia po raz pierwszy rozczarowałem ją tak głęboko. Było to bardzo trudne: ciąża i aborcja, życie i śmierć... za dużo tego wszystkiego.

W końcu doszedłem do punktu, w którym nadal byłem nieco ambiwalentny, lecz postanowiłem zaryzykować: spróbujmy. Niech Treya wydobrzeje, a potem założymy rodzinę. Oczywiście.

To wyzwoliło w nas instynkt gniazda, zaczęliśmy wprowadzać dość radykalne zmiany w życiu. Do tego momentu wiedliśmy raczej

---

* *Bardo* – stan pośredni pomiędzy śmiercią a odrodzeniem; w buddyzmie całe życie człowieka nieoświeconego uważa się za bardo (przyp. red.).

mnisi żywot. Treya uprawiała dobrowolną prostotę, a ja byłem właściwie mnichem zen. Kiedy ją poznałem, miałem stół, jedno krzesło, maszynę do pisania i cztery tysiące książek; Treya miała niewiele więcej.

Kiedy zdecydowaliśmy, że będziemy mieć prawdziwą rodzinę, uznaliśmy, że trzeba wszystko zmienić, zmienić radykalnie. Najpierw potrzebujemy domu... Jak największego domu, tak dużego, żebyśmy się wszyscy w nim pomieścili...

16 września 1984

Muir Beach

Droga Martho!

Nie wiem, jak ci dziękować za atlas – oryginalny i naprawdę wspaniały prezent ślubny. Jak wiesz, kiedyś studiowałam geografię, do uzyskania tytułu magistra zabrakło mi tylko dwóch kursów. Kocham mapy. Jednym z moich ulubionych przedmiotów była kartografia! Ogromne dzięki od nas obojga.

Wielką nowiną w naszym życiu jest to, że przeprowadzamy się nad jezioro Tahoe (Incline Village, tuż nad brzegiem jeziora). Wszystko dlatego, że przypadkowo zaszłam w ciążę – po raz pierwszy w życiu. Jak na ironię odkryłam to tydzień po tym, jak byłam u lekarza, żeby dowiedzieć się, czy w ogóle mogę zajść w ciążę, mając raka i w ogóle. Ginekolog powiedział, że nigdy nie zajdę w ciążę z tym rodzajem guza. Byłam zrozpaczona. Ken jest wspaniały, ale wydaje mi się, że nie rozumie tak naprawdę, co to dla mnie znaczy. Był ambiwalentny i czasami taki odległy. Później przeprosił za to. Ale płakałam przez tydzień, jego reakcja była bardzo przygnębiająca – uświadomiło mi to, jak bardzo chcę mieć jego dziecko.

A potem odkrycie, że jestem w ciąży! Po raz pierwszy w życiu. Przypuszczam, że moje ciało czekało na właściwego ojca. Straszna rozpacz. Musiałam ją usunąć. Bardzo traumatyczne doświadczenie, ale to była właściwa decyzja. Jestem teraz hipochondryczką, idę do lekarza z każdym bólem i z każdym objawem. Ciąża odbierałaby mi teraz odwagę, przecież wpływałaby na nowotwór. Jakie straszne byłoby radzenie sobie z dziwnymi objawami samej ciąży! Więc chyba dobrze się stało, choć wylałam tyle łez i wciąż wylewam.

Lekarze zgodzili się jednak, że jeżeli przez dwa lata nie będę miała raka, to mogę znowu zajść w ciążę. Ken wciąż jest trochę niezdecydowany, ale będzie wspaniałym ojcem. Dzieci go uwielbiają. Żartuje, że to dlatego, iż jest w tym samym wieku emocjonalnym co one. W każdym razie to jeszcze bardziej rozbudziło w nas instynkt gniazda, który w końcu doprowadził do kupna pięknego domu nad Tahoe!

Myśleliśmy już wcześniej o Lake Tahoe – są tu góry, które kocham, i blisko do San Francisco (tylko cztery godziny drogi). Po raz pierwszy jechaliśmy tam przez South Lake Tahoe, co było okropne. Ale północne wybrzeże jest naprawdę ładne, zwłaszcza Incline Village. To całkiem nowe miasto, ma może piętnaście lat, z małym terenem narciarskim, dwoma polami golfowymi i dwiema prywatnymi plażami dla mieszkańców. Ken mówi: „Mój Boże, wprowadzamy się do country clubu. Potrzebne mi to jak następne satori". Ale bardzo podoba mu się jezioro, zwłaszcza woda przy brzegu, w kolorze akwamaryny, białe, piaszczyste plaże, i tak samo jak ja pragnie wydostać się z San Francisco (potrzebuje trochę ciszy do pracy). Podczas paru wycieczek przyjrzeliśmy się domom i w końcu znaleźliśmy odpowiedni.

Jesteśmy tym strasznie podekscytowani... Łatwy dojazd, fantastyczne widoki, najpiękniejsze, jakie do tej pory widziałam. Dom jest wciąż wykańczany, więc możemy zaprojektować szczegóły wnętrza – dywany, tapety, kolory itd. Wiem, że przez dwa lata nie będzie cię w kraju, ale potem musisz do nas przyjechać. Może do tej pory będziemy mieli dziecko!

Jeszcze raz bardzo dziękujemy za atlas.

Całuję

Treya

– Dokąd idziesz? – pytam ją.

– Zaraz wracam. Idę tylko zrobić herbatę. Nie boisz się, prawda?

– Ja? Och, nie. Doskonale, po prostu doskonale. – Ogień przygasł, pozostawiając parę żarzących się węgielków. Trei nie ma, choć minęło już parę minut, potem minuty zdają się rozciągać w godziny. Jest bardzo zimno.

– Treya, kochanie? Treya?

Z niecierpliwością, niemalże rozpaczliwie czekaliśmy na osiedlenie się w Tahoe. Była tam atmosfera schronienia, bezpieczeństwa, ucieczki przed zamieszaniem. Byliśmy przygotowani do założenia rodziny, a ja sam znów gotów do pisania. Życie zaczęło wyglądać bardzo dobrze.

Po raz pierwszy od roku odetchnęliśmy.

5

Wszechświat wewnątrz

Dlaczego kiedyś tak bardzo chciałam podróżować?
Dlaczego czuję się skrępowana, gdy nie mogę po prostu wstać
i wyruszyć w drogę?
Skręcam się w nowej postaci, opieram się, czuję się uwięziona.
Wiję się, pytam, czy to naprawdę nowe poszukiwanie
wewnętrznego Boga, który zmienił miejsce i jest „gdzieś
tam"?
Jeżeli pozwolę sobie żyć w większej wolności wewnętrznej,
całym istnieniem,
Po swojej stronie, popierając całą siebie,
Być może nieznany ląd wyłoni się we mnie,
Nieznane widoki, zapachy i myśli wirujące w środku,
Wciągają mnie w inny świat, który błaga, by go doświadczyć
i odczuć,
I dzielić z innymi, i tworzyć, i rzeźbić
W taki sposób, by zaspokoić tę głęboką potrzebę.
W brzuchu afrykański bazar,
W piersi hinduska świątynia pachnąca wonią kadzidła,
ozdobiona rzeźbami małp,
W głowie wysokie, białe himalajskie przestrzenie
z bezkresnym niebem,
Otchłanie tańczące w balsamicznych jamajskich falach,
Luwr, Sorbona, zmyte przez caf"e au lait.
W moim sercu – ta planeta, nasz dom, nasz mały świat.

(Treya, 1975)

I Treya, i ja medytowaliśmy przez wiele lat, ale wydarzenia ubiegłego roku sprawiły, że medytacja stała się niezbędna. Tak więc, gdy przygotowywaliśmy się do przeprowadzki do Tahoe, Treya udała się na dziesięciodniowe odosobnienie medytacyjne z jednym ze swych ulubionych nauczycieli, Goenką, który naucza formy buddyjskiej medytacji znanej jako *vipassana* albo medytacja wglądu.

Czym jest, co daje i jak działa medytacja, można różnie wyjaśniać. Niektórzy mówią, że medytacja to wywołanie stanu relaksacji. Inni – że to sposób na wyćwiczenie i wzmocnienie świadomości; ześrodkowanie, zogniskowanie Ja; powstrzymanie nieustannego myślenia werbalnego i rozluźnienie ciała–umysłu; uspokojenie ośrodkowego układu nerwowego; złagodzenie stresu, wzmocnienie poczucia własnej wartości, zredukowanie niepokoju i środek na depresję.

Wszystko to prawda; badania kliniczne wykazały, że medytacja rzeczywiście tak działa. Chciałbym jednak podkreślić, że medytacja jest i zawsze była praktyką d u c h o w ą. Chrześcijańska, buddyjska, hinduistyczna, taoistyczna, suficka – medytacja służy temu, by dusza zeszła w głąb, odnajdując ostatecznie najwyższą tożsamość z Bóstwem. „Królestwo Niebios jest wewnątrz", a medytacja od samego początku była królewską drogą do tego Królestwa. Choć przynosi różne efekty – a daje wiele dobroczynnych skutków – jest przede wszystkim poszukiwaniem Boga w sobie.

Powiedziałbym, że medytacja jest drogą duchową, nie religijną. Duchowość wiąże się z doświadczeniem, nie z samą tylko wiarą; z Bogiem jako Podstawą Bytu, a nie z postacią „kosmicznego tatusia"; z przebudzeniem ku prawdziwemu Ja, a nie z modlitwą o małe ja; z ćwiczeniem świadomości, a nie z kościelnym moralizowaniem na temat picia, palenia i seksu; z Duchem będącym w sercach wszystkich ludzi, a nie z czymś, co się robi w tym czy tamtym kościele. Mahatma Gandhi jest duchowy; Oral Roberts jest religijny. Albert Einstein, Martin Luther King, Albert Schweitzer, Emerson i Thoreau, święta Teresa z Avili, Dame Julian z Norwich, William James – są duchowi. Billy Graham, arcybiskup Sheen, Robert Schuller, Pat Robertson, kardynał O'Connor – religijni.

Medytacja jest duchowa, modlitwa jest religijna. Mam na myśli modlenie się do Boga o nowy samochód, o pomoc w zrobieniu kariery itd. – to jest religijne; to po prostu chęć podtrzymania małego ego w jego pragnieniach. Medytacja natomiast poszukuje wyjścia poza ego, o nic nie prosi Boga, o nic prawdziwego czy wymyślonego, ale sama się ofiarowuje w celu osiągnięcia szerszej świadomości.

Medytacja jest więc nie tyle częścią tej czy innej religii, ile częścią uniwersalnej kultury duchowej całego rodzaju ludzkiego – wysiłkiem, by powiązać świadomość ze wszystkimi aspektami życia. Jest – innymi słowy – częścią tego, co zostało nazwane filozofią wieczystą.

Zanim przeprowadziliśmy się do Tahoe, miałem udzielić wywiadu właśnie na ten temat. Byliśmy zajęci przygotowaniami do przeprowadzki i nie mogłem spotkać się z dziennikarzami, więc poprosiłem ich, by przysłali mi listę pytań. Treya, która równie dobrze jak ja rozumiała ten temat, przeczytała pytania, dodała własne i zagrała rolę nie znającego się na rzeczy dziennikarza. Wcieliła się również w rolę agresywnego adwokata diabła.

Jeden z głównych tematów dotyczył fundamentalnej doktryny mistycznej: każdy musi umrzeć dla oddzielonego Ja po to, by odnaleźć Ja uniwersalne lub Boga. W cieniu możliwości fizycznej śmierci Trei wywiad nabrał specyficznego sensu i w pewnym momencie trudno mi było go kontynuować. Na taśmie po prostu pojawiały się długie przerwy, jakbym zastanawiał się nad jakimś trudnym pytaniem.

Ale to właśnie było to: możliwość śmierci Trei stała się dla nas obojga duchowym nauczycielem. Myśl o śmierci fizycznej sprawiała, że idea śmierci psychologicznej stawała się jeszcze bardziej przekonywająca. Jak zawsze uczyli mistycy, dopiero w akceptacji śmierci odnajdujemy prawdziwe życie.

TREYA KILLAM WILBER: Może zacząłbyś od wyjaśnienia, co to znaczy „filozofia wieczysta"?

KEN WILBER: Filozofia wieczysta to znany termin, przyjęty przez ogromną większość najwybitniejszych nauczycieli duchowych, filozofów, myślicieli, a nawet naukowców. Zwana jest „wieczystą" lub „uniwersalną", gdyż przejawia się właściwie we wszystkich kulturach globu i przewija przez wszystkie stulecia.

Znajdujemy ją w Indiach, Meksyku, Chinach, Japonii, Mezopotamii, Egipcie, Tybecie, Niemczech, Grecji...

I wszędzie ma podobne cechy, jest zasadniczo zgodna. Nam, współczesnym, którzy nie możemy porozumieć się w żadnej niemal sprawie, trudno w to uwierzyć. Oto jak Alan Watts streścił dostępne przekazy – będę musiał to przeczytać: „Prawie nie jesteśmy świadomi szczególnej niezwykłości naszego położenia i z trudnością uznajemy prosty fakt, że istniała i istnieje filozoficzna zgodność o uniwersalnym zasięgu. Utrzymywana jest przez osoby, które mówią o tym samym wewnętrznym poznaniu i przekazują tę samą wiedzę niezależnie od tego, czy żyją teraz, czy żyły sześć tysięcy lat temu, czy są z Nowego Meksyku na dalekim Zachodzie, czy z Japonii na Dalekim Wschodzie".

To jest naprawdę niezwykłe. Sądzę, że to świadectwo uniwersalnej natury tej wiedzy, uniwersalnego doświadczenia zbiorowego ludzkości, które jest wszędzie zgodne co do pewnych głębokich prawd dotyczących ludzkiej kondycji i dostępu człowieka do Boskości. Oto jeden ze sposobów na opisanie *philosophia perennis.*

TKW: Twierdzisz więc, że filozofia wieczysta jest zasadniczo taka sama w różnych kulturach. Co zatem ze współczesnymi argumentami, że cała wiedza ukształtowana jest przez język i kulturę? Skoro istnieją tak ogromne różnice kultur i języków, to po prostu nie można znaleźć uniwersalnej czy wspólnej prawdy o ludzkiej kondycji. Takiej prawdy nie ma, jest tylko historia ludzkości, a składają się na nią dzieje zupełnie różne. Co z całym pojęciem relatywizmu kulturowego?

KW: Rzeczywiście istnieją zupełnie różne kultury i badanie różnic między nimi jest bardzo ważne. Ale względność kulturowa to nie cała prawda. Poza oczywistymi różnicami kulturowymi, takimi jak sposób odżywiania się, struktury lingwistyczne czy sposoby dobierania się w pary, są zjawiska uniwersalne. Na przykład ludzkie ciało składa się z dwustu ośmiu kości, jednego serca, dwu nerek itd. zarówno na Manhattanie, jak i w Mozambiku, zarówno dzisiaj, jak tysiąc lat temu. Te uniwersalne cechy nazywamy „strukturami głębokimi", ponieważ są one wszędzie zasadniczo takie same. Z drugiej jednak strony różne kultury w całkiem odmienny sposób traktują te głębokie struktury, począwszy od bandażowania stóp w Chinach, poprzez rozciąganie warg i malowanie ciała u ludu Ubangi, po różne sposoby zabaw z ciałem, seks, pracę, które wyraźnie zależą od kultury. Te różnice nazywamy „strukturami powierzchniowymi" – są one lokalne, nie uniwersalne.

To samo dotyczy ludzkiego umysłu. Oprócz zależnych od kultury struktur powierzchniowych umysł podobnie jak ciało zawiera struktury głębokie, zasadniczo podobne we wszystkich kulturach. To znaczy, że umysł ludzki wszędzie będzie miał zdolność do tworzenia obrazów, symboli, pojęć i zasad. To prawda, że poszczególne obrazy i symbole będą odmienne, ale umiejętność tworzenia tych struktur umysłowych i lingwistycznych oraz same struktury są podobne niezależnie od tego, gdzie się pojawią. Podobnie jak ludzkie ciało „tworzy" włosy, tak ludzki umysł tworzy symbole. Struktury powierzchniowe umysłu są znacząco odmienne, ale jego struktury głębokie są bardzo do siebie podobne.

Tak jak ludzkie ciało tworzy włosy, a ludzki umysł pojęcia, ludzki duch tworzy intuicje Boskości. Te intuicje i wglądy stanowią jądro wielkich duchowych tradycji świata. I chociaż struktury powierzchniowe tych wielkich tradycji z pewnością bardzo się różnią, ich głębokie struktury są podobne, często identyczne. Tak więc to głównie głębokie struktury ludzkości spotykają się z Boskością, która jest przedmiotem zainteresowania filozofii wieczystej. Gdy jest coś, co do czego zgadzają się hindusi, chrześcijanie, buddyści, taoiści i sufi, wówczas prawdopodobnie jest to niezwykle ważna prawda o uniwersalnym i ostatecznym znaczeniu, która dotyka samego jądra kondycji ludzkiej.

TKW: Na pierwszy rzut oka trudno dostrzec, w czym są zgodne buddyzm i chrześcijaństwo. Jakie są więc podstawowe założenia wieczystej filozofii? Czy mógłbyś dokonać przeglądu kilku jej najważniejszych punktów? Jakie są głębokie prawdy czy punkty zgodności?

KW: Jest ich bardzo dużo. Podam ci siedem, które uważam za najważniejsze. Po pierwsze, Duch istnieje, i po drugie, Duch istnieje wewnątrz. Po trzecie, większość z nas nie wie o Duchu wewnątrz, gdyż żyjemy w świecie grzechu, oddzielenia i dwoistości – to znaczy żyjemy w stanie upadku czy w stanie iluzji. Po czwarte, istnieje wyjście z tego upadku, grzechu i iluzji, istnieje Droga do Wyzwolenia. Po piąte, jeżeli pójdziemy tą Drogą, rezultatem będzie Odrodzenie lub Oświecenie, bezpośrednie doświadczenie Ducha wewnątrz, Najwyższego Wyzwolenia, które – po szóste – oznacza koniec grzechu i cierpienia i które – po siódme – kończy się społecznym aktem miłosierdzia i współczucia wobec wszystkich czujących istot.

TKW: To bardzo wiele informacji! Omówmy je po kolei. Duch istnieje.

KW: Duch istnieje, Bóg istnieje, Wyższa Rzeczywistość istnieje. Brahman, Dharmakaya, Kether, Tao, Allach, Sziwa, Yaweh, Aton – „Nazywają Go wieloma, który w rzeczywistości jest Jednym".

TKW: Skąd wiesz, że Duch istnieje? Mistycy twierdzą, że istnieje, ale na jakiej podstawie opierają swoje twierdzenie?

KW: Na bezpośrednim doświadczeniu. Ich twierdzenia nie są oparte na zwykłych wierzeniach, pojęciach, teoriach lub dogmatach, lecz na bezpośrednim doświadczeniu, doświadczeniu duchowym. To właśnie oddziela mistycyzm od zwykłych, dogmatycznych wierzeń religijnych.

TKW: W takim razie co z argumentem, że doświadczenie mistyczne nie liczy się jako wiedza, gdyż nie da się go opisać, a więc nie można go przekazać?

KW: Doświadczenie mistyczne rzeczywiście takie jest – nie da się go całkowicie ubrać w słowa. Tak jest z każdym doświadczeniem. Trzeba zobaczyć zachód słońca, zjeść kawałek tortu, posłuchać Bacha – trzeba tego doświadczyć, by wiedzieć, jak to jest. Ale przecież nie wyciągamy z tego wniosku, że zachód słońca, tort czy muzyka nie istnieją czy nie liczą się. Poza tym, nawet jeżeli doświadczenie mistyczne jest „niewyrażalne", to jednak m o ż e być przekazane. To znaczy, że praktyki duchowej pod przewodnictwem mistrza duchowego lub nauczyciela można się uczyć, ale nie da się jej opowiedzieć; podobnie, na przykład, dżudo – można się go nauczyć, ale nie da się go opowiedzieć.

TKW: Doświadczenie mistyczne, które mistykowi wydaje się tak pewne, w rzeczywistości jednak może okazać się pomyłką. Mistycy uważają, że jednoczą się z Bogiem, ale niekoniecznie tak jest, niekoniecznie jest tak naprawdę. Żadna wiedza nie może być absolutnie pewna.

KW: Zgadzam się, że doświadczenie mistyczne w zasadzie nie jest bardziej pewne niż jakiekolwiek inne bezpośrednie doświadczenie. Ale ten argument nadaje twierdzeniom mistyków status równy całej wiedzy empirycznej, status, który bym zaakceptował. Innymi słowy, ten argument przeciwko wiedzy mistycznej właściwie dotyczy wszystkich rodzajów wiedzy opartej na doświadczeniu, włączając w to nauki empiryczne. Wydaje mi się, że patrzę na księżyc, ale mogę się mylić; fizycy uważają, że elektrony istnieją, ale mogą się mylić; krytycy uważają, że *Hamlet* został napisany przez postać historyczną o nazwisku Szekspir, ale mogą się mylić itd. Jak to odkrywamy? Sprawdzamy na podstawie wielu doświadczeń – co mistycy robili zawsze, sprawdzając i analizując swoje doświadczenia przez dziesięciolecia, wieki, a nawet tysiąclecia. Ten argument wręcz nadaje ich twierdzeniom dokładnie ten sam status, który eksperci nadają innym dziedzinom opartym na doświadczeniu.

TKW: To dosyć jasne. Ale często się słyszy, że wizje mistyków mogą być objawem schizofrenii. Jaka będzie twoja odpowiedź na ten powszechny zarzut?

KW: Wydaje mi się, że nikt nie wątpi, iż niektórzy mistycy mogli mieć objawy schizofrenii i że niektórzy schizofrenicy mogli doświadczać mistycznych wglądów. Ale nie słyszałem, by jakikolwiek znawca w tej dziedzinie twierdził, że doświadczenia mistyczne są głównie i przede wszystkim halucynacjami schizofrenicznymi. Znam za to pokaźną liczbę ignorantów, którzy tak twierdzą, i trudno będzie ich przekonać w tak krótkim wywodzie, że jest inaczej. Pozwól więc, że powiem tylko, iż praktyka duchowa i kontemplacyjna stosowane przez mistyków, jak również modlitwa kontemplacyjna lub medytacja wywierają silny wpływ, ale nie tak silny, by zawładnąć normalnymi, zdrowymi, dorosłymi ludźmi i zmienić ich w ciągu kilku lat w schizofreników z halucynacjami. Hakuin, mistrz zen, pozostawił osiemdziesięciu trzech uczniów, którzy ponownie tchnęli życie w japoński zen i zorganizowali go. Osiemdziesięciu trzech schizofreników nie potrafiłoby zorganizować wycieczki do toalety, o japońskim zen już nie wspominając.

TKW (śmiejąc się): Ostatnie „przeciw": pojęcie bycia „jednością z Duchem" jest tylko regresywnym mechanizmem obronnym, tarczą chroniącą człowieka przed przerażeniem śmiertelnością i skończonością.

KW: Jeżeli w „jedność z Duchem" tylko się wierzy, jakby była jedynie pojęciem lub nadzieją, to często staje się ona częścią „programu nieśmiertelności" człowieka, systemem ochrony stworzonym po to, by w sposób magiczny lub regresywny oddalić śmierć i zapewnić ekspansję lub kontynuację życia, jak to już próbowałem wyjaśnić w książkach *Up from Eden* i *A Sociable God.* Ale d o ś w i a d c z e n i e bezczasowego, wiecznego zjednoczenia z Duchem nie jest pojęciem ani pragnieniem; jest bezpośrednim zrozumieniem i można traktować to doświadczenie trojako: możemy twierdzić, że jest halucynacją, do czego się już ustosunkowałem; można twierdzić, że jest błędne, na co również już odpowiedziałem; lub można je zaakceptować tak, jak się objawia, jako bezpośrednie doświadczenie Ducha.

TKW: Twierdzisz więc, że mistycyzm w odróżnieniu od dogmatycznej religii jest naukowy, gdyż opiera się na bezpośrednich dowodach empirycznych i na badaniach.

KW: Tak, zgadza się. Mistycy nie chcą, byś brała cokolwiek na wiarę. Raczej podają ci cały zestaw eksperymentów do badania własnej świadomości i doświadczania. Laboratorium to twój własny umysł, eksperyment – to medytacja. Sama robisz próby i porównujesz wyniki swoich badań z innymi, którzy również przeprowadzili eksperyment. Na podstawie tej wiedzy empirycznej dochodzisz do pewnych prawd ducha – do pewnych „głębokich prawd". Pierwsza z nich: Bóg istnieje.

TKW: Wracamy do wieczystej filozofii lub filozofii mistycznej i jej siedmiu głównych punktów. Punkt drugi – Duch wewnątrz.

KW: Duch wewnątrz, wszechświat wewnątrz. Niezwykłym przesłaniem mistyków jest to, że w samym centrum swego istnienia jesteś Bogiem. Dokładnie mówiąc, Bóg nie jest ani wewnątrz, ani na zewnątrz – Duch przekracza wszelką dwoistość. Odkryć to można tylko przez ciągłe zaglądanie do wewnątrz, aż „wewnątrz" stanie się „poza". Najsłynniejsza wersja tej wiecznej prawdy pojawia się w upaniszadzie *Chandogya*, gdzie jest powiedziane: „W swoim istnieniu nie dostrzegasz Prawdy, ale ona właśnie tam jest. W tym, co jest subtelną esencją twojego istnienia, wszystko, co istnieje, ma swoje własne Ja. Niewidzialna i subtelna esencja jest Duchem całego wszechświata. To jest Prawda, to jest Ja, i ty, ty jesteś Tym".

Ty jesteś Tym – *tat tvam asi.* Nie potrzeba mówić, że „ty", które jest „Tym", „ty", które jest Bogiem, nie jest twoim osobistym i wyizolowanym Ja czy ego, tym czy tamtym ja, panem czy panią taką to a taką. Indywidualne ja czy ego jest dokładnie tym, co blokuje uświadomienie sobie Wyższej Tożsamości. To „ty", o którym mowa, jest twoją najgłębszą częścią – albo, jeśli wolisz, najwyższą częścią ciebie – delikatną esencją, jak to zapisano w upaniszadach, która przekracza twoje śmiertelne ego i bezpośrednio bierze udział w Boskości. W judaizmie jest to *ruach,* boski i ponadindywidualny duch w każdym człowieku, a nie *nefesz* czy indywidualne ego. W chrześcijaństwie to *pneuma* albo duch, który jest jednym z Bogiem, a nie indywidualna *psyche* albo dusza, która co najwyżej może czcić Boga. Jak powiedział Coomaraswamy, różnica pomiędzy nieśmiertelnym duchem i indywidualną śmiertelną duszą (czyli ego) to podstawowy dogmat odwiecznej filozofii. Uważam, że to jedyny sposób na zrozumienie, na przykład, skądinąd dziwnej uwagi Chrystusa, że człowiek nie może być prawdziwym chrześcijaninem, „jeżeli nie znienawidzi własnej duszy". Dopiero dzięki „znienawidzeniu" albo „porzuceniu", albo „przekroczeniu" swej śmiertelnej duszy można odkryć nieśmiertelnego ducha, jedność ze Wszystkim.

TKW: Święty Paweł powiedział: „Ja żyję, a jednak nie ja, lecz Chrystus we mnie". Mówisz, że Paweł odkrył swoje prawdziwe Ja, które jest jednością z Chrystusem, i ono zastąpiło jego stare, niższe ja, jego indywidualną duszę albo psyche.

KW: Tak. To twoja *ruach* albo podstawa jest Wyższą Świadomością, a nie *nefesz,* twoje ego. Oczywiście, jeżeli uważasz, że to indywidualne ego jest Bogiem, masz wielki kłopot. Możesz wpaść w psychozę, zaczynając od schizofrenii paranoidalnej. Z pewnością nie to mieli na myśli najwybitniejsi filozofowie i mędrcy świata.

TKW: Dlaczego więc większość ludzi nie zdaje sobie z tego sprawy? Jeżeli Duch naprawdę jest wewnątrz, to dlaczego nie jest to oczywiste dla każdego?

KW: Cóż, to właśnie trzeci punkt. Jeżeli naprawdę jestem jednością z Bogiem, to dlaczego nie zdaję sobie z tego sprawy? Coś musi mnie oddzielać od Ducha. Jaki Upadek? Jaki grzech?

TKW: Na pewno nie zjedzenie jabłka.

KW (śmiejąc się): Na pewno nie zjedzenie jabłka.

Różne tradycje mają wiele odpowiedzi na to pytanie, ale wszystkie dochodzą zasadniczo do jednego: nie mogę odkryć mojej prawdziwej tożsamości albo mojej jedności z Duchem, bo moja świadomość jest zamglona, zakłócona przez działanie, w które teraz jestem zaangażowany. A to działanie, choć znane pod wieloma nazwami, to po prostu zawężanie i skupianie świadomości na indywidualnym ja albo osobistym ego. Moja świadomość nie jest otwarta, rozluźniona i skierowana ku Bogu; jest zamknięta, ściśnięta i skupiona na samej sobie. A ponieważ identyfikuję się z tym „samościśnięciem" i nie dopuszczam czegokolwiek innego, to nie mogę znaleźć lub odkryć mojej właściwej tożsamości, prawdziwej tożsamości ze Wszystkim. Moja indywidualna natura, „człowiek naturalny", jest upadła albo żyje w grzechu lub oddzieleniu, w obcości z Duchem i całą resztą świata. Jestem oddalony i oddzielony od świata „spoza", który postrzegam, jakby był całkowicie zewnętrzny, obcy i wrogi mojemu istnieniu. A jeżeli chodzi o moje własne istnienie, to z pewnością nie jest ono jednością ze Wszystkim, jednością ze wszystkim, co istnieje, jednością z nieskończonym

Duchem; raczej wydaje się całkowicie ściśnięte i uwięzione za tym murem śmiertelnego ciała.

TKW: Taką sytuację często nazywa się „dualizmem", dwoistością, czyż nie?

KW: Zgadza się. Oddzielam się jako podmiot od świata przedmiotów, a potem – opierając się na tej pierwotnej dwoistości – dalej dzielę świat na pozostające z sobą w konflikcie opozycje: przyjemność – ból, dobro – zło, prawda – fałsz itd. Zgodnie z wieczystą filozofią świadomość zdominowana przez samościśnięcie, przez dualizm podmiot–przedmiot, nie może postrzegać rzeczywistości taką, jaka ona jest, jako całości, jako Wyższej Świadomości. Grzech, innymi słowy, jest samościśnięciem, poczuciem odrębnego ja, ego. Grzech nie jest czymś, co r o b i ja, jest czymś, czym j e s t ja.

Samościśnięcie, podmiot odizolowany w „tutaj", ponieważ nie rozpoznaje prawdziwej tożsamości ze Wszystkim, ma silne poczucie braku, deprywacji, dezintegracji. Innymi słowy, poczucie oddzielonego ja rodzi się w bólach – rodzi się „upadłe". Cierpienie nie p r z y d a r z a s i ę oddzielonemu ja, to jest coś, co jest w r o d z o n e oddzielonemu ja. „Grzech", „cierpienie" i „ja" to wiele nazw tego samego procesu, tego ściśnięcia i chaotycznego podziału świadomości. Nie możesz uwolnić ja od cierpienia. Jak to ujął Budda Gautama, by skończyć z cierpieniem, musisz skończyć z ja – powstają i upadają razem.

TKW: Ten dualistyczny świat zatem to świat upadły, a grzech pierworodny jest samoograniczeniem w każdym z nas. A więc nie tylko wschodni mistycy, ale także zachodni definiują grzech i piekło jako wynik istnienia oddzielonego ja?

KW: Oddzielonego ja i jego pozbawionego miłości chwytania się, pożądania, pragnienia, unikania – tak, z pewnością tak. To prawda, że zrównanie piekła albo *samsary* z oddzielonym ja jest silnie akcentowane na Wschodzie, zwłaszcza w hinduizmie i buddyzmie. Ale zasadniczo podobną myśl przewodnią znajdujemy w mistycznych dziełach katolików, gnostyków, kwakrów, kabalistów i mistyków islamu. Autorem mojego ulubionego dzieła jest wspaniały William Law, osiemnastowieczny mistyk chrześcijański z Anglii; przeczytam ci: „Ujrzyj tu w skrócie całą prawdę. Grzech, śmierć, potępienie i piekło to nic innego jak tylko królestwo ja lub rozmaite przejawy miłości do samego siebie, poczucia własnej wartości i takie poszukiwania samego siebie, które oddzielają duszę od Boga i odnajdują swój koniec w wiecznej śmierci i piekle". Czy pamiętasz, co powiedział wielki mistyk islamu, Dżalaluddin Rumi: „Jeżeli nie widziałeś diabła, spójrz na swoje własne ja". Albo sufi Abi'l-Khayr: „Nie ma Piekła, tylko domena ja, nie ma Raju, tylko nie istnieje ja". Również chrześcijański mistycyzm, na przykład *Theologia Germanica,* zapewnia, że w piekle smaży się tylko wola ja.

TKW: Tak, rozumiem. Przekroczenie „małego ja" to odkrycie „dużego Ja".

KW: „Małe ja", albo indywidualna dusza, znane jest w sanskrycie jako *ahamkara,* co znaczy „węzeł" albo „ ściśnięcie", i to właśnie *ahamkara,* to dwoiste dualistyczne lub egocentryczne ściśnięcie w świadomości, leży u podstaw naszego Upadku.

To nas przywodzi do czwartego głównego punktu wieczystej filozofii: można odwrócić Upadek, można odwrócić ten okropny stan, można rozplątać węzeł iluzji.

TKW: Wykorzenić małe ja.

KW (śmiejąc się): Tak, wykorzenić małe ja. Poddać się albo umrzeć dla poczucia oddzielonego ja, małego ja, samościśnięcia. Jeżeli chcemy odkryć naszą tożsamość ze Wszystkim, trzeba porzucić mylną tożsamość z odrębnym ego. Ten Upadek można natychmiast odwrócić przez zrozumienie, że w rzeczywistości nigdy się nie wydarzył – jest tylko Bóg, oddzielone ja jest iluzją. Ale większość z nas musi stopniowo, krok po kroku, odwracać Upadek.

Innymi słowy, czwarty punkt wieczystej filozofii mówi, że Droga istnieje. Droga, która – jeżeli podąża się nią właściwie – wyprowadzi nas ze stanu upadku do objawienia, z samsary do nirwany, z Piekła do Nieba. Jak to ujął Plotyn, ucieczka samotności w Samotność – to znaczy ucieczka z ja do Ja.

TKW: Droga to medytacja?

KW: Możemy powiedzieć, że istnieje kilka dróg, które składają się na to, co ogólnie nazywam Drogą. Znowu – różnorodne struktury powierzchniowe z takimi samymi strukturami głębokimi. W hinduizmie na przykład istnieje pięć podstawowych dróg lub „jog". *Joga* znaczy po prostu „zjednoczenie", sposób zjednoczenia duszy z Bóstwem. W języku angielskim istnieje słowo „brzemię" (*yoke*). Kiedy Chrystus mówi: „Moje brzemię jest lekkie", to znaczy: „Moja joga jest lekka". Ten sam rdzeń istnieje w języku hetyckim – *yugan,* w łacinie – *jugum,* w greckim – *zugon* itd.

Być może mógłbym uprościć całą rzecz mówiąc, że wszystkie te drogi, czy to w hinduizmie, czy w innej tradycji, dzielą się na dwie podstawowe. Mam tu dla ciebie kolejny cytat, jeżeli uda mi się go znaleźć – pochodzi od Swami Ramdasa: „Istnieją dwie drogi: jedna – to rozwinąć swoje ego aż do nieskończoności, druga – zredukować je do nicości; to pierwsze osiąga się przez wiedzę, to drugie przez oddanie się, głębokie poświęcenie. *Jnani* [wiedzący] mówi: «Jestem Bogiem – Uniwersalną Prawdą». Człowiek pobożny mówi: «Jestem niczym, o Boże, Tyś jest wszystkim». W obu przypadkach znika poczucie ego".

W obu przypadkach człowiek, który postępuje Drogą, przekracza małe ja albo umiera dla małego ja – i w ten sposób ponownie odkrywa lub wskrzesza swoją Wyższą Świadomość z uniwersalnym Duchem. I to nas prowadzi do piątego głównego punktu filozofii wieczystej, to znaczy do Odrodzenia, Wskrzeszenia albo Oświecenia. W twoim istnieniu małe ja musi umrzeć po to, by duże Ja mogło się odrodzić.

W różnych tradycjach znajdujemy różne określenia śmierci i nowych narodzin. W chrześcijaństwie mają one źródło w postaciach Adama i Jezusa: Adam, którego mistycy nazywają „Starym Człowiekiem" lub „Zewnętrznym Człowiekiem", otworzył bramy Piekła; Jezus Chrystus, „Nowy Człowiek", „Wewnętrzny Człowiek", otworzył bramy Raju. Według mistyków Śmierć i Zmartwychwstanie Jezusa są archetypem śmierci oddzielonego ja i zmartwychwstania ze strumienia świadomości nowego i wiecznego przeznaczenia, to znaczy boskiego lub Chrystusowego Ja i jego Wniebowstąpienia. Jak to ujął święty Augustyn: „Bóg stał się człowiekiem po to, by człowiek mógł stać się Bogiem". Ten proces przejścia od „człowieczeństwa" do „Boskości", od osoby zewnętrznej do osoby wewnętrznej albo od ja do Ja znany jest w chrześcijaństwie jako *metanoja,* co oznacza zarówno „skruchę", jak i „przemianę" – żałujemy ja (albo za grzech) i przemieniamy się jako Ja (albo Chrystus), więc, jak powiedziałaś, „nie ja, lecz Chrystus żyje we mnie". Podobnie islam uważa tę śmierć-zmartwychwstanie zarówno za *tawbah,* co znaczy „skrucha", jak i za *galb,* co znaczy „ przemiana"; oba są streszczone w zwięzłym zdaniu al-Bistamiego: „Zapomnienie ja jest przypomnieniem Boga".

W hinduizmie i w buddyzmie śmierć-i-zmartwychwstanie zawsze opisywane są jako śmierć indywidualnego ja (*jivatman*) i przebudzenie prawdziwej natury, którą hindusi metaforycznie nazywają Całym Istnieniem (*Brahman*), a buddyści – Czystym Otwarciem (*shunyata*). Chwila odrodzenia i przełomu to oświecenie albo wyzwolenie (*moksha* albo *bodhi*). *Sutra Lankavatara* nazywa to doświadczenie oświecenia „całkowitym zwrotem w najgłębszym miejscu świadomości", co oznacza po prostu zerwanie z tendencją do tworzenia oddzielonego ja. W zen ten zwrot albo *metanoja* nosi nazwę *satori* albo *kensho. Ken* znaczy „prawdziwa natura", a *sho* – „bezpośrednie widzenie". Widząc bezpośrednio, prawdziwa natura staje się Buddą. Jak to ujął Mistrz Eckhart: „W tym przełomie odkrywam, że Bóg i ja to jedno i to samo".

TKW: Czy oświecenie rzeczywiście jest doświadczane jako prawdziwa śmierć, czy to tylko przenośnia?

KW: Tak, jako prawdziwa śmierć ego. To żadna metafora. Przekazy dotyczące tego doświadczenia, które może być bardzo dramatyczne, ale również całkiem proste i wcale nie dramatyczne, głoszą, że budzisz się i odkrywasz, iż twoim prawdziwym istnieniem jest w s z y s t k o, na co teraz patrzysz, że dosłownie jesteś jednością ze wszystkim, jednością z wszechświatem, choć to może nadużywane określenie, i że właściwie nie s t a ł a ś s i ę jednością z Bogiem i ze Wszystkim, lecz zawsze byłaś tą jednością, choć nie zdawałaś sobie z tego sprawy.

Wraz z odkryciem wszechobecnej Jaźni pojawia się bardzo konkretne uczucie, że twoje małe ja po prostu umarło, naprawdę umarło. Zen nazywa *satori* „Wielką Śmiercią". Eckhart ujmuje to zwięźle: „Dusza musi się oddać śmierci". Coomaraswamy wyjaśnia: „Dopiero wtedy, gdy zrobimy kładkę z naszych martwych ja, możemy sobie w końcu zdać sprawę z tego, że nie istnieje dosłownie nic, z czym moglibyśmy utożsamić nasze Ja, że stajemy się tym, czym jesteśmy". A Eckhart mówi: „Królestwo Boże jest tylko dla martwych".

TKW: Śmierć dla małego ja jest odkryciem wieczności.

KW (długa przerwa): Tak, pod warunkiem, że nie myślimy o wieczności jako niekończącym się czasie, lecz jako o punkcie bez czasu, tak zwanej wiecznej teraźniejszości albo bezczasowym teraz. Jaźń nie żyje na zawsze w czasie, żyje w bezczasowej teraźniejszości, będącej przed czasem, historią, zmianą, następstwem. Jaźń jako Czysta Obecność, nie jako wieczne trwanie, które jest raczej strasznym pojęciem.

W każdym razie to nas prowadzi do szóstego głównego punktu wieczystej filozofii, to znaczy do tego, że oświecenie albo wyzwolenie przynosi kres cierpieniu. Gautama Budda na przykład powiedział, że uczył jedynie o przyczynie cierpienia i o tym, jak się z niego wyzwolić. Tym, co powoduje cierpienie, jest pragnienie oddzielonego ja, jego zachłanność i pożądliwość, a tym, co je kończy, jest droga medytacyjna, która przekracza ja i wszelkie pragnienia. Cierpienie jest wrodzone węzłowi albo ściśnięciu, znanemu jako ja, i jedynym sposobem na przerwanie cierpienia jest położenie kresu ja. Nie chodzi tylko o to, że po oświeceniu czy ogólnie praktyce duchowej już nie czujesz bólu, niepokoju, strachu. To pozostaje. Po prostu już nie zagrażają one twojemu istnieniu, więc przestają być problemem. Już się nie identyfikujesz, nie przejmujesz się nimi, już ci nie zagrażają. Tak więc nie ma już żadnego rozkawałkowanego ja, które mogłoby być zagrożone, a z drugiej strony Ja (duże) nie może być zagrożone; jest Wszystkim, więc nie ma niczego zewnętrznego, co mogłoby wyrządzić mu krzywdę. W sercu czujesz głęboką ulgę, odprężenie i otwarcie. Człowiek uświadamia sobie, że żadne, największe nawet cierpienie nie może wpłynąć na jego prawdziwe Istnienie. Cierpienie przychodzi i odchodzi, ale człowiek ma teraz „pokój, który przekracza zrozumienie". Mędrzec doświadcza cierpienia, ale ono nie rani go. Ponieważ jest świadomy cierpienia, motywem jego działania staje się współczucie, pragnienie pomagania tym, którzy cierpią i uważają, że ich cierpienie jest rzeczywiste.

TKW: To nas prowadzi do siódmego punktu, do oświeconej motywacji.

KW: Tak. Prawdziwe oświecenie przejawia się w aktach społecznych powodowanych miłosierdziem i współczuciem i mających na celu pomoc wszystkim istotom w uzyskaniu najwyższego wyzwolenia. Oświecona działalność to po prostu bezinteresowna służba. Skoro wszyscy jesteśmy jednością w tym samym Ja albo w tym samym mistycznym ciele Chrystusa lub Dharmakai, to służąc innym, służę swojemu Ja. Myślę, że gdy Chrystus powiedział: „Kochaj bliźniego swego jak siebie samego", to na pewno miał na myśli „Kochaj bliźniego swego jak swoje Ja".

TKW: Dziękuję.*

Po tym wywiadzie wciąż sobie myślałem: to jest ta osoba, którą kocham bardziej niż moje ja, przez duże czy przez małe „j".

---

* W dzisiejszych czasach „politycznej poprawności" (*political correctness* – PC) jedna rzecz wciąż ulega przeoczeniu – wieczysta filozofia. Założenie PC polega na tym, że cała nowoczesna cywilizacja jest zdominowana przez eurocentryzm, logocentryzm i seksizm, gdy jedynym odpowiednim czy właściwym światopoglądem jest radykalny egalitaryzm i pluralizm. PC zaprzecza, by jakiś światopogląd mógł być „lepszy" niż inne. Problem polega na tym, że choć postawa taka uważana jest za liberalną – nic nie może być „lepsze" albo „wyższe" – okazuje się absolutnie zachowawcza. Jeżeli nic nie jest lepsze, wówczas nie ma i nie może być mowy o liberalizmie, brakuje rozpędu, motywacji do poprawy stanu rzeczy. Kompletnie brak w PC spoistej i integrującej wizji ludzkich możliwości. Ponadto radykalny pluralizm sam jest pojęciem eurocentrycznym i logocentrycznym.

Wieczysta filozofia powstała w czasach matriarchatu, nie może być więc oskarżana o „wrodzony" seksizm; zrodziła się wśród analfabetów, nie jest więc logocentryczna; rozkwitła najpierw w krajach obecnego drugiego i trzeciego świata – nie można jej więc nazwać eurocentryczną. Ponadto proponuje to, czego PC dać nie może: integrującą wizję, która pozwalając każdemu na posiadanie własnej przestrzeni wolności, wskazuje „lepszy" stan rzeczy: wyższą tożsamość. Zawiera więc w sobie wrodzony liberalny porządek: coraz więcej wolności zarówno na poziomie indywidualnym, jak i społecznym.

– *Przyszedłem jako Czas, niszczyciel ludzi, przygotowany na godzinę, która dojrzewa na ich zgubę.*

– *Co? Nie słyszę. Co mówisz?*

– *Przygotowany na godzinę, która dojrzewa na ich zgubę...*

– *Kto tam? Treya, to ty, kochanie?*

Kiedy Treya weszła w wiek dojrzewania, miała bardzo silne i głębokie doświadczenie mistyczne, które prawdopodobnie najbardziej wpłynęło na jej życie.

– Kiedy to się stało? – spytałem ją wkrótce po tym, jak się poznaliśmy.

– Miałam trzynaście lat. Siedziałam sama przed kominkiem, patrząc na ogień, i nagle stałam się dymem z ognia i zaczęłam unosić się do góry, w niebo, coraz wyżej, aż stałam się jednością z całym wszechświatem.

– Nie identyfikowałaś się z indywidualnym ja i z ciałem?

– Kompletnie się rozpuściłam, zjednoczyłam się ze wszystkim. W ogóle nie było indywidualnego ja.

– Byłaś przytomna?

– Całkowicie.

– Ale to było bardzo rzeczywiste, prawda?

– Całkowicie rzeczywiste. Czułam się tak, jakbym wracała do domu, jakbym wreszcie była tam, gdzie należę. Teraz umiem nazwać to wszystko – odnalazłam swoje prawdziwe Ja, Boga albo tao itd. – ale wtedy nie znałam tych terminów. Wiedziałam tylko, że jestem w domu, że jestem absolutnie bezpieczna, nawet zbawiona. To nie był sen; wszystko inne wyglądało jak sen, zwyczajny świat wyglądał jak sen; to było prawdziwe.

To mistyczne doświadczenie stało się zasadą przewodnią w życiu Trei, choć nie mówiła o tym zbyt dużo („ci, którzy wiedzą, nie mówią..."). Było częścią jej trwającego całe życie zainteresowania duchowością i medytacją; kryło się za zmianą jej imienia na „Treya"; było częścią jej siły i odwagi, kiedy stawiała czoło rakowi.

Ten obraz z dzieciństwa – rozprzestrzeniania się, mieszania z całym wszechświatem – jest czymś w rodzaju głównego motywu mojego życia. To jedyna rzecz, która naprawdę mnie wzrusza, wyciska łzy z oczu: pragnienie podążania ścieżką duchową, odnalezienia jedności ze wszystkim, rozciągnięcia dzieła życia poza siebie i poza innych. Moja prawdziwa pasja jest wewnątrz; myślę, że dlatego tak męczyła mnie szkoła i poradnictwo. Wszystko szybko mnie nudziło, ponieważ interesują mnie tylko sprawy wewnętrzne, duchowe. Kiedy usiłowałam skierować się na zewnątrz, traciłam zainteresowanie.

Potrzebuję wewnętrznego głosu, wewnętrznego przewodnika, muszę go wzmacniać, pielęgnować, kontaktować się z nim... Dopiero wtedy będę mogła go usłyszeć tak, by nadał memu życiu kierunek. Czuję, jak serce rośnie mi na myśl o tej możliwości. To zawsze był główny temat – nić przewodnia mojego życia. Najpierw musi przyjść to uczucie rozprzestrzeniania się, musi osiągnąć głębię. Prawdę mówiąc, tym, czego ostatecznie pragnę, jest stan absolutnie pozbawiony ego, wolny od oddzielonego ja...

I rzeczywiście – jest to dokładnie cel i przyczyna medytacji.

– Treya, naprawdę, kochanie, to nie jest śmieszne. Zrób herbatę i chodź tutaj, dobrze? – Ogień wygasł, pozostawiając lekki zapach spalenizny.

– To naprawdę nie jest śmieszne. Idę tam.

Ale tam nikogo nie ma. Niczego nie widzę. Jedynym zmysłowym odczuciem jest zimno.

– OK, wygrałaś. Lewe ramię i to wszystko. Dojrzewa na ich zgubę. Świetnie, świetnie. Słuchaj, czy możemy chwilę porozmawiać?

6

Ciało – umysł porzucone!

Siedzę spokojnie, nogi skrzyżowane w półlotosie; oddycham, czuję przepływ oddechu w ciele. Słyszę cichy szmer fal, woda ociera się pieszczotliwie o brzeg, wsiąka w piasek; powolny, leniwy powrót do głębin, znowu zmysłowy ślizg do przodu, potem poza siebie, jakieś pragnienie i zuchwałość w tym wychodzeniu z siebie. Do środka, na zewnątrz, do tyłu, spotkanie, bezpieczeństwo, ryzyko. Jak oddech przepływający przez ciało, przynoszący coś memu ciału, tak woda miesza się z piaskiem; dwa różne elementy łączą się, biorą, dają sobie nawzajem życie. I znowu wypuszczam oddech poza ciało, na zewnątrz, do oceanu powietrza, tak jak morze cofa się do swych głębin, zanim znowu wyślizgnie się, by popieścić brzeg, a potem wsiąknąć w piasek. Fale lśnią, skrzą się w promieniach porannego słońca; nieustanne, ciche mruczenie, gdy się spotykają i gdy się rozstają; spotkania i rozstania wypełniają moje istnienie.

Treya wróciła z medytacji w odosobnieniu odmłodzona. Budowa domu w Tahoe opóźniała się, wciąż więc mieszkaliśmy w Muir Beach. Kiedy pojawiła się w drzwiach, promieniała, była niemal przezroczysta, ale też wyglądała na bardzo silną, bezpieczną, mocną. Powiedziała, że chociaż miała strasznie niepokojące wizje nawrotu, nie bała się go. Czuła, że nastąpił przełom.

Cóż więc robiłam w odosobnieniu? Przez dziesięć do dwunastu godzin dziennie próbowałam koncentrować się na oddechu, a kiedy umysł zaczynał błądzić, znów starałam się kierować go na oddech. Musiałam zwracać uwagę na to, co się pojawiało: myśli i uczucia. Cierpliwie, uporczywie, pilnie trenowałam, ćwiczyłam świadomość.

Potem nauczono mnie, jak kierować trochę już wyćwiczoną świadomość na ciało; skupiać się na odczuciach wokół nosa, a potem na innych częściach ciała. Przesuwać świadomość w dół i w górę, w dół i w górę. Zauważać odczucia, koncentrować się na białych plamach,* zauważać ból, powracać, kiedy zbłądzę, zrównoważona, spokojna. Zamiast skupiać się na czymś zewnętrznym, posługuję się moim ciałem jako laboratorium do eksperymentów związanych z ćwiczeniem uwagi. To już piąty z dziesięciu dni mojego odosobnienia z Goenką, więc jestem coraz bardziej zaawansowana w tej dziedzinie.

Co się działo, kiedy medytowałam nad ciałem, nad przyjemnymi i bolesnymi odczuciami fizycznymi? Przez pierwsze kilka dni miałam obsesję na punkcie bólu oka i głowy, który mnie przerażał. Na powierzchnię wciąż wypływały obrazy nawrotu raka, strach przed opuszczeniem Kena, przed tym, co się może wydarzyć. Każdy ból w ciele, choćby najlżejszy, wywoływał wizje nawrotu i powodował potworny strach.

Była to trudna walka, ale piątego dnia stałam się już tylko świadkiem odczuć, nie oceniałam ich. Zdawałam sobie sprawę z istnienia tych strasznych wizji, ale nie reagowałam na nie, nie bałam się ich, nie bałam się strachu. Niezwykle wyraźnie zaczęłam sobie zdawać sprawę z samej świadomości, zdolności do bycia po prostu świadomą

* Tj. na obszarach ciała, których się nie odczuwa (przyp. red.).

i faktu, że świadomość lubi błądzić, że bywa więźniem wydarzeń lub myśli. Ta zogniskowana świadomość stała się czymś w rodzaju rozbłysku światła, promienia, którym mogłam kierować. Gdziekolwiek go skierowałam, wiedziałam, co się dzieje: czy była to nieustająca gra dziwnych odczuć na czubku głowy, ból w oczach czy inne bóle – natychmiast zdawałam sobie z nich sprawę, nie oceniając, nie uciekając od nich, nie bojąc się.

Stałam się również bardziej świadoma zawsze istniejącego podłoża zogniskowanej świadomości: rzeczy, które przesuwały się i zmieniały w przyciemnionym świetle na skraju promienia. Dopóki nie skierowałam na nie snopu światła, tylko niejasno zdawałam sobie sprawę z ich istnienia – a one były podłożem mojej świadomości. Tak oto stałam się świadoma związku pomiędzy świadomością zogniskowaną i rozproszoną; one współistniały i zamieniały się rolami, w miarę jak przenosiłam uwagę czy raczej – moja uwaga przypadkowo się przesuwała.

Uświadomiłam sobie, w jak wielkim stopniu uwaga determinuje stan świadomości. Mogłam być po prostu świadkiem odczuć, a jednocześnie zachować spokój i równowagę. Ale mogłam też oceniać swoje odczucia, bać się ich, odczuwać niepokój i nawet panikę.

Gdy skupiałam się wewnątrz ciała, stawałam się świadoma rzeczy i spraw, z których nigdy przedtem nie zdawałam sobie sprawy: myśli, idei, pojęć, słów, obrazów, błądzących odczuć, urywków opowiadań, głosów szemrzących w pustej przestrzeni, dziwnych, niedokończonych kombinacji wydarzeń wpływających do mojej świadomości i wypływających z niej. Stałam się świadoma nawyków – nawyku opowiadania tych podobnych do snu zdarzeń, automatycznego pragnienia zmiany pozycji, gdy robiło mi się niewygodnie, niepokoju, ciągłego planowania przyszłości, nawyku stale błądzącej uwagi. Stałam się świadoma przepływającego strumienia uczuć – irytacji spowodowanej fizycznym bólem, strachu, że nie wytrwam tych dziesięciu dni, strachu przed rakiem, chęci, żeby coś zjeść, pragnienia, by poczynić postępy w technice, którą doskonaliłam, miłości do Kena, złości; a kiedy moja uwaga błądziła – jeszcze większego strachu przed rakiem, przyjemności związanej z pewnymi falami odczuć.

Stopniowo nauczyłam się, zgodnie z instrukcją, po prostu obserwować całą tę wewnętrzną aktywność w sposób coraz bardziej zrównoważony, ze spokojem, bez pragnień i niechęci; spokojnie obserwować myśli, nawyki, a nawet uczucia. Odnosiłam sukces, a potem natychmiast pojawiało się pragnienie, by ten sukces trwał. Przez chwilę obserwowałam ból w oku, a potem czułam rosnące napięcie, gdy chciałam pozbyć się tego bólu. Zauważyłam, jak takie uczucia blokują zdolność odczuwania, zatrzymują postęp. Gdy myśli i uczucia uciszały się, a uwaga wyostrzała, stawałam się coraz bardziej świadoma różnych odczuć fizycznych: łaskotania, swędzenia albo jakiegoś drżenia, które pojawiały się i znikały. Potem nadchodziło coś nowego, niespodziewanego – i równie szybko znikało. Były chwile, kiedy całe moje ciało było tylko jednym wielkim drżeniem. Zawsze istniała pokusa, żeby o tym pomyśleć, żeby zinterpretować to, co się dzieje, żeby porozmawiać ze sobą wewnętrznie, żeby odpowiedzieć emocjonalnie, żeby zastanowić się nad możliwym znaczeniem wydarzeń, a nie tylko je zauważać. Zauważać, kiedy coś się działo lub odchodziło, kiedy błądziła uwaga, zauważać wszystkie zmiany cierpliwie, dokładnie.

Przez kilka pierwszych dni była to niemal obsesja. Co oznacza ten ból? A ten skurcz? Ken zawsze mnie z tego jakoś wyprowadzał: „Boli tutaj, tu, na palcu? Chcesz powiedzieć, że masz raka dużego palca?”. Ale teraz się boję. Prowadzę niekończące się wewnętrzne rozmowy z Bogiem, targuję się z nim: „Proszę, daj mi dziesięć lat z Kenem, żebym mogła dożyć chociaż pięćdziesiątki”.

Drugiego dnia nagle zauważyłam, że moje ramię [to, z którego usunięto węzły chłonne] jest spuchnięte! Cholera! Co to znaczy? Nigdy po operacji nie było spuchnięte, dlaczego nagle teraz? To mnie naprawdę przeraziło. Pojawia się myśl, że być może dla Kena byłoby lepiej, gdybym odeszła wcześniej, będzie ode mnie mniej zależny. Uświadamiam sobie również, że nie zwracam uwagi na oddech!

W moim umyśle tkwi jakiś oszust. Gdy w końcu, po walce z błądzącymi myślami, w pełni skoncentruję się na oddechu, nadchodzi niebezpieczeństwo: uświadamiam sobie tę ciężkim trudem zdobytą uwagę. Wtedy wkracza oszust. „Tylko sprawdzam – mówi. – Dobra robota. Ale mały test nie zaszkodzi". A potem proponuje jakiś wybór, na przykład, jak by ten kolor dywanu pasował do koloru stołu albo czy moglibyśmy kupić nową szafę do sypialni? „Och, pycha – mówi mój umysł. – Chętnie to przeżuję". I uwaga idzie na marne.

Trzeciego dnia mam okresy ciszy i spokoju, które przebijają się przez cały ten gwar myśli i uczuć. Ramię nadal spuchnięte, ale nie boję się, po prostu zauważam. Uwielbiam poczucie spokoju i wewnętrznej ciszy. Myśl o opuszczeniu Kena nie do zniesienia; płaczę podczas wieczornej sesji.

Piątego dnia prawie całkiem odpuściłam sobie i po prostu byłam świadkiem tego, co się pojawiało, nie oceniając tego, nie spychając ani nie przywołując. Co będzie, to będzie. Co jest, to jest. Znowu odkrywam poczucie wolności, jakie daje zwykłe obserwowanie chwili, zwykłe siedzenie bez pragnienia powtórzenia poprzedniego doświadczenia i bez pragnienia czegoś nowego. Po prostu jestem z tym, z czym jestem, a nie z tym, z czym być powinnam. W moich medytacjach pojawia się coś w rodzaju rytmu, poczucie po prostu bycia bez zwalczania czegokolwiek. Uczucia i myśli wciąż istnieją, jestem ich świadoma, ale nie jestem przez nie schwytana – jakoś nauczyłam się zatrzymywać i po prostu obserwować.

Siódmego dnia zauważyłam, że odczuwam swoje ciało jako całość: nie ma różnicy między rękami, nogami i tułowiem, nie czuję oddzielenia ani konfliktu pomiędzy częściami ciała. Powróciły silne, przyjemne, niemalże boleśnie błogie prądy energii, której przepływ czułam z Kenem owej pierwszej nocy. Czasami przychodzą jak gdyby w pośpiechu, czasami spokojniej. Mogę z łatwością podróżować po całym swoim ciele. Jest ono całością, a nie zbiorem części. Jeżeli oddycham bardzo powoli i spokojnie – albo raczej kiedy mój oddech sam zwalnia, czuję, gdzie pozostały drobne napięcia i jakoś uczę się ich pozbywać; potem odczuwam jeszcze bardziej równomierne rozchodzenie się energii. Rozpuszczam obszary powstrzymywania, oporu, oddzielenia.

Dziewiątego dnia, kiedy tylko pojawiają się wizje raka, wcale na nie nie reaguję, nie jestem przestraszona. Gdy przychodzi lęk, po prostu jestem jego świadkiem. Spokój, wolny przepływ energii, czysta obserwacja. To utrzymuje się także dziesiątego dnia. Odnajduję silną, niezależną świadomość, spokojnie obserwującą i zrównoważoną. Cały proces się zmienił. Uwaga jest wyostrzona, ale lekka. Nie prowadzę, idę za. Goenka: Nie możesz wywoływać odczuć, nie możesz wybierać odczuć, nie możesz tworzyć odczuć (ciekawe, co by na to powiedzieli twórcy Häagen-Dazs). Jesteś tylko świadkiem. Nie trzymanie, lecz ruch, wiedza, że rzeczy ulegają zmianie. Znasz prawdę o nietrwałości. Bardzo cicho, bardzo spokojnie. Ciekawe, jak to będzie w prawdziwym świecie?

Rankiem 21 listopada, kiedy Treya brała prysznic, zauważyła dwa małe guzki pod prawą piersią. Gdy razem im się przyglądaliśmy, dostrzegliśmy jeszcze dwa czy trzy. Przypominały ślady ukąszenia mrówek, ale nie swędziały. Nie wyglądały też na raka. Nie mogły być jednak niczym innym. Oboje wiedzieliśmy o tym.

Dziś po południu spotkaliśmy się z Peterem Richardsem. Ten sam zmartwiony wyraz twarzy, to samo (można to zrozumieć) wymijające podejście. „To mogą być ukąszenia owadów, może co innego, ale lepiej, żebyśmy to usunęli". Umówiliśmy się na ostrym dyżurze za dwa dni rano i pojechaliśmy z Treyą do domu w Muir Beach.

Spokój Trei był zdumiewający. Wyglądała na co najwyżej lekko zaniepokojoną. Chwilę rozmawialiśmy, czy to jest rak, ale Treya nie chciała się tym zajmować.

„Jak rak, to rak" – powiedziała i na tym się skończyło. Wolała rozmawiać o medytacjach i doświadczeniach, które przeżyła. Dwa dni wcześniej ukończyłem pracę nad *Transformations of Consciousness* i Treya bardzo chciała porównać spostrzeżenia.

– Wciąż mam uczucie rozszerzania się. Najpierw jestem świadkiem mojego ciała i umysłu albo po prostu zwracam uwagę na myśli i odczucia, ale potem mój umysł i ciało zdają się znikać i jestem jednością z... – nie wiem, czy z Bogiem, czy z wszechświatem, czy z moim wyższym Ja, czy z czym innym. To cudowne.

– Naprawdę nie obchodzi mnie, jak to się nazywa – Bóg, wszechświat, Ja. Dogen zenji [słynny japoński mistrz zen] doznał oświecenia, gdy jego nauczyciel szepnął mu do ucha: „Ciało – umysł porzucone!". Tak jak mówisz, to właśnie jest to uczucie – po prostu znika identyfikacja z ciałem – umysłem. Przydarzyło mi się to parę razy i uważam, że to jest prawdziwe. Dla porównania – wydaje mi się, że ego jest nieprawdziwe.

– Zgadzam się. To takie uczucie, jakby ten stan był bardziej prawdziwy, bardziej żywy. To tak, jakby się obudzić – wszystko inne wydaje się snem. A więc jesteś przekonany, że te doświadczenia są prawdziwe? – spytała.

Kiedy jej słuchałem, wiedziałem, że Treya weszła w rolę „pani profesor". Wiedziałem, że będzie godzinami mnie męczyć – często zdarzało się to przedtem. Wiedziałem również, że prawdopodobnie już się zdecydowała. I zdałem sobie sprawę, że oboje woleliśmy robić to, niż roztrząsać sprawę tych przeklętych guzków...

– Jesteśmy w takiej samej sytuacji jak każdy naukowiec. Możemy polegać tylko na dowodach z doświadczenia. A prędzej czy później będziemy musieli zawierzyć naszemu własnemu doświadczeniu, bo to jedyna rzecz, którą tak naprawdę mamy. Inaczej wpadamy w błędne koło. Jeżeli z zasady nie będę wierzył mojemu doświadczeniu, wówczas nie będę mógł wierzyć nawet mojej zdolności do niewierzenia, gdyż to również jest doświadczenie. Więc prędzej czy później nie pozostanie nam nic innego, jak tylko zaufać własnemu doświadczeniu, uwierzyć, że wszechświat wcale nie chce nas oszukać. Oczywiście, możemy się mylić i niekiedy doświadczenia są mylące, ale nie mamy wyboru, możemy tylko iść za nimi. To rodzaj imperatywu. A zwłaszcza doświadczenia mistyczne są bardziej, a nie mniej rzeczywiste niż inne doświadczenia.

Myślałem o Heglowskiej krytyce Kanta: nie można kwestionować świadomości, gdyż świadomość jest jedynym narzędziem człowieka. Hegel twierdzi, że kwestionowanie świadomości jest jak próba pływania bez zamoczenia się. Jesteśmy zanurzeni w świadomości, w doświadczeniu, i nie mamy innego wyboru, jak tylko postępować za nimi.

Treya mówiła dalej.

– Zawsze mi się podobało to, co mówią Tybetańczycy: „Umysł jest całym wszechświatem". Tak to odczuwam. Oczywiście, takie doznanie trwa tylko kilka sekund, potem bum! – i znowu wraca ta sama stara Treya.

– Mnie też podoba się to stwierdzenie. Podczas medytacji *vipassana* skupiasz umysł na oddechu albo na innych odczuciach. Ale Tybetańczycy znają taką praktykę, podczas której przy wydechu „mieszasz umysł z całym wszechświatem" albo „mieszasz umysł z niebem". To znaczy, że kiedy wypuszczasz powietrze, po prostu czujesz, jak twoja odrębna tożsamość wypływa razem z powietrzem, a potem rozpuszcza się w niebie – innymi słowy rozpuszcza się w całym wszechświecie. To bardzo mocne.

– Właściwie zaczęłam to robić – powiedziała – ale prawie spontanicznie. Ostatnio w moich medytacjach zaszła ogromna zmiana. Zaczynam bardzo skupiona i pełna dobrej woli, koncentruję się na oddechu, następnie uważnie przebiegam całe ciało. Ale potem doświadczam chwili, kiedy zachodzi nagła zmiana świadomości. Zamiast skierować gdzieś uwagę, po prostu siedzę i nie zważam na nic, naprawdę. To jest całkowite poddanie się, po prostu p o d d a n i e s i ę Bogu. Wszystko jest uświęcone, wszystko jest odsłonięte. To wydaje się o wiele mocniejsze.

– Według mojego doświadczenia obie metody działają, trzeba tylko być wytrwałym. – Zamyśliłem się na chwilę. – Wiesz, to, co opisujesz, to dokładnie to, co japońscy buddyści określają mianem „własnej siły", w przeciwieństwie do „innej siły". Są to dwa rodzaje medytacji. „Własna siła" jest opisana przez zen, *vipassanę* i *jnana yogę*. Tutaj polega się wyłącznie na własnej sile koncentracji i świadomości, by przebić się przez ego do wyższej tożsamości. „Inna siła" polega na mocy guru albo pochodzi od Boga; jest to po prostu całkowite poddanie się.

– I uważasz, że obie te drogi prowadzą do tego samego celu? – Treya spojrzała na mnie nieprzekonana.

– Tak. Pamiętaj, że nawet Ramana Maharishi [powszechnie uważany za najwybitniejszego współczesnego mędrca Indii] powiedział, że istnieją dwie drogi prowadzące do oświecenia: jedna to pytanie „kim jestem?", które całkowicie podkopuje ego, druga to poddanie się guru czy Bogu i przyzwolenie, by Bóg powalił ego. I tu, i tu ego zostaje zniszczone, a Ja zaczyna jaśnieć pełnym blaskiem. Osobiście wolę pytanie „kim jestem?", które jest również słynnym koanem zen. Ale jestem przekonany, że obie drogi są skuteczne.

Przenieśliśmy się do kuchni, żeby napić się herbaty. Temat raka nie pojawił się.

Puk, puk.

– Kto tam?

Puk, puk.

– Kto tam? – Bardzo zimno, bardzo cicho. Trzy korytarze, jedne drzwi.

Puk, puk.

– Kto tam? Cholera, kto tam? Co to za żarty z pukaniem?

Jest zbyt ciemno, żeby szybko się poruszać, więc dość niezdecydowanym krokiem człapię do drzwi i ze złością otwieram je na oścież.

– Ciekawe, jak oba te sposoby mogą działać? – zastanawiała się Treya. – Są takie różne. W *vipassanie* bardzo się starasz, przynajmniej na początku, ale samopoddanie się nie wymaga w ogóle żadnego wysiłku.

– No cóż, żaden ze mnie guru, mogę ci przedstawić tylko moje wyobrażenie początkującego. Ale wydaje mi się, że tym, co jest wspólne dla obu rodzajów medytacji, cóż, właściwie dla wszystkich rodzajów medytacji – jest niszczenie ego przez wzmacnianie Świadka, wzmacnianie wrodzonej umiejętności zwykłego obserwowania zjawisk.

– Czym on się różni od mojego ego? Ciągle mi się wydaje, że ego może być świadkiem albo że może być świadome. – Treya zmarszczyła nos, popijając herbatę.

– Właśnie o to chodzi. Ego nie jest prawdziwym podmiotem, jest po prostu kolejnym przedmiotem. Innymi słowy, możesz być świadoma swojego ego, możesz widzieć swoje ego. Nawet jeżeli części ego są nieświadome, to wszystkie te części mogą – przynajmniej teoretycznie – stać się przedmiotami świadomości. Ego zatem może być rozpoznane i poznane. I dlatego nie jest Widzącym, nie jest Wiedzącym, nie jest Świadkiem. Ego jest po prostu zbiorem przedmiotów umysłu, pojęć, symboli i obrazów, z którymi się identyfikujemy. Utożsamiamy się z tymi przedmiotami, a potem używamy ich jako czegoś, przez co patrzymy na świat, i dlatego go zniekształcamy.

Treya natychmiast podjęła temat. Większość tych pojęć była nam znana; po prostu myśleliśmy głośno, na nowo potwierdzając nasze zrozumienie kwestii. A ja unikałem innego tematu.

– Innymi słowy – powiedziała – utożsamiamy się z tymi przedmiotami, przedmiotami umysłu, i to nas oddziela od tamtego świata. Istnieje więc „ja" w przeciwieństwie do „inny", podmiot w przeciwieństwie do przedmiotu. Pamiętam, że Krishnamurti powiedział: „W przestrzeni pomiędzy podmiotem a przedmiotem leży całe nieszczęście rodzaju ludzkiego".

– Dziwne, że ego nie jest nawet prawdziwym podmiotem, prawdziwym Ja przez duże „J"; jest po prostu ciągiem uświadomionych lub nieuświadomionych przedmiotów. Aby więc zerwać ten związek z mylną tożsamością, należy spojrzeć na zawartość umysłu i jego przedmioty, obserwować umysł jak w *vipassanie* albo w zen. Całościowe spojrzenie na świat umysłu...

– Mówiąc inaczej – wtrąciła Treya – zajmujesz pozycję Świadka zamiast pozycję ego. Po prostu obiektywnie i bezstronnie obserwujesz wszystkie przedmioty umysłu, myśli, odczucia, obrazy, uczucia i tak dalej, bez utożsamiania się z nimi czy oceniania ich.

– Tak, do momentu, kiedy ci przyjdzie do głowy myśl: skoro mogę zobaczyć te wszystkie myśli i obrazy, to one nie mogą być prawdziwym Widzącym, dużym „J", prawdziwym Świadkiem. Twoja tożsamość zaczyna się przesuwać od osobistego ego, które jest tylko kolejnym przedmiotem, do bezosobowego Świadka, który jest prawdziwym Podmiotem, prawdziwym Ja, dużym „J".

– Racja – powiedziała Treya. – I to Świadek albo duże Ja jest jednością z Bogiem czy jednością z Duchem. To dlatego gdy zaczynam od osobistego wysiłku, próbując obserwować swoje ciało i umysł, moja tożsamość wychodzi na zewnątrz, stając się jednością z całym wszechświatem. I do tego samego miejsca dochodzę poddając się Bogu, uniwersum. Docieram również do większego Ja czy większej świadomości. Cóż, parę razy tam doszłam, ale przeważnie kończę jako Terry!

– Tak, to chyba dlatego św. Klemens powiedział: „Ten, który zna swoje Ja, zna Boga". Jest tylko jeden Świadek w każdym z nas, jeden Duch patrzący innymi oczami, mówiący innym głosem. Ale mistycy mówią, że to ten sam Świadek, jeden i ten sam. Jest tylko jeden Bóg, jedno Ja, jeden Świadek, wszystko z dużej litery.

– OK, obserwując ego, obserwując wszystkie aspekty ciała i umysłu, odcinam się od tych przedmiotów i zamiast tego identyfikuję się z prawdziwym Ja, ze Świadkiem. A Świadek jest Duchem, Brahmanem.

– Zgodnie z wieczystą filozofią tak, oczywiście.

Treya zaczęła robić następną porcję herbaty.

– Czy umieściłeś coś z tego w *Transformations of Consciousness?*

– Trochę tak. Ale głównie skupiłem się na rozwoju Świadka, na etapach mylnej tożsamości, które przechodzi Świadek, zanim przebudzi się dla swojej prawdziwej natury. Skupiłem się również na rodzajach neuroz i patologii, które mogą się pojawić na każdym z etapów rozwoju, i na rodzajach terapii, które wydają się najlepsze na każdym z tych etapów.

Byłem dumny z tej książki; była to ostatnia rzecz, którą miałem napisać przed blisko czteroletnią przerwą w pracy.

– Czy już o tym słyszałam? To coś nowego.

– Większość jest nowością. Dam ci wersję z „Reader's Digest". Znasz Wielki Łańcuch Istnienia...

– Tak, różne poziomy istnienia.

– Zgodnie z filozofią wieczystą rzeczywistość składa się z kilku różnych poziomów lub wymiarów, od najmniej rzeczywistego do najbardziej rzeczywistego. To jest Wielki Łańcuch Istnienia od materii przez ciało, umysł, duszę do ducha. Materia, ciało, umysł, dusza, duch – to jest pięć poziomów albo wymiarów. Niektóre tradycje mówią o siedmiu poziomach – na przykład siedmiu *czakrach*. Niektóre tylko o trzech – ciało, umysł i duch. Inne rozróżniają dosłownie dziesiątki. Jak wiesz, ja piszę o ponad dwudziestu. W prostszej wersji będzie to materia, ciało, umysł, dusza i duch. Chodzi o to, że w rozwoju człowieka Świadek, czy prawdziwe Ja przez duże „J", zaczyna od utożsamiania się z materialnym ja, potem z cielesnym ja, następnie z umysłowym ja, potem z ja duszy i w końcu powraca czy budzi się dla swojej prawdziwej natury, czyli ducha. Każdy z etapów zawiera poprzedni etap i dodaje swoje własne, niepowtarzalne aspekty, by utworzyć szerszy związek, aż w końcu tworzy się ostateczna więź ze Wszystkim. W książce próbowałem pokazać, jak różni psychologowie zajmujący się rozwojem – ze Wschodu i z Zachodu, od Freuda przez Junga i Buddę do Plotyna – opisywali różne aspekty tego samego ciągu rozwojowego, który jest Wielkim Łańcuchem Istnienia.

– To jakby obejmowanie całej współczesnej psychologii filozofią wieczystą.

– Zgadza się. W ten sposób uzyskujemy syntezę. I to działa, to naprawdę działa. – Zaczęliśmy się śmiać. Słońce właśnie zachodziło nad plażą. Treya była rozluźniona, zrelaksowana, uśmiechnięta. Leżeliśmy na plecach, na przykrytej dywanem podłodze, ułożeni pod kątem prostym do siebie, moja prawa stopa lekko dotykała jej lewego kolana.

– Rozwój więc przebiega przez poziomy Wielkiego Łańcucha Istnienia – podsumowała Treya.

– Tak, mniej więcej. Medytacja jest po prostu sposobem na taki rozwój. Dzięki medytacji wykraczasz poza swój umysł, aż na poziomy duszy i ducha. A przebiega to zasadniczo tak samo, jak rozwój na pierwszych trzech poziomach: Świadek w tobie przestaje się utożsamiać z niższym poziomem, by odnaleźć wyższą i szerszą tożsamość z następnym, wyższym poziomem; ten proces trwa, aż Świadek powraca i na nowo odkrywa swoją własną naturę, czyli Ducha.

– Rozumiem – powiedziała. – Więc to dlatego medytacja świadomości działa. Spoglądając na swój umysł albo kierując czystą uwagę na wszystkie wydarzenia w umyśle, w końcu wychodzę poza niego – albo przestaję się z nim identyfikować – i pnę się po Wielkim Łańcuchu na poziom duszy, a potem ducha. To zasadniczo jest rozwinięta wersja ewolucji, jak u Teilharda de Chardin lub Aurobindo.

– Tak, tak mi się wydaje. Ciało jest świadome materii, umysł jest świadomy ciała, dusza jest świadoma umysłu, a duch jest świadomy duszy. Każdy krok to poszerzenie świadomości, odkrycie większej i szerszej świadomości, aż w końcu nie pozostaje nic innego, jak tylko wyższa tożsamość i świadomość uniwersalna, tak zwana świadomość kosmiczna. Wszystko to brzmi sucho i abstrakcyjnie, ale jak wiesz, sam proces czy stan mistyczny jest niewiarygodnie prosty i oczywisty. – Promienie zachodzącego słońca tańczyły na suficie i ścianach.

– Nie zjadłabyś czegoś? – spytałem. – Mogę zrobić spaghetti.

– Jeszcze jedno. Powiedziałeś, że wiążesz te etapy rozwoju z różnymi rodzajami neuroz czy ogólnie problemów emocjonalnych. Z tego, co wiem, większość psychiatrów dzieli te problemy na trzy podstawowe kategorie: psychozy, jak schizofrenia; *borderline,** jak narcyzm; i ogólnie neurozy. Czy ty zgadzasz się z takim podziałem?

– Zgadzam się, ale to za mało. Te kategorie dotyczą tylko pierwszych trzech z pięciu poziomów. Jeżeli rozwój jest zaburzony na poziomie pierwszym, masz psychozę, na poziomie drugim – objawy *borderline,* na trzecim – neurozy. W uproszczeniu.

– Rozumiem więc, że psychiatria ignoruje wyższe poziomy rozwoju, zaprzecza istnieniu duszy i ducha, i to właśnie próbujesz naprawić w *Transformations,* czy tak? – Robiło się już ciemno, na niebie pojawił się księżyc, Muir Beach zaczęła migotać w mroku.

– Zgadza się. Dusza, w moim rozumieniu tego słowa, to coś w rodzaju domu w połowie drogi, w połowie drogi pomiędzy osobistym ego – umysłem i bezosobowym czy międzyosobowym Duchem. Dusza jest domem Świadka. Kiedy już znajdziesz się na poziomie duszy, zostajesz Świadkiem, prawdziwym Ja. Gdy przejdziesz przez poziom duszy, sam Świadek roztapia się we

---

* Niektórzy psychiatrzy tą nazwą określają zaburzenia osobowości, np. charakteropatie czy psychopatie (przyp. red.).

wszystkim, czego jesteś świadkiem, albo stajesz się jednością ze wszystkim, czego jesteś świadoma. Nie jesteś świadkiem istnienia chmury, jesteś chmurą. To jest Duch.

– Więc... – Treya przerwała. – Zdaje się, że istnieją dobre i złe wiadomości dotyczące duszy.

– W pewnym sensie dusza albo Świadek w tobie jest najwyższym drogowskazem do Ducha i ostatnią przeszkodą na drodze do Ducha. Dopiero z pozycji Świadka możesz dokonać tego przejścia. Ale sam Świadek w końcu musi się roztopić albo umrzeć. Nawet dusza musi poświęcić się, uwolnić albo umrzeć, by twoja ostateczna tożsamość z Duchem mogła zajaśnieć pełnym blaskiem. Ponieważ dusza jest ostatnim ograniczeniem w świadomości, delikatnym węzłem, krępującym uniwersalnego Ducha, ostatnią i najsubtelniejszą formą poczucia odrębnego ja – ten ostatni węzeł musi być rozwiązany. To jest ostatnia śmierć. Najpierw umieramy dla materialnego ja, to znaczy przestajemy się z nim utożsamiać, potem umieramy dla tożsamości z cielesnym ja, potem dla tożsamości z umysłowym ja i w końcu dla duszy. Ostatnią śmierć zen nazywa Wielką Śmiercią. Robimy kładkę ze wszystkich naszych martwych ja. Każda śmierć dla niższego poziomu jest narodzinami dla wyższego poziomu, aż do ostatecznego odrodzenia, wyzwolenia czy oświecenia.

– Czekaj. Dlaczego dusza jest ostatnim węzłem? Jeżeli dusza jest domem Świadka, to dlaczego jest węzłem? Świadek nie utożsamia się z żadnym określonym przedmiotem, jest po prostu bezstronnie świadom wszystkich przedmiotów.

– O to właśnie chodzi. To prawda, że Świadek nie utożsamia się z ego czy z jakimś innym przedmiotem umysłu, jest tylko bezstronnym świadkiem wszystkich przedmiotów. Ale o to właśnie chodzi: Świadek jest oddzielony od wszystkich przedmiotów, których jest świadkiem. Inaczej mówiąc, wciąż istnieje bardzo subtelna forma dualizmu podmiot – przedmiot. Świadek jest ogromnym krokiem naprzód, jest koniecznym i ważnym krokiem w medytacji, ale nie jest czymś ostatecznym. Kiedy Świadek albo dusza ostatecznie przestają istnieć, wówczas Świadek rozpuszcza się we wszystkim, czego jest świadkiem. Dualizm podmiot – przedmiot znika i istnieje tylko czysta, niedwoista świadomość, która jest bardzo prosta, bardzo oczywista. Jak to ujął słynny mistrz zen, gdy doznał olśnienia:

„Kiedy usłyszałem dzwonek, nagle nie było «mnie» i «dzwonka», tylko dzwonienie". Punkt, z którego patrzysz, jest punktem, na który patrzysz. Nie ma oddzielenia ani podziału pomiędzy podmiotem i przedmiotem, jest tylko strumień doświadczenia, doskonale czysty, lśniący i otwarty. To, czym jestem teraz, jest wszystkim, co powstaje. Przypomnij sobie ten słynny cytat z Dogena: „Studiować mistycyzm to studiować ja; studiować ja to zapomnieć ja; zapomnieć ja to być jednością ze wszystkim i być oświeconym przez wszystko".

– Pamiętam, to mój ulubiony. Mistycy niekiedy nazywają ten ostateczny stan Jednym Ja albo Jednym Umysłem, ale chodzi o to, że Ja na tym etapie jest jednością ze wszystkim, więc w tym sensie nie jest naprawdę ja.

– Tak. Prawdziwe ja to prawdziwy świat, bez oddzielenia, więc czasami mistycy mówią również, że nie ma ja, nie ma świata. Ale tylko to mają na myśli, że nie ma odrębnego ja, nie ma odrębnego świata. Eckhart nazwał to połączeniem bez stopienia (*fusion without confusion*). „Znałem ten świat, a jednak czułem tylko połączenie bez stopienia".

Wstałem i zapaliłem światło.

– Zjedzmy coś, kochanie.

Treya milczała, a temat wisiał w powietrzu. Odwróciła głowę i spojrzała na mnie.

– Zdecydowałam, że nie pozwolę sobie ani nikomu innemu sprawić, żebym czuła się przez to winna albo zawstydzona – powiedziała w końcu.

– Wiem, kochanie, wiem. – Usiadłem i objąłem ją. Treya zaczęła płakać, bardzo cichutko. Kiedy przestała, nadal siedzieliśmy cicho, bez słowa. Wstałem i zrobiłem spaghetti, i zjedliśmy je na werandzie, patrząc, jak światło księżyca tańczy pomiędzy drzewami na małym, srebrnym lusterku oceanu.

7

„Nagle znalazłam się na ostrym zakręcie"

Moneta, brzęcząc, wpada do automatu telefonicznego. Właśnie skończyłam zajęcia z etyki zawodowej. Jest poniedziałkowe popołudnie, słoneczny, wietrzny dzień na początku grudnia. Gdy wykręcam numer doktora Richardsa, usiłuję nie myśleć o niczym, ale myślę: „O Boże, o Boże, proszę". W korytarzu szkoły otacza mnie tłum ludzi, niektórzy wychodzą po skończonych zajęciach, inni właśnie przyszli na 17.45. Telefon jest w samym centrum tej ciżby, przytulam się do niego, usiłując stworzyć kokon prywatności, i wsłuchuję w sygnał.

– Gabinet doktora Richardsa. Słucham.

– Mówi Terry Killam Wilber. Czy mogę mówić z doktorem Richardsem? O mało nie powiedziałam „z Peterem"; nigdy nie wiem, jak o nim mówić – doktor Richards brzmi zbyt formalnie, Peter – zbyt poufale jak na naszą znajomość.

– Cześć, Terry. Mówi Richards. Właśnie dzisiaj otrzymaliśmy wyniki testu i niestety jest to rak. Doprawdy, sam nie wiem, co mam o tym myśleć; to niezwykły przypadek nawrotu, tym bardziej że obszar, na którym pojawiły się guzki, był przecież poddawany naświetlaniom. Ale nie martw się, nazwałbym to tylko miejscowym nawrotem. Zajmiemy się tym. Kiedy mogłabyś do mnie przyjść?

Do diabła. Wiedziałam. Te przeklęte guzki, zupełnie jak ukąszenia komarów, tyle że nie były czerwone i nie swędziały. Były po prostu zbyt dziwne i w zbyt znaczącym miejscu, by mogło to być co innego niż rak – wiedziałam o tym pomimo pocieszających słów znajomych. Po prostu pięć malutkich guzków tuż pod blizną po rurce osuszającej obszar częściowej mastektomii. Ta rurka zbierała ogromne ilości przezroczystej, różowawej cieczy. Miałam ją jeszcze tydzień po opuszczeniu szpitala, a potem sprawiła mi tyle bólu, kiedy doktor Richards ją wyciągał. Wciąż to pamiętam. Pewnie na jej końcu było parę komórek rakowych, które potem pozostały w skórze. Znowu rak! Druga tura. Dlaczego naświetlania nie zabiły tych komórek?

Umówiłam się z doktorem Richardsem na następny dzień. Wyszłam z budynku na słońce. Wsiadłam do samochodu i pojechałam – za parę minut miałam rozpocząć sesję z klientką. Pamiętam, że gdy zatrzymałam się na światłach, zauważyłam sklep warzywny, a przed nim ogromną stertę owoców. W głowie wciąż mi pulsowało: „Nawrót, nawrót, mam nawrót”. Miałam dziwne uczucie, że jadąc swym małym, czerwonym samochodem, patrzę na siebie z góry. Miałam uczucie, że nagle jestem kimś innym. Nie byłam już osobą, która miała raka, z akcentem na czasie przeszłym; byłam osobą, która miała nawrót – i to mnie umieszczało w zupełnie innej grupie, innej statystyce, innej przyszłości. Moje życie nagle, niespodziewanie znalazło się na zakręcie. Miałam nawrót. Wciąż mam raka. To nie koniec, jeszcze nie.

Zaparkowałam samochód na wzgórzu. To ładna okolica, oddalona od głównych ulic. Lubię te drzewa, dziwaczne, kręcone uliczki, pastelowe domy i małe ogródki. Moja klientka, Jill, wynajmuje tu mały apartament. Jest coś szczególnie miłego w tym domu, w wejściu do niego – pomalowany jest na piękny, łososiowy kolor, drzwi i żelazna, rzeźbiona furtka prowadzą na maleńkie podwórko z roślinami w doniczkach. Trudno powiedzieć, co sprawia, że jest tu tak miło; zawsze mnie to uderza.

Jill otwiera drzwi. Czuję się dobrze, jestem zadowolona, że nie odwołałam sesji. Zadziwiająco łatwo na godzinę zepchnąć na pobocze swoje osobiste zmartwienia. Właściwie nawet mi to pomaga. Czuję, że to dobra sesja, że tamta wiadomość mi nie przeszkadza. Ciekawe, czy powiem kiedyś Jill, że przed tą właśnie sesją odkryłam, że wciąż mam raka.

Nawrót, nawrót, mam nawrót. Jadę do domu swoim małym, czerwonym, górskim samochodem, skręcam w prawo, w dziewiętnastą ulicę, jadę przez tunel, obok domów wojskowych. Jest wczesny wieczór, pora dnia, którą tak bardzo kocham, moja ulubiona pora na jogging. Powietrze jest miękkie, światło zmienia się z minuty na minutę, różowe niebo nad horyzontem, a nad tym jasnym pasmem akwamarynowy błękit przechodzi w głęboki kobalt nadchodzącej nocy. W oknach budynków, które wyznaczają horyzont San Francisco, zaczynają pojawiać się światła, lśnią w pastelowych domach, jaśnieją na tle zapadającej nocy.

Nawrót. Mam nawrót. Gdy tak jadę, smakując nadejście nocy, zmieniające się światło, wciąż mam w głowie ten refren. Nawrót. Nawrót. Staje się to prawie mantrą. Jadę na wpół zahipnotyzowana powtarzaniem. Nawrót. Nawrót. Wierzę, nie wierzę. Być może powtarzanie mnie przekona, pozwoli mi zaakceptować to, czego nie chcę zaakceptować, w co nie chcę uwierzyć. Jest również obroną: nie chcę myśleć, co to oznacza. Nawrót. Do tej pory tylko czytałam o tym w pismach medycznych, słyszałam od lekarzy. Do tej pory nie spotkało mnie to. A teraz jest. Część mojego życia. Coś, co ukształtuje moje życie. Coś, z czym muszę dać sobie radę.

Cholerne guzki. Odkryłam je we wtorek. Dzień przed Świętem Dziękczynienia. Prawie dokładnie rok po naszym ślubie. Świętowaliśmy Dziękczynienie z moją siostrą Kati, która przyleciała z Los Angeles. W piątek o ósmej rano Ken zabrał mnie na ostry dyżur. Kati pojechała z nami. Leżałam tam, czekając sama ze swoimi myślami i strachami. Przyszedł doktor Richards – jak to miło mieć lekarza, któremu się ufa i którego się lubi – i po paru minutach było po wszystkim. Wkrótce potem szłam z Kenem i Kati przez Union Street i robiliśmy wspólnie zakupy świąteczne. W boku zrobiono mi parę szwów; miałam zadzwonić w poniedziałek, aby dowiedzieć się o wynik. Wokół nas święta Bożego Narodzenia – zamieszanie, zakupy, podniecenie, oczekiwanie – i ja, myśląca o bólu.

Teraz już znam odpowiedź. Prowadzę czerwony samochód po zakrętach Star Route, falisty zjazd do oceanu przypomina medytację. Noc już prawie zapadła. Na horyzoncie delikatna poświata, przede mną tafla wody, otoczona z dwóch stron wzgórzami, na lewo, wśród porozrzucanych światełek mój dom, mąż czeka na wiadomości, które przywożę, już wyciąga ręce, by mnie objąć.

Tak zaczęło się to, co nazwałam w myślach „drugą rundą". Przez długi czas wyobrażałam sobie wiszący nade mną miecz, nieuchronne niebezpieczeństwo nawrotu, a teraz on na mnie spadł. Pocieszaliśmy się z Kenem nawzajem. Ja płakałam. Zadzwoniliśmy do moich rodziców. Zadzwoniliśmy do rodziców Kena. Zadzwoniliśmy do doktora Richardsa. Zadzwoniliśmy do doktora Cantrila. Zadzwoniliśmy do szpitala Andersona. Wszyscy się zgodzili, że to dziwny przypadek nawrotu. Nawrót, ale na obszarze poddanym naświetlaniom. Doktor Cantril sprawdził to, tak, niewątpliwie na obszarze poddanym naświetlaniom. Wygląda na to, że zniszczyłam jego statystyki świadczące o niewystępowaniu nawrotów. Nikt nie rozumiał, jak to się mogło stać. Dzwoniliśmy do ekspertów z innych części kraju. Wszyscy się zgodzili, że to dziwny przypadek. Istnieje może 5% ryzyka, że coś takiego się zdarzy. Wyobraziłam sobie, jak ten specjalista po drugiej stronie linii telefonicznej, na drugim końcu kraju, zdumiony drapie się w głowę. Wszyscy wyglądali na zdumionych. Sytuacja trudna do zinterpretowania. Czy był to miejscowy nawrót z możliwością leczenia operacyjnego? Czy może raczej oznaka przerzutów, które będą wymagały chemioterapii? Dziwna sytuacja. Nikt nigdy nie widział takiego przypadku.

Nikt nie potrafił powiedzieć, jak to się stało.

– Czy to możliwe – spytałam doktora Richardsa – że trochę komórek rakowych z guza dostało się na koniec rurki osuszającej i kiedy została usunięta, przedostały się do skóry i pozostały?

– Tak – odparł – tak pewnie było. Jedna czy dwie komórki zostały.

– Nie jedna czy dwie – przypomniałam mu. – Musiało być co najmniej pięć, a może więcej, bo przecież część zginęła od radiacji.

Widziałam, że czuje się niezręcznie.

Wszyscy dyskutowali nad niezwykłością tego nawrotu, lecz każdy mnie zapewniał o całkowitym zaufaniu do doktora Richardsa i doktora Cantrila. Wierzyłam im. Ja również miałam do nich całkowite zaufanie. To, co się zdarzyło, po prostu niekiedy się zdarza. Po prostu tak się stało, że to ja byłam tą osobą, która leżała na tamtym stole tego dnia, kiedy to coś dziwnego wyszło na spotkanie chirurgom.

Idziemy z Kenem do doktora Richardsa. Moje możliwości? 1) Mastektomia. (Czy powinnam to umieścić na pierwszym miejscu? Gdybym tak zrobiła wcześniej, to być może teraz nic by mi nie było). 2) Ponowne usunięcie obszaru guza, obszaru osuszanego i obszaru, gdzie pojawiły się guzki; jeżeli w tej tkance będzie więcej komórek nowotworowych, wówczas być może naświetlania. Ma to jednak swoje ujemne strony, ponieważ już byłam naświetlana. Nie sposób przewidzieć, jak tkanka zareaguje na kolejne naświetlania. 3) Wycięcie obszaru wokół ujścia rurki osuszającej, ponieważ nie możemy być pewni, czy w piersi nie pozostały jeszcze jakieś komórki; więcej naświetlań piersi. I to również ma swoje złe strony z powodu poprzedniej dawki promieniowania. W dodatku, skoro te komórki nie zostały zniszczone przez naświetlania, to istnieje możliwość, że te, które pozostały w piersi, mogą być również odporne na promieniowanie.

Wyglądało to dosyć jednoznacznie. Nie było sposobu na sprawdzenie, czy w piersi lub na przebiegu rurki osuszającej zostały jeszcze jakieś komórki rakowe. Jeśli tak, to mogły również być odporne na naświetlania. Zresztą tkanka piersi po kolejnej dawce naświetlań narażona była na jeszcze większe zniszczenie. Wyglądało na to, że mastektomia jest jedynym wyjściem. Bałam się pozostawić w swoim ciele komórki rakowe o czwartym stopniu złośliwości.

Oboje z Treyą wciąż intensywnie studiowaliśmy (i stosowaliśmy) terapie alternatywne i holistyczne. Chodziło jednak o komórki o czwartym stopniu złośliwości. Nie było żadnych wiarygodnych dowodów na to, że jakakolwiek metoda alternatywna dawała statystycznie wyższe prawdopodobieństwo wyleczenia nowotworu o tym stopniu złośliwości niż przypadkowa czy spontaniczna remisja – jednym słowem, wyniki statystyczne równie dobrze mogły być dziełem przypadku. Myślę, że gdyby Treya miała guz o trzecim stopniu złośliwości – a już na pewno, gdyby to był stopień pierwszy czy drugi – byłaby bardziej przekonana do metod alternatywnych i ominęłaby niektóre (lecz z pewnością nie wszystkie) terapie białego człowieka. Ale niezwykła złośliwość guza kazała jej powrócić do lekarstwa, które mogło być także niebezpieczne. „Żelazna Dziewica nie pasuje? Nie ma sprawy, ślicznotko, zawsze możemy znaleźć coś innego. Zaczekaj tu".

Przyjechaliśmy do Children's Hospital. Jest 6 grudnia 1984 roku. Operacja odbędzie się 7 grudnia, w rok i jeden dzień po mojej pierwszej operacji. „Rocznica Pearl Harbor" – mruczy do siebie Ken. Ten szpital jest mi doskonale znany. Pamiętam aż nadto dobrze, jak codziennie, przez pięć i pół tygodnia, przychodziłam tu na naświetlania. A potem co miesiąc powtórka. I parę dni temu usunięcie guzków.

Pamiętam, jak w zeszłym roku zaginęły tu moje ubrania, jak je odnaleziono i dwa miesiące później zwrócono. To jakiś omen. Tym razem wzięłam ubrania, które zamierzam tu zostawić, tak jak zamierzam zostawić tu raka. Zostawię wszystko, w czym będę chodziła w szpitalu, nawet buty, bieliznę, kolczyki. Zresztą i tak za parę dni większość mojej bielizny nie będzie już na mnie pasować. W tym samym czasie, kiedy doktor Richards będzie mi usuwał prawą pierś, doktor Harvey zmniejszy lewą. W końcu nadszedł na to czas. Nie wyobrażam sobie tego: mieć przez całe życie jedną pierś, rozmiar 34 DD; widzę już wielkość tej protezy. Czułabym się okropnie koślawa. Dwie piersi o rozmiarze 34 DD i tak były wystarczającym problemem; jedna byłaby jeszcze większym.

Kiedy w końcu pytam Kena, co myśli o tym, że stracę pierś, jego reakcja jest wspaniała, choć i dla niego nie jest to łatwe. „Kochanie, pewnie, że będzie mi brakowało twojej piersi. Ale to nie ma żadnego znaczenia. To w tobie jestem zakochany, a nie w twojej części. To nic nie zmienia". Jest taki szczery, to tak cudownie na mnie działa.

Tak jak poprzednim razem, z Teksasu przylecieli moi rodzice. Usiłowałam im powiedzieć, że to niepotrzebne, ale prawdę mówiąc, cieszę się, że są tutaj. Jest mi lżej, kiedy są obok. Jestem bardziej pewna, że wszystko będzie dobrze. Cieszę się, że mam dużą rodzinę. Zawsze rozkoszuję się moją rodziną i czasem z nią spędzanym. Cieszę się, że mogłam powiększyć rodzinę Kena o ludzi, których on też naprawdę lubi.

Wprowadzamy się do naszego pokoju. Podobny do innych, białe ściany, na jednej z nich zawieszony telewizor, regulowane łóżko, szafa (w której zamierzam zostawić ubrania), ciśnieniomierz za łóżkiem, biała łazienka, okno wychodzące na pokoje po przeciwnej stronie. Ken znowu przynosi łóżko polowe; zostanie ze mną.

Siadamy, lekko trzymamy się za ręce. Ken wie, o czym wciąż myślę, czym się ciągle martwię. Czy będę dla niego atrakcyjna, taka zdeformowana, pokryta bliznami, koślawa? Musi umieć się odnaleźć między współczuciem a usiłowaniem rozweselenia mnie. To samo stare błędne koło – chcę, żeby mi współczuł z powodu utraty piersi, ale gdy to robi, wydaje mi się, że tak naprawdę żałuje, że nie będzie mnie chciał z jedną piersią! Już mnie zdążył pocieszyć, a tym razem jeszcze łączy to z humorem. „Naprawdę, nie mam nic przeciwko temu, kochanie. Każdy mężczyzna spotyka się w ciągu swojego życia z tyloma centymetrami piersi, że musi torować sobie między nimi drogę. W ciągu tego jednego roku z twoimi DD prawie całkowicie zużyłem swój przydział". W tej napiętej sytuacji oboje zaczęliśmy się histerycznie śmiać. Ken przez piętnaście minut jeszcze tak żartuje, trochę delikatnie, trochę niewybrednie. Łzy płyną nam po twarzach. Ale tak to już jest z rakiem: śmiać się tak, jak się płacze, płakać tak, jak się śmieje.

Rozpakowuję się, rozkładam rzeczy, które tu zostawię. Wkładam białą koszulę, mając nadzieję, że w ten sposób oddalam się od raka, a zbliżam do zdrowia. Mogłabym wykonać jakiś rytuał, jakieś czary, pomachać krzyżem nad pokojem, coś, co by pomogło. Zamiast tego wykonuję rytuał wewnątrz, wewnątrz odmawiam moje modlitwy.

Mierzą mi ciśnienie krwi, zadają pytania. Na chwilę wpada anestezjolog, żeby się ze mną przywitać i wyjaśnić całą procedurę. Zakładam, że będzie taka sama jak ostatnio, a skoro wtedy nie było żadnych kłopotów, to i teraz nie muszę się martwić. Przychodzi doktor Richards. Postępowanie jest proste, zwyczajne odjęcie piersi [w przeciwieństwie do radykalnej czy zmodyfikowanej radykalnej mastektomii, podczas której usuwa się również dużą ilość podstawowej tkanki mięśniowej]. Z chirurgicznego punktu widzenia operacja, którą przechodziłam w zeszłym roku, była o wiele bardziej skomplikowana, a okres powrotu do zdrowia trwał długo, gdyż usunięto mi węzły chłonne. Mówię do doktora Richardsa:

– Rozmawiałam w szpitalu Andersona o nawrocie, ale tam powiedzieli, że takie rzeczy rzeczywiście się czasami zdarzają.

– Tak – odpowiada doktor Richards. – Ale jestem pewien, że się cieszą, bo nie im się to przydarzyło. Doceniam, że jest uczciwy: pokazał, jak bardzo złe ma przeczucia. Pamiętam, żeby się zważyć. Zawsze się zastanawiałam, ile ważą moje piersi – w jak dziwny sposób mam teraz się o tym przekonać!

Przychodzi doktor Harvey. Nie mieliśmy jeszcze okazji porozmawiać o modelowaniu drugiej piersi. Przynosi zdjęcia z operacji zmniejszania. Przeglądam je, próbując znaleźć odpowiedni kształt. Nie chciałabym, żeby podnosił brodawkę, gdyż wiem, że to zmniejsza jej wrażliwość. Trzeba to jednak zrobić, ale ponieważ moje piersi nie są zbyt obwisłe, obejdzie się bez naruszania przewodów mlecznych. Jeżeli kiedykolwiek będę miała dziecko, pierś nadal będzie funkcjonować. Już rozumiem tę procedurę, gdzie się robi nacięcia, co się usuwa, jak potem zszywa się skórę, żeby zmniejszyć pierś. Doktor Harvey mierzy moją pierś. Mierzy i zaznacza obwód brodawki, mierzy i zaznacza te parę centymetrów, o które będzie podniesiona, mierzy i zaznacza miejsca nacięć i skórę, która zostanie usunięta.

Zaraz po wyjściu doktora Harveya wchodzą moi rodzice. Pokazuję im znaki i wszystko wyjaśniam. Jestem bardzo dokładna, ale również świadoma tego, że mój ojciec po raz pierwszy widzi moje piersi. I oczywiście on i wszyscy widzą je po raz ostatni takie, jakie są dziś wieczór!

Ken wczołguje się do mojego łóżka i tulimy się do siebie. Zostaje przy mnie, choć do pokoju ciągle wchodzi ktoś z personelu. Ani pielęgniarki, ani lekarze nie narzekają.

– W tym szpitalu można by nawet popełnić morderstwo, wiesz? – mówię. Ken robi dziką minę.

– To dlatego, że jestem prawdziwym, twardym macho – odpowiada.

– To dlatego, że uśmiechasz się promiennie do każdego, kto tu wchodzi, i dlatego, że kupiłeś kwiaty dla wszystkich pielęgniarek – ripostuję. Śmiejemy się, ale czuję coś w rodzaju smutku, tęsknoty za piersią, którą mam stracić.

Jest wcześnie rano. Chyba spałam. Tym razem o wiele mniej się boję. Mam w sobie więcej spokoju, niewątpliwie dzięki medytacji. A w ciągu ubiegłego roku rak stał się częścią mojego życia, towarzyszem nieodstępującym mnie na krok. Jestem również świadoma wysiłku, jaki włożyłam w to wszystko, co jest z nim związane – w moje wątpliwości, pytania, strach, w moje myśli o przyszłości. Rozmyślnie nakładam klapki na oczy, patrzę tylko przed siebie, nie rozglądam się na prawo i lewo. Badania przeprowadzone, decyzja podjęta. Teraz nie czas na pytania. Teraz jest czas na to, co przede mną. Jestem rozluźniona i pewna siebie. Ken trzyma mnie za rękę, mama i tata czekają razem z nami. Raz jeszcze, jak w zeszłym roku, operacja się opóźnia. Myślę o wszystkich chirurgach, zarówno tu, w Children's Hospital, jak i w całym kraju, na całym świecie. O pacjentach, pielęgniarkach, personelu szpitala, o narzędziach i sprzęcie, skomplikowanych maszynach przeznaczonych do zwalczania choroby. Valium i demerol zaczynają działać. Wiozą mnie na salę operacyjną.

Nie wiem, dlaczego, ale nie chcę, żeby Treya widziała, jak płaczę. Nie wstydzę się tego, ale w tej właśnie chwili po prostu nie chcę, żeby k t o k o l w i e k widział, jak płaczę. Być może boję się, że jeżeli zacznę płakać, kompletnie się załamię. Być może boję się słabości w chwili, gdy potrzebna jest mi siła. Znalazłem pusty pokój, zamknąłem drzwi, usiadłem i zacząłem płakać. W końcu przyszło mi do głowy, że nie płaczę dlatego, że żal mi Trei, płaczę, bo tak bardzo podziwiam jej odwagę. Po prostu maszeruje przez to, nie pozwala, by ją to załamało, i ta jej odwaga w obliczu tego bezsensownego, pieprzonego okrucieństwa sprawia, że teraz płaczę.

Kiedy się budzę, jestem znów w moim pokoju. Ken uśmiecha się do mnie. Przez okno wpadają promienie słońca i widzę pastelowe domy na wzgórzach San Francisco. Ken trzyma mnie za rękę. Podnoszę drugą rękę do prawej piersi. Bandaże. I nic pod spodem. Znowu jestem płaska jak wtedy, gdy byłam dzieckiem. Oddycham głęboko. Stało się. Nie ma odwrotu. Przeszywa mnie dreszcz strachu, wątpliwości. A może powinnam była zostawić pierś, usunąć tylko fragment? Czy mój strach popchnął mnie do zrobienia czegoś niepotrzebnego? Teraz pojawiają się pytania, przed którymi broniłam się w nocy i dziś rano. Czy to było konieczne? Czy postąpiłam właściwie? Nie ma o czym mówić. Stało się.

Spoglądam w górę na Kena. Czuję, że drżą mi wargi, łzy napływają do oczu. Pochyla się i obejmuje mnie, ostrożnie, gdyż bandaże okrywają świeże szwy. „Kochanie, tak mi przykro, tak mi przykro" – mówimy do siebie.

Później tego samego popołudnia z Los Angeles przyjeżdża moja siostra Kati. Jak to dobrze, że pokój jest wypełniony rodziną. Musi być im ciężko, tak trudno jest cokolwiek zrobić w takich chwilach. Ale naprawdę nic nie muszą robić; po prostu dobrze, że są tu koło mnie. Potem tatuś prosi, by wszyscy wyszli, chce porozmawiać z Kenem i ze mną. Kochany tatuś, jest bardzo poważny, tak strasznie się przejmuje, tak się martwi o swoich bliskich. Pamiętam, jak przemierzał szpitalny korytarz, kiedy piętnaście lat temu mama miała operację. Jego twarz pokrywały zmarszczki zmartwienia, włosy siwiały niemal na naszych oczach. Tym razem zwraca się do Kena i do mnie i mówi bardzo przejęty:

„Wiem, że to dla was bardzo trudny okres. Ale dziękujcie za to błogosławieństwo, że macie siebie nawzajem i że wiecie, jak wiele dla siebie znaczycie". Widzę, jak łzy napływają mu do oczu, gdy wychodzi; jestem pewna, że nie chciał, byśmy widzieli, jak płacze. Ken, bardzo wzruszony, podszedł do drzwi i patrzy, jak ojciec idzie szpitalnym korytarzem ze spuszczoną głową, rękami splecionymi z tyłu, nie oglądając się. Uwielbiam to, że tak bardzo kocha mojego ojca.

Otwieram drzwi na oścież. Jestem bardzo zły. Nikogo tam nie ma.
– Zdaje się, że pytam, kto tam? To nie ma znaczenia, prawda?
Zostawiam otwarte drzwi i lewą ręką trzymając się ściany, wychodzę z pokoju na korytarz. Jest tam pięć pokoi; Treya musi być w jednym z nich. Gdy wracam po omacku, wyczuwam, że ściana jest jakaś dziwna, jakby wilgotna. Ciągle myślę, czy ta podróż jest naprawdę konieczna?

Chodzimy z Kenem tam i z powrotem po długich korytarzach, raz rano i raz po południu. Lubię te spacery. Lubię zwłaszcza spacer koło sali, w której leżą malutkie dzieci. Lubię patrzeć na te maleństwa owinięte w kocyki, na ich maleńkie twarzyczki, zaciśnięte piąstki i zamknięte oczy. Również martwię się o nie. To wcześniaki, niektóre leżą w inkubatorach. Ale patrzenie na nie sprawia mi radość, lubię tu stać i przyglądać się im, wyobrażać sobie ich rodziców i przyszłość.

Później odkrywamy, że w tym samym szpitalu leży nasza znajoma. Dulce Murphy jest w siódmym miesiącu ciąży, została przywieziona do szpitala, kiedy zaczęła krwawić. Idziemy z Kenem ją odwiedzić. Jest szczęśliwa, pewna siebie, ale podłączona do maszyny, która kontroluje puls jej i dziecka. Musi leżeć nieruchomo na plecach. Dostaje lekarstwa, które mają zapobiec poronieniu; lekarstwo takie zazwyczaj przyspiesza czynność serca matki, ale Dulce biega na długich dystansach, więc w jej przypadku tylko podnosi puls do normy. Jest tu też jej mąż, Michael Murphy. Michael, współzałożyciel Esalen Institute, to stary nasz przyjaciel; pijemy razem szampana i z ożywieniem rozmawiamy o dziecku.

Tej nocy Kenowi śni się dziecko, które przez cały czas trwania ciąży nie może się zdecydować, czy chce się urodzić. Widzi je w królestwie *bardo,* w miejscu, gdzie przebywają dusze przed narodzeniem. Pyta je: „Mac, dlaczego nie chcesz się urodzić? Dlaczego jesteś taki niechętny?". Mac odpowiada, że podoba mu się w *bardo,* że chce tu zostać. Ken mówi, że to niemożliwe, że w królestwie *bardo* jest miło, ale nie można tam zostać. „Jeżeli będziesz próbował tak zrobić, przestanie być tak miło. Najlepiej zdecyduj się przyjść na ziemię, urodzić się. Jest tu wiele osób, które cię kochają i chcą, żebyś się urodził". A Mac na to: „Jeżeli tyle ludzi mnie kocha, to gdzie jest mój miś?".

Następnego dnia znowu idziemy do nich. Ken przynosi misia. Na szyi zawiązał mu krawat w szkocką kratę, „dla Maca Murphy'ego". Pochyla się i mówi głośno do brzucha Dulce: „Mac... twój miś". To był pierwszy z wielu pluszowych misiów Maca, który urodził się trzy tygodnie później – był absolutnie zdrowy i nie potrzebował inkubatora.

Po trzech dniach w szpitalu wróciliśmy z Treyą do Muir Beach. Lekarze stwierdzili zupełnie jednomyślnie: nawrót był z pewnością tylko w tkance piersi, a nie w ścianie klatki piersiowej. To bardzo znacząca różnica: przy miejscowym nawrocie rak byłby ograniczony do tego samego rodzaju tkanki (piersi). Jeżeli jednak przeskoczył na klatkę piersiową, to by znaczyło, że „nauczył się" atakować inne rodzaje tkanek – i byłby wtedy rakiem przerzutowym. A gdy rak piersi już się nauczy, jak przeskakiwać na inną tkankę, może bardzo łatwo zaatakować płuca, kości i mózg.

Jeżeli nawrót Trei był miejscowy, to już podjęła niezbędny krok: usunięcie reszty miejscowej tkanki. Nie jest już potrzebne żadne działanie – ani chemioterapia, ani naświetlania. Gdyby jednak był nawrót w ścianie klatki piersiowej, to by znaczyło, że

Treya doszła do czwartego etapu raka czwartego stopnia, co jest najgorszą diagnozą, jaką można usłyszeć. („Etap" raka określa wielkość i zasięg guza – od etapu pierwszego, o średnicy poniżej centymetra, do etapu czwartego, w którym rozprzestrzenia się on na całe ciało. „Stopień" raka określa jego złośliwość, od stopnia pierwszego do czwartego. Pierwotny rak Trei był na drugim etapie rozprzestrzenienia i o czwartym stopniu złośliwości. Nawrót w klatce piersiowej oznaczałby etap czwarty, stopień czwarty). Gdyby tak było, to jedynym wyjściem stałaby się bardzo intensywna chemioterapia.

> Doktor Richards i doktor Cantril uważają, że już nie ma raka, że został usunięty. Żaden z nich nie zaleca chemioterapii. Doktor Richards powiedział nawet, że jeżeli pozostały jakieś komórki, to nie jest pewien, czy chemioterapia by je zniszczyła; mogłaby je „przeoczyć", atakując natomiast żołądek, włosy, komórki krwi. Mówię mu, że planujemy wyjazd do San Diego, do Livingston-Wheeler Clinic, gdzie specjalizują się we wzmacnianiu układu odpornościowego. Doktor uważa, że dobrze, jeżeli to właśnie wybrałam, ale nie pokłada zbyt wielkich nadziei w programie immunoterapii. Mówi, że jeśli samochód pracuje tylko na siedmiu cylindrach, to nie wystarczy dodać gazu, żeby zmusić ósmy cylinder do pracy. Mojemu systemowi immunologicznemu brakuje tego ósmego cylindra, bo już dwa razy nie rozpoznał raka, więc rozruszanie pozostałych siedmiu może bardzo pomóc w wielu innych przypadkach, ale nie w przypadku raka. Lecz z pewnością nie zaszkodzi. Postanawiam to zrobić, muszę coś zrobić, żeby wiedzieć, że w jakiś sposób pomagam swojemu zdrowiu. Nie mogę po prostu siedzieć z założonymi rękami. Zbyt dobrze się znam – tylko bym się martwiła. Muszę coś zrobić. W tym momencie medycyna zachodnia pozostawiła mnie samej sobie.

Kilka dni później wróciliśmy do Children's Hospital na zdjęcie bandaży. Treya nadal jest spokojna. Jej niemal całkowity brak próżności, zarozumiałości czy litowania się nad sobą jest po prostu zdumiewający. Pamiętam, że ciągle myślałem: „Jesteś lepszym człowiekiem niż ja, Gunga Din".

Doktor R. zdjął bandaże i klamerki (zastępujące szwy) i pozwolił mi spojrzeć – goi się dobrze, ale to strasznie przygnębiające widzieć swój brzuch i tę wstrętną, opuchniętą po obu stronach kreskę – płakałam w objęciach Kena. Ale co się stało, to się nie odstanie. Co jest, to jest. Zadzwoniła Janice, powiedziała: „Chyba bardziej się martwiłam tą operacją niż ty, ty byłaś taka spokojna". Przedwczoraj powiedziałam Kenowi, że albo utrata piersi to żadna tragedia, albo to do mnie jeszcze nie doszło. Prawdopodobnie i to, i to jest prawdą. W końcu dopóki nie muszę na to patrzeć, dopóty chyba wszystko jest w porządku.

Zaczęliśmy poszerzać alternatywne i holistyczne metody leczenia, które Treya badała przez ubiegły rok. Podstawowe *curriculum* kuracji było całkiem jasne:

1. Ścisła dieta – głównie mleczno-wegetariańska, niskotłuszczowa, wysokowęglowodanowa, jeść jak najwięcej pożywienia nieprzetworzonego.
2. Codzienna terapia megawitaminowa – ze szczególnym naciskiem na przeciwutleniacze – witaminy A, E, C, B1, B5, B6, cynk, selen oraz aminokwasy – cysteinę i metioninę.
3. Medytacja – codziennie rano, często po południu.
4. Wizualizacja i afirmacje – o różnych porach codziennie.
5. Pisanie dziennika – w tym dziennika snów i spraw codziennych.
6. Ćwiczenia – jogging albo spacery.

Do tego podstawowego *curriculum* mieliśmy dodawać różne nieobowiązkowe i dodatkowe terapie. W tym momencie przymierzaliśmy się do Instytutu Hipokratesa w Bostonie, stosującego makrobiotykę, oraz Instytutu Livingstone'a-Wheelera w San Diego. W tym ostatnim zaproponowano kurację opartą na przekonaniu doktora Livingstone'a-Wheelera, że za wszystkimi rodzajami raka kryje się pewien konkretny wirus, gdyż znajduje się go właściwie we wszystkich guzach. Przygotowano szczepionkę przeciwko temu wirusowi, którą się podaje choremu, stosując zarazem rygorystyczny program dietetyczny. Z dostępnych danych wynika jednak jasno, że wirus ten nie jest przyczyną raka i że pojawia się w guzach głównie jako coś w rodzaju pasożyta, nie jako przyczyna. Ale usuwanie pasożytów nie może zaszkodzić, byłem więc więcej niż skłonny poprzeć Treyę w jej decyzji pójścia do tej kliniki.

I tak, raz jeszcze sprawy zaczęły wyglądać dla nas lepiej. My i nasi lekarze mieliśmy powód, by wierzyć, że rak jest już za nami. Nasz dom w Tahoe był prawie gotowy. Kochaliśmy się do szaleństwa.

> Boże Narodzenie w Teksasie. Znów wracam do zdrowia po operacji raka. Te święta są jednak łatwiejsze. Jesteśmy od roku małżeństwem, teraz już starym małżeństwem. Przez ten rok był z nami rak; sporo o nim wiemy. Mam nadzieję, że już nie będzie niespodzianek. Przeszliśmy przez operacje i teraz optymistycznie patrzymy na życie. Tuż przed świętami pojechaliśmy do San Diego, do Livingston-Wheeler Clinic. W styczniu planujemy powrót do terapii immunologicznej i diety, którą nam polecają. Podobało nam się tam. Taki jest nasz plan – immunoterapia, dieta, wizualizacja i medytacja. Strasznie jestem tym podniecona. Ken żartobliwie nazywa to „zabawą z rakiem". Ale z pewnością jest to duży krok naprzód. Dokładnie tłumaczymy ten plan każdemu członkowi rodziny; wszyscy go aprobują.
>
> Tak, przede mną na pewno ekscytująca przyszłość. Czuję, że zeszły rok był moim rokiem egzystencjalnym, ten będzie transcendentalny. Czy to zbyt wielka śmiałość: przepowiedzieć transformację roku? W zeszłym roku stanęłam twarzą w twarz ze śmiercią, w zeszłym roku się bałam, w zeszłym roku bardzo się martwiłam, w zeszłym roku się broniłam. Wszystko to naraz, choć moje główne

wspomnienie to szczęście w małżeństwie. Ale teraz, gdy zaczyna się nowy rok, po drugiej operacji, czuję się inaczej. Zaczęło się to wraz z poczuciem, że zbyt trudno przychodziło mi podejmowanie decyzji, że moje ego potrzebowało kontroli. To doprowadziło do decyzji, że chcę odpuścić sobie i pozwolić Bogu. Ten rok ego był pełen strachu, niezdecydowania, był otchłanią śmierci. Wierzę, że nowy rok będzie rokiem nauki poddawania się i prawdziwej akceptacji, że przyniesie z sobą poczucie spokoju, ciekawość i wiele odkryć.

Czas odkryć i otwartości, poświęcony leczeniu. Dodatkowy program, który nie pochodzi ze strachu, lecz z wiary, i który niesie z sobą uczucie odkrywania, podniecenie i rozwój. Być może z powodu coraz głębszego poczucia, że życie i śmierć nie są aż tak ważne. Dla mnie jakoś zatarła się granica między nimi. Już mi tak nie zależy na kurczowym trzymaniu się życia i kiedy o tym myślę, już się nie boję, że to może oznaczać, iż straciłam wolę życia. Teraz więcej dla mnie znaczy jakość życia, a nie jego ilość. Wiem, że chcę dokonywać wyborów, które pochodzą z podniecenia i przygody, a nie ze strachu.

I rozkoszuję się świadomością, że Ken razem ze mną idzie tą drogą. Pod koniec stycznia zaczniemy nowe życie, wprowadzimy się do naszego nowego domu w Tahoe. Nowy początek w domu, który kupiliśmy na naszą wspólną przyszłość.

Kiedy wróciliśmy z Laredo do Muir Beach, Treya znowu zaczęła radzić się lekarzy i specjalistów po to, by upewnić się, że niczego nie zaniedbała. W miarę jak rosła liczba konsultacji, pojawił się nowy, alarmujący problem: przeważała opinia, że Treya jednak ma nawrót w klatce piersiowej, że ma raka przerzutowego. Najgorsze symbole, jakie można zestawić razem na jednej stronie: stopień czwarty, etap czwarty.

Moją pierwszą reakcją był gniew, bunt! Jak mogli to powiedzieć? A co, jeżeli mają rację? Dlaczego mi się to przydarzyło? Do diabła! Ken próbuje mnie uspokoić, ale ja nie chcę się uspokoić, chcę być wściekła. Ta cała cholerna sprawa mnie rozwściecza. Fakt, że zmobilizowałam się wcześnie i nie porzuciłam swojej linii obrony. Wszyscy ci ludzie wygłaszający różne opinie, od lekarzy doradzających chemioterapię po przyjaciół proponujących wszystkie alternatywne metody. Ciekawe, czy sami by z nich skorzystali ze ślepą wiarą, gdyby mieli takiego złośliwego raka jak mój! Nienawidzę całej tej sytuacji, nie cierpię przede wszystkim niewiedzy!!! Chemioterapia już i tak jest wystarczająco trudna, kiedy się *wie*, że jest potrzebna – a co dopiero, kiedy naprawdę nie jest się pewnym, kiedy się podejrzewa, że jest tego nie więcej niż kilka zabłąkanych komórek, które pozostały po operacji, które jakoś uniknęły naświetlań. Jak to się stało? Co to znaczy?

Raz jeszcze Treya zaczęła analizować nowe informacje od różnych onkologów. Powoli i najwyraźniej nieubłaganie skłaniały one do ponurych wniosków. Jeżeli rzeczywiście był to nawrót w klatce piersiowej, to bez najbardziej intensywnej chemioterapii, jaką tylko można zastosować, szansa na to, że Treya będzie miała następny (prawdopodobnie śmiertelny) w ciągu zaledwie dziewięciu miesięcy, wynosi 50%. Nie lat – miesięcy! Od braku chemioterapii, przez umiarkowaną chemioterapię, aż do najbardziej intensywnej i toksycznej, jaka w ogóle istnieje... „No i co, moja mała pani? Jesteś z powrotem? Zaczynasz mi grać na nerwach, moja mała, wiesz, co to znaczy? Igor, bądź tak dobry i przygotuj, proszę, kadź".

Powoli zmierzamy w kierunku chemioterapii. Myśleliśmy o tym podczas świąt – chirurg i radiolodzy nie polecają, prosić o rekomendację onkologa to tak, jakbyś pytał agenta ubezpieczeniowego, czy ci potrzebne ubezpieczenie. Musimy zdać się na propozycję Livingston Clinic.

Potem powrót do S.F. i wizyty u dwóch onkologów. Obaj polecają chemioterapię, jeden CMF, a drugi CMF-P [dwie popularne i dość umiarkowane chemioterapie, obie dość łatwe do zniesienia]. Coraz bardziej zaprzątają mi głowę czynniki ryzyka. W zeszłym roku miałam tylko jeden zły wskaźnik prognostyczny – niskie zróżnicowanie guza [to znaczy, że jest stopnia czwartego]. Wielkość średnia, etap drugi. Inne aspekty – estrogenowo pozytywnie i dwadzieścia czystych węzłów limfatycznych – były dobre. Bardzo dobre.

Ale teraz równowaga drastycznie się zachwiała. Nagle do złych prognoz doszedł nawrót w ciągu roku, nawrót na obszarze poddanym naświetlaniom, nawrót, który jest estrogenowo negatywny. I wciąż to samo niskie zróżnicowanie histologiczne. Niskie zróżnicowanie histologiczne stopnia czwartego. Powoli, bardzo powoli zaczynam wierzyć, że głupotą byłoby niepoddanie się chemioterapii. Zwłaszcza że CMF jakoś da się wytrzymać. Mała albo żadna utrata włosów, zastrzyki dwa razy w miesiącu, pigułka trzy razy dziennie. Mogłabym wieść całkiem normalne życie, unikając źródeł infekcji i ogólnie dbając o siebie.

Dziś poszłam na spacer i kiedy mnie nie było, Ken rozmawiał z moją siostrą i matką – opowiedział im wszystko. Kiedy wróciłam do domu, nakrzyczałam na niego; czułam, że opowiedział moją historię, czułam się zepchnięta w kąt przez niego. Zazwyczaj nie złości się, gdy ja się wściekam, ale tym razem i on nie wytrzymał. Powiedział, że jestem nienormalna, jeżeli wydaje mi się, że rak dotyczy tylko mnie. On też przez to przechodzi i ma to na niego ogromny wpływ. Poczułam wyrzuty sumienia, zachowałam się podle.

Muszę być bardziej wrażliwa na to, co on czuje, bo dla niego ten okres jest tak samo ciężki jak dla mnie. Nie mogę traktować jego wsparcia i siły jako czegoś zwyczajnego i naturalnego. Robiłam tak i teraz wiem, jak strasznie go to wyczerpywało. Muszę pamiętać, że on tak samo jak ja potrzebuje wsparcia.

Rozpoczęliśmy szaleńcze konsultacje telefoniczne z najlepszymi specjalistami w kraju i na świecie, od Bloomenscheina w Teksasie do Bonnadonny we Włoszech.

Jezu, kiedy to wszystko się skończy? Rozmawialiśmy dziś przez telefon z pięcioma lekarzami, w tym z doktorem Bloomenscheinem ze szpitala Andersona, który jest powszechnie uznany za najlepszego w kraju onkologa zajmującego się rakiem piersi. Jak to ujął nasz specjalista, tutaj, w S.F.: „Na całym świecie nie ma lepszego od niego", co znaczy, że Bloomenschein ma większą liczbę sukcesów w chemioterapii niż ktokolwiek i gdziekolwiek.

Zdecydowałam, że zacznę od CMF-P i chyba jutro rano wezmę pierwszy zastrzyk... Tak było do chwili, gdy doktor Bloomenschein oddzwonił do nas – i mój świat znowu przewrócił się do góry nogami. Gorąco polecił zestaw leków zawierających adriamycynę [powszechnie uważaną za najsilniejszy chemioterapeutyk o straszliwym działaniu ubocznym], ponieważ jest wyraźnie bardziej skuteczna niż CMF. Powiedział, że nie ma wątpliwości co do tego, iż mam nawrót czwartego stopnia w klatce piersiowej. Jak stwierdził, najnowsze badania udowodniły, że kobiety, które miały po wycięciu nawrót w klatce piersiowej (co przecież mnie dotyczyło), a nie poddały się chemioterapii, z powrotem wpadały w chorobę: 50% po dziewięciu miesiącach, 70% po trzech latach i 95% po pięciu latach. Powiedział, że istnieje 95% prawdopodobieństwa, że teraz mam raka tzw. mikroskopijnego, ale jest jeszcze szansa, jeżeli tylko będę działać szybko.

No, dobrze, ale adriamycyna? Mogłabym przez to przejść, gdybym była pewna, że tego potrzebuję, ale stracić włosy i przez cały rok co trzy tygodnie nosić przy sobie przenośną pompę, która przez cztery dni i noce wtłaczałaby do mojego organizmu truciznę zabijającą białe krwinki, robiącą rany w ustach i zagrażającą sercu? Czy to było tego warte? A co będzie, jeżeli leczenie okaże się gorsze od choroby?

Lecz z drugiej strony, co sądzić o 50% śmiertelnych nawrotów w ciągu dziewięciu miesięcy?

Odłożyliśmy słuchawkę i natychmiast zadzwoniłem do Petera Richardsa, który nadal utrzymywał, że to miejscowy nawrót i chemioterapia nie jest konieczna.

– Czy możesz nam wyświadczyć przysługę, Peter? Zadzwoń, proszę, do Bloomenscheina i porozmawiaj z nim. Przestraszył nas, chcę zobaczyć, czy przestraszy ciebie.

Peter zadzwonił do niego, ale okazało się, że utknęliśmy w martwym punkcie.

– Jego dane byłyby w porządku, gdyby to był nawrót w klatce piersiowej, ale mnie się wciąż wydaje, że to miejscowy nawrót.

Treya i ja spojrzeliśmy na siebie pustym wzrokiem.

– Co, do diabła, mamy zrobić? – powiedziała w końcu.

– Nie mam pojęcia.

– Powiedz mi, co zrobić.

– Co?! – Oboje zaczęliśmy się śmiać, bo nikt nigdy nie mówił Trei, co ma robić.

– Nie jestem nawet pewien, czy mogę ci przedstawić jakąś opinię. Możemy liczyć na jakąś decyzję ze strony medycyny tylko wtedy, kiedy porozmawiamy z nieparzystą liczbą lekarzy. Inaczej ci faceci podzielą się dokładnie na połowę. Wszystko zależy od tej cholernej diagnozy. Czy to nawrót w klatce piersiowej, czy miejscowy? Chyba nikt nie wie na pewno.

Siedzieliśmy wyczerpani, wypaleni.

– Mam jeszcze jeden pomysł – powiedziałem – Chcesz posłuchać?

– Oczywiście. Co?

– Od czego zależy ta decyzja? Od histologii komórek rakowych, prawda? Raport patologa, raport, który określa, jak słabo zróżnicowane są te komórki. A kto jest tą jedyną osobą, z którą jeszcze nie rozmawialiśmy?

– Oczywiście! Patolog, doktor Lagios.

– Chcesz, żebym zadzwonił, czy wolisz zrobić to sama?

Treya zastanawiała się przez chwilę.

– Lekarze słuchają mężczyzn. Ty zadzwoń.

Podniosłem słuchawkę i zadzwoniłem do Zakładu Patologii w Children's Hospital. Mike Lagios to błyskotliwy patolog, znany na całym świecie autor wielu inicjatyw w dziedzinie histologii onkologicznej. To on oglądał przez mikroskop tkankę z ciała Trei i to jego raporty czytali różni lekarze przed wydaniem swoich opinii. Nadszedł czas, by dotrzeć do źródła.

– Panie doktorze, mówi Ken Wilber. Jestem mężem Terry Killam Wilber. Zdaję sobie sprawę, że to dość niezwykłe, ale Terry i ja musimy podjąć kilka niezwykle trudnych decyzji. Czy mógłby pan przez chwilę ze mną porozmawiać?

– To rzeczywiście dość niezwykłe, jak pan sam powiedział. Zazwyczaj nie rozmawiamy z pacjentami. Jestem pewien, że pan to rozumie.

– Doktorze Lagios, nasi lekarze – a skonsultowaliśmy się już z dziesięcioma – są podzieleni dokładnie na pół, jeśli chodzi o opinię na temat tego, czy nawrót Trei jest miejscowy, czy przerzutowy. Chcę tylko wiedzieć, jak bardzo agresywne wydają się panu te komórki. Proszę...

Nastąpiła cisza.

– Dobrze, panie Wilber. Nie chciałbym pana straszyć, ale skoro pan pyta, powiem panu szczerze. W mojej karierze patologa jeszcze nigdy nie widziałem bardziej złośliwych komórek rakowych. Nie przesadzam ani nie mówię tego dla efektu. Próbuję być precyzyjny. Osobiście nigdy nie widziałem bardziej agresywnych komórek.

Słuchając słów doktora Lagiosa, patrzę prosto na Treyę – nawet powieka mi nie drgnie. Mam kamienną twarz. Nic nie czuję, kompletnie nic. Jestem jak słup soli.

– Panie Wilber?

– Proszę mi powiedzieć, doktorze Lagios, gdyby to była pańska żona, czy poleciłby jej pan chemioterapię?

– Obawiam się, że musiałbym jej zalecić najbardziej intensywną chemioterapię, jaką mogłaby znieść.

– A jakie są szanse?

Nastąpiło długie milczenie. W końcu powiedział po prostu:

– Gdyby to była, jak pan mówi, moja żona, chciałbym, żeby ktoś mi to powiedział. Choć cuda się zdarzają, to jednak szanse są niezbyt wielkie.

– Dziękuję panu, doktorze Lagios.

Odłożyłem słuchawkę.

8

Kim jestem?

W samolocie do Houston, wtorek rano. Istnieje 50% prawdopodobieństwa, że adriamycyna zniszczy moje jajniki, przyspieszając menopauzę. Jestem przygnębiona tym, że być może nigdy nie będę mogła mieć dziecka – może nawet nie tym, dlaczego ja, tylko dlaczego teraz, dlaczego to nie zdarzyło się dziesięć lat później, kiedy będę miała czterdzieści sześć lat? Bylibyśmy z Kenem dziesięć lat po ślubie, mielibyśmy dziecko i byłoby mi łatwiej to znieść. Dlaczego teraz, dlaczego w tak młodym wieku? To nie fair, to mnie tak cholernie rozwściecza. Pieprzyć to wszystko, najlepiej po prostu umrzeć.

Później myślę o tych naprawdę młodych, którzy są chorzy na białaczkę czy na chorobę Hodgkina i nawet nie mieli szansy przeżyć tyle, ile ja przeżyłam: podróżować, uczyć się, odkrywać, dawać, znaleźć kogoś. Wtedy to wydaje się normalne. Zawsze można pomyśleć o tych, którym ułożyło się gorzej; wtedy widzę pozytywne strony mojego życia i chętnie pomagam mniej szczęśliwym.

Sobota była trudna. Gdy już się zdecydowałam pójść za radą Bloomenscheina, zdecydowaliśmy, że najlepszym sposobem przeprowadzenia chemioterapii będzie wszczepienie w klatkę piersiową cewnika port-a-cath* i podłącze-

* Nazwa cewnika podłączonego na stałe do dużego naczynia, co umożliwia

nie go do przenośnej pompki travenol,* którą będę nosiła przy sobie co miesiąc przez cztery dni.

Przed operacją [która miała miejsce w Children's Hospital, zanim wyjechaliśmy do Houston] – czułam się trochę roztrzęsiona – poprosiłam Kena, żeby poszedł ze mną do sali przedoperacyjnej. Zaczekał, aż skończą mnie przygotowywać, pocałował mnie i wyszedł. Lekarz, którego poznałam, leżąc na zimnym korytarzu owinięta w prześcieradła i gapiąc się w sufit, wyglądał tak miło, był tak uprzejmy i współczujący, że się rozpłakałam. Nawet teraz płaczę, kiedy przypomina mi się ta chwila. Tłumaczył mi całą procedurę, a ja leżałam, zalewając się łzami. Płakałam, bo decyzja stała się konkretna, nieodwołalna: chemioterapia i wszystko, co to oznaczało, zwłaszcza fakt, że nie będę mogła mieć dziecka... Oczywiście nie powiedziałam mu o tym, bo wtedy dopiero bym się rozbeczała. Przy operacji asystowała ta sama pielęgniarka, która była ponad rok temu, kiedy doktor R. wycinał mój guzek, i również wówczas, kiedy usuwał mi prawą pierś, a doktor H. pracował nad lewą. Lubiłam ją. Mogłam z nią rozmawiać o czymkolwiek, czując, jak mój smutek tonie w zwyczajności rozmowy, dziwacznie normalnej w tym otoczeniu: nad głową jaskrawe światło, po mojej lewej stronie jakieś dziwne urządzenie rentgenowskie, które później miało sprawdzić położenie port-a-cath w naczyniu, na lewym udzie podkładka uziemiająca, przyczepione do klatki piersiowej i pleców elektrody, przetwarzające uderzenia serca na dźwięki słyszane przez wszystkich (dziwaczny brak prywatności, uczucia zamieniają się w dźwięki odbierane przez innych). Było to przerażające nie z powodu operacji, ale dlatego, że zdawało się nieodwracalne. Lekarz zapewnił

---

podawanie częstszych kroplówek bez konieczności wkłuwania się do żył obwodowych (np. na przedramieniu) (przyp. red.).

* Automatyczne urządzenie, zapewniające stałe podawanie leku dożylnie, z kontrolą prędkości infuzji (przyp. red.).

mnie, że cewnik w każdej chwili z łatwością można wyjąć, ale sądzę, że wiedział, o czym naprawdę myślę.

Gdy demerol wreszcie zaczął działać, przypomniałam sobie zeszły rok, kiedy zaszłam w ciążę. Byłam zawsze pewna, że nie mogę zajść w ciążę i to mnie martwiło. Przyszła mi do głowy senna, „demerolowa" myśl: to tak, jakby dusza stamtąd przeszła chwilową reinkarnację tylko po to, by mnie zapewnić, że mogę zajść w ciążę. „Kocham cię, kimkolwiek jesteś". Potem zaczęłam się martwić myślą, która często mnie prześladowała, gdy byłam młodsza, a raczej uczuciem, że nigdy nie będę miała dziecka i że nie dożyję pięćdziesiątki. W tym kontekście to mnie przeraziło, zwłaszcza że inne przeczucie, że wyjdę za mąż dopiero po trzydziestce, sprawdziło się. Ale teraz, w kilka dni później, czuję narastające postanowienie, żeby to zmienić i postawić sobie cel – mieć dziecko Kena i dożyć pięćdziesiątki.

Szpital Andersona to niezwykłe miejsce, robiące spore wrażenie, zwłaszcza jeżeli lubi się medycynę białego człowieka. Chodząc po jego nieskończenie długich i krętych korytarzach myślałem, że powinienem się pospieszyć, bo inaczej spóźnię się na samolot. Kiedy w końcu znaleźliśmy oddział chemioterapii, dokonałem dziwnego odkrycia, które sprawdzało się przez następne sześć miesięcy leczenia Trei: z powodu mojej ogolonej głowy wszyscy sądzili, że jestem pacjentem, że jestem łysy z powodu przebytej chemioterapii. I wywarło to najbardziej niezwykły i chyba zbawienny wpływ na prawdziwych pacjentów: widzieli, jak chodzę po korytarzu, wyglądając zdrowo, pełen energii, czasami uśmiechnięty – czułem, jak każdy z nich myśli: „Kurczę, może to wcale nie jest takie straszne".

Siedzę w poczekalni. Są tu dziesiątki kobiet z całego świata, które przyjechały, żeby zobaczyć się ze słynnym Bloomenscheinem. Kobieta z Arabii Saudyjskiej o idealnie białych włosach, dziewczynka z jedną nogą, kobieta w okularach z zielonymi szkłami nerwowo czekająca na wyniki testu, młoda kobieta bez obu piersi.

W końcu wpuszczają nas do pokoju, w którym siedzi dziesięć osób, a wszystkie mają raka czwartego stopnia. Jestem jedyną, która tu przyszła w towarzystwie, myślę, jakie to musi być straszne siedzieć tu samemu. Pielęgniarka podaje mi trzy roztwory. Najpierw FAC (adriamycyna plus dwa inne środki chemioterapeutyczne), potem reglan, silny środek przeciwwymiotny, i w końcu duża dawka benadrylu, który ma zwalczyć złe efekty działania reglanu. Pielęgniarka spokojnie tłumaczy, że reglan czasami powoduje silne napady niepokoju, a benadryl to zablokuje. Nigdy nie miałam silnego napadu niepokoju, więc wydaje mi się, że wszystko będzie w porządku.

FAC wchodzi dobrze, potem reglan. Mniej więcej po dwóch minutach od zaaplikowania reglanu łapię się na tym, że bez żadnego powodu nagle zaczynam myśleć, iż samobójstwo byłoby całkiem niezłym rozwiązaniem. Ken obserwuje mnie bardzo uważnie i łapie za rękę. Mówię mu o samobójstwie. Szepcze mi do ucha: „Terry, kochanie, reglan dał ci niezłego kopa. Po twojej twarzy widzę, że masz złą reakcję histaminową. Poczekaj, aż ci podadzą benadryl. Jeżeli poczujesz się naprawdę kiepsko, powiem im, żeby już teraz podali ci benadryl". Parę minut później po raz pierwszy w życiu mam silny atak paniki. To najgorsze uczucie, jakiego kiedykolwiek doznałam. Chcę się wydostać z ciała! Ken prosi o benadryl i po paru minutach uspokajam się, ale tylko trochę.

Wynajęliśmy pokój w hotelu po drugiej stronie ulicy. Załatwili nam go Rad i Sue. Niezwykle silna reakcja histaminowa Trei na reglan mogła być tylko częściowo złagodzona przez ogromną dawkę środka antyhistaminowego, benadrylu, więc panika i myśli samobójcze męczyły ją do późna w nocy. Adriamycyna jeszcze nie zaczęła działać.

– Przeczytaj mi ćwiczenie Świadka z *No Boundary*, dobrze? – poprosiła mnie około szóstej rano. Była to książka, którą napisałem parę lat temu; ćwiczenie Świadka było streszczeniem niektórych sposobów stosowanych przez najwybitniejszych mistyków, aby wyjść poza ciało i umysł i odnaleźć Świadka. Ta wersja była adaptacją Roberta Assagioliego, twórcy psychosyntezy, lecz jest to standardowa technika samopoznania – odwieczne „Kim jestem?" – upowszechniona głównie przez Sri Ramana Maharishiego.

– Kochanie, gdy to będę czytał, spróbuj rozpoznać znaczenie każdego zdania najlepiej, jak potrafisz.

Mam ciało, ale nie jestem ciałem. Widzę i czuję swoje ciało, a to, co można zobaczyć i poczuć, nie jest prawdziwym Widzącym. Moje ciało może być zmęczone albo pobudzone, chore albo zdrowe, ciężkie albo lekkie, niespokojne albo spokojne, ale nie ma to nic wspólnego z moim wewnętrznym Ja, ze Świadkiem. Mam ciało, ale nie jestem ciałem.

Mam pragnienia, ale nie jestem pragnieniami. Znam swoje pragnienia, a to, co może być znane, nie jest prawdziwym Wiedzącym. Pragnienia przychodzą i odchodzą, przepływają przez moją świadomość, ale nie mają wpływu na moje wewnętrzne Ja, na Świadka. Mam pragnienia, ale nie jestem pragnieniami.

Mam uczucia, ale nie jestem uczuciami. Odczuwam swoje uczucia, a to, co można odczuć, nie jest prawdziwym Czującym. Uczucia przepływają przeze mnie, ale nie mają wpływu na moje wewnętrzne Ja, na Świadka. Mam uczucia, ale nie jestem uczuciami.

Mam myśli, ale nie jestem myślami. Widzę i znam swoje myśli, a to, co może być znane, nie jest prawdziwym Wiedzącym. Myśli przychodzą do mnie i myśli mnie opuszczają, ale nie mają wpływu na moje wewnętrzne Ja, na Świadka. Mam myśli, ale nie jestem myślami.

Potem afirmuj tak silnie, jak potrafisz: Jestem tym, co zostaje, czystym centrum świadomości, nieporuszonym Świadkiem wszystkich tych myśli, uczuć, emocji i odczuć.

– To naprawdę pomaga, ale nie trwa zbyt długo. Straszne. Czuję, się tak, jakbym wyskakiwała ze skóry. Niewygodnie mi, kiedy siedzę, niewygodnie mi, kiedy stoję. Ciągle myślę o samobójstwie.

– Nietzsche mówił, że mógł usnąć tylko wówczas, gdy sobie obiecał, że rano się zabije. – Oboje się roześmialiśmy z bolesnej, głupiej prawdy zawartej w tym zdaniu.

– Poczytaj mi jeszcze. Nie wiem, co jeszcze można by robić.

– Dobrze.

I tak, siedząc na sofie w ogromnym hotelu naprzeciwko Największego Centrum Białego Człowieka do Walki z Rakiem w Całym Pieprzonym Świecie, czytam najukochańszej Trei do późna w nocy. Trucizny rozpoczęły bombardowanie. Nigdy przedtem nie czułem się tak bezradny. Pragnąłem tylko, by minął jej ból, a wszystko, co mogłem jej dać, to były słowa. I myślałem tylko o tym, że adriamycyna nawet jeszcze nie zaczęła działać.

– OK, jeszcze coś z *No Boundary*...

Tak oto, gdy dotykamy transpersonalnego Świadka, zaczynamy uwalniać się od naszych czysto prywatnych problemów, zmartwień i trosk. Właściwie nawet nie próbujemy rozwiązywać problemów i zmartwień. Oto nasze jedyne zajęcie: obserwować zmartwienie, po prostu tylko być go świadomym, nie oceniać go, nie unikać, nie dramatyzować, nie pracować nad nim ani nie opierać mu się. Gdy pojawia się jakieś uczucie bądź odczucie, jesteśmy jego świadkiem. Jeżeli pojawia się nienawiść, jesteśmy jej świadkiem. Nic nie trzeba czynić, ale jeżeli pojawia się działanie, jesteśmy jego świadkiem. Pozostań „świadomością, która nie wybiera" w samym środku wszystkich kłopotów. Jest to możliwe tylko wtedy, gdy zrozumiemy, że żaden z tych kłopotów nie tworzy twojego prawdziwego Ja, Świadka. Dopóki jesteśmy do nich przywiązani, dopóty będziemy usiłowali nimi manipulować. Każdy krok, który uczynimy, żeby rozwiązać jakieś zmartwienie, po prostu umocni złudzenie, że jesteśmy tym zmartwieniem. Tak więc usiłowanie ucieczki przed jakimś zmartwieniem ostatecznie tylko je pogłębia.

Zamiast walczyć ze zmartwieniem, po prostu musimy przyjąć wobec niego postawę niewinności i bezstronności. Mistycy i mędrcy lubią porównywać ten stan bycia Świadkiem do lustra. Po prostu odbijamy jakieś odczucia czy myśli, nie przywiązując się do nich ani ich nie odpychając, tak jak lustro doskonale i bezstronnie odbija to, co się przed nim pojawi. Chuang Tzu mówi: „Człowiek doskonały używa swojego umysłu jak lustra. Niczego nie chwyta; niczego nie odrzuca; otrzymuje, lecz nie zatrzymuje".

– Czy to pomaga?

– Tak, trochę. Znam ten materiał, medytowałam tak przez całe lata, ale jak trudno to zastosować w tych okolicznościach!

– Och, kochanie. Masz bardzo silną reakcję – zupełnie jakby ktoś władował czterysta funtów adrenaliny do twojego organizmu. Dosłownie wychodzisz ze skóry. Zdumiewające, że tak świetnie dajesz sobie radę. Naprawdę.

– Poczytaj mi jeszcze. – Nie mogę jej objąć, bo Treya nie jest w stanie usiedzieć na miejscu dłużej niż kilka minut.

Kiedy zaczynasz sobie zdawać sprawę z tego, że nie jesteś na przykład swoim niepokojem, twój niepokój właściwie przestaje ci zagrażać. Nawet jeżeli jest, to nie ma nad tobą władzy, bo nie jesteś już do niego przywiązana. Już z nim nie walczysz, nie opierasz mu się ani od niego nie uciekasz. Przyjmujesz niepokój takim, jaki jest, i pozwalasz mu działać, tak, jak on sam chce. Nie masz nic do stracenia, nic do zyskania z powodu jego obecności albo nieobecności, gdyż tylko obserwujesz, jak się pojawia, tak jak mogłabyś obserwować przesuwające się po niebie chmury.

Tak więc każde uczucie, odczucie, myśl, wspomnienie czy doświadczenie, które cię niepokoi, jest po prostu jednością z tym, z czym już się utożsamiłaś, ze Świadkiem, a ostatecznym rozwiązaniem twoich kłopotów jest po prostu zerwanie tej identyfikacji. Pozwalasz, by cię opuściły, zdając sobie sprawę, że nie są tobą – dlatego, że je widzisz, nie mogą być prawdziwym Widzącym. Ponieważ nie są twoim prawdziwym Ja, nie ma powodu, żebyś się z nimi identyfikowała, kurczowo się ich trzymała czy pozwalała, by ograniczały twoje Ja. Być świadkiem tych stanów – oznacza przekroczyć je. Nie zachodzą cię już od tyłu, bo widzisz je przed sobą.

Jeżeli uparcie to ćwiczysz, zaczynasz dostrzegać zasadnicze zmiany w poczuciu Ja. Doświadczasz na przykład głębokiego uczucia wolności, lekkości, ulgi. To źródło, to „oko cyklonu" pozostanie czyste i spokojne, nawet pośród wichrów niepokoju i cierpienia szalejących wokół niego. Odkrycie tego centrum jest jak nurkowanie w groźnych falach na powierzchni rozszalałego oceanu wprost w ciche i bezpieczne głębiny na jego dnie. Najpierw może znajdziesz się tylko kilka stóp pod rozszalałymi falami emocji, ale dzięki cierpliwości nauczysz się topić upiory w cichych głębiach swojej duszy i leżeć na dnie, wpatrując się w sztorm na powierzchni.

– Treya?

– Czuję się dobrze. Już mi lepiej. Naprawdę to pomaga. Przypomina mój trening, przypomina mi Goenkę i moje dziesięciodniowe odosobnienie. Chciałabym, żebyśmy to teraz zrobili! W *No Boundary* jest rozdział o tym, że Świadek jest nieśmiertelny.

– Oczywiście, kochanie.

Nagle poczułem, jak bardzo jestem wyczerpany, ciągle myśląc o tym, że działanie chemioterapii dopiero się zaczęło. Czytałem, usiłując słyszeć słowa, które mędrcy wypowiadali od lat, a które ja tylko spisałem, usiłując przetłumaczyć je na współczesny język; słowa, które teraz chciałem słyszeć tak bardzo jak Treya.

Być może zbliżamy się do podstawowej myśli mistyków – istnieje tylko jedno nieśmiertelne Ja albo jeden Świadek, wspólny nam wszystkim. Być może ty, jak większość ludzi, czujesz, że jesteś tą samą osobą, którą byłaś wczoraj. Być może czujesz również, że jesteś tą samą osobą, którą byłaś rok temu. Rzeczywiście, wszędzie, dokąd sięgasz pamięcią, wydajesz się sobie taka sama. Mówiąc inaczej: nie pamiętasz takiego okresu, kiedy nie byłabyś sobą. Innymi słowy, jest w tobie *coś*, czego nie zmienił upływ czasu. Ale twoje ciało z pewnością nie jest takie samo jak rok temu. Również odczucia są dzisiaj inne. I na pewno twoje wspomnienia są inne niż dziesięć lat temu. Umysł, ciało, uczucia – *wszystko* zmieniło się z czasem. Ale coś pozostało niezmienione i ty wiesz, że coś się nie zmieniło. Coś pozostało takie samo. Co to jest?

Rok temu o tej samej porze miałaś inne zmartwienia i inne problemy. Twoje doświadczenia były inne, inne były twoje myśli. Wszystko to zniknęło, ale coś pozostało. Idźmy dalej. Gdybyś przeniosła się do zupełnie innego kraju, gdybyś miała innych przyjaciół, inne otoczenie, nowe doświadczenia, nowe myśli... Wciąż miałabyś to samo wewnętrzne poczucie Ja. A gdybyś teraz zapomniała o pierwszych dziesięciu, piętnastu czy dwudziestu latach swojego życia? Wciąż czułabyś to samo wewnętrzne Ja, prawda? A gdybyś teraz choć na chwilę zapomniała o *wszystkim*, co ci się przydarzyło w przeszłości, i czuła tylko to czyste, wewnętrzne Ja – czy *cokolwiek* naprawdę by się zmieniło?

Mówiąc krótko, jest w tobie coś – to głębokie, wewnętrzne poczucie Ja – co *nie jest* pamięcią, myślami, umysłem, ciałem, doświadczeniem, otoczeniem, uczuciami, konfliktami, doznaniami czy nastrojami. Gdyż *wszystko* to się zmieniło i może się zmieniać bez naruszania wewnętrznego Ja. Tym, co pozostaje niezmienione przez upływ czasu, jest bezosobowy Świadek i Ja.

Czy więc tak trudno uświadomić sobie, że każde świadome istnienie posiada *to samo* wewnętrzne Ja? I że z tego powodu całkowita liczba transcendentnych Ja jest niczym innym jak *jednością*? Już doszliśmy do tego, że gdybyś miała inne ciało, wciąż czułabyś to samo Ja – i dokładnie tak samo czuje każdy człowiek. Czy nie wystarczy powiedzieć, że istnieje tylko jedno Ja, przyjmujące różne poglądy, różne wspomnienia, różne uczucia i doznania?

I to nie tylko teraz, ale zawsze, w przeszłości i w przyszłości. Skoro niewątpliwie czujesz (chociaż twoja pamięć, umysł i ciało są inne), że jesteś tą samą osobą, którą byłaś dwadzieścia lat temu (nie tym samym ego czy tym samym ciałem, ale tym samym Ja), a więc jeżeli Ja nie jest zależne od wspomnień, czy nie mogłaś być tym samym Ja dwieście lat temu? Mówiąc słowami fizyka Schrödingera: „To niemożliwe, aby ta jedność wiedzy, uczuć i wyborów, którą nazywasz swoją własną, nagle z nicości przemieniła się w istnienie, i to tak całkiem niedawno; ta wiedza, uczucia i wybory są wieczne i niezmienialne i są *jednym* we wszystkich ludziach, a nawet we wszystkich czujących istotach. Warunki, w jakich istniejesz, są prawie tak stare jak skały. Przez tysiące lat ludzie cierpieli, a kobiety rodziły w bólach. Może sto lat temu ktoś siedział na tym samym miejscu i tak jak ty z podziwem i tęsknotą w sercu patrzył na światło umierające w lodowcach? I tak jak ty zrodzony był z mężczyzny i kobiety. Czuł ból i ulotną radość. Tak jak ty. Czy był kimś innym? Czy nie był tobą?".

Mówimy: nie mógł być mną, bo ja nie pamiętam, co się wtedy działo. Ale to właśnie jest ten straszny błąd, polegający na utożsamianiu Ja ze wspomnieniami, a przecież dopiero co przekonaliśmy się, że Ja nie jest pamięcią, lecz świadkiem pamięci. Poza tym pewnie nawet nie pamiętasz, co ci się przydarzyło w zeszłym miesiącu, ale wciąż jesteś Ja. Cóż z tego, że nie pamiętasz, co się stało w zeszłym stuleciu? Wciąż jesteś tym transcendentnym Ja i to Ja – jest tylko jedno w całym wszechświecie – to jest to samo Ja, które budzi się w każdym nowo narodzonym istnieniu, to samo, które było w naszych przodkach, to samo, które będzie w naszych następcach – jedno i to samo Ja. Czujemy, że jesteśmy inni tylko dlatego, że popełniamy błąd utożsamiania wewnętrznego i transpersonalnego Ja z zewnętrzną i indywidualną pamięcią, umysłem, ciałem, które rzeczywiście są inne.

Wracając jednak do tego wewnętrznego Ja: co to właściwie jest? Nie narodziło się z twoim ciałem ani nie zginie z twoją śmiercią. Nie zależy od czasu ani nie przysparza zmartwień. Jest bezbarwne, bez kształtu, bez formy, bez wymiaru, a jednak ukazuje twoim oczom całe królestwo. Widzi słońce, chmury, gwiazdy i księżyc, ale samo nie może być widziane. Słyszy ptaki, świerszcze, wodospad, ale samo nie może być usłyszane. Chwyta spadający liść, kruszącą się skałę, ale samo nie może być schwytane.

Nie musisz podejmować próby ujrzenia swego transcendentnego Ja, co zresztą i tak jest niemożliwe. Czy oko może zobaczyć samo siebie? Powinnaś tylko uparcie, stopniowo porzucać fałszywe utożsamianie się ze wspomnieniami, umysłem, ciałem, emocjami i myślami. Nie wymaga to żadnego nadludzkiego wysiłku ani teoretycznego zrozumienia. Musisz zrozumieć tylko jedno: *cokolwiek widzisz, nie może to być Widzący*. Wszystko, co wiesz o sobie, nie jest twoim Ja, Wiedzącym, wewnętrznym Ja, którego nie można postrzec, zdefiniować czy uczynić żadnym *przedmiotem*. Dopóki jesteś w kontakcie z twoim prawdziwym Ja, nie *widzisz* niczego, po prostu odczuwasz wolność wewnętrzną, ulgę, otwartość, która oznacza nieobecność ograniczeń, nieobecność przymusów, nieobecność przedmiotów. Buddyści nazywają to „pustką". Prawdziwe Ja nie jest rzeczą, lecz przezroczystą otwartością lub pustką wolną od utożsamiania się z poszczególnymi przedmiotami czy wydarzeniami. Niewola jest niczym innym jak tylko fałszywą identyfikacją Widzącego ze wszystkim, co można zobaczyć. Wyzwolenie zaczyna się od prostego odwrócenia się od tego błędu.

To prosta, lecz żmudna praktyka; jej rezultatem jest wyzwolenie w tym życiu, gdyż transcendentne Ja uznane jest wszędzie za promień Boskości.

W zasadzie twoje transcendentne Ja jest naturą tożsamą z Bogiem. Gdyż jest ono ostatecznie samym Bogiem, który patrzy twoimi oczyma, słucha twoimi uszami i mówi twoim językiem. Jak inaczej mógłby św. Klemens stwierdzić, że ten, kto zna samego siebie, zna Boga?

Jest to więc przesłanie świętych, mędrców i mistyków, czy są Indianami, taoistami, hinduistami, muzułmanami, buddystami czy chrześcijanami; na samym dnie twojej duszy jest dusza całej ludzkości – dusza boska, transcendentna, prowadząca od niewoli do wyzwolenia, od snu do przebudzenia, od czasu do wieczności, od śmierci do nieśmiertelności.

– To jest piękne, kochanie. Teraz to dla mnie bardzo wiele znaczy – powiedziała Treya. – To już nie są tylko słowa.

– Wiem, najdroższa, wiem.

Czytałem dalej fragmenty ze Sri Ramany Maharishiego i Sherlocka Holmesa, komiksy. Treya chodziła po pokoju, obejmując się ramionami, jak gdyby próbowała powstrzymać się przed wyskoczeniem z własnego ciała.

– Terry?!

Nagle pobiegła do łazienki. Reglan, środek przeciwwymiotny, przestał działać. Przez następne dziewięć godzin Treya wymiotowała co pół godziny. Chciała być sama; usiadłem na sofie.

Sunąc ręką po ścianie, wciąż jeszcze wilgotnej, docieram do naszej ciężarówki i wyjmuję maleńką latarkę. Rozjaśniając drogę jej przyćmionym światłem, wchodzę do holu, skręcam w lewo, do pokoju przeznaczonego dla gości.

– Treya?

Uderza mnie najdziwniejszy widok: zamiast łóżka, stołu i krzesła, które spodziewałem się zobaczyć, widzę pokój pełen dziwnych skał, stalaktytów, stalagmitów, ogromnych, błyszczących kryształów, geometrycznych brył minerałów, niektóre są zawieszone w powietrzu, a wszystkie dziwnie piękne i nęcące. Po lewej stronie jest mały staw z krystalicznie czystą wodą, a jedynym dźwiękiem, który słyszę, jest miarowe „kap-kap-kap" wody ściekającej z ogromnego stalaktytu wprost do stawu. Przez parę minut stoję jak sparaliżowany, zahipnotyzowany tym zagadkowym pięknem.

Gdy przyglądam się z bliska, wstrząśnięty, zdaję sobie sprawę, że ten krajobraz rozciąga się na setki mil we wszystkich kierunkach. W oddali widzę łańcuch gór, dalej następny, potem jeszcze jeden; promienie słońca lśnią na ośnieżonych szczytach. Im uważniej się przyglądam, tym dalej przesuwa się perspektywa.

„To nie jest mój dom" – myślę.

Podczas pierwszego wieczoru mojej chemioterapii, przy całych tych mdłościach i wymiotach, i niepokoju, osiągam punkt zwrotny – już się nie martwię, czuję, jakby chemioterapia była już przeszłością, choć naprawdę dopiero co się zaczęła. To część mojej drogi, część mojej podróży – całkowicie ją akceptuję. Już nie walczę. Tylko obserwuję to, co przychodzi i odchodzi. Może chemioterapia jest moim sposobem na wyjście poza zmartwienie – pokonanie smoka smutku, który dotąd mnie prześladował. Może był to wpływ tego, co czytał Ken, może moich medytacji, a może po prostu szczęście, ale czuję się bardziej gotowa, aby wejść w to, co nadchodzi. Czuję również, że zaczyna się dla mnie coś nowego i ważnego – punkt kulminacyjny mojego życia duchowego albo też jego początek.

Ogoliłam głowę, nie czekając aż stracę włosy. Z mamą i Kenem poszłam kupić turban i sukienkę, która, jak to ujął Ken, „nie będzie kłócić się z łysiną". Mama i tata wyjechali – płakałam, smutno mi było, gdy wyjeżdżali, byłam tak wzruszona ich troską.

Z powrotem w Muir Beach. Treya znowu jest przekonana, że dotarła do punktu zwrotnego – zaakceptowała chemioterapię jako część swojej drogi, chce odbyć tę podróż.

U Suzanny – cudownie jest spędzić dzień ze starymi przyjaciółmi z Findhorn. To spotkanie zdawało się potwierdzać, że strach przed rakiem jest już poza mną, strach przed wyszydzeniem, podejrzeniem, czymkolwiek, przed poszukiwaniem duchowej drogi... To wszystko jest już poza mną, potrzeba oceniania jest poza mną – czuję, że jestem na właściwej drodze, lekka i ożywiona. Naprawdę nie przejmuję się utratą włosów.

Jestem również pewniejsza swojej pracy, swojego daimoniona – mam wspierać Kena i zajmować się rakiem. U Suzanny widziałam Ange [Stephens] – obie chcemy pracować z pacjentami chorymi na raka. Czuję przypływ energii i entuzjazmu po tym ostatnim przełomie, egzaminie.

Treya powinna przejść około pięciu tur chemioterapii. Zabraliśmy do San Francisco program sporządzony przez Bloomenscheina i tam zajął się nim nasz miejscowy onkolog. Sam program był całkiem jasny: w dniu zabiegu jechaliśmy do lekarza albo do szpitala czy innego ustalonego miejsca. Treya dostawała leki F i C z mieszanki FAC w kroplówce dożylnej (co zajmowało około godziny) wraz ze środkiem przeciwymiotnym, którego wówczas używaliśmy. Potem przyczepialiśmy przenośną pompkę travenol do cewnika Trei (tego nauczyłem się u Andersona). Pompka travenol to pomysłowy przyrząd – główną jej część stanowi potwornie drogi balonik, który przez dwadzieścia cztery godziny na dobę doprowadza adriamycynę. W ten sposób jej wnikanie do organizmu rozkłada się w czasie, co osłabia efekty uboczne. Mieliśmy trzy takie urządzenia na każdą turę chemioterapii. Do domu wracaliśmy z pompkami pełnymi pomarańczowej trucizny. Przez następne dwa dni co dwadzieścia cztery godziny wyjmowałem pustą pompkę i zakładałem nową. Trzy dni później terapia się kończyła i byliśmy wolni aż do następnej tury, której rozpoczęcie wyznaczano w zależności od liczby białych ciałek krwi w organizmie Trei.

Główne formy ataku zachodniej medycyny na raka poza metodą chirurgiczną, a więc chemioterapia i naświetlania, są oparte na prostej prawdzie: komórki rakowe rozrastają się niezwykle szybko. Dzielą się o wiele szybciej niż komórki normalne. Jeżeli środek, który zabija komórki, poda się wtedy, gdy się one dzielą, wówczas wprawdzie niszczy się trochę komórek normalnych, ale o wiele więcej rakowych. Tak właśnie działają chemioterapia i naświetlania. Oczywiście te normalne komórki, które rosną szybciej niż inne, takie jak na przykład komórki cebulek włosowych, komórki wyściełające powierzchnię jamy ustnej czy żołądka, również zostają zabite – stąd częsta utrata włosów, mdłości i podobne przypadłości. Ogólna zasada jest prosta: skoro komórki rakowe rosną dwukrotnie szybciej niż normalne, to pod koniec udanej chemioterapii guz jest całkowicie martwy, a pacjent tylko na wpół martwy.

Mniej więcej dziesięć dni po trzydniowej dawce adriamycyny liczba białych ciałek krwi (WBC) znacznie spadła; wiele normalnych komórek uległo zniszczeniu. Białe ciałka krwi są ważnym składnikiem układu odpornościowego organizmu, więc przez następne dwa tygodnie Treya musiała być niezwykle ostrożna, żeby uniknąć różnych infekcji – trzymała się z dala od tłumów, bardzo dbała o higienę jamy ustnej i tak dalej. Trzeciego albo czwartego dnia białych ciałek przybyło – ciało się regeneruje – i wtedy zaczęła następną turę.

Adriamycyna jest jednym z najbardziej toksycznych środków chemioterapeutycznych, znanym ze straszliwych skutków ubocznych. Chciałbym zaznaczyć, że żadna z form chemioterapii nie jest tak trudna do zniesienia jak adriamycyna. Ale nawet leczenie adriamycyną, jeżeli jest dobrze przeprowadzone, można znieść z umiarkowanym wysiłkiem. Jednak oboje byliśmy całkowicie wytrąceni z równowagi niespodziewaną reakcją alergiczną Trei na reglan podczas pierwszej tury. Dobraliśmy środki przeciwwymiotne, najpierw próbując compazinu, który nie był odpowiedni, potem przerzuciliśmy się na THC, aktywny składnik marihuany, który działał doskonale. Dzięki niemu podczas wszystkich następnych zabiegów Treya nie wymiotowała ani razu.

Treya wypracowała sobie standardowy sposób postępowania. Pierwszego dnia każdej tury, na godzinę przed jej rozpoczęciem brała THC, a niekiedy bardzo małą dawkę valium (1–2 mg). Przed chemioterapią zazwyczaj medytowała, stosując vipassanę albo wgląd („Kim jestem?"), a podczas chemioterapii praktykowała wizualizację, wyobrażając sobie, że chemioterapia to agresywni, dobrzy faceci, atakujący bardzo złych facetów. W domu kładła się do łóżka, brała atavan (silny środek uspokajający), słuchała muzyki, czytała. Drugiego i trzeciego dnia brała THC, a w nocy atavan. Czwartego dnia czuła się już całkiem nieźle i powoli wracaliśmy do codziennej rutyny. Pomiędzy dwiema terapiami raz udało nam się pojechać do Los Angeles, a potem na spóźniony miesiąc miodowy na Hawaje.

Tak więc fizycznie Treya całkiem nieźle znosiła leczenie chemioterapią. Tym, co przeoczyliśmy, a co zaszło nas od tyłu i niemal dobiło, był niszczycielski dla emocji, psychiki i ducha wpływ, jaki wywierała na nas cała ta procedura. W miarę jak upływały miesiące, a terapia robiła się coraz bardziej intensywna, wypłynęła na wierzch i wzmocniła się nerwica Trei, a ja wpadłem w głęboką depresję. Ale na razie z determinacją parliśmy do przodu w dobrym nastroju, widząc przed sobą jasną przyszłość.

– Czy będziesz mnie kochał, jak będę łysa?

– Nie, pewnie, że nie.

– Zobacz, już mi się przerzedzają – tu i tu. Zetnę je.

Przyniosłem ogromne nożyczki i zacząłem się mocować z włosami Trei, aż osiągnąłem doskonały, punkowy efekt. Wyglądała, jakby wpadła pod kosiarkę.

> Kiedy brałam prysznic, sięgnęłam ręką do głowy i wyciągnęłam ogromną garść włosów. Potem jeszcze jedną. Wcale się tym nie zmartwiłam. Zawołałam Kena i oboje stanęliśmy przed lustrem, patrząc na siebie, oboje całkowicie łysi. Co za widok! „Mój Boże – powiedział Ken – wyglądamy jak dwa melony. Przyrzeknij mi jedno: nigdy nie pójdziemy na kręgle". Moje ciało! Bez włosów na głowie, bez włosów łonowych, bez prawej piersi. Zupełnie jak oskubany kurczak! Mam ciało, lecz nie jestem moim ciałem! Dziękuję Bogu za tę małą uprzejmość.
>
> Podoba mi się znajdowanie pozytywnych wzorów dla łysych kobiet. Na przykład Amazonki są wspaniałym wzorem dla kobiet bez piersi. Usuwały jedną pierś, by celniej strzelać z łuku. Ogolone czarne modelki, ogolone bohaterki *Star Trek,* kobieta w *Bliskich spotkaniach,* egipskie kapłanki.
>
> Wszystkim podoba się moja łysa głowa, podobno jest bardzo piękna, choć oczywiście podejrzewam, że mówią tak głównie dlatego, żeby mnie pocieszyć. Ken uważa, że jestem naprawdę piękna i wiem, że naprawdę tak myśli, co sprawia, że czuję się cudownie! Garstka naszych przyjaciół

naciska Kena, chcą wiedzieć (chociaż nie pytają), czy wciąż mu się podobam. Mówi, że go tym obrażają. „Po prostu boją się. Gdyby mnie spytali, powiedziałbym im, że jesteś najbardziej seksowną kobietą, z jaką kiedykolwiek byłem. Gdybym tak nie myślał, powiedziałbym". Więc zwykle unika tej kwestii, opowiadając ironiczne dowcipy o tym, że to naprawdę jest okropne. Pewnego wieczoru z Claire i George'em ten ostatni próbował z Kena wyciągnąć, jak to jest – i Ken powiedział: „Muszę ją zamienić na nowy model. Najpierw odpadł prawy zderzak, teraz nie ma tapicerki. Sprzedam ją za bezcen". A potem stwierdził: „Ale oni tak właśnie myślą, wiesz? Że jeżeli brakuje paru części ciała, to i dusza jest ułomna. Oczywiście bardzo tęsknię za twoim dawnym ciałem, ale to nieważne. Ważne jest to, że cię kocham, będę kochał twoje ciało niezależnie od tego, jak wygląda. Oni nic nie rozumieją".

Do Tahoe przyjedzie Linda [Conger, najlepsza przyjaciółka Trei, która jest uznanym fotografikiem]. Zamierza nam zrobić wspólne zdjęcia. Ken wpadł na szalony pomysł, że założy moją protezę piersi, a Linda sfotografuje nas nago do pasa. Oboje bylibyśmy łysi i oboje mielibyśmy jedną pierś.

Nie jestem pewna, czy kiedykolwiek odważę się chodzić bez peruki albo turbanu. Tymczasem wszyscy myślą, że to Ken jest pacjentem. Ken zawsze jeździ ze mną do lekarza; na parkingu naszym samochodem zajmuje się miły, starszy mężczyzna. Oboje bardzo go lubimy. Tym razem Ken spóźnił się i przyjechał do lekarza osobno. Mężczyzna podszedł do Kena i z naprawdę zatroskaną miną powiedział: „Och, ty biedaku. Tym razem musiałeś przyjechać sam?". Ken nie wiedział, co powiedzieć, za wiele trzeba by wyjaśniać, więc odparł: „Ale z niej zdzira, co?".

Treyę zaczęły nękać fizyczne problemy związane z chemioterapią. Pomiędzy drugą a trzecią turą pojechaliśmy do Los Angeles na małe wakacje z jej siostrą Kati, która była prawnikiem.

Przestałam miesiączkować i w końcu będę musiała przestawić się na estrogen. W ustach porobiły się bolesne rany. Czasami bardzo boli przy załatwianiu się, niekiedy kał przemieszany jest z krwią. Ledwo przełykam nawet to, co jest bardzo smaczne. Zdumiewające, ile może znieść człowiek, ile można wytrzymać. Co jest, to jest.

W Los Angeles zostaliśmy z Kati. Przyjechała Tracy, było cudownie. Ken naprawdę lubi moje siostry, ma do nich słabość. Kristen [przyjaciółka z Findhorn] i ja odwiedziłyśmy Wellness Center w Santa Monica, ośrodek prowadzony przez Harolda Benjamina, w którym przebywały osoby chore na raka, dając sobie wzajemne wsparcie. Podobało mi się słuchanie ich opowieści, cała ta atmosfera, podobali mi się ludzie, którzy opowiadali o swoich chorobach, nie wstydząc się ich. Wszystko to wyglądało tak prawdziwie. Jakaś kobieta chciała pobudzić wolę życia u mężczyzny chorego na raka kości. Wcześniej obecni naskoczyli na niego, bo powiedział, że część jego chce umrzeć. Jakby wystarczyło tylko zdecydować, że chce się żyć, jak gdyby to, że chciał umrzeć, nie było w porządku. Ale inni naprawili sytuację: „Ludzie, którzy tu przychodzą, umierają", „Chciałem umrzeć i nadal czasami chcę", „Jestem na drodze do śmierci i jeżeli tak ma być, to OK, niech tak będzie".

Była to cudowna podróż, ale zaczęły się ujawniać emocjonalne rysy.

Z powrotem u Kati tego wieczoru; zadzwoniła moja przyjaciółka w sprawie kogoś chorego na raka i chciała o tym porozmawiać z Kenem. Byłam bardzo zdenerwowana, że nie chciała rozmawiać ze mną i że Ken tego nie zaproponował. Wściekłam się na niego, a on na mnie. Po raz pierwszy naprawdę. Złapał mnie za kołnierz, powiedział, że nie może nic zrobić, nie zastanawiając się przedtem, jak to na mnie wpłynie. Że przez półtora roku podporządkowywał swoje sprawy mojej chorobie i że jeżeli nawet nie może porozmawiać przez telefon, to już za dużo. Nigdzie nie może znaleźć spokoju. To naprawdę mną wstrząsnęło. Zawsze chciałam, żeby czuł, że może do mnie przyjść, że nie zamierzam go krytykować, oceniać. Słuchałam go, ale również broniłam się, co w pewnym sensie jeszcze bardziej podkreślało to, co mówił. Mogłam to zrobić później. To był z mojej strony wielki błąd, to odpieranie jego ciosów, ponieważ tak naprawdę nie wiedziałam, o czym mówi.

Z Kati, Kristen i Kenem rozmawiamy o komórkach rakowych i o tym, jak sobie wyobrażamy moje. Ken mówi, że chciałby je widzieć jako słabe, ale niestety, wyglądają na silne. Powiedziałam, że nie chcę tego słuchać, że ja próbuję je sobie wyobrazić jako słabe. On na to, że są to dwie różne rzeczy: to, jak on chce je widzieć, czyli jako słabe i rozproszone, i to, jak naprawdę je widzi, to znaczy jako silne. Powiedziałam, że nie chcę tego słuchać. Odparł, że ma prawo do własnego zdania. Zgodziłam się, ale powiedziałam, że to ważne dla mnie, co on o nich myśli, i dlatego wolałabym nie wiedzieć, że widzi je jako silne. „Nie pytaj więc – powiedział. – Czy chcesz poznać moje prawdziwe zdanie, czy wolisz, żebym cię oszukiwał?". „Oszukuj mnie" – odpowiedziałam. „Doskonale, będę tak robił. Zapuszczę włosy, żebym mógł je potem ostrzyc" – powiedział i zakończył rozmowę. Wiem, jak to odebrał – nie może nawet porozmawiać przez telefon, nie może wyrazić własnego zdania, nie martwiąc się o to, jak to wpłynie na mnie i mojego raka. „Nie zdajesz sobie sprawy, jak trudna jest twoja choroba dla osób, które cię kochają – powiedział. – Mogłaś poprosić: Ken, nie mów, że moje komórki rakowe są silne, bo mnie to martwi. Ale ty wydałaś rozkaz: nie rób tego, bo ja tak chcę. Będę się bardzo cieszył, jeżeli będę mógł zrobić coś, o co poprosisz, ale jestem zmęczony wypełnianiem rozkazów".

Było to bardzo trudne – po raz pierwszy nie mogliśmy się porozumieć. Potrzebuję wsparcia, ale zaczynam rozumieć, że Ken również go potrzebuje.

Tak wyglądała sytuacja. W ciągu półtora roku Treya miała operację, potem przez sześć tygodni naświetlania, nawrót, mastektomia – i teraz była w samym środku chemioterapii, cały czas stojąc w obliczu możliwości przedwczesnej śmierci. Aby być z Treyą przez dwadzieścia cztery godziny na dobę, by walczyć z jej rakiem, przestałem pisać, porzuciłem trzy prace wydawnicze i ogólnie wywróciłem swoje życie do góry nogami. Ostatnio – wielki błąd – przestałem medytować, bo byłem zbyt wyczerpany. Wyprowadziliśmy się z domu w Muir Beach, ale dom w Tahoe ciągle jeszcze nie był gotowy. W rezultacie budowaliśmy dom, usiłując jednocześnie przejść przez chemioterapię, jak gdyby sama chemioterapia nie była wystarczającym szaleństwem.

Jak sobie później uświadomiliśmy, nie było to jeszcze najtrudniejsze. Kiedy wprowadziliśmy się do domu w Tahoe, zaczął się naprawdę straszny okres.

9

Narcyz albo zamknięcie się w sobie

Jest siódma rano, jasny, piękny poranek w North Lake Tahoe. Nasz dom położony jest w połowie drogi na wzgórza, które wyrastają z najpiękniejszego jeziora w Ameryce Północnej. Z każdego okna domu, którego front skierowany jest na południe, widać całe jezioro, oślepiająco białe plaże, a w tle czarne góry, przez cały niemal rok okryte śniegiem. Samo jezioro jest lazurowo-kobaltowe, o barwie tak intensywnej, tak głębokiej i elektryzującej, że zastanawiam się, czy nie kryje w sobie jakiejś ogromnej elektrowni wodnej: to jezioro nie jest po prostu niebieskie, wygląda, jakby ktoś przekręcił kontakt i zapalił w nim światło.

Treya śpi spokojnie. Biorę butelkę wódki i bardzo ostrożnie nalewam trochę do szklanki. Wypijam jednym haustem. To mi wystarczy do południa, kiedy to podczas lunchu wypiję trzy piwa. Będę pił piwo przez całe popołudnie – może pięć, może dziesięć butelek. Do obiadu – butelka wina. Wieczorem – brandy. Nigdy się nie upijam. Nigdy nie tracę przytomności. Rzadko jestem na rauszu. Nigdy nie zaniedbuję moich pielęgniarskich obowiązków wobec Trei ani nie wymiguję się od podstawowych zobowiązań. Gdyby ktoś mnie zobaczył, nawet przez myśl by mu nie przeszło, że piłem. Jestem skoncentrowany, uśmiechnięty, ożywiony. Robię tak codziennie, od czterech miesięcy. Potem pójdę do sklepu ze sprzętem sportowym na Park Street w South Lake Tahoe i kupię pistolet, żeby wszystko przerwać. Bo prostu nie mogę już tego znieść.

Dwa miesiące temu Treya zakończyła ostatnią turę chemioterapii. Choć było to fizycznie obciążające, ogromna siła i odwaga

Trei pozwoliła jej przetrwać najgorszy czas. Znowu jest zdrowa, choć z rakiem nigdy nic nie wiadomo (ledwo człowiek się dowie, że wreszcie nie ma raka, a już umiera na coś innego). Planowaliśmy osiąść na stałe, może nawet mieć dziecko, gdyby Treya znowu miała okres. Świat zaczął być piękny, świeży, zachęcający.

Ale coś się zmieniło. Oboje jesteśmy wyczerpani. Oboje rozłazimy się w szwach. Jakbyśmy dźwigali pod górę jakiś ciężar; zatargaliśmy go na sam szczyt, a on z powrotem spadł na dół. Jakby jednego dnia wszystko było w porządku, a następnego życie się rozlazło jak szwy w tanim garniturze. Stało się to tak gwałtownie, że zupełnie wytrąciło nas z równowagi.

Nie zamierzam zajmować się tym okresem naszego życia, ale nie będę go również upiększać. Było to dla nas piekło.

Incline Village to małe miasteczko, liczące może siedem tysięcy mieszkańców, usytuowane na północno-wschodnim wybrzeżu jeziora Tahoe. „Tahoe" w narzeczu miejscowych Indian oznacza „wysoka woda". (Tahoe to drugie pod względem wielkości jezioro wysokogórskie na zachodniej półkuli. Ma więcej wody niż jezioro Michigan, wystarczająco dużo, by – jak podają głupawe przewodniki turystyczne – zalać całą Kalifornię na wysokość czternastu cali). W 1985 miasteczko ogarnęła dziwna, otępiająca choroba umysłowa, na którą zapadło ponad dwieście osób i która przypominała łagodną postać stwardnienia rozsianego. Głównymi objawami były przewlekłe stany podgorączkowe, sporadyczne zaburzenia czynności mięśni, nocne poty, bolesne i spuchnięte węzły chłonne i ogólne wyczerpanie. Ponad trzydzieści z dwustu ofiar tej choroby musiało leczyć się w szpitalu – ludzie ci byli tak słabi, że nie mogli ustać na nogach. Badania wykazały liczne, choć niewielkie zmiany w mózgu, na szczęście nie mające nic wspólnego ze stwardnieniem rozsianym. Najdziwniejsze było to, że choroba nie przenosiła się z człowieka na człowieka: chorzy mężczyźni nie zarażali swoich żon, kobiety nie zarażały dzieci. Nikt nie wiedział, jak się ona przenosi. W końcu ustalono, że jest to jakaś środowiskowa trucizna. Niezależnie od tego, co to było naprawdę, gwałtownie zaatakowało miasto i równie szybko wyniosło się rok później – od 1985 roku nie odnotowano już nowych przypadków choroby. Jak w *Andromeda znaczy śmierć.**

Było to tak dziwne, że centrum epidemiologiczne w Atlancie początkowo przeczyło istnieniu choroby. Ale doktor Paul Cheney, błyskotliwy lekarz, który miał również doktorat z fizyki, wiedział lepiej, gdyż zebrał znaczną liczbę opisów przypadków. Był to na tyle niepodważalny materiał, że Atlanta musiała wszystko odwołać. Choroba X, czymkolwiek była, istniała naprawdę.

Do Incline Village przeprowadziliśmy się w 1985 roku. Byłem jedną z dwustu ofiar.

Około jednej trzeciej zakażonych chorowało mniej więcej sześć miesięcy, jedna trzecia – od dwóch do trzech lat, a pozostali chorują do dnia dzisiejszego (wiele osób wciąż leży w szpitalu). Należałem do tej środkowej grupy, byłem skazany na dwa albo trzy lata. Moje objawy to skurcze mięśni i niemal konwulsyjne dreszcze, chroniczna gorączka, spuchnięte węzły chłonne, straszliwe poty w nocy i przede wszystkim dobijające osłabienie. Wstawałem z łóżka, myłem zęby i na tym kończyły się moje możliwości. Nie mogłem chodzić po schodach bez częstego odpoczywania.

Najgorsze było to, że chorowałem, nie wiedząc o tym. Coraz bardziej wyczerpany, przygnębiony, rozdarty, nie mogłem zrozumieć, dlaczego jest aż tak źle. W dodatku byłem przygnębiony stanem Trei i życiem w ogóle. Tę depresję – częściowo prawdziwą, częściowo neurotyczną, a częściowo wywołaną chorobą X – przerywały jedynie sporadyczne napady niepokoju, podczas których rozpaczliwy charakter mojej sytuacji zmieniał depresję w panikę. Czułem, że całkowicie straciłem kontrolę nad własnym życiem. I nie widziałem powodu, dla którego miałbym dalej się tak męczyć. Całe miesiące towarzyszył mi mniej lub bardziej samobójczy nastrój.

Moim głównym problemem było jednak po prostu to, że pragnąc zrobić wszystko, żeby pomóc Trei, przez ponad rok podporządkowałem jej wszystkie moje sprawy, pracę, własne potrzeby, własne życie. Zrobiłem tak dobrowolnie i w tych samych okolicznościach bez wahania zrobiłbym tak jeszcze raz. Ale zrobiłbym

---

* Tytuł głośnej książki fantastycznej Michaela Crichtona, w której zawleczony z kosmosu zarazek błyskawicznie uśmierca znaczną liczbę ludzi, po czym równie błyskawicznie znika (przyp. red.).

to inaczej, zapewniając sobie większe oparcie i lepiej rozumiejąc straty, jakie ponosi osoba wspierająca.

W czasie choroby Trei wiele nauczyłem się o trudnej roli i ciężkiej pracy osoby, która towarzyszy i pomaga choremu na raka. Jednym z głównych powodów, dla których zamierzam opisać ten niezwykle trudny okres w naszym życiu, jest to, by inni mogli uniknąć prostych błędów, jakie ja popełniłem. Dzięki tym trudnym lekcjom w końcu stałem się kimś w rodzaju rzecznika „ludzi dających wsparcie". Kiedy po raz pierwszy opublikowałem esej na temat pożytków i ryzyka związanego z pełnieniem tej roli, byliśmy z wydawcą zdumieni ogromną reakcją, jaką wywołał artykuł. Dostałem setki przepojonych cierpieniem listów od ludzi z całego świata, którzy przeszli przez to samo co ja i nie mieli z kim porozmawiać. Wolałbym stać się ekspertem w tej dziedzinie w bardziej łagodny sposób.

Tymczasem męczyłem się; choroba X rozwijała się, narastała udręka z powodu całej sytuacji – choroba Trei, moje własne położenie, depresja. Przez ponad półtora roku nie byłem w stanie nic napisać. Do tej pory przecież żyłem pisaniem. Ono było moim daimonionem, przeznaczeniem, moim losem. Przez dziesięć lat co rok pisałem jedną książkę i – jak wielu innych – realizowałem się w tym działaniu. Kiedy nagle wszystko się urwało, poczułem się jakby zawieszony w powietrzu bez żadnego zabezpieczenia. Lądowanie było bolesne.

Najgorsze było to, że przestałem medytować. Silne poczucie Świadka towarzyszące mi do tej pory nagle wyparowało. Już nie miałem łatwego dostępu do „oka cyklonu". Miałem tylko cyklon. I z tego powodu te ciężkie czasy były tak trudne do zniesienia. Kiedy straciłem dostęp do czystej, otwartej świadomości – do Świadka, do mojej duszy – pozostało mi tylko zamknięcie się w sobie. Narcyz beznadziejnie zajęty własnym wizerunkiem. Straciłem duszę, straciłem daimoniona – zostało tylko moje ego, co zawsze stanowiło dla mnie dość przerażającą perspektywę.

Przypuszczam, że najprostszym i najbardziej dobijającym błędem, jaki popełniłem, było to, że obwiniałem Treyę o swoje nieszczęścia. Świadomie postanowiłem odłożyć na bok własne interesy po to, by jej pomóc, a potem, gdy mi ich zabrakło – gdy zaczęło mi brakować mojego pisania, mojej pracy wydawniczej – po prostu zacząłem obwiniać Treyę. Winiłem ją za to, że zachorowała na raka, winiłem za to, że zniszczyła moje życie, winiłem za utratę daimoniona. Egzystencjaliści nazywają to „złą wiarą" – złą w tym sensie, że nie bierze się odpowiedzialności za własne wybory.

Moja pogłębiająca się depresja oczywiście sprawiała Trei ból, zwłaszcza po tym, co sama przeszła. Po półtorarocznej bliskości, trwaniu przy niej dzień i noc, nagle odszedłem, pogrążyłem się w sobie, we własnych problemach, byłem zmęczony wysłuchiwaniem jej zmartwień. Wiedziałem, że teraz ja potrzebuję wsparcia, i czułem, że ona nie potrafi mi go dać. Gdy zacząłem ją winić za swoją depresję, reagowała poczuciem winy albo gniewem. W tym samym czasie, wywołana przedwczesną menopauzą i wahaniami nastroju związanymi z chemioterapią, wyszła na powierzchnię neurotyczna natura Trei – reagowałem również i na to. Pogrążyliśmy się w wirze poczucia winy i obwiniania, co doprowadziło Treyę do rozpaczy, a mnie do sklepu z artykułami sportowymi Andy'ego.

> Sobota. Zaczęłam pisać dwa dni temu, ale przy trzecim akapicie nagle w całym domu wysiadł prąd. Pisałam, jaka jestem nieszczęśliwa – może po prostu nie trzeba było tego przelewać na papier? Teraz czuję się lepiej – spędziliśmy z Kenem cudowny wieczór, a potem byliśmy cały dzień w mieście. Gdy kładłam się spać, miałam wrażenie, że Bóg naprawdę o mnie dba, że wszystko będzie OK. Zmieniłam afirmację. Najpierw brzmiała: „Czuję uzdrawiającą siłę miłości Boga w każdej komórce i każdym atomie mojego ciała", a teraz: „Czuję uzdrawiającą siłę Bożej miłości w każdej komórce i każdym atomie mojego ciała". Niewielka, ale znacząca różnica. Jak powiedziałam wcześniej, miłość Boga najlepiej odczuwam przez miłość Kena, więc kiedy istnieje prawdziwe porozumienie między nami, czuję porozumienie również z Bogiem. Jeżeli nie ma między nami porozumienia, jestem całkowicie odcięta od wszystkiego.
>
> Do tego wniosku przyczynił się jednak bardzo paskudny dzień, jeden z najgorszych. Najpierw Ken na mnie

wsiadł za bałagan w szafkach, potem ja na niego wsiadłam za nowy komputer. Wyszedł na cały dzień, siedziałam smutna na werandzie, patrząc na jezioro, próbując zrozumieć, co się ze mną dzieje. Wieczorem mieliśmy długą rozmowę, ale nie posunęliśmy się ani o krok do przodu; Ken powiedział, że ma wrażenie, jakby to był replay.

Ostatnio wydaje mi się, że głównie zwalczam zły nastrój, zupełnie jak w czasie napięcia przedmiesiączkowego. Nadal nie mam okresu, w efekcie jestem w trakcie menopauzy. Czy moje złe nastroje mogą być spowodowane obniżeniem poziomu estrogenu? Pewnie tak jest. Tydzień temu zaczęłam brać pigułki, co trochę pomaga. Mam również uporczywe bóle po obu stronach poniżej pasa. Ale jakoś przez to przeszliśmy. Ken wypił parę drinków i był naprawdę słodki – zrobił się z tego uroczy wieczór.

Dziś ustawiałam półki w łazience i znalazłam tampaksa. Ciekawe, czy jeszcze kiedyś będę tego używała?

Środa. Wciąż jest dosyć kiepsko. Dziś wróciliśmy z San Francisco; dom wygląda ładnie, ale coś im się pokręciło z kolorem ścian w kuchni. Zawsze jest nie tak. Potem poszliśmy na uroczy spacer, ale nie miałam nastroju, bo Ken był jakiś przygnębiony. Jego niezadowolenie z życia wychodzi w tonie głosu, jakim do mnie mówi, i biorę to do siebie. Czasami, kiedy tak jest, wydaje mi się, że mnie kocha, ale po prostu mnie nie lubi. Przeprasza – zazwyczaj bardzo słodkim głosem – i mówi, że nie miał na myśli niczego złego. Ale czasami myślę, że chciał zrobić mi przykrość. Próbuję z nim o tym rozmawiać, ale to do niczego nie prowadzi. Twierdzi, że na tym etapie nie damy sobie rady bez osoby trzeciej, na przykład Frances [Vaughan] albo Seymour [Boorstein], które by nam pomogły. „Kochanie, przechodziliśmy przez to setki razy. Nie wiem, dlaczego jestem taki przygnębiony. Rozmawiamy o tym, ty masz poczucie winy, robisz się smutna, ja się martwię, że nic z tego nie wychodzi. Potrzebny jest jakiś sędzia. Poczekajmy, aż znajdziemy kogoś, kto nam pomoże". To dla mnie trudne, zawsze wolę załatwiać sprawy od razu. Lubię od razu rozpędzać chmury, żeby nic nie przeszkadzało naszej miłości. On mówi, że zbyt głęboko w tym wszystkim ugrzęźliśmy.

Zdumiewające jest to, że tak bardzo się kochamy, że nasza miłość ma tak solidne podstawy, a jednak tak strasznie nam ciężko. Któregoś wieczora oglądaliśmy tabele, które podają w punktach, ile stresu wywołują różne wydarzenia. Najgorsze, śmierć współmałżonka, miało sto punktów. Nas dotyczyły trzy wydarzenia z pierwszej piątki (ślub, przeprowadzka, poważna choroba). Ken miał jeszcze czwarte – utratę pracy (choć z własnej woli). Nawet wakacje miały piętnaście punktów. Ken powiedział: „Do diabła, uzbieraliśmy już tyle punktów, że wakacje chyba by nas dobiły".

Zawsze mam wrażenie, że Ken usiłuje mi przekazać, że jest na mnie zły, ale nie powie tego wprost. Czuje się pilnowany, uziemiony. W pewnym sensie jest na mnie wściekły, bo nie może pracować. Naprawdę zrezygnował z tylu rzeczy, żeby się mną zaopiekować, że teraz czuje się wyczerpany. Dlatego jest mi okropnie, nie wiem, co robić. Nic nie pomaga.

W takich chwilach wychodzą na wierzch różnice w stylu bycia. Zazwyczaj się uzupełniają, ale teraz się kłócą. Ja – staranna, metodyczna konserwatystka, z tendencją do kurczenia się w obliczu zagrożenia, Ken – ekspansywny wizjoner, który nie zwraca uwagi na drobiazgi i łatwo się nimi irytuje.

Z powrotem w San Francisco – podczas następnego weekendu. Zatrzymaliśmy się u Frances i Rogera. Tej nocy przyszli Whit [Whitson] i Judith [Skutch, wydawca *Kursu cudów*], żeby uczcić masowe wydanie *Kursu* w Stanach i Anglii. Świętowaliśmy również wciąż trzymane w tajemnicy plany małżeńskie Frances i Rogera. Dzień wcześniej rozmawialiśmy z Rogerem o tym, na jakim etapie jest ze swoimi planami. Powiedział, że na etapie puszczania gałęzi – już jej nie trzyma (wie, że chce być z Frances do końca życia), ale teraz musi z niej zejść. Następnego dnia rano oświadczył się Frances! Wesele będzie u Judith i Witha, miesiąc miodowy spędzą w naszym domu w Tahoe. Ken będzie drużbą Rogera, ja – druhną Frances. Zdaje się, że ceremonię odprawi Houston Smith.

W każdym razie mimo pomocy Rogera i Francis nasze sprawy się nie poprawiły. Z powrotem w Tahoe. Ken w podłym nastroju. Leży, oglądając telewizję, przez całe godziny nie rusza się z miejsca. Moje biedactwo, nie wiem, co zrobić, żeby mu pomóc. Tak długo przyjmowałam jego opiekę, teraz ja chcę się nim zaopiekować, ale nie wiem, jak to zrobić. Czuję się po prostu strasznie.

Piątek. Co za życie! Od absolutnej depresji do najcudowniejszych chwil.

Kiedy Ken wyjechał na dwa dni w interesach, zupełnie się załamałam. Czuję się okropnie, bo gdy wyjeżdżał, wzbudził we mnie poczucie, że jestem dla niego niedobra, że próbuję go kontrolować, monopolizować jego czas. To prawda. Tak bardzo go kocham, że wciąż chciałabym z nim być. Ktoś mógłby sądzić, że rak to sposób na skupienie na sobie uwagi Kena. Może i jest w tym trochę prawdy, ale wydaje mi się, że mogłabym to osiągnąć w inny sposób! Jestem trochę zazdrosna o jego pracę, ale z pewnością nie chcę, żeby ją przerywał. Najboleśniejsze dla mnie jest to, że jego daimonion odszedł.

W domu było tak zimno, tak samotnie. Spędziłam godzinę przy telefonie, wypłakując się Kati.

Po rozmowie z nim przez telefon – powiedział, że jemu beze mnie też jest źle – wszystko wydawało się w porządku. Od jego powrotu byliśmy dla siebie milsi, mniej drażliwi, po prostu bardzo kochaliśmy się.

Na weekend przyjechali François i Hannah, dołączyła do nas Kay Lynne [trójka przyjaciół z Findhorn] – wspaniale się bawiliśmy. Niedziela w ogóle była jednym z najwspanialszych dni. Zaczęliśmy od przejażdżki szosą, żeby im pokazać widoki, zrobiliśmy sobie piknik koło wodospadu, pojechaliśmy nad jezioro, zjedliśmy obiad w najlepszej restauracji i w końcu poszliśmy na tańce. Fantastyczna wycieczka. Zastosowałam jedyny sposób, aby wyciągnąć Kena – powiedziałam mu: „Ta wycieczka to największa nagroda uzyskana najmniejszym wysiłkiem. Zwykle trzeba daleko podróżować, żeby zobaczyć takie widoki". „Dobra, dobra, pojadę". François spytała Kena, czy nie lubi wysiłku fizycznego. Ken odpowiedział, że uwielbia, ale w dawkach homeopatycznych.

Oboje doskonale zdawaliśmy sobie sprawę, że zaczynamy się rozpadać, zarówno każde z osobna, jak i jako para. Czuliśmy, że nie licząc okoliczności, choć oczywiście były niezwykle trudne, każde z nas ma sporą nerwicę, która właśnie wychodziła na powierzchnię; mogła nie ujawniać się przez całe lata, gdyby nie trudne okoliczności.

Ten sam proces dotyczył nas jako pary. Byliśmy zmuszeni stawić czoło takim sprawom, z jakimi większość małżeństw nie ma do czynienia przez trzy, pięć, a nawet dziesięć lat od daty ślubu. Musieliśmy rozdzielić się po to, by w bardziej trwały sposób połączyć się na nowo. Musieliśmy przejść przez ogień – i czuliśmy, że w końcu coś się poprawi, jeżeli uda nam się przetrwać. Tym, co miało się wypalić, nie była nasza miłość, ale nasz „brud".

Tracy wciąż najbardziej mi pomaga. Ostatniego wieczoru przy kolacji spytała, czy piszę pamiętnik, zachęcała mnie, żebym pisała dalej. Powiedziała, że może stać się bestsellerem. Czasami też o tym marzę... Z pewnością nie natknęłam się na książkę, która zawierałaby wszystko to, co zamierzam opisać. Spytała mnie, czy cieszę się, że przeszłam chemioterapię. Powiedziałam: „Spytaj mnie za pół roku". Czuję się tak, jakbym wciąż ją przechodziła – to się chyba nie skończy tak długo, jak długo nie minie trzymiesięczny okres powrotu do zdrowia. Wciąż czekam, aż mi odrosną włosy – nadal ich nie widać. Nikt mi wyraźnie nie powiedział, kiedy znowu zaczną rosnąć, ale przypuszczam, że wkrótce po dwudziestopięciodniowym cyklu od zakończenia ostatniej tury chemioterapii. Minęły dopiero dwa tygodnie. Cierpliwości!

Drugim powodem, dla którego nie czuję, że już skończyłam z chemioterapią, jest to, że nadal nie mam okresu. W zeszłym tygodniu po raz pierwszy doświadczyłam suchości w pochwie podczas stosunku. Minęło trzy i pół tygodnia od ostatniej (wywołanej chemicznie) menstruacji. Było to bolesne i przygnębiające. Szkoda, że ci lekarze mężczyźni nie zdają sobie sprawy, jak to jest. Cały ubiegły miesiąc byłam w strasznym stanie, miałam napady płaczu i depresji, a między nimi parę naprawdę dobrych dni. Nie mówię, że nigdy przedtem nie płakałam ani że nie miałam depresji, ale ten okres (co za gra słów!) zaczął się, kiedy medytowałam według wskazówek Stephena Levina, co polegało na przebaczaniu sobie. Okazało się, że w ogóle nie potrafię sobie przebaczać. Był to straszny dzień, do tego jeszcze miałam katar sienny, ale udało mi się na tyle wziąć w garść, aby pojechać do miasta i napisać list do Fundacji Wymiany Młodzieży USA–ZSRR. Następnego dnia, kiedy Ken pojechał do San Francisco, przez cały wieczór płakałam i miałam okropną noc. Po tygodniu poszłam do ginekologa i znów przepłakałam większość dnia. Potem rozmawiałam z Frances i Rogerem o tym, że czuję się częściowo odpowiedzialna za tak ogromne nieszczęście Kena i jego niezdolność do pracy. Znowu zrobiło mi się smutno, kiedy okazało się, że Linda nie może przyjechać. Tak bardzo chciałam, żeby ktoś się mną zaopiekował, chciałam, żeby okazała mi swoją miłość, przyjeżdżając do mnie. Powiedziałam jej, że potrzebuję, żeby mnie ktoś pocieszył. To naprawdę dla mnie ogromne osiągnięcie – przyznać się, że potrzebuję pomocy, i dać sobie spokój z tym wizerunkiem sprawnej, samodzielnej osoby. Po drodze na lotnisko, kiedy jechałam, żeby ją odebrać, znowu płakałam, wzruszona jej przyjazdem i czując straszliwy smutek. Parę dni później, gdy już wyjechała, i po tamtym wspaniałym weekendzie znowu spędziłam cały dzień, płacząc. Rano z Frances, po południu z doktorem Cantorem [psychoterapeutą], a potem z Halem [specjalistą od akupunktury] – cały mój terapeutyczny system wsparcia. W końcu byłam tak wyczerpana, że musiałam przerwać, choć niczego tak naprawdę nie rozwiązałam. Spytałam doktora Cantora, czy to się czasami ludziom przydarza – dobrze znoszą terapię, utratę włosów, mdłości, słabość i przygnębienie, a potem, kiedy już jest po wszystkim, załamują się. Powiedział, że podczas swojej dwudziestopięcioletniej pracy z chorymi na raka przekonał się, że tak jest. Tak samo jest z Kenem. Pomagał mi przez dwa lata, a potem się załamał.

Stałam się świadoma mnóstwa istniejących we mnie uczuć – bólu, smutku, strachu, gniewu. Chyba nie miałam siły, aby dać sobie z nimi radę, przechodząc jednocześnie terapię i usiłując zajmować się domem. Teraz wszystko zaczyna wyłazić na wierzch. To chyba dobrze, ale trudno rozpoznać dobro, gdy się jest w samym jego środku. Intelektualnie rozumiem, co jest dobre, ale z pewnością jeszcze tego nie czuję. Poczekajmy ze sześć miesięcy.

Trochę się boję, że załamanie, które teraz przeżywam, zaprzeczy temu, iż tak doskonale dawałam sobie radę przez wszystkie miesiące terapii i stresów związanych z urządzaniem domu. Powiedziałam o tym Kenowi, a on odparł: „Czuję dokładnie to samo. Jestem zawstydzony stanem, w jakim się znalazłem". Trudno się tego pozbyć. Cały czas prawiono nam komplementy, że jesteśmy tacy niezłomni i pewni; nigdy nikt nie chwali za takie uczucia jak strach, głęboki smutek czy gniew. Kiedy wychodzą na wierzch, czuję, że są negatywne i że z ich powodu ludzie mogą

> źle o mnie myśleć. Pajace, które składają się na moją osobowość [aluzja do filmu *Thousand Clowns,* w którym jest mowa o licznych subosobowościach lub „pajacach", które w nas siedzą], kiedyś bały się ujawniania tych „negatywnych" uczuć. Teraz tylko czasami jakiś pajac każe mi się tak zachowywać, ponieważ oczywiście wciąż ma na mnie wpływ, ale jestem bardziej świadoma istnienia jego kolesiów. Jest nawet parę nowych pajaców, które niekiedy zachęcają mnie do załamania – być może w procesie odbudowy, kiedy pewne sprawy zostawiam za sobą, pojawiają się nowe.

Tymczasem coraz bardziej grzęźliśmy w depresji, coraz bardziej oddalaliśmy się od siebie, rozbijaliśmy się o okoliczności i nasz własny, neurotyczny „brud". Było w tym coś nieuchronnego, jakby śmierć, która poprzedza każde odrodzenie. W moim przypadku pozostawała tylko kwestia rodzaju tej śmierci.

> Przez cały następny dzień czuję się przygnębiona – naprawdę mam depresję. To nie tylko smutek, lecz coś zupełnie nowego – i przerażającego. Nie chce mi się rozmawiać. Ken zresztą i tak nie odpowiadałby na moje pytania; jest obojętny, apatyczny, nie reaguje na moje próby rozweselenia go. Nie pamiętam, bym kiedykolwiek tak się czuła. Cisza, niezdolność do podjęcia decyzji, brak energii, na pytania odpowiadam monosylabami (lub wcale nie odpowiadam).
>
> Prawda jest prosta: nie jestem już szczęśliwa. Nie czuję własnej żywiołowości i żywotności, tylko wyczerpanie. Jestem zmęczona zmęczeniem o wiele głębszym niż tylko fizyczne. Przez pierwszy rok choroby czułam się ogólnie szczęśliwa i „do przodu", więc to nie rak mnie zmienił. Zmiana pojawiła się niewątpliwie podczas chemioterapii. Fizycznie przeszłam ją całkiem nieźle. Ale powiedziałam Kenowi, że najgorsze było poczucie, że zatruwa mi ona duszę, że zatruwa mnie nie tylko fizycznie, lecz także

emocjonalnie, psychicznie i duchowo. To mnie dobiło, zupełnie straciłam kontrolę nad samą sobą.

Tak strasznie żałuję, że nie mieliśmy z Kenem kilku spokojnych lat, zanim to wszystko się zaczęło. To takie smutne.

Jakieś pięć dni temu śniłam dwa sny. Było to tej nocy, kiedy zauważyłam, że chyba mam owulację. W pierwszym śnie wycięto mi jeszcze fragment piersi, która pozostała, i byłam naprawdę zmartwiona, bo teraz wydawała się zbyt mała. (Interesujące – nigdy mi się nie śniło, że znowu mam drugą pierś, właściwie nigdy mi się ona nie śniła). W drugim śnie byłam w gabinecie onkologa i pytałam go, czy zawsze będę taka jak teraz, mając na myśli brak estrogenu i suchość w pochwie. Powiedział, że tak, i wtedy zaczęłam na niego krzyczeć – krzyczałam i krzyczałam, wściekła, że nie uprzedzono mnie na początku, wściekła na wszystkich przeklętych lekarzy, którym się wydaje, że takie rzeczy są nieistotne. Leczą ciało, a nie człowieka. Byłam okropnie, absolutnie i niepowstrzymanie wściekła, krzyczałam, krzyczałam i krzyczałam.

Daimonion, daimonion, daimonion. Bez niego czuję się tak, jakbym nie miał kompasu, kierunku, nie mógł znaleźć drogi, przeznaczenia. Często się mówi, że tym, co kobiety dają mężczyznom, jest ugruntowanie, a tym, co mężczyźni dają kobietom, jest ukierunkowanie. Nie chcę się wdawać w dyskusje, czy to prawda, czy nie, ale wydaje się to prawdą. Treya ofiarowała mi grunt pod nogami, a teraz czułem się uziemiony, niezdolny do ucieczki. Ja dałem jej kierunek, a teraz stało się to bezcelowym błądzeniem w kręgach depresji.

Sobota zaczęła się od podniecającej zmiany pogody – jest pięknie, jasno, słonecznie. Zaproponowałam Kenowi, żebyśmy poszli coś zjeść do naszej ulubionej restauracji. Był dziwnie ponury, przygnębiony jak zwykle, ale jakoś inaczej. Spytałam go, o co chodzi. „Chodzi o moje pisanie.

Wciąż mi się wydaje, że pragnienie pisania powróci, ale jakoś nie wraca. Wiem, że też czujesz się źle z tego powodu i naprawdę jest mi bardzo przykro. Nie mam pojęcia, co się dzieje. To nie jest żadna blokada, jak wtedy, kiedy ktoś chce pisać, ale nie może. Ja po prostu nie chcę pisać. Szukam tego zwariowanego daimoniona, ale nigdzie go nie ma. To głównie mnie przeraża".

Było mi przykro z tego powodu. Z Kenem jest coraz gorzej, jest bardzo zmęczony życiem. Tego wieczoru przyszło do nas parę osób i Ken przez cały czas jakoś dawał sobie radę, dopóki ktoś go nie spytał o pisanie. Był to człowiek, którego nie znaliśmy zbyt dobrze i który był wielkim fanem pracy Kena, czytał wszystkie jego książki. Ken wziął się w garść i grzecznie wytłumaczył, że od jakiegoś czasu nie napisał niczego większego i czuje, że jego czas jako pisarza przeminął, bo od dawna próbuje wzbudzić w sobie pragnienie pisania, a ponieważ nie zauważa żadnego przebłysku tego pragnienia, doszedł do wniosku, że wszystko skończone. Mężczyzna nieco się rozgniewał – jak wielki Ken Wilber śmiał przestać pisać?! Jak gdyby Ken był mu coś winien. A potem nasz gość zapytał: „Jak to jest, kiedy człowieka uznają za najwybitniejszego filozofa świadomości od czasów Freuda, a on czuje, że się skończył?". Wszyscy spojrzeli na Kena. Przez jakiś czas siedział bardzo cicho, patrząc prosto na tego mężczyznę. Cisza była jak makiem zasiał. W końcu powiedział: „To za dużo radości dla jednego człowieka".

Z powodu mojej depresji Treya miała za mało siły i spokoju dla własnych problemów, ponieważ tak wiele energii poświęcała na radzenie sobie ze mną czy raczej – z brakiem mnie. Jej psychikę rozsadzał ciągły strach przed nawrotem, z którym w innym przypadku dałaby sobie radę, zwłaszcza przy mojej pomocy.

Poniedziałek w nocy. Ból jest naprawdę okropny. Obudził mnie o czwartej rano. Tak jest od tygodnia. Bardzo określony ból. Nie mogę go dłużej ignorować. Myślę, że to nawrót... że to przerzuty do kości – bo cóż innego mogłoby to być? Gdybym mogła sobie powiedzieć, że to co innego... ale nie mogę. Jest coraz gorzej. Myślę o śmierci. Być może wkrótce umrę.

O Boże, jak to możliwe? Mam dopiero trzydzieści osiem lat – to niesprawiedliwe, nie tak szybko! Daj mi choć czas, bym mogła wszystko wynagrodzić Kenowi, wyleczyć jego rany odniesione w walce z rakiem, która zaczęła się niemal w chwili, kiedy się poznaliśmy. Pomóż mi chociaż w tym. Jest wyczerpany, zmęczony; myśl o kolejnej rundzie cierpienia nas obojga jest nie do zniesienia.

O Boże, mogę umrzeć w tym właśnie domu. Trudno mi nawet myśleć o tym, że znowu mogłabym utracić włosy. Tak wcześnie – zbyt wcześnie – minęło dopiero cztery i pół miesiąca od mojej ostatniej terapii, dopiero od dwóch miesięcy mam wystarczająco dużo włosów, żeby nie nosić tych przeklętych kapeluszy. Chcę, żeby to się skończyło, żebym mogła pomóc Kenowi wydźwignąć się, rozpocząć pracę w Towarzystwie Wspomagania Chorych na Raka i pomagać innym. O Boże, proszę, niech to będzie fałszywy alarm. Niech to będzie wszystko, tylko nie rak. Proszę przynajmniej o powrót do zdrowia przed nawrotem!

W miarę jak dopełniała się moja gorycz, sarkazm, urazy, depresja i wyczerpanie, Treya stawała się coraz bardziej obronna, obsesyjna, wymagająca, nawet przykra. Oboje baliśmy się tego, co się działo; oboje wiedzieliśmy, że przyczyniamy się do zamieszania, i żadne z nas nie miało siły tego powstrzymać.

Parę dni później Treya osiągnęła dno. Oboje je osiągnęliśmy.

Zeszłego wieczoru Ken zarzucił mi, że wychodzę sobie z domu i robię, co mi się podoba, dystansując się do jego problemów. Potem powiedział, żebym ratowała się sama, że to już tak długo trwa i wcale nie jest lepiej. Było mi bardzo smutno, nawet trochę płakałam, ale on tego nie zauważył. Tej nocy nie mogłam usnąć, ciągle chciało mi się płakać. W końcu wstałam, poszłam na górę i włączyłam telewizję, by płakać w ukryciu. Czułam się strasznie, jakbym zrujnowała mu życie. On mi mówi, żebym się ratowała sama. Czy mam wskoczyć do jakiejś łodzi ratunkowej, pozostawiając go na tonącym statku? Rani go wszystko, co robię. Czułam, że moja osobowość, moje cechy charakteru powodują u niego ogromny ból i że to rzeczywiście było główną przyczyną jego wyczerpania w ostatnim roku. Okropnie oddalamy się od siebie.

Teraz mam kompletny zamęt w głowie i jestem zupełnie bezradna. Wszystko spieprzyłam – zrujnowałam życie mojego Kena. Czuję, że mu to zrobiłam – oczywiście nieświadomie – i to tak bardzo boli. Nie wiem, jak to naprawić. Nie chcę go już obciążać. Nie ufam sobie, nie ufam moim uczuciom – mam wrażenie, że wszystko, co robię, może go zranić. Nawet to, że jestem sobą, rani go, bo jestem zbyt *jang,* zbyt uparta, kontrolująca, nieczuła, egoistyczna. Może potrzebuję kogoś prostszego, mniej wrażliwego, mniej inteligentnego, kogo nie raniłabym swoją osobowością. I być może on potrzebuje kogo innego, kogoś delikatniejszego, bardziej kobiecego i wrażliwego. Boże, jak to boli.

Już sobie nie ufam. Wszystko, co robię, jest dla niego bolesne. Kiedy dzielę się z nim swoimi problemami, czuję, że być może powinnam być bardziej optymistyczna i afirmująca. Nawet teraz płaczę w samotności. Nie ufam swoim łzom. Może po prostu znowu usiłuję zwrócić na siebie jego uwagę, podczas gdy to on potrzebuje mojej? Czy jest mi żal tylko samej siebie, czy naprawdę nie umiem pamiętać o jego potrzebach? Czy jeżeli zbliżę się do niego, to nie będę wymagać od niego czegoś, czego on nie ma, zamiast pomóc mu i wesprzeć go? Już sobie nie ufam. Prowadziłam wewnętrzne rozmowy z Kenem, wściekając się na niego, myśląc o samotności. Uświadamiam sobie, że nie mam z kim porozmawiać i podzielić się swoimi najbardziej przerażającymi myślami. Przez cały czas robiłam to z Kenem, ale teraz wygląda na to, że zmęczyłam go swoimi wymaganiami, uporem i skargami. Jeżeli nie mogę porozmawiać z Kenem o tych uczuciach, bo chcę go oszczędzić, to w tej chwili nie mam nikogo, z kim mogłabym być szczera. Robię przegląd moich przyjaciół i naprawdę nie znajduję nikogo, z kim mogłabym tak porozmawiać. Zdaje się, że niszczę własne małżeństwo.

Czytam *Kurs cudów,* proszę Boga o pomoc, nie daję rady sama, wszystko mi się pochrzaniło, błagam, pomóż mi, wskaż mi drogę, jakąkolwiek drogę. Nie chcę już ranić Kena. Kiedy pomyślę o tym, jaki był kiedyś... jego śmiech, mądrość, urok osobisty, pasja życia, miłość do pracy – Boże drogi, błagam, pomóż mu.

Nigdy się nie dowiem, jakie to dla niego trudne – trwać przy mnie przez cały ten czas, choć przecież nawet nie znaliśmy się dobrze. Dźwigał mnie tak długo. Nigdy się nie dowiem.

Cierpienie było dla nas po prostu nie do zniesienia. Niepokój psychiczny zdawał się nie mieć końca; jakbym wpadał w czarną otchłań bólu, skąd nic się nie może wydostać, nawet oddech.

Im większa miłość, tym większe cierpienie. Nasza miłość była ogromna, cierpienie zaś wprost proporcjonalne do niej. Z tego cierpienia powstały urazy, gniew, gorycz, obwinianie się nawzajem.

Straszny żal, że tak się zmienił. Powiedział, że przestał dla mnie robić różne rzeczy, bo czuje się wyczerpany. Wydaje mi się, że po prostu jest na mnie wściekły. Czasami czuję, że mi nie wybaczył, może dlatego, że sama sobie nie wybaczyłam. Ale jestem na niego zła, zła za to, że doprowadził się do takiego stanu, za ton jego głosu – ten ciągły fałsz – za to, że czasami jest taki trudny! Boję się, że mnie zostawi, po chwili zaś wydaje mi się, że to ja

> powinnam go zostawić, wyjechać gdzieś sama. Jakie to proste. I jakie przyjemne.
>
> Zeszłej nocy żadne z nas nie mogło usnąć, więc zaczęliśmy rozmawiać. Mówiłam, że czasami myślę o tym, by go opuścić, właściwie dosyć często. Że czuję, iż nie jestem w stanie nic zrobić, żeby go uszczęśliwić. Powiedział, że niekiedy też o tym myśli. Pojechałby do Bostonu. W pewnej chwili wstał z łóżka i powiedział, że mogę sobie zatrzymać Tahna [nasz pies]. Kiedy wrócił, powiedziałam, że nie chcę Tahna, że chcę jego. Usiadł i spojrzał na mnie, w oczach miał łzy. Zaczęłam płakać, ale żadne z nas nie poruszyło się. Oboje czujemy, że nie można już tak dalej. Chcę mu przebaczyć, ale teraz nie mogę, może jestem za bardzo zła. I wiem, że on mi nie wybaczył. Myślę nawet, że już mnie nie lubi.

Następnego dnia pojechałem do sklepu Andy'ego. Wyglądało na to, że co tylko mogło się zepsuć, już się zepsuło. Wszystko stało się płaskie, żadne doświadczenie nie miało już smaku, niczego nie chciałem, niczego nie pragnąłem, na nic nie czekałem. Chciałem się tylko uwolnić. Trudno teraz wyrazić, jak mroczny czasami może być świat.

Jak już powiedziałem, nasze nerwice wyszły na powierzchnię wyolbrzymione i wzmocnione przerażającymi okolicznościami. Kiedy czegoś się boję, kiedy ogarnia mnie strach, zwykła dla mnie jasność sądu, którą można ogólnie określić jako bystrość, zamienia się w sarkazm i zgryźliwość, zgorzkniały stosunek do otoczenia – nie dlatego, że jestem zgryźliwy z natury, ale dlatego, że się boję. Zakończę cytatem z Oscara Wilde'a: „On nie ma wrogów, ale wszyscy przyjaciele serdecznie go nie lubią".

Kiedy Treyę ogarnia strach, jej siła zmienia się w sztywność, w szorstki upór, w próbę kontrolowania i zawłaszczania.

I rzeczywiście tak się działo. Nie mogłem otwarcie i bezpośrednio wyładować na niej swojego gniewu, więc bezustannie atakowałem ją sarkazmem. A ona w swej nieustępliwości zawłaszczyła większość najważniejszych decyzji w naszym życiu. Czułem, że w ogóle nie mam kontroli nad swoim życiem, bo Treya zawsze miała w ręku kartę atutową: „Ale ja mam raka".

Podzieliliśmy naszych przyjaciół: jej przyjaciele uważali, że jestem najwyraźniej złym człowiekiem, ja zaś próbowałem przekonać swoich, że z nią nie sposób żyć. I oboje mieliśmy rację. Gdy Treya pojechała na trzydniowe odosobnienie z dwójką swych najlepszych przyjaciół – nawiasem mówiąc, w tym czasie kazała im ubierać się poza pokojem, żeby zyskać dodatkowe pół godziny snu – po powrocie wzięli mnie na bok i powiedzieli: „Ona jest taka apodyktyczna, taka kontrolująca, jak ty z nią możesz wytrzymać na co dzień? My ledwo wytrzymaliśmy trzy dni". Z kolei po wieczorach spędzonych z rodziną albo przyjaciółmi Treyę odciągano na bok i pytano: „Jak ty z nim wytrzymujesz? On jest jak grzechotnik. Czy on wszystkich nienawidzi?".

Mój fałsz zderzał się z jej nieustępliwością, a rezultaty były niszczące dla nas obojga. Nie czuliśmy nienawiści do siebie, czuliśmy nienawiść do swoich neurotycznych pajaców, które krążyły w jakiejś spirali śmierci – im gorsze się stawało jedno z nas, tym gorzej reagowała druga strona.

Jedynym sposobem na przerwanie tego błędnego koła było zniszczenie go. W końcu niewiele mogliśmy zrobić z okolicznościami lub samą chorobą. Oboje na tyle dobrze znaliśmy to, z czym mieliśmy do czynienia, by wiedzieć, że aby przełamać neurotyczną depresję, trzeba dotrzeć do gniewu czającego się pod jej powierzchnią. Ale jak gniewać się na kogoś, kto ma raka? I jak wściekać się na człowieka, który był z tobą na dobre i na złe przez dwa lata?

Wszystko to kotłowało się w mojej głowie, gdy szedłem do Andy'ego. Przez pół godziny oglądałem różne pistolety. Co mam wziąć: rewolwer czy dubeltówkę? Hemingwaya, który będzie wymagał trochę mocnego drutu? Im dłużej chodziłem po sklepie, tym bardziej robiłem się zły. W końcu zaświtało mi: naprawdę chcę kogoś zabić. I to nie siebie.

W domu zaczęło się. Usiadłem przy biurku w salonie, by nad czymś pracować. Treya weszła z gazetą i zaczęła strasznie szeleścić. Muszę zaznaczyć, że w naszym domu jest jeszcze kilka innych pokoi, ale pod wpływem jednego ze swych przerażających, „zawłaszczających" nastrojów Treya zażądała tych pomieszczeń dla siebie (dwa biura i pracownia). Oczywiście zgodziłem się (trzeba być miłym dla chorego na raka). Usunąłem bar z jednego końca salonu i urządziłem tam swój gabinet. Był to mój kąt w domu, jednocześnie jedyna przestrzeń w moim życiu, nad którą miałem kontrolę, a ponieważ nie było drzwi, stałem się niezwykle wymagający wobec osób, które wchodziły do salonu, kiedy pracowałem.

– Czy mogłabyś wyjść? Ten szelest doprowadza mnie do białej gorączki.

– Ale ja lubię tu czytać gazetę. To moje ulubione miejsce. Naprawdę cieszyłam się, że tu sobie poczytam.

– To mój gabinet. Masz swoje pokoje. Idź do któregoś.

– Nie.

– Nie? Nie? Co ty mówisz? Słuchaj, nikt nie może wchodzić do tego pokoju, kiedy pracuję. Nikt, kto nie ma wykształcenia wyższego niż średnie albo nie umie czytać gazety, nie poruszając ustami.

– Nie cierpię, kiedy jesteś taki wstrętny. Nadal zamierzam tu czytać.

Wstałem i podszedłem do niej.

– Wynoś się.

– Nie.

Zaczęliśmy się na siebie coraz głośniej wydzierać, krzyczeliśmy rozwścieczeni.

– Wynoś się, ty przeklęta, obrzydliwa dziwko!

– Sam się wynoś!

Uderzyłem ją. Jeszcze raz. I jeszcze. Wciąż się darłem: „Wynoś się, do diabła, wynoś się!". Biłem ją, a ona krzyczała: „Nie bij! Nie bij!".

W końcu upadliśmy na sofę. Nigdy przedtem nie uderzyłem kobiety i oboje o tym wiedzieliśmy.

– Odchodzę – powiedziała. – Wracam do San Francisco. Nienawidzę tego miejsca. Nienawidzę tego, co sobie tutaj robimy. Możesz tam przyjechać albo zostać tutaj. Twoja sprawa.

– Boże, jak tu pięknie! Spójrz na to! Jest po prostu pięknie!

Nie mówię do nikogo określonego. Moją maleńką latarką oświetlam sobie drogę do drugiego pokoju i gdy się zatrzymuję, całkowicie pochłania mnie to, co widzę. Pierwsza myśl, jaka mi przychodzi do głowy: to jest Raj. To jest rajski ogród.

Po lewej stronie, tam gdzie powinno być biurko, rozciąga się gęsta dżungla, tysiące zielonych drzew, dzika przyroda, zabłąkana we mgle. W samym środku tego pysznego lasu rośnie ogromne drzewo, górnymi gałęziami sięgając deszczowych chmur, oświetlone zbłąkanymi promieniami słońca. Jest tak idyllicznie, tak spokojnie, tak absolutnie cudownie, że...

– Tędy, proszę.

– Co? Słucham?

– Tędy, proszę.

– Kim jesteś? Nie dotykaj mnie! Kim jesteś?

– Tędy, proszę. Chyba się zgubiłeś.

– Nie zgubiłem się. To Treya się zgubiła. Słuchaj, nie widziałeś kobiety, bardzo piękna blondynka...

– Jeżeli się nie zgubiłeś, to gdzie jesteś?

– No, dobrze, myślałem, że to mój dom, ale...

– Tędy, proszę.

Kiedy później powracaliśmy do tego, czuliśmy, że ten incydent był punktem zwrotnym w naszym życiu – nie dlatego, że uderzenie kogoś nie jest powodem do dumy, ale dlatego, że ukazał, jak bardzo oboje byliśmy zrozpaczeni. Treya trochę zrezygnowała ze swojej apodyktyczności – nie z lęku, że ją znowu uderzę, ale dlatego, że zaczęła sobie uświadamiać, jak silnie oparte na strachu były jej tendencje do zawłaszczania wszystkiego. Ja zacząłem się uczyć ustanawiania granic i zgłaszania swoich potrzeb komuś, kto jest poważnie chory.

On teraz walczy o przestrzeń dla siebie, nie jest już tak usłużny – i to dobrze, bo już nie muszę zużywać tyle energii na zastanawianie się i domyślanie, co go może uszczęśliwić, a potem nie muszę mieć poczucia winy, kiedy się okazuje, że go nie rozumiem. Kiedyś pragnęłam, żeby mnie bezwarunkowo wspierał (i robił to!), teraz potrzebuję, żeby się sprzeciwiał, zwłaszcza że jestem dosyć uparta. Musi wywierać na mnie presję tak długo, aż ulegnę, jeżeli to dla niego ważne.

Od tamtego momentu powoli robiło się coraz lepiej. Wciąż mieliśmy dużo zajęć – zaczęliśmy spotykać się z naszym starym przyjacielem Seymourem Boorsteinem na terapii par – i gdzieś po roku wszystko wróciło do normy: powróciła niezwykła miłość, którą zawsze do siebie czuliśmy i która nigdy nie umarła, tylko na długi czas pogrążyła nas w niesłabnącym bólu.

10

Czas zdrowienia

– Halo, czy mówię z panem Wilberem? – Siedziałem na werandzie naszego domu, który dopiero co wynajęliśmy w Mill Valley, patrząc niewidzącym wzrokiem na gęste sekwoje, z których słynęła ta okolica.

– Tak.

– Nazywam się Edith Zundel. Jestem z Bonn, z RFN. Wraz z moim mężem Rolfem piszemy książkę opartą na rozmowach z kilkunastoma czołowymi psychologami z całego świata. Chciałabym przeprowadzić z panem wywiad.

– Doceniam to wyróżnienie, Edith, nie udzielam jednak wywiadów. Ale dzięki i życzę szczęścia.

– Mieszkam u Frances Vaughan i Rogera Walsha. Przebyłam długą drogę i naprawdę bardzo chciałabym z panem porozmawiać. To nie zajmie dużo czasu.

Trzy wiewiórki przeskakiwały z jednej ogromnej sekwoi na drugą. Próbowałem się domyślić, czy się bawią, czy romansują.

– Posłuchaj, Edith. Dawno temu zdecydowałem, że nie będę udzielać wywiadów ani w żaden inny sposób występować publicznie jako nauczyciel. Powodem tego postanowienia – poza tym, że występując publicznie strasznie się denerwuję – jest to, że ludzie od razu chcą widzieć we mnie jakiegoś mistrza, guru albo nauczyciela, a nie jestem żadną z takich osób. W Indiach odróżnia się pandita od guru. Pandit to zwykły uczony albo uczony-praktyk, osoba, która bada np. jogę i również ją praktykuje, ale nie jest to człowiek oświecony. Guru natomiast to oświecony mistrz i nauczyciel. Ja jestem panditem, a nie guru. W praktyce jestem takim samym początkującym jak każdy inny. W ciągu ostatnich piętnastu lat udzieliłem może czterech wywiadów. Czasami pisemnie odpowiadam na pytania, ale to wszystko.

– Rozumiem, panie Wilber, ale synteza psychologii wschodniej i zachodniej jest tylko i wyłącznie pańskim dziełem i chciałabym porozmawiać z panem jako naukowcem, a nie guru. Pańskie prace są niezwykle popularne w Niemczech, nie tylko w mało znanych środowiskach, ale także w najbardziej liczących się kręgach akademickich. Wszystkie pańskie książki zostały przetłumaczone na niemiecki.

Trzy wiewórki zniknęły w gęstym lesie.

– Tak, moje książki są wielkim hitem w Niemczech i w Japonii – zdecydowałem się przekonać, czy ma poczucie humoru. – Wiesz, to takie dwa państwa miłujące pokój.

Edith długo się śmiała, a potem powiedziała:

– Przynajmniej potrafimy docenić geniusza, kiedy go dostrzeżemy.

– Chyba szalonego geniusza. Mojej żonie i mnie było ostatnio bardzo ciężko.

Zastanawiałem się, czy na wiewiórki jakoś się woła. Chodź tu, wiewióreczko...

– Frances i Roger powiedzieli mi o Terry. Bardzo mi przykro. To takie zupełnie bezsensowne.

W Edith było coś bardzo miłego, co dało się odczuć nawet przez telefon. Wtedy jeszcze nie wiedziałem, jak ogromną rolę odegra w naszym życiu.

– OK, Edith, przyjedź dziś po południu. Porozmawiamy.

Przeprowadziliśmy się do Bay Area, małego miasteczka Mill Valley, z powrotem do naszych przyjaciół, do naszych lekarzy, do wszystkiego, co stanowiło dla nas cały system oparcia. To, co wydarzyło się w Tahoe, było klęską i wciąż dochodziliśmy do siebie. Ale uczyniliśmy najważniejszy krok. Nawet już w Tahoe – gdy podjęliśmy decyzję o wyjeździe – wszystko zaczęło wracać do normy. Zwłaszcza Treya zaczęła odzyskiwać swój niezwykły spokój, równowagę i siłę. Zaczęła medytować i – jak już wcześniej powiedziałem – znowu spotykaliśmy się z Seymourem, co powinniśmy byli robić od samego początku.

I tak oto zaczęliśmy przerabiać proste lekcje, poczynając od akceptacji i przebaczenia. Oto, co napisano w *Kursie cudów:*

> Czy jest coś, czego nie może dać przebaczenie? Chcesz pokoju? Przebaczenie go ofiaruje. Chcesz szczęścia, spokoju umysłu, pewności celów, poczucia wartości i piękna, które przekraczają świat? Chcesz poczucia bezpieczeństwa, ciepła i niezawodnej opieki? Chcesz niezmąconego spokoju, delikatnych, trwałych uczuć, głębokiej ulgi – doznań tak doskonałych, że nie można ich zakłócić?
>
> Wszystko to – i jeszcze więcej – daje przebaczenie.
> Przebaczenie jest wszystkim, czego chcę.
> Dziś przyjąłem to jako prawdę.
> Dziś przyjąłem dary Boga.

Zawsze podobało mi się zawarte w *Kursie* podejście do przebaczenia jako drogi przypomnienia sobie prawdziwego Ja. Jest to podejście dosyć niezwykłe; można je odnaleźć również w wielkich tradycjach, tych, które kładą nacisk na pewną formę ćwiczenia świadomości. Teoria jest prosta: ego, poczucie odrębnego ja, to konstrukcja nie tylko poznawcza. Ego opiera się również na emocjach. Podstawowym zaś uczuciem ego, zgodnie z tą nauką, jest strach, po którym pojawia się żal. Upaniszady ujmują to następująco: „Tam, gdzie pojawia się inne, tam jest i strach".

Inaczej mówiąc, kiedy dzielimy świadomość na podmiot i przedmiot, na ja i inne, wówczas ja czuje strach, gdyż na zewnątrz jest inne, które może je zranić. Ze strachu wyłania się żal. Jeżeli będziemy się identyfikować tylko z małym ja, inne będzie je ranić, obrażać. Ego zbiera te ciosy, obelgi i rany, gdyż bez nich byłoby niczym, choć zachowuje urazę.

Aby poradzić sobie z żalem, ego przede wszystkim próbuje nakłonić inne do przyznania się do winy. „Ranisz mnie; powiedz «przepraszam»". Wtedy czasami ego przez chwilę czuje się lepiej, ale nie usuwa to podstawowej przyczyny. Nawet jeżeli rozmówca przeprosi, bardzo prawdopodobnym efektem tego będzie nienawiść: „Wiem, że mi to zrobiłeś; sam się przyznajesz!". Podstawowe nastawienie ego: nigdy nie przebaczyć, nigdy nie zapomnieć.

Ego nie chce przebaczyć, gdyż podkopałoby to jego istnienie. Wybaczenie zniewag, rzeczywistych czy urojonych, oznaczałoby osłabienie granicy pomiędzy ja i innym, zniszczenie rozdziału pomiędzy podmiotem i przedmiotem. Przebaczając, odpuszczając zniewagi, świadomość opuszcza ego – i staje się Świadkiem, Ja, które tak samo postrzega podmiot i przedmiot. Zgodnie z *Kursem* przebaczenie to sposób na odpuszczenie ja i przypomnienie sobie Ja.

Praktyka ta okazała się dla mnie niezwykle użyteczna, zwłaszcza wówczas, gdy nie miałem siły medytować. Moje ego było tak poobijane, tak poranione – zebrałem tyle obelg (rzeczywistych i urojonych) – że tylko przebaczenie mogło ukoić ból zamknięcia się w sobie. Im bardziej czuję się zraniony, tym bardziej zamykam się w sobie, co sprawia, że istnienie innego jest jeszcze boleśniejsze. Gdy czułem, że nie mogę wybaczyć innemu „nieczułości" (i gdy bolało zamknięcie się w sobie), stosowałem afirmację z *Kursu*: „Bóg jest miłością, z którą przebaczam".

W Trei zaszła głęboka zmiana wewnętrzna, psychologiczna, dzięki czemu przystąpiła do rozwiązywania najważniejszej i najtrudniejszej kwestii swojego życia. Przyniosło to rezultaty rok później, kiedy zmieniła imię z Terry na Treya. Zmianę tę nazwałem: „od działania do bycia".

> Hura! Znowu mam okres. Może jednak będę mogła urodzić dziecko Kena! Sprawy niewątpliwie zaczynają się poprawiać. Wraca energia. Częściej zdarzają się chwile prawdziwego spokoju i radości, częściej niż przedtem, ale równocześnie czuję się również spokojniejsza, a zwłaszcza mniej nerwowa.
>
> Okazuje się, że Ken ma jakąś infekcję wirusową, którą złapał prawdopodobnie w zeszłym roku w Incline. Doktor Belknap odkrył to dzięki badaniom krwi – to ten sam lekarz, który wykrył mój guzek. Ken był sceptyczny – myślał, że ma poważną depresję – i poradził się jeszcze dwóch innych lekarzy i obaj postawili tę samą diagnozę. Przestał więc uważać swoje wyczerpanie za depresję i dosłownie w ciągu nocy zmieniło się jego zachowanie. Nadal jest trochę niespokojny, ale depresja zniknęła wraz z właściwą diagnozą. Wciąż ma wirusa – najwyraźniej nie jest to

zakaźne – ale uczy się, jak sobie z nim radzić. Wróciła mu energia. Boże, przez co on musiał przejść, kiedy był chory i nie wiedział o tym! Powiedział mi, że był bliski samobójstwa, co mnie naprawdę przeraziło. Jedynym powodem mojego lęku przed rakiem było to, że nie chciałam opuścić Kena. Gdyby on popełnił samobójstwo, nie wiem, co bym zrobiła. Może poszłabym w jego ślady – tak wtedy czułam.

Jedną z dobrych rzeczy, które wydarzyły mi się w zeszłym roku, było odkrycie, że znacznie zmniejszył się mój perfekcjonizm. Pajac sprawiał mi wiele kłopotów – wzmacniał samokrytycyzm, mojego skorpiona. „Zawsze pracuję nad sobą" – stwierdzenie, które oznacza, że taka, jaka jestem, nie jestem w porządku. Dostrzeżenie tego w materialnym świecie, na przykład w czasie urządzania domu w Tahoe (wszystkie te drobiazgi, które po prostu musiały być „na miejscu"), i zdanie sobie sprawy ze wszystkich kłopotów, których w związku z tym doświadczałam, pomogło mi osłabić to niszczące dążenie.

Teraz jestem bardziej skłonna akceptować rzeczy takimi, jakie są. Żal, który odczuwałam z powodu swojej sztywności, przekonanie, że wszystko musi być w porządku... Życie w materialnym świecie, nie mówiąc już o świecie psychiki, jest najeżone trudnościami. Jeżeli możemy sprawić, że wszystko jest w porządku, to wystarczy. Perfekcyjność prowadzi tylko do problemów. Jeżeli dążymy do tego, żeby wszystko było w idealnym porządku, wówczas osiągamy bardzo niewiele. Tracimy czas na szczegóły (jedna z moich specjalności). Tracimy szerszą perspektywę, umyka nam znaczenie wszystkiego. Teraz mniej mi zależy na perfekcji, więcej zaś na akceptacji i przebaczeniu.

Odczuwam też większą pokorę. Widzę wyraźniej, że moje problemy, sprawy, z którymi muszę sobie w życiu radzić, są prawie dokładnie takie same jak u innych ludzi: kłopoty w przyjaźniach i w małżeństwie, problemy w kontaktach z ludźmi, wątpliwości i strach, kłopoty finansowe, kwestia tego, jak przysłużyć się światu, niepewność co do swojego powołania, pragnienie odnalezienia znaczenia w całym tym bólu, który stał się naszym udziałem... Myślę, że zawsze żyła we mnie mała dziewczynka z domku na wzgórzu, która zawsze była inna. Teraz odkrywam, że nie jestem inna, że moje sprawy to archetypy, z którymi ludzie żyli przez stulecia. Razem z tym odkryciem przychodzi uczucie pokory, nowy poziom akceptacji rzeczy takimi, jakie są, nowy rodzaj pogodzenia się ze stanem rzeczy. I – co jest przyjemne – większe poczucie związku z innymi, zupełnie jakbyśmy byli częściami jedności, borykającymi się z tymi samymi problemami i podlegającymi temu samemu procesowi. Lecz to, że nie jestem inna, nie znaczy, że nie jestem odrębna.

Punkt ciężkości przeniósł się na życie chwilą bieżącą. Czuję się bardziej rozluźniona, robiąc to, co robię, nawet jeżeli nie daje to satysfakcji mojej podosobowości człowieka dążącego do osiągnięć. Po prostu robię to, co jest do zrobienia. Odsuwam od siebie niecierpliwość i rąbię ten konkretny kawałek drewna, który leży przede mną, nie rozglądając się za innym, i czerpię wodę z pobliskiego źródła, nie udając się w podróż w poszukiwaniu innego. Daję sobie czas na leczenie. Pozwalam, by powstała otwarta, cicha przestrzeń i obserwuję, co się z niej może wyłonić.

Ważne są spacery i wycieczki – wszystko, co znów kieruje mnie ku mojej sile, co jest fizycznym wyzwaniem i przypomina o ulotnym pięknie zachodów słońca, kojącym szumie wiatru w drzewach i promieniu słońca odpoczywającym w kropli wody.

Ostatnio najzdrowszym dla mnie zajęciem stało się uprawianie ogródka. Chodziłam tam prawie codziennie, przekopywałam grządki (co oznaczało wykopywanie najrozmaitszych kamieni), sadziłam sałatę, kalafiory, pomidory, siałam groszek, szpinak, marchewkę, ogórki i rzodkiewki. Każde nasionko wygląda inaczej, niektóre są tak maleńkie, że trudno uwierzyć, iż zawierają tyle informacji genetycznych, niektóre mają dziwne kształty. Sianie roślin trwało tygodnie – niektóre posiałam pewnie zbyt późno, ale nieważne, co z tego wyrośnie (i ja to mówię, ja – producent!), po prostu sprawia mi rozkosz widok pierwszych pędów zaczynających się przedzierać przez starannie przygotowaną ziemię, a potem następnych, tych, które określają tożsamość rośliny; patrzę, jak każda roślina staje się sobą... Groszek i jego maleńkie, skręcone wąsiki – chyba najbardziej lubię obserwować właśnie groszek. Oczywiście kopanie grządek odbiło się na moich plecach, ale satysfakcja płynąca z przygotowania dobrej ziemi dla roślin i obserwowanie ich reakcji są niewiarygodnie uzdrawiające. Czuję, że przez ogród mam kontakt z życiem. Dobrze jest opiekować się roślinami zamiast sobą. Dobrze jest móc dawać, zamiast brać. Dobrze jest widzieć owoce swojej pracy, zamiast być tą, nad którą się pracuje; opiekować się Kenem, zamiast potrzebować jego opieki.

Pamiętam, jak przez całe lata usiłowałam znaleźć cel w życiu, wciąż czegoś szukając, czegoś pragnąc. Widzę siebie, jak po coś sięgam, czegoś potrzebuję, pożądam. Nie przyniosło mi to ani spokoju, ani mądrości, ani szczęścia. Wierzę, że jest to dla mnie lekcja. Teraz moją ścieżką jest buddyzm (ale mogę studiować również cokolwiek innego). Nie szukam jednak oświecenia. Nie dołączyłabym do grupy Księżyca w Pełni, składającej się z ludzi, którzy poświęcili się osiągnięciu w tym życiu pełnego oświecenia. Wiem, że ten rodzaj zobowiązania byłby dla mnie niebezpieczny; jest albo za wcześnie, albo to w ogóle nie jest droga dla mnie. Muszę się nauczyć, jak nie chcieć dojść donikąd. Jak rąbać drewno i nosić wodę. Nie sięgać po więcej, nie pragnąć więcej. Po prostu żyć i pozwalać...

Odkryłam, że ostatnio regularnie medytuję, po raz pierwszy od dłuższego czasu. Myślę, że to dlatego, iż zmieniłam swoje nastawienie. Teraz, kiedy siadam do medytacji, nie zastanawiam się w duchu, czy będę miała interesujące doświadczenie, czy zobaczę światło, czy poczuję ten przepływ energii. Nie siedzę z zamiarem „zrobienia postępów". Nie czuję głodu jakiegoś niezwykłego wydarzenia. To może nie jest do końca prawda, gdyż głód i pragnienie niekiedy się pojawiają. Ale je dostrzegam, uwalniam się i znowu wracam do koncentracji. Kiedy zastanawiam się, po co siedzę – a ta kwestia oczywiście pojawia się często – mówię sobie, że siedzę, żeby wyrazić siebie taką, jaka jestem w tej chwili. Siedzę, bo jest we mnie coś, co pragnie tego czasu cichej dyscypliny jako sposobu, by zaofiarować samą siebie. Jest to nawet pewien rodzaj afirmacji, a nie poszukiwanie. Być może później cel stanie się wyraźniejszy, pozbawiony tego pragnienia, do którego jestem przyzwyczajona. Może już jest obecny, tylko czeka, aż będę gotowa?

Z Kay Lynne tego wieczora. Kay mówiła, że niekiedy bardzo zazdrości innym i nie wie, co z tym zrobić. Chyba chodziło o Johna i brutalnie zniszczoną szansę na dalsze z nim życie [John w zeszłym roku został zamordowany przez włamywacza]. Domyślam się, że to, iż widzi mnie z Kenem, jeszcze pogłębia tę zazdrość. Wspomniała o przyjacielu, który miał do niej przyjechać, i zauważyła u siebie silne pragnienie wstąpienia w jakiś związek, chociaż on wyraźnie dał jej do zrozumienia, że nie zamierza się angażować.

– To takie okropne. Próbuję z tym walczyć, ale nie potrafię. Możecie mi coś poradzić?

– Sprawa stara jak świat. Pragnienie i niechęć – powiedziałam. – Rzeczywiście okropne, ale jak mówią buddyści, to jest przyczyną cierpienia. Moja jedyna propozycja – i to chyba może pomóc – pochodzi wprost z moich doświadczeń z medytacji *vipassana*. Po prostu zauważ to, obserwuj, doświadcz w pełni. Na przykład teraz jesteś świadoma, że tak się czujesz, że czujesz się nieszczęśliwa. To dobrze, że to dostrzegasz, że to obserwujesz.

– Już czuję się lepiej – powiedziała. – Nie wiem, dlaczego tyle razy muszę się tego uczyć od nowa. Już czuję ulgę.

– Według mojej własnej teorii nie musisz podejmować specjalnego wysiłku, aby zmienić albo powstrzymać jakieś zachowanie czy myśl, której nie akceptujesz. Ważne jest, by zobaczyć je wyraźnie, zaobserwować wszystkie aspekty, po prostu być świadkiem i za każdym razem, gdy się pojawiają, widzieć je i nie być zaskoczoną. Wydaje mi się również, że istnieje coś tajemniczego, co można by nazwać ewolucyjnym impulsem rozwoju w kierunku najpełniejszego potencjału, w kierunku Boga; gdy już rozwiniemy świadomość swojego problemu, owo tajemnicze coś może nas utrzymać na właściwej drodze do naprawy. Zmiana nie jest kwestią woli. Wola jest potrzebna do tego, by rozwijać świadomość, i to prowadzi w kierunku tej subtelnej, głębokiej, wewnętrznej przemiany. Ten rodzaj przemiany wiedzie na drogę, która jest poza granicami naszego zrozumienia i z pewnością poza zdolnością świadomego posługiwania się wolą. To jest raczej jak pozwolenie, otwarcie.

– Trochę jak łaska – powiedziała. – Dobrze wiem, co masz na myśli.

– Tak, dokładnie. Jak łaska. Nigdy wcześniej tak o tym nie myślałam.

Przypomniała mi się lekcja z *Kursu cudów,* która chodziła mi po głowie w ostatnich dniach. Oto jej końcowe wersy:

> Dzięki łasce żyję. Dzięki łasce jestem uwolniony.
> Dzięki łasce daję. Dzięki łasce będę uwalniał.

Słowa te nigdy przedtem do mnie nie docierały. Zbyt mocno przypominały mi ojcowską postać Boga, przebaczającego swym błądzącym, grzesznym dzieciom. Ale teraz stały się znaczące. Łaska to sposób na opisanie tego tajemniczego „czegoś", co nas leczy, prowadzi we właściwym kierunku, pomaga naprawić błędy.

Próbowaliśmy pozwolić tajemniczemu „czemuś" naprawić błędy, zagoić rany, które oboje odnieśliśmy w ciągu dwóch minionych lat. Wiedzieliśmy, że leczenie postępuje – i musi tak być – na wszystkich poziomach istnienia: fizycznym, emocjonalnym, umysłowym i duchowym. Dopiero zaczynaliśmy sobie zdawać sprawę z tego, że leczenie fizyczne, choć tak bardzo pożądane, często jest najmniej ważne albo też w najmniejszym stopniu wskazuje na prawdziwe zdrowie, czyli zdrowie duszy, powrót duszy do zdrowia. Podróżowaliśmy po Wielkim Łańcuchu Istnienia, poszukując uzdrowienia. I wspomagało nas tyle osób, zaczynając od Frances i Rogera.

A potem Seymour. To wysokiej klasy psychoanalityk, który doceniał niezwykłą wagę modelu freudowskiego, ale dość wcześnie zdał sobie sprawę z jego ogromnych ograniczeń. W swoim podejściu stosował więc także metody kontemplacyjne, zwłaszcza medytację *vipassana* i *Kurs cudów*. Poznaliśmy się dwa lata temu, kiedy zadzwonił do mnie, do Lincoln w stanie Nebraska, żeby porozmawiać o pewnych zagadnieniach teoretycznych związanych z syntezą metod psychoterapii Wschodu i Zachodu. Spodobała mu się moja praca i zaproponowany przeze mnie ogólny model świadomości, ponieważ gdy inni usiłowali wykorzystać teorię Carla Junga jako podstawę do łączenia podejścia Wschodu i Zachodu, ja wcześnie zdałem sobie sprawę, że lepszym punktem wyjścia (choć nie punktem końcowym) będzie Freud. Zasługi Junga są duże, ale popełnił również wiele poważnych i prowadzących na manowce pomyłek. Pogląd Seymoura był podobny i tak oto staliśmy się dobrymi przyjaciółmi.

W terapii często się zdarza, że naprawdę ważne rozwiązania problemów okazują się dosyć proste i oczywiste; trudne jest natomiast zastosowanie ich w codziennym życiu, gdyż wymaga to pozbycia się starych nawyków i zastąpienia ich nowymi. Seymour pomógł nam zwłaszcza zobaczyć, że ważne jest nie to, co sobie mówimy, lecz jak do siebie mówimy.

Uczę się skupiania na sposobie mówienia, nie tylko na treści. Często każde z nas czuje, że to, co mówi, jest całkowitą prawdą, ale oboje mówimy tę „prawdę" w sposób niemiły albo ze złością, obronnie lub prowokacyjnie. I wtedy nie rozumiemy, dlaczego drugi człowiek reaguje na to, co kryje się za naszym komentarzem, a nie na jego treść. Najważniejszy mój wgląd polegał na zrozumieniu, jak nasze zachowania obronne wchodzą w interakcję, tworząc negatywną spiralę reakcji. Ken ostatnio był niespokojny, co zdumiewało jego przyjaciół (i mnie), bo nigdy nie był nerwowy. Teraz złości się, co jest jego sposobem na kontrolowanie niepokoju. Nie widziałam niepokoju, tylko gniew, co oczywiście wzmagało mój podstawowy strach pochodzący z dzieciństwa – strach przed odrzuceniem i byciem niekochaną. Jak reaguję, kiedy czuję się niekochana? Wycofuję się, staję się chłodna, otaczam się pancerzem; tak samo wycofywałam się do swojego pokoju, żeby poczytać, kiedy byłam małą dziewczynką. Moje wycofywanie się sprawia, że Ken czuje się niekochany, co w nim wywołuje niepokój. Ja z kolei coraz bardziej się wycofuję, robię się sztywna, a potem bierze górę moja obsesyjna i kontrolująca natura z tendencją do wydawania rozkazów, co złości Kena... i tak dalej. Rozumiem, dlaczego w pewnym momencie Ken odmówił rozmowy na temat naszych spraw bez – jak się wyraził – „sędziego". Naprawdę mogliśmy się nieźle poturbować. Ale kiedy wchodzimy w tę spiralę w gabinecie Seymoura, nasza trójka niemal natychmiast dostrzega jej początek i momentalnie to naprawiamy. Najtrudniejsze jest oczywiście nauczenie się tego poza gabinetem.

Po czterech czy pięciu miesiącach z niezwykle delikatną pomocą Seymoura zaczęliśmy wszystko odkręcać. Wczesnym latem 1986 roku wypłynęliśmy na spokojne wody.

Niemożliwe, jest czerwiec. Ciągle mi się wydaje, że to maj. Czuję się tak, jakbym tu siedziała od zawsze – pisząc na komputerze. Ciągle robię maczkiem jakieś notatki na maleńkich kawałeczkach papieru i sama nie wiem, jak mi się potem udaje odcyfrować te nieczytelne znaki chwil wglądu, strachu, miłości, dezorientacji.

Ale teraz czuję się lepiej. O wiele lepiej. Moment przełomu mamy już chyba za sobą. Już nie walczymy, jak to nam się zdarzało w przeszłości. Nauczylismy się być bardziej uprzejmi dla siebie i dla innych. Potrzebna jest do tego świadomość, trochę wysiłku, żeby uchwycić reakcję, impuls. Wybuchnąć – i zobaczyć pod tym strach, ukryty w pragnieniu ranienia siebie nawzajem. Nad tym właśnie pracowaliśmy z Seymourem. I wszystko się zmienia.

Dobry przykład. Kiedy braliśmy razem prysznic, Ken spytał mnie, czy uważam, że dobrze zrobiliśmy, wprowadzając się do tego domu. Powiedziałam, że tak, że dobrze, że tu jest więcej miejsca, można więc wypakować książki. Poprzedni dom był zbyt mały, żeby zmieściła się w nim biblioteka Kena. Odpowiedział, że nie zależy mu teraz na książkach, że wolałby raczej oddać się praktyce duchowej. Poczułam się zraniona, bo kiedyś winił mnie za to, że nie może pisać, a teraz twierdzi, że nie zależy mu na książkach. Cały ranek byłam zła i obrażona, ale przynajmniej dzięki Seymourowi nie zwaliłam wszystkiego na Kena. Nic nie powiedziałam. Ale moja pierwszą reakcją był gniew i poczucie krzywdy.

A potem następna reakcja: poczekaj chwilę, jak to się wszystko zaczęło? Zaczęłaś zachowywać się obronnie, prawda? Dlaczego? Och, czułaś, że Ken cię oskarża o to, że nie pisze. To rzeczywiście tak brzmiało, jakby cię oskarżał. Dlaczego miałby to robić? Może nie chce czuć się odpowiedzialny, łatwiej mu myśleć, że to twoja wina. Co się za tym kryje? Może się boi, że to jego wina? Może nie chce brać na siebie odpowiedzialności za to, że nie pisze? Dlaczego to dopiero teraz wyszło? Aha, nowy dom z miejscem dla jego książek. Boi się, że tutaj ludzie mogą czegoś od niego oczekiwać, że będą oczekiwać, iż wreszcie będzie pisał. Tak, to chyba o to chodzi. Boi się, że nie będzie mógł sprostać oczekiwaniom i broni się, boi się porażki i uderza w ciebie.

Im wyraźniej widziałam strach leżący u podłoża konfliktu, tym bardziej moja pierwsza reakcja traciła na znaczeniu. Gdy odkryłam jego strach, od razu poczułam ogromne współczucie. Zamiast pragnienia obrony w obliczu „ataku" Kena, czuję pragnienie wspomożenia go i nieoczekiwania niczego od niego. Wracam do tej sceny w łazience i zastanawiam się, jak powinnam była się zachować? Wyobrażam sobie, że już nie kurczę się w sobie w odpowiedzi na atak, nie opieram głowy o ścianę w łazience, by wyrazić swoje znużenie, tylko mówię, rzeczywiście w to wierząc: „To by było wspaniale, kochanie, gdybyś w tym domu mógł wrócić do medytacji. Wszystko będzie w porządku. Wydaje mi się, że to bardzo dobrze, że wprowadziliśmy się tutaj. To miejsce naprawdę może nam pomóc".

Tego samego dnia bardzo delikatnie wypróbowałam ten scenariusz. I okazał się trafny. Jeszcze raz potwierdziło się, że najciemniej jest pod latarnią. Czuję się tak, jakbym odniosła prawdziwe zwycięstwo. Teraz jest trochę przestrzeni pomiędzy moim strachem, wynikającym z niego niepokojem i reakcją obronną. Rozważając poranną sytuację, uchwyciłam na tyle wczesną fazę reakcji, żeby powstrzymać to, co mogło doprowadzić do większego konfliktu. Podczas mojej ostatniej indywidualnej sesji z Seymourem również czułam się swobodniej. Więcej łagodności, więcej współczucia dla siebie i dla innych.

Spośród wszystkich ważnych zmian, jakie zaszły w naszym związku, te naprawdę ważne dotyczyły poziomu indywidualnego: ja hamowałem swój niepokój, Treya stawała w obliczu własnego archetypowego problemu: bycie przeciw działanie, odpuszczanie przeciw kontrolowaniu, zaufanie przeciw obronie.

Czuję więcej współczucia dla siebie, większą ufność wobec siebie. To najważniejsze przy mojej skłonności do oceniania. Podczas ostatniej [indywidualnej] sesji z Seymourem zauważyłam, że gorzej się czuję, kiedy mówię o sobie, niż gdy mówię o naszym związku. Ukrywam się za wspólnymi problemami, żeby uniknąć rozważania swoich własnych. Starałam się więc opowiadać o swoim strachu. Teraz mi o wiele łatwiej go dostrzec i – co najważniejsze – uświadomić go sobie. Mniej się wstydzę. Wydaje mi się, że ta niechęć do mówienia o sobie jest związana z czymś, co zauważyłam u siebie przed laty: trudno mi przyjąć do wiadomości coś, co ludzie mówią po to, żebym zrozumiała samą siebie. Mam tendencję do odpowiadania: „Tak, wiem, już to zauważyłam" zamiast: „Dzięki, pomogłeś mi". Myślę, że trudno mi przyjąć pomoc, bo to sprawia, że czuję się bezbronna. Jestem w pewien sposób na czyjejś łasce, bo ktoś wie o mnie więcej niż ja sama. A jeszcze ważniejsze jest przekonanie, że będą mnie oceniali za to, co widzą, że będą mieli nade mną władzę, a nie, że będą mi współczuli. Gdybym założyła, że mi współczują, to ich wiedza o mnie mogłaby oznaczać początek głębszej miłości. Nie, ja zakładam, że ludzie będą mnie oceniali, zawsze mnie oceniali i wciąż mnie oceniają.

To dlatego, że ja oceniam siebie samą. Stary skorpion samokrytycyzmu. I teraz zamierzam to sobie odpuścić, teraz to sobie odpuszczam. Och, przede mną długa droga, ale już nastąpiła głęboka przemiana. Czuję ulgę. Ten proces trwał bardzo długo. Coś się zmieniło, otworzyło. Naprawdę czuję, że teraz mogłabym zacząć ufać, przyzwalać i nie robić nic na siłę. I naprawdę mogę dopuścić miłość Kena. To zabawne, pierwsza rzecz, jaką o nim napisałam, to „ufam mu bardziej niż wszechświatowi". To prawda.

To jego miłość i wiara, zawsze przy mnie obecne, nawet w najgorszych czasach, pomogły mi się otworzyć. Seymour mówi, że zanim zaufamy sobie, musimy zaufać komuś innemu.

Seymour pomógł mi również lepiej zrozumieć moje obsesyjne dążenie do porządkowania wszystkiego. Mówił o marnowaniu czasu na nieważne drobiazgi. To są korzenie mojego problemu. Nigdy nie mam czasu. Trzymanie wszystkiego pod kontrolą to klasyczne zachowanie obsesyjne. Inaczej mówiąc, ludzie z taką obsesją wszystko robią sami. Nie pozwalają innym, nie ufają im – nieufność leży u podstaw nerwicy obsesyjnej – więc usiłują kontrolować nawet najmniejsze drobiazgi. Znowu – zaufanie. Moja wielka lekcja.

Jak już powiedziałem, przechodziliśmy z Treyą – czy też przynajmniej próbowaliśmy przejść – przez wszystkie poziomy: fizyczny, emocjonalny, umysłowy, duchowy. Na poziomie fizycznym uczyłem się gromadzić energię i porządkować jej źródła, gdy wirus robił swoje. Treya ćwiczyła, biegała, jeździła na długie wycieczki. Oboje doskonaliliśmy naszą dietę, opartą głównie na pokarmach zapobiegających nowotworom (jadłospis wegetariański, niskotłuszczowy, dużo błonnika, dużo złożonych węglowodanów). Już dawno temu zamieniłem się w kucharza, najpierw z konieczności, potem dlatego, że się w tym sprawdziłem. W tym czasie stosowaliśmy dietę Pritikina, którą w pocie czoła dopracowywałem, by uczynić ją smaczniejszą. I oczywiście megawitaminy. Na poziomie emocjonalnym i umysłowym przechodziliśmy terapię, uczyliśmy się analizować i integrować różne nierozwiązane problemy i na nowo układać nasze powikłane scenariusze. A na poziomie duchowym ćwiczyliśmy akceptację i przebaczanie oraz na różne sposoby próbowaliśmy przywrócić Świadka, to spokojne centrum równowagi w środku niekończącego się chaosu życia.

Choć jeszcze nie zacząłem medytacji, zaczęliśmy poszukiwać nauczyciela dla nas obojga. Drogą Trei była zasadniczo *vipassana,* podstawowa i główna droga wszystkich form buddyzmu, choć była ona również bardzo zainteresowana chrześcijańskim mistycyzmem i przez dwa lata codziennie ćwiczyła według *Kursu cudów*. Choć sympatyzowałem właściwie z każdą szkołą mistycyzmu, zachodnią czy wschodnią, najsilniejszą i najgłębszą jego formę odkryłem w buddyzmie. Moją praktyką przez piętnaście lat był zen, kwintesencja buddyzmu. Pociągał mnie również buddyzm *vajrayana*, tybetańska postać buddyzmu tantrycznego, najbardziej kompletny system duchowy na świecie. Interesowało mnie również paru nauczycieli, którzy choć wykształceni w określonych tradycjach, przekraczali wszelkie klasyfikacje: Krishnamurti, Sri Ramana Maharishi, Da Free John.

W sprawie nauczyciela nigdy nie mogliśmy się jednak całkowicie zgodzić. Bardzo podobał mi się Goenka, ale uważałem, że *vipassana* jest zbyt wąska i ograniczona. Treya lubiła Trungpę i Free Johna, lecz ich ścieżki wydawały jej się nieco zbyt dzikie i zwariowane. W końcu odnaleźliśmy „swego" nauczyciela w Kalu Rinpoche, mistrzu tybetańskim. To dzięki niemu Treya miała niezwykły sen, który zadecydował o zmianie jej imienia. Tymczasem kontynuowaliśmy poszukiwania, wizyty, spotkania, nauki u najdziwniejszych nauczycieli: ojciec Bede Griffiths, Kobun Chino Roshi, Tai Situpa, Jamgon Kontrul, Trungpa Rinpoche, Da Free John, Katagiri Roshi, Pir Vilayat Khan, ojciec Thomas Keating...

> Po długim czasie znów jedziemy w niedzielę do Green Gulch [ośrodek zen w San Francisco]. Na miejscu jest już mnóstwo samochodów, wiemy więc, że przemawia ktoś ważny. Okazuje się, że to Katagiri Roshi, jeden ze starych mistrzów zen Kena. Stoimy tuż koło wejścia. Lubię Katagiriego, sprawia wrażenie bezpośredniego i na miejscu, chociaż nie rozumiem wszystkiego, co mówi. Nawet z odległości widzę, że kiedy się uśmiecha, uśmiecha się całą twarzą, każdą jej zmarszczką, zakamarkiem, całym sobą. Zen uśmiechu: kiedy się uśmiechasz, po prostu się uśmiechaj! Jego głowa jest oczywiście ogolona, ma interesujący, dziwny kształt. Nigdy nie widziałam takiej głowy. Nowo odkryte zainteresowanie kształtami ludzkich głów, ukrytych pod włosami.

Później, po herbacie, jest czas na pytania i odpowiedzi. Ktoś zadaje mu pytanie. Jestem wstrząśnięta odpowiedzią.

– Gdyby Budda miał dzisiaj przyjechać do Ameryki, jak myślisz, którą ze swych nauk by wygłosił?

– Mówiłby chyba o tym, żeby być człowiekiem – mówi Katagiri. – Nie Amerykaninem czy Japończykiem, czy kimkolwiek innym, ale właśnie człowiekiem. Prawdziwym człowiekiem. To jest najważniejsze.

Uderza mnie, jak ważne jest dla Amerykanów zainteresowanie duchowymi naukami innych kultur. Zastanawiałam się nad tym zwłaszcza ostatnio, po spotkaniach z Tybetem. Kiedyś zgadzałam się z teorią, że powinniśmy strzec własnej kultury, odrodzić tradycje, a nie ślepo wynosić na ołtarze egzotyczne religie z całego świata. Ale teraz nagle zdałam sobie sprawę ze słuszności takiego sposobu myślenia – że trzeba być prawdziwym człowiekiem. Zgłębianie zagadnień duchowych z osobą, która mówi łamaną angielszczyzną z silnym akcentem japońskim (hinduskim, tybetańskim) może być ciekawym doświadczeniem nie z powodu różnic kulturowych, ale dlatego, że każdy z nas chce być po prostu prawdziwym człowiekiem. I może też bliższym Boga.

Tego wieczoru jemy kolację z Katagirim i Davidem [Chadwickiem] w Lindisfarne Center. Bill [William Irwin] Thompson, dyrektor Lindisfarne, mąż mojej przyjaciółki z Findhorn, parę lat temu zabrał mnie na wycieczkę po Centrum, kiedy było już prawie ukończone. To mały świat. Ken i Katagiri wspominają wspólną *seshin* [intensywna sesja praktyki zen] w Lincoln dziesięć lat temu, kiedy Ken miał doświadczenie *satori* – „naprawdę malutkie", dodał Ken. Wydarzyło się to, kiedy Katagiri powiedział: „Świadek jest ostatnim przyczółkiem ego". Mówili o tym, śmiali się i śmiali. Pomyślałam sobie, że to pewnie jakiś rodzaj dowcipu zen.

Katagiri jest bardzo skromny i jakoś rozgrzewa mi serce. Niektórzy uważają, że jest prawdziwym następcą Suzukiego Roshiego. Interesuje mnie praca z nim i medytacja w Zen Center. Ciekawe, dokąd to może doprowadzić? Już nie szukam doskonałości na drodze duchowej. Byłoby cudownie, gdybym mogła znaleźć nauczyciela, którego bym pokochała, ale to może zająć dużo czasu i nie ma sensu na to czekać. Kto wie, może on w tej chwili właśnie siedzi przede mną, tylko ja o tym nie wiem?

Następnego wieczoru jemy kolację z przyjaciółmi, którzy są członkami Johanine Daist Community i wyznawcami Da Free Johna. Ken napisał wstęp do jednej z prac Da Free Johna i dał dobrą recenzję jego ostatniej książce *The Dawn Horse Testament.* Wspaniali ludzie. Zawsze patrzę na starszych uczniów nauczyciela po to, żeby zobaczyć, jaki naprawdę jest nauczyciel – a ci ludzie są naprawdę świetni. Oglądamy kasetę wideo Free Johna i odkrywam, że podoba mi się bardziej, niż się spodziewałam. „Droga wyznawcy" – nawet samo słowo „wyznawca" zawsze było dla mnie odpychające... Na wideo Free John mówi, że najpierw trzeba przestudiować jego pisma (jest tego mnóstwo!). Jeżeli się je zrozumie i poczuje się pociąg do tej wiedzy, można z nim wejść w bliższy kontakt. To brzmi tak, jakby życie adepta było przez niego i jego naukę całkowicie kontrolowane. Muszę przyznać, że ja się do tego nie nadaję; czuję sprzeciw. Teraz przede wszystkim muszę uporać się ze swoją nerwicą.

Czytając *The Dawn Horse Testament*, odkryłam później, że Free John wytycza dwie bardzo wyraźne drogi. Jedna to droga wyznawcy, a druga – droga badacza. To jest dokładnie to, co Ken mówił o innej sile i własnej sile. Podoba mi się w tej książce zwłaszcza część o związkach, o tym, że ego jest niczym innym, jak tylko zamknięciem się w sobie albo unikaniem związku. Rozpoznaję to u siebie, kiedy opisuje on ego reagujące i unikające związku. Często czuję się odrzucona i wówczas angażuję się w „rytuał ego", mający na celu obronę przed tym, co oceniam jako zniewagę albo zranienie. Kiedy czuję się zraniona, to znaczy kiedy wycofuję się, broniąc zazwyczaj samej siebie, i reaguję na to, co oceniam jako odrzucenie – jego nauka pomaga. Wtedy wiem, że powinnam przestać dramatyzować i wietrzyć zdradę, nie powinnam odrzucać i karać innych. Nie trzeba powstrzymywać miłości, lecz pozwolić sobie na bezbronność. „Ćwicz ranę miłości – mówi. – Nie możesz uniknąć ran. Obserwuj je, nie chowaj się w sobie, wciąż kochaj. Jeżeli nawet jesteś zraniony, wciąż będziesz czuł potrzebę miłości i wciąż będziesz czuł potrzebę kochania".

– Tędy, proszę.

Zupełnie nie mogę rozpoznać Postaci stojącej obok. Coś delikatnie ciągnie mnie za łokieć. Broniłbym się albo wycofał, gdybym miał choćby niejasne pojęcie o tym, przed czym mam się bronić. Powoli przesuwam latarkę w kierunku Postaci, ale światło znika, przechodzi przez tę rzecz i nie wraca. Ma ona jednak określony kształt, bo jest o wiele ciemniejsza niż otoczenie, które i tak jest czarne. Potem coś mi przychodzi do głowy. Postać nie jest ciemna – to nieobecność światła albo ciemności. Jest tu, ale jej nie ma.

– Słuchaj, nie wiem, kim jesteś, ale to mój dom i byłbym wdzięczny, gdybyś go opuścił – zaczynam się nerwowo śmiać. – Albo zadzwonię po gliny.

– Tędy, proszę.

Postanowiłem zejść z werandy i wrócić do domu. Edith chyba przyjdzie za jakieś pół godziny; muszę przedtem coś zjeść. Wiewiórki zresztą i tak już sobie poszły. Treya była w Tahoe, coś tam załatwiając, żeby przenieść się na dobre do nowego domu w Mill Valley.

Wszystko było w porządku, a przynajmniej było coraz lepiej. Jak Treya powiedziała Seymourowi, minęliśmy zakręt życiowy, a może i kilka zakrętów – ja się z tym zgadzam.

Zrobiłem sobie kanapkę, wziąłem colę i wróciłem na werandę. Słońce zaczynało wschodzić nad ogromnymi sekwojami, które są tak wysokie, że niemal do południa zakrywają całe światło. Zawsze czekam na tę chwilę, kiedy słońce uderzy mnie w twarz i przypomni mi, że zawsze są nowe początki.

Pomyślałem o Trei. Jej uroda, równowaga, uczciwość, duch, ogromna pasja życia, zadziwiająca siła. Dobra, Prawdziwa, Piękna. Boże, kocham tę kobietę! Jak mogłem ją winić za swoje postępowanie? Zadać jej taki ból? Jest najlepszym darem, jaki otrzymałem! Od chwili, kiedy ją poznałem, wiedziałem, że zrobiłbym wszystko, poszedłbym wszędzie, zniósł każdy ból, żeby być z nią, pomagać jej, trzymać ją w ramionach. To była decyzja, jaką podjąłem na najgłębszym poziomie mojego istnienia, a potem zapomniałem o niej, winiłem kogoś innego! Nic dziwnego, że czułem, jakbym stracił duszę. Tak też się stało. Sam to zrobiłem.

Przebaczyłem Trei. Teraz przechodziłem o wiele bardziej powolny proces przebaczania samemu sobie.

Pomyślałem o odwadze Trei. Po prostu odmówiła, absolutnie odmówiła załamania. Życie ją skopało, a ona natychmiast się podniosła. Wydarzenia ostatniego roku jeszcze wzmogły jej niezwykłą odporność. Odwróciłem twarz, żeby ogrzać drugą stronę. Zawsze miałem wrażenie, że słońce energetyzuje mój mózg, wlewa do niego światło. Być może siła Trei w pierwszej fazie jej życia pochodziła z jej umiejętności walki. Teraz źródłem tej siły stawała się jej zdolność do poddawania się. Otwierała się i pozwalała, żeby wszystko przez nią przepływało. Ale była to ta sama siła, wzmocniona przez jeden czynnik: absolutną, nie uznającą kompromisów uczciwość. Nawet w najgorszych czasach nigdy nie widziałem, żeby to robiła; nigdy nie widziałem, żeby kłamała.

Zadzwonił telefon. Postanowiłem pozwolić, by odpowiedziała moja automatyczna sekretarka.

– Terry, dzwonię z gabinetu doktora Belknapa. Czy mogłabyś przyjść?

Pognałem do telefonu i poderwałem słuchawkę.

– Halo, mówi Ken. Co się dzieje?

– Doktor chciałby omówić z Terry wyniki badań.

– Wszystko w porządku, prawda?

– Doktor wszystko wyjaśni.

– Proszę mi powiedzieć.

– Doktor wszystko wyjaśni.

11

Psychoterapia i duchowość

– Cześć, Edith, wejdź. Daj mi parę minut, dobrze? Właśnie odebrałem jakiś dziwny telefon. Zaraz wracam.

Poszedłem do łazienki, ochlapałem twarz wodą i spojrzałem w lustro. Nie pamiętam, co się wtedy ze mną działo. Wiem tylko, że przestałem myśleć, co często przydarza się ludziom w podobnych okolicznościach. Po prostu wyrzuciłem ze świadomości cały koszmar, który z pewnością oczekiwał nas w gabinecie lekarskim. Moją duszę spowiła mgła zapomnienia i to pozwoliło mi nałożyć profesorską maskę na czas wywiadu. Z przyklejonym do twarzy uśmiechem wyszedłem na spotkanie Edith.

Było w niej coś niezwykle miłego. Miała niewiele ponad pięćdziesiąt lat, promienną, szczerą twarz, niekiedy niemal przejrzystą, ale mimo to wyrażającą siłę i pewność siebie. W ciągu zaledwie paru minut jej obecności zyskałem pewność, że jest lojalna, zdawała się mówić, że dla przyjaciela zrobi dosłownie wszystko i z przyjemnością. Przez większość czasu uśmiechała się niewymuszonym uśmiechem, który nie ukrywał bólu człowieczeństwa ani mu nie zaprzeczał. Była to bardzo silna, a jednak bezbronna osoba, która uśmiechała się nawet pośród wydarzeń, które budziły jej lęk.

Gdy mój umysł zajęty był odsuwaniem od siebie przeczuwanej przyszłości, po raz pierwszy zdałem sobie sprawę z dziwnej aury, która wytworzyła się wokół mojej osoby w związku z tym, że od piętnastu lat odmawiałem udzielania wywiadów i występowania publicznie. Była to dla mnie prosta decyzja, a jednak wywoływała spekulacje, koncentrujące się zwłaszcza na pytaniu, czy w ogóle istnieję? Przez pierwsze piętnaście minut wywiadu moja „niewidzialność" była jedynym tematem, jaki poruszała Edith, i kiedy wywiad ukazał się w „Die Zeit", zaczynał się tak:

> Jest pustelnikiem – takie opinie słyszałam na temat Kena Wilbera – nie można z nim przeprowadzać wywiadów. I właśnie to jeszcze bardziej pobudziło moją ciekawość. Do tej pory znałam go tylko z książek, które świadczyły o tym, że posiada encyklopedyczną wiedzę, umysł otwarty na różne paradygmaty, precyzyjny, szalenie obrazowy styl, że jest niezwykłym wizjonerem i cechuje go rzadko spotykana jasność myślenia.
>
> Napisałam do niego. Kiedy nie otrzymałam odpowiedzi, poleciałam do Japonii, na kongres Międzynarodowego Stowarzyszenia Transpersonalnego. Zgodnie z programem jednym z mówców miał być Wilber. Japonia wiosną jest bardzo piękna, spotkanie z jej kulturą i tradycjami religijnymi niezapomniane, ale nie było tam Kena Wilbera. Chociaż był „obecny": pokładano w nim wiele nadziei. Być niewidzialnym to niezły sposób na popularność – jeżeli jest się Kenem Wilberem.
>
> Spytałam, kto go zna. Prezes Stowarzyszenia, Cecil Burney: „Jesteśmy przyjaciółmi. Jest towarzyski i zupełnie bezpretensjonalny". Jak mu się to udało? Urodzony w 1949 roku, 37 lat temu, napisał już dziesięć książek! „Pracuje bardzo ciężko i jest geniuszem" – brzmiała lakoniczna odpowiedź.
>
> Z pomocą przyjaciół i jego niemieckich wydawców znowu spróbowałam przeprowadzić z nim wywiad. W San Francisco nie uzyskałam definitywnej zgody. Potem nagle przez telefon: „Oczywiście, zapraszam do siebie". Spotykamy się u niego w domu. W salonie ogrodowe meble, przez na wpół otwarte drzwi widzę materac leżący na podłodze. Ken Wilber bosy, w rozpiętej koszuli – jest ciepły, letni dzień – stawia na stoliku szklankę soku i śmieje się: „Ja naprawdę istnieję".

– Widzisz, Edith, ja istnieję. – Roześmiałem się, gdy usiedliśmy. Cała ta sprawa była dla mnie niesamowicie śmieszna, przypomniał mi się cytat z Garry'ego Trudeau: „Próbuję uprawiać taki styl życia, który nie wymaga mojej obecności".

– Co mogę dla ciebie zrobić, Edith?

– Dlaczego nie udzielasz wywiadów?

Powiedziałem jej o wszystkich powodach, zwłaszcza o tym, że wywiady zbyt mnie rozpraszają, a ja naprawdę chcę tylko pisać. Edith słuchała uważnie i uśmiechała się, czułem jej ciepło. Było w niej coś matczynego, a jej głos z jakiegoś powodu przeszkadzał mi zapomnieć o tym okropnym strachu, który co kilka minut wypływał na powierzchnię.

Rozmawialiśmy parę godzin, poruszając ogromną liczbę zagadnień, o których Edith rozmawiała ze swobodą i inteligencją. Gdy zbliżyła się do głównego tematu rozmowy, włączyła magnetofon.

EZ: Rolf, nasi czytelnicy i ja jesteśmy szczególnie zainteresowani tym miejscem, w którym spotykają się psychoterapia i religia.

KW: Co masz na myśli, mówiąc „religia"? Fundamentalizm? Mistycyzm? Egzoterykę? Ezoterykę?

EZ: No, właśnie, dobrze jest od tego zacząć. W *A Sociable God* podajesz, zdaje się, jedenaście definicji religii albo jedenaście różnych sposobów użycia słowa „religia".

KW: Tak, chodziło mi o to, że nie możemy mówić o nauce i religii, psychoterapii i religii czy filozofii i religii, dopóki nie zdecydujemy, co oznacza słowo „religia". Dla naszych celów powinniśmy uwzględnić przynajmniej podział na religie egzoteryczne i ezoteryczne. Religia egzoteryczna albo „zewnętrzna" jest mityczna, konkretna i dosłowna. To wiara w to, że na przykład Mojżesz naprawdę rozdzielił wody Morza Czerwonego, Chrystus narodził się z dziewicy, świat został stworzony w sześć dni, a manna kiedyś spadła z nieba – i tak dalej. Egzoteryczne religie całego świata składają się z takich wierzeń. Hindusi wierzą, że ziemia wspiera się na słoniu, którego dźwiga żółw leżący na wężu. Na pytanie: „Na czym w takim razie leży wąż?" odpowiadają: „Zmieńmy temat". Lao Tsy miał dziewięćset lat, kiedy się urodził, Kriszna kochał się z czterema tysiącami dziewic, Brahma narodził się z kosmicznego jaja i tak dalej. Religia egzoteryczna to zbiór wierzeń, które tłumaczą tajemnice świata za pomocą mitu, a nie w bezpośrednim doświadczeniu czy na podstawie dowodów.

EZ: A więc religia egzoteryczna albo zewnętrzna jest zasadniczo kwestią wiary, nie dowodów?

KW: Tak. Jeżeli uwierzysz we wszystkie te mity, jesteś zbawiona, jeżeli nie – idziesz do piekła – i nie ma dyskusji. Ten typ religii spotyka się na całym świecie. Nie mam nic przeciwko niemu, tylko że nie ma on nic wspólnego z religią mistyczną, ezoteryczną, empiryczną, a więc tym rodzajem religii czy duchowości, który mnie interesuje.

EZ: Co to znaczy „ezoteryczna"?

KW: Wewnętrzna albo ukryta. Religia ezoteryczna albo mistyczna jest ukryta nie dlatego, że jest jakimś sekretem, ale dlatego, że wynika z bezpośredniego doświadczenia i osobistej świadomości. Nie wymaga od ciebie, byś brała wszystko na wiarę czy posłusznie przyjmowała dogmaty. Religia ezoteryczna jest zbiorem osobistych doświadczeń, które przeprowadzasz w sposób naukowy w laboratorium twojej świadomości. Jak każda nauka, oparta jest na bezpośrednim doświadczeniu, a nie na zwykłej wierze czy pragnieniu; może być zweryfikowana przez grupę osób, które przeprowadziły taki sam eksperyment. Tym eksperymentem jest medytacja.

EZ: Ale medytacja to sprawa prywatna.

KW: Nie, nieprawda. Nie bardziej niż, powiedzmy, matematyka. Na przykład nie ma dowodu na to, że minus jeden do kwadratu to jeden, nie ma na to żadnego empirycznego, namacalnego dowodu. Jest to prawda, którą można udowodnić jedynie dzięki wewnętrznej logice. Nie ma minus jeden w zewnętrznym świecie, jest tylko w naszych umysłach. Ale to nie znaczy, że nie istnieje, że to tylko nasza prywatna wiedza, której nie można powszechnie uznać. Oznacza to tyle, że taką prawdę zatwierdza grupa wykwalifikowanych matematyków, którzy wiedzą, jak przeprowadzić wewnętrzny eksperyment, by jej dowieść. Wiedza osiągnięta w medytacji jest też wewnętrzna i może ją uznać grupa osób mających specjalne kwalifikacje, ci, którzy medytują, którzy znają wewnętrzną logikę eksperymentu medytacyjnego. Nie pozwalamy byle komu na wyrokowanie o prawdziwości teorii Pitagorasa, pozwalamy na to tylko matematykom. Duchowość medytacyjna także przyjmuje pewne założenia – na przykład, że wewnętrzne poczucie ja, jeśli mu się przyjrzeć z bliska, jest tym samym, co odczucie zewnętrznego świata – ale tę prawdę możesz sprawdzić eksperymentalnie ty i każdy, kto będzie chciał przeprowadzić taki eksperyment. Po sześciu tysiącach lat tego eksperymentu mamy prawo do pewnych wniosków, do tworzenia pewnych teorii. Te teorie są podstawą wieczystych tradycji.

EZ: Ale dlaczego mówi się o niej „ukryta"?

KW: Dlatego, że jeżeli nie wykonasz eksperymentu, nie będziesz wiedziała, o co chodzi, nie będziesz mogła potwierdzić lub zaprzeczyć, tak samo jak bez wiedzy matematycznej nie możesz orzekać o prawdzie twierdzenia Pitagorasa. To znaczy, że możesz na ten temat formułować opinie, ale mistycyzm nie jest zainteresowany opiniami, lecz wiedzą. Religia ezoteryczna – albo mistycyzm – jest ukryta dla umysłu, który nie prowadzi eksperymentu.

EZ: Lecz przecież religie tak się różnią między sobą.

KW: Religie egzoteryczne różnią się między sobą ogromnie; religie ezoteryczne są właściwie identyczne. Mistycyzm albo ezoteryzm jest w szerokim tego słowa znaczeniu naukowy i tak samo jak nie ma chemii niemieckiej czy amerykańskiej, tak nie ma hinduskiej i muzułmańskiej wiedzy mistycznej. Zgadzają się ze sobą na temat istoty duszy, natury Ducha i wyższej tożsamości. To właśnie uczeni mają na myśli, kiedy mówią o „transcendentalnej jedności religii świata" – religie ezoteryczne. Oczywiście, ich struktury powierzchniowe ogromnie się różnią między sobą, ale ich struktury głębokie są właściwie identyczne, odzwierciedlając jedność ludzkiego ducha i ujawniając prawa, które nim rządzą.

EZ: To niezwykle ważne: przyjmuję, że nie wierzysz, jak na przykład Joseph Campbell, że religie mityczne zawierają jakąkolwiek wiedzę duchową.

KW: Masz prawo interpretować mity religii egzoterycznych jak chcesz. Masz prawo, jak Campbell, interpretować mity jako alegorie czy metafory transcendentalnych prawd. Masz prawo na przykład interpretować narodzenie z dziewicy jako spontaniczne działanie Chrystusa z Jego prawdziwego Ja przez duże „J". Ja na przykład w to wierzę. Problem polega na tym, że wierzący w to nie wierzą. Uznają za test swojej wiary, że Maria naprawdę była biologiczną dziewicą, kiedy zaszła w ciążę. Nie interpretują swoich mitów alegorycznie, lecz dosłownie i konkretnie. Joseph Campbell narusza materię wierzeń mitycznych, usiłując przywrócić ich znaczenie. To nie do przyjęcia. Mówi wierzącemu: „Wiem, co n a p r a w d ę chcesz przez to powiedzieć". Ale problem polega na tym, że wierzący wcale nie to chce powiedzieć. Podejście Campbella jest od samego początku fundamentalnie błędne.

Myślenie mityczne jest powszechne u dzieci w wieku od sześciu do jedenastu lat; mity tworzone są w sposób naturalny na poziomie, który Piaget nazywa „poziomem operacji konkretnych". Właściwie wszelkie podstawy wielkich mitów świata można odnaleźć w spontanicznych wytworach współczesnego siedmiolatka, co uznaje nawet Campbell. Ale gdy wyłania się następna struktura świadomości – zwana „poziomem operacji formalnych" lub „logicznych" – dziecko samo przestaje tworzyć mity. Już nie wierzy w nie, chyba że żyje w społeczeństwie, które taką wiarę nagradza. Ale logiczny i refleksyjny umysł widzi w mitach tylko to, czym one są. Przestają być potrzebne. Nie niosą ze sobą wiedzy, którą można udowodnić, i gdy zostają naukowo przebadane, tracą ważność. Racjonalny umysł rozważa na przykład narodziny z dziewicy i ironizuje: ta kobieta zachodzi w ciążę, idzie do męża i mówi: „Jestem w ciąży, ale nie martw się, nie spałam z innym mężczyzną, prawdziwy ojciec jest nie z tego świata".

EZ (śmiejąc się): Ale niektórzy wyznawcy religii mitycznych naprawdę interpretują swoje mity w sposób alegoryczny albo metaforyczny.

KW: Tak, i oni są mistykami. Mówiąc inaczej, mistycy nadają mitom ezoteryczne albo „ukryte" znaczenia, a te znaczenia odkrywa się w bezpośrednim, wewnętrznym, kontemplacyjnym doświadczeniu duszy, nie w jakimś zewnętrznym systemie wierzeń, symboli czy mitów. Innymi słowy, ci ludzie nie są wyznawcami mitów, lecz kontemplacyjnymi fenomenologami, kontemplacyjnymi mistykami, kontemplacyjnymi naukowcami. To dlatego, jak powiedział Alfred North Whitehead, mistycyzm zawsze bratał się z nauką przeciwko Kościołowi, gdyż zarówno mistycyzm, jak i nauka opierają się na dowodach bezpośrednich. Newton był wybitnym naukowcem i wybitnym mistykiem i nie powodowało to żadnego konfliktu. Nie można jednak być jednocześnie wybitnym naukowcem i wyznawcą mitów.

Mistycy ponadto zgadzają się, że ich religie są zasadniczo identyczne – wszystkie „nazywają Go wieloma, który naprawdę jest Jednym". Nie znajdziesz wierzącego wyznawcy mitów, powiedzmy fundamentalistycznego protestanta, który by powiedział, że Budda również jest doskonałą drogą do zbawienia. Wyznawcy mitów twierdzą, że tylko oni znają właściwą drogę, bo opierają swoją religię na zewnętrznych wierzeniach, które są bardzo różne; nie zdają sobie sprawy z wewnętrznej jedności ukrytej w zewnętrznych symbolach. Mistycy ją widzą.

EZ: Tak, rozumiem. Więc nie zgadzasz się z Carlem Jungiem, że mity mają znaczenie archetypowe i w tym sensie są mistyczne i transcendentalne?

„To na pewno jest rak" – w tej chwili mogłem myśleć tylko o tym. Bo co innego? Doktor wytłumaczy. Doktor... Może się wypchać! Cholera! Cholera! Cholera! Gdzie się podziało to zaprzeczenie, zapomnienie, stłumienie, których naprawdę teraz potrzebowałem?

W pewnym sensie zaprzeczenie i tłumienie to było właśnie to, o czym rozmawiamy z Edith. Mieliśmy mówić o powiązaniach między psychoterapią i duchowością na podstawie stworzonego przeze mnie ogólnego modelu, który łączył te dwie sprawy.

Ani dla Trei, ani dla mnie nie był to jedynie problem akademicki. Oboje byliśmy głęboko zaangażowani w nasze własne terapie z Seymourem i oboje medytowaliśmy. Jak to ze sobą pogodzić? Ciągle rozmawialiśmy o tym z naszymi przyjaciółmi. Myślę, że między innymi dlatego zgodziłem się rozmawiać z Edith, ponieważ było to w moim życiu zagadnienie centralne zarówno w sensie teoretycznym, jak i bardzo praktycznym.

Gdy pytanie Edith dotarło do mojej świadomości, zdałem sobie sprawę, że doszliśmy w naszej dyskusji do niezwykłej przeszkody: Carla Gustawa Junga. Domyślałem się, że to pytanie się pojawi. W końcu postać Carla Junga – Campbell jest tylko jednym z wielu jego zwolenników – całkowicie zdominowała dziedzinę psychologii religii. Kiedy po raz pierwszy zacząłem się tym zajmować, byłem, jak większość, gorącym zwolennikiem koncepcji Junga i jego pionierskich wysiłków. Ale w miarę upływu czasu uznałem, że Jung popełnił kilka poważnych błędów i teraz te błędy są największą przeszkodą dla psychologii transpersonalnej, a co gorsza, szeroko się rozpowszechniły i nie próbowano ich naprawić. Nie można było zacząć rozmowy na temat psychologii i religii, nie poruszając tego trudnego i delikatnego tematu. Roztrząsaliśmy go przez następne pół godziny. Czy rzeczywiście nie zgadzałem się z Jungiem, że mity są archetypowe i dlatego mistyczne?

KW: Jung odkrył, że ludzie potrafią spontanicznie odtwarzać właściwie wszystkie główne wątki mitycznych religii świata; robią to w snach, w aktywnej wyobraźni, w wolnych skojarzeniach i tak dalej. Wywnioskował z tego, że podstawowe formy mityczne, które nazwał archetypami, są wszystkim wspólne, wszystkim wrodzone i przenoszone przez nieświadomość zbiorową. Stwierdził zatem, iż „mistycyzm jest doświadczeniem archetypów".

Moim zdaniem pogląd ten opiera się na kilku błędnych założeniach. Po pierwsze, jest niepodważalną prawdą, że umysł, nawet współczesny, potrafi spontanicznie tworzyć formy mityczne, które są zasadniczo podobne do istniejących w religiach mitycznych. Jak już powiedziałem, na przedformalnych etapach rozwoju, na poziomie myślenia przedoperacyjnego i konkretnego myślenia operacyjnego, umysł jest w stanie tworzyć mity. Skoro wszyscy współcześni przechodzą w dzieciństwie przez te etapy rozwoju, to wszyscy mają spontaniczny dostęp do tego rodzaju struktur, stanowiących o myśleniu mitycznym, zwłaszcza w snach, kiedy pierwotny poziom psychiki łatwiej dociera do powierzchni.

Nie ma to jednak związku z mistycyzmem. Archetypy, według Junga, są podstawowymi, mitycznymi *formami* pozbawionymi treści; mistycyzm jest *pozbawioną formy* świadomością. Nie ma żadnego punktu wspólnego.

Po drugie, Jungowskie użycie słowa „archetyp" – pojęcia, które zapożyczył od wielkich mistyków, takich jak Plotyn i Augustyn... Jung używa tego słowa *inaczej* niż oni, inaczej niż używali go mistycy na całym świecie. Dla mistyków – Siankary, Plotyna, Augustyna, Eckharta, Garaba Dorje i innych – archetypy to delikatne, pierwotne formy, które pojawiają się, gdy świat wyłania się z bezkształtnego i nieprzejawionego

Ducha. Są wzorami, na których oparte są wszystkie manifestacje (z greckiego *arche typon* – pierwotny wzór). Delikatne, transcendentalne formy, pierwotne manifestacje wszystkiego, niezależnie od tego, czy dotyczą świata fizycznego, przyrody, umysłu czy jeszcze czego innego. W mistycyzmie archetypy są tylko świetlistymi wzorami, punktami, słyszalnymi wybuchami światła, barwnymi kształtami, tęczami ze światła, dźwięku i wibracji, z których – jako ich manifestacja – „skrapla się" świat.

Archetypy w ujęciu Junga są podstawowymi mitycznymi strukturami, wspólnymi w doświadczeniu wszystkich ludzi: głupiec, cień, stary mędrzec, ego, Wielka Matka, anima, animus... Nie są one transcendentalne, lecz egzystencjalne. Są aspektami doświadczenia zbiorowego ludzkości. Zgadzam się, że te mityczne formy są wrodzone. I całkowicie zgadzam się z Jungiem, że zapoznanie się z tymi mitycznymi archetypami jest niezwykle ważne.

Jeżeli na przykład mam psychologiczne problemy związane z matką, jeżeli mam tak zwany kompleks matki, ważne jest, bym sobie uświadomił, że duża część tego emocjonalnego obciążenia pochodzi nie od mojej własnej matki, lecz od Wielkiej Matki, potężnej struktury nieświadomości zbiorowej. To znaczy, że psychika rodzi się z archetypem Wielkiej Matki tak samo, jak przychodzi na świat wyposażona w podstawy języka, percepcji i różnych wzorów zachowań instynktownych. Jeżeli ożywa Wielka Matka, mam do czynienia nie tylko z moją własną matką, ale z tysiącami lat ludzkiego doświadczenia, z macierzyństwem w ogóle. Tak więc znaczenie Wielkiej Matki jest daleko szersze niż znaczenie mojej matki. Poznanie Wielkiej Matki przez badanie mitów świata jest dobrym sposobem zaznajomienia się z tą mityczną formą, uświadomienia jej sobie i uniezależnienia się od niej. Pod tym względem całkowicie się z Jungiem zgadzam. Ale formy mityczne nie mają nic wspólnego z mistycyzmem, z transcendentalną świadomością.

Pozwól, że wyjaśnię to nieco prościej. Moim zdaniem, głównym błędem Junga było to, że pomieszał to, co zbiorowe, z tym, co jest transpersonalne, mistyczne. To, że mój umysł dziedziczy pewne formy wspólne, nie oznacza, że te formy są mistyczne czy transpersonalne. Wszyscy zbiorowo dziedziczymy dziesięć palców, ale jeżeli doświadczam ich posiadania, to nie znaczy, że mam doświadczenie mistyczne! „Archetypy" Junga nie mają właściwie nic wspólnego z duchowością, transcendencją, mistycyzmem, ze świadomością transpersonalną; są zbiorowo dziedziczonymi formami, które przenikają podstawowe, codzienne zdarzenia związane z egzystencją człowieka, jak życie, śmierć, narodziny, matka, ojciec, cień, ego. Nie są mistyczne. Choć zbiorowe, nie są transpersonalne.

Istnieją elementy zbiorowe prepersonalne, zbiorowe personalne i zbiorowe transpersonalne, ale Jung nie rozróżnia ich wyraźnie. To, moim zdaniem, zniekształca jego rozumienie procesu duchowego.

Zgadzam się więc z Jungiem, że należy poznać te formy, odnaleźć je w nieświadomości osobistej i zbiorowej, ale żadna z nich nie ma nic wspólnego z prawdziwym mistycyzmem. Mistyk bowiem najpierw odnajduje światło pod formą, a potem bezkształtność, brak formy pod światłem.

EZ: Ale spotkanie z archetypową zawartością psychiki może być niezwykle silnym, przytłaczającym doświadczeniem.

KW: Tak, bo dotyczy ono zbiorowości, jego potęga wykracza poza jednostkę, ma siłę miliona lat ewolucji. Ale doświadczenie „zbiorowe" nie znaczy „ transpersonalne". Potęga „prawdziwych archetypów", archetypów transpersonalnych, pochodzi bezpośrednio od pierwotnych form ponadczasowego Ducha. Potęga zaś Jungowskich archetypów wywodzi się z form umiejscowionej w czasie historii.

Nawet Jung wiedział, że należy odejść od archetypów, odciąć się od nich, uwolnić od ich siły. Proces ten nazwał indywiduacją. I znowu zgadzam się z nim całkowicie. Należy uwolnić się od tych archetypów.

Ale jednocześnie trzeba przybliżyć się do archetypów prawdziwych, transpersonalnych, by ostatecznie i całkowicie utożsamić się z formą transpersonalną. Ogromna różnica. Jedyny Jungowski archetyp naprawdę transpersonalny to Ja, ale sam Jung zbyt słabo podkreślał absolutnie niedwoisty chrakter Ja. Więc...

EZ: OK, to wydaje mi się zupełnie jasne. Teraz chyba możemy wrócić do właściwego tematu. Chciałabym spytać...

Entuzjazm Edith był zaraźliwy. Przez cały czas się uśmiechała, w ogóle nie wyglądała na zmęczoną. I ten jej entuzjazm oddzielał mnie od tego okropnego strachu. Przyniosłem trochę soku.

EZ: Chciałabym spytać, jaki jest związek między religią ezoteryczną a psychoterapią? Inaczej mówiąc, jaki jest związek między medytacją a psychoterapią? Obie usiłują zmieniać świadomość, leczyć duszę. Poruszasz tę kwestię w *Transformations of Consciousness.* Czy mógłbyś krótko omówić to zagadnienie?

KW: Dobrze. Chyba najprościej będzie wytłumaczyć diagram z *Transformations* [patrz str. 227]. Główna idea jest prosta: rozwój przebiega etapami, na różnych poziomach, od najprostszego i najmniej zintegrowanego do najbardziej złożonego i zintegrowanego. Istnieje mnóstwo różnych poziomów i typów poziomów rozwoju; ja wybrałem dziewięć najważniejszych. Są przedstawione w kolumnie pierwszej: „podstawowe struktury świadomości".

Na każdym etapie procesy rozwoju ja mogą przebiegać mniej lub bardziej prawidłowo. Jeżeli ja rozwija się normalnie, wchodzi w następny etap. Jeżeli pojawiają się jednak jakieś przeszkody, wówczas powstają patologie, a rodzaj patologii, np. nerwicy, zależy od tego, na jakim etapie lub poziomie powstał problem.

Mówiąc inaczej, na każdym etapie czy poziomie ja staje w obliczu różnych zadań. Jego rozwój zależy od tego, jak sobie z nimi poradzi. Na każdym etapie ja musi wypełnić pewne zadania, czy będzie to uczenie się zachowania w łazience, czy nauka języka. By jednak rozwój mógł postępować, ja musi opuścić niższy etap, przestać się z nim utożsamiać, po to by zrobić miejsce dla nowego, wyższego etapu. Innymi słowy, musi odciąć się od niższego etapu, utożsamić z wyższym, a potem zintegrować wyższy etap z niższym.

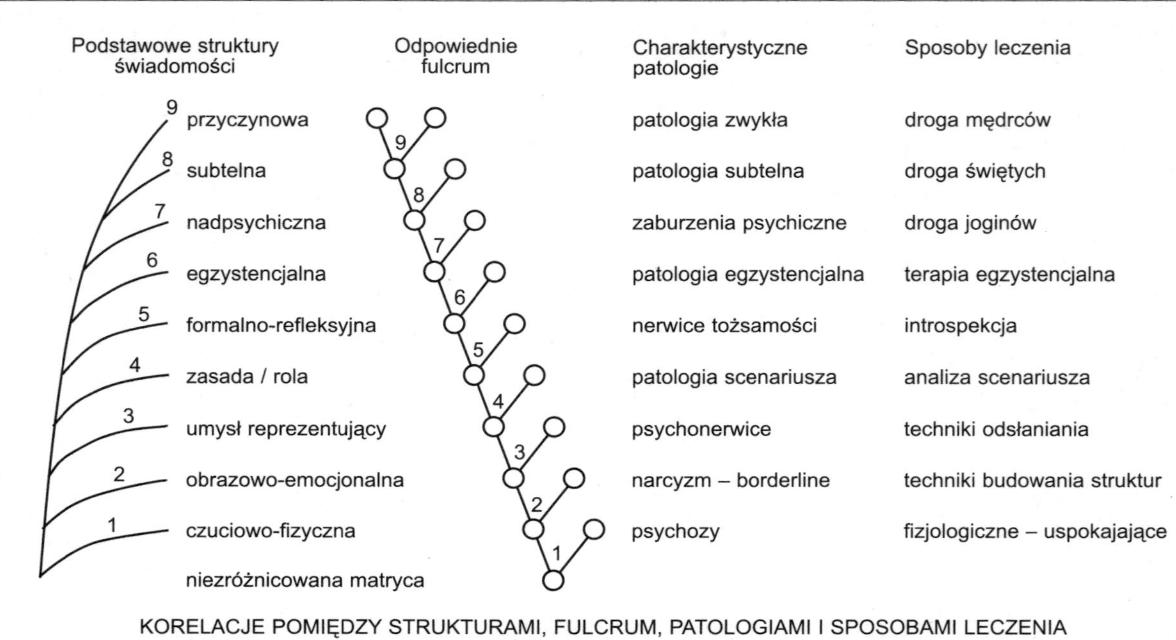

KORELACJE POMIĘDZY STRUKTURAMI, FULCRUM, PATOLOGIAMI I SPOSOBAMI LECZENIA

Źródło: Ken Wilber, Jack Engler i Daniel P. Brown, *Transformations of Consciousness: Conventional and Contemplative Perspectives on Development* (Boston & Shaftesbury, Shambhala Publications 1986)

To zadanie odcięcia się, a potem integracji nazwałem *fulcrum* – oznacza to punkt zwrotny rozwoju. W kolumnie drugiej, zatytułowanej „odpowiednie fulcrum", jest dziewięć głównych *fulcrum*, czyli punktów zwrotnych, które odpowiadają dziewięciu głównym poziomom lub etapom rozwoju świadomości. Jeżeli w danym punkcie zwrotnym pojawiają się przeszkody, to rozwija się określona i specyficzna patologia. W kolumnie trzeciej, zatytułowanej „charakterystyczne patologie", wymieniono dziewięć patologii odpowiadających dziewięciu *fulcrum:* psychozy, nerwice, kryzysy egzystencjalne i tak dalej.

W kolumnie czwartej – „sposoby leczenia" – wymieniłem różne metody terapii, które według mnie są najlepsze lub najbardziej odpowiednie dla każdego z wymienionych problemów. W tym właśnie miejscu, jak zobaczymy, ujawnia się związek psychoterapii z medytacją.

EZ: W tym prostym diagramie zawarta jest ogromna liczba informacji. Może dokładnie omówimy każdy z punktów? Zacznijmy od krótkiego wyjaśnienia podstawowych struktur świadomości.

KW: Podstawowe struktury to jakby cegiełki świadomości – wrażenia, obrazy, bodźce, pojęcia i tak dalej. Wymieniłem dziewięć struktur podstawowych, które są tylko rozszerzoną wersją tego, co w filozofii wieczystej znane jest jako Wielki Łańcuch Istnienia: materia, ciało, umysł, dusza i duch. Wymieniając od dołu tablicy – jest to dziewięć następujących poziomów:

Pierwszy – czuciowo-fizyczny, obejmuje materialne składniki ciała oraz wrażenia i percepcję. To jest to, co Piaget nazywał inteligencją czuciowo-ruchową, Aurobindo – fizyczno-czuciową, wedanta – *anna-maya-kosha.*

Drugi – obrazowo-emocjonalny – poziom uczuć, seksu, impulsów; libido, *élan vital,* bioenergia, *prana.* Pojawiają się obrazy (Arieti nazywa to poziomem fantazmatów – obrazy zaczynają się pojawiać około siódmego miesiąca życia), pierwsze formy umysłowe.

Trzeci – reprezentujący umysł – poziom, który Piaget nazywał myśleniem przedoperacyjnym; składa się z symboli, które pojawiają się między drugim i czwartym rokiem życia, i pojęć, które pojawiają się pomiędzy czwartym i siódmym rokiem życia.

EZ: Jaka jest różnica między obrazami, symbolami i pojęciami?

KW: Obraz przedstawia rzecz taką, jaka ona jest. To całkiem proste. Na przykład obraz drzewa wygląda mniej więcej jak prawdziwe drzewo. Symbol przedstawia rzecz, ale nie wygląda jak ta rzecz i jego rozpoznanie jest trudniejszym zadaniem, wymagającym wyższego stopnia zaawansowania. Na przykład słowo „Fido" reprezentuje twojego psa, ale nie wygląda jak prawdziwy pies, więc trudniej je zatrzymać w umyśle. To dlatego słowa pojawiają się dopiero po obrazach. Wreszcie pojęcie, które reprezentuje całą klasę rzeczy. Pojęcie „pies" oznacza wszystkie możliwe psy, nie tylko Fida. To jeszcze trudniejsze zadanie. Symbol wskazuje, a pojęcie zawiera w sobie znaczenie. Ale symbole i pojęcia są tym, co określamy wspólnym mianem umysłu przedoperacyjnego albo reprezentującego.

EZ: A następny etap, zasada – rola?

KW: Na poziomie czwartym kształtuje się między siódmym a jedenastym rokiem życia to, co Piaget nazywa konkretnym myśleniem operacyjnym. Buddyści mówią o *manovijñana* – konkretnym działaniu umysłu, opartym na doświadczeniu sensorycznym, czuciowym. Poziom ten nazwałem: zasada – rola, bo to pierwsza struktura, w której dominuje myślenie oparte na zasadach, regułach, jak mnożenie czy dzielenie; pierwsza, która może przejąć rolę innej albo przyjąć perspektywę inną od własnej. Bardzo ważna struktura. Piaget nazywa ją operacyjną konkretną, bo choć wykonuje złożone operacje, robi to w sposób bardzo konkretny i dosłowny. To jest właśnie ta struktura, dzięki której na przykład mity są przyjmowane jako prawdziwe, dosłownie prawdziwe. Chciałbym to szczególnie podkreślić.

Poziom piąty, który nazwałem formalno-refleksyjnym, jest pierwszą strukturą, która nie tylko myśli, ale myśli o myśleniu. Jest więc wysoce introspektywna i zdolna do rozumowania hipotetycznego albo do przeciwstawiania tez dowodom. Piaget nazywa to operacyjnym myśleniem formalnym. Pojawia się w okresie dojrzewania i przyczynia się do zaistnienia początków samoświadomości i bezwzględnego idealizmu tego okresu. Aurobindo nazywa ją „rozumującym umysłem", a wedanta – *manomaya-kosha.*

Poziom szósty – egzystencjalny albo wizjonersko-logiczny; jego logika nie polega na dzieleniu, lecz włączaniu, integrowaniu, tworzeniu sieci połączeń, łączeniu. Aurobindo mówi o „wyższym umyśle", w buddyzmie zaś nazywa się to *manas.* Struktura ta jest w stanie połączyć umysł i ciało w związek o wyższym porządku; nazywam to „centaurem", co symbolizuje połączenie (ale nie utożsamienie) ciała – umysłu.

Poziom siódmy nazwany został nadpsychicznym, co nie oznacza zdolności psychicznych *per se,* choć mogą one teraz zacząć się rozwijać. Zasadniczo są to początkowe etapy rozwoju transpersonalnego, duchowego lub kontemplacyjnego. Aurobindo nazywa to „oświeconym umysłem".

Poziom ósmy, zwany subtelnym albo średnio zaawansowanym etapem rozwoju duchowego, jest miejscem świetlnych form, boskich form albo form boskości, znanych jako *yidam* w buddyzmie i *ishtadeva* w hinduizmie (nie mylić ze zbiorowymi, mitycznymi formami poziomu trzeciego i czwartego). Jest siedzibą osobowego Boga, „prawdziwych" transpersonalnych archetypów i form ponadindywidualnych. Aurobindo nazywa ten poziom „umysłem intuicyjnym", wedanta – *vijñana-maya-kosha,* buddyzm – *alaya-vijñana.*

Poziom dziewiąty to przyczynowe, nieobjawione źródło wszystkich innych poziomów. Nie jest siedliskiem Boga osobowego, lecz miejscem pozbawionego kształtu Bóstwa albo Niezmierzonego. Aurobindo nazywa to „nadumysłem", wedanta – *anandamaya-kosha,* błogie ciało.

W końcu powierzchnia, na której rozrysowany jest cały ten diagram, reprezentuje ostateczną rzeczywistość albo absolutnego Ducha, który nie jest poziomem wśród innych poziomów, lecz Gruntem i Rzeczywistością wszystkich poziomów. Aurobindo nazywa ją „superumysłem", buddyzm – czystym *alaya,* wedanta – *turiya.*

EZ: A więc poziom pierwszy – to materia, drugi – ciało, trzeci, czwarty i piąty – umysł.

KW: Zgadza się. Poziom szósty to integracja umysłu i ciała, to, co nazywam centaurem; poziom siódmy i ósmy – to dusza; poziom dziewiąty plus powierzchnia to Duch. Jak już powiedziałem, jest to przedstawienie pracy nad materią, ciałem, umysłem, duszą i duchem, które można powiązać z psychologią Zachodu.

EZ: Na każdym z dziewięciu poziomów rozwoju tożsamości ja staje w obliczu różnych zadań.

KW: Tak. Niemowlę zaczyna od etapu pierwszego, od poziomu materialnego lub fizycznego. Jego uczucia – poziom drugi – są niedojrzałe, nierozwinięte, niemowlę nie ma zdolności tworzenia symboli, pojęć, zasad. To ja fizjologiczne. Nie potrafi odróżnić siebie od świata matczynego i materialnego – to tak zwany adualizm albo świadomość oceaniczna lub protoplazmatyczna.

EZ: Wielu teoretyków utrzymuje, że ten stan oceaniczny, niezróżnicowany, jest typowym stanem przedmistycznym, gdyż podmiot i przedmiot tworzą jedność. To ten stan jedności, który odzyskuje się w mistycyzmie. Czy zgadzasz się z tym?

Wiewiórki wróciły! Biegają tam i z powrotem wśród ogromnych sekwoi, bawią się, szczęśliwe, bo nieświadome. Zastanawiam się, czy można sprzedać duszę, ale nie Diabłu, lecz wiewiórce.

Kiedy Edith poruszyła temat stanu niemowlęcej fuzji jako prototypu mistycyzmu, trafiła na temat najgorętszych dyskusji w kręgach osób zajmujących się psychologią transpersonalną. Wielu teoretyków, zwolenników Junga, utrzymywało, że skoro mistycyzm dotyczy związku podmiot–przedmiot, to ten wczesny stan fuzji musi być tym, co się *odzyskuje* w jedności mistycznej. Jako były zwolennik Junga zgadzałem się z tym podejściem i nawet wyjaśniałem to w paru esejach. Ale teraz ten pogląd – podobnie jak cała teoria Junga – wydaje mi się nie do utrzymania. Co więcej, irytuje mnie, gdyż oznacza, że mistycyzm jest stanem regresji.

KW: Tylko dlatego, że niemowlę nie zna różnicy pomiędzy podmiotem a przedmiotem, niektórzy teoretycy uważają, że ten etap rozwoju jest rodzajem związku mistycznego. Nic podobnego.

Niemowlę nie przekracza podmiotu i przedmiotu, niemowlę po prostu nie potrafi ich rozróżnić. Mistycy są doskonale świadomi różnicy pomiędzy podmiotem i przedmiotem, a także są świadomi tożsamości, która je łączy.

Ponadto związek mistyczny dotyczy wszystkich poziomów istnienia: fizycznego, biologicznego, umysłowego i duchowego. Niemowlęcy stan fuzji polega na tożsamości tylko z poziomem fizycznym czy czuciowo-ruchowym. Jak to ujął Piaget: „Ja jest tu materialne". To nie jest związek ze Wszystkim. To nie jest mistyczne.

EZ: Lecz przecież w niemowlęcym stanie fuzji istnieje związek podmiotu i przedmiotu.

KW: To nie jest związek, lecz brak rozróżnienia. Związek jest wtedy, gdy dwie oddzielne rzeczy łączą się na wyższym poziomie. W fuzji niemowlęcej nie ma dwóch rzeczy, tylko brak rozróżnienia. Nie można zintegrować tego, co nie jest najpierw rozróżnione. Poza tym, nawet jeżeli mówimy, że ten niemowlęcy stan jest związkiem podmiotu i przedmiotu, to pozwól mi powtórzyć, że tutaj jest jedynie podmiot czuciowo-ruchowy, nieodróżniony od czuciowo-ruchowego świata. Nie jest to zintegrowany podmiot wszystkich poziomów zjednoczonych ze wszystkimi wyższymi światami. Innymi słowy, nie jest to nawet prototyp związku mistycznego, lecz dokładna jego opozycja. Niemowlęcy stan fuzji jest najniższym punktem alienacji albo separacji od wszystkich wyższych poziomów i wyższych światów, których całkowitą integrację albo połączenie stanowi mistycyzm.

Dlatego mistycy chrześcijańscy utrzymują, że człowiek rodzi się w grzechu, separacji albo alienacji. To nie jest coś, co się ma w momencie urodzenia, ale coś, czym się jest i co można zmienić jedynie w procesie rozwoju, ewolucji – od materii poprzez umysł do ducha. Niemowlęcy stan materialnej fuzji jest początkiem i najniższym punktem rozwoju, a nie mistycznym prototypem jego zakończenia.

EZ: Czy wiąże się to z tym, co nazywasz „złudzeniami pretranspersonalnymi"?

KW: Tak. Na wczesnych, prepersonalnych etapach rozwoju oddzielone i zindywiduowane ego jeszcze się nie wyłoniło. Dokonuje się to na etapach „środkowych": personalnych lub inaczej – egoicznych. Na najwyższych etapach – transpersonalnych albo transegoicznych – ego jest przekraczane. Chciałem pokazać, że ludzie mają tendencje do mieszania stanów „pre" ze stanami „trans", bo z grubsza biorąc, wyglądają one podobnie. Kiedy zrównuje się prepersonalny, niemowlęcy stan fuzji z transpersonalnym związkiem mistycznym, mamy wówczas do czynienia z jedną z dwóch rzeczy. Albo stan niemowlęcy podnosimy do poziomu związku mistycznego, którym przecież nie jest, albo negujemy mistycyzm, twierdząc, że jest on tylko regresją, i sprowadzając go do infantylnego narcyzmu i oceanicznego adualizmu. Jung i ruch romantyków czynią to pierwsze: wynoszą stany preegoiczne i preracjonalne do poziomu transegoicznego i transracjonalnego. Można ich nazwać „wynosicielami". Freud natomiast i jego zwolennicy robią coś dokładnie odwrotnego: redukują prawdziwie mistyczne stany transracjonalne, transegoiczne, do poziomu preracjonalnego, preegoicznego, niemowlęcego. Oni są „redukcjonistami". Oba obozy w połowie mają rację, w połowie się mylą. Żaden nie dokonuje rozróżnienia pomiędzy „pre" i „ trans". Prawdziwy mistycyzm naprawdę istnieje i nie ma w nim niczego dziecinnego. Jeżeli ktoś twierdzi inaczej, to tak jakby mylił przedszkole z uniwersytetem. Wprowadza to niezwykłe zamieszanie.

Wiewiórki skakały jak szalone. Edith uśmiechała się i łagodnie zadawała pytania. Zastanawiałem się, czy widać, jak bardzo złości mnie pogląd, że „mistycyzm jest regresem".

EZ: OK, teraz możemy więc powrócić do naszego właściwego tematu. Niemowlę jest na etapie pierwszym, na etapie czuciowo-postrzeżeniowym, o którym wiemy już, że nie jest mistyczny. Co się dzieje, jeżeli ten etap przebiega nieprawidłowo?

KW: Ponieważ jest to poziom bardzo pierwotny, zaburzenia mogą być naprawdę poważne. Jeżeli dziecko nie nauczy się odróżniać siebie od otoczenia, wówczas granice ego pozostają całkowicie przepuszczalne i nieostre. Dziecko nie wie, gdzie się kończy jego ciało, a gdzie zaczyna na przykład krzesło. Powstaje zatarcie granic pomiędzy wnętrzem a otoczeniem, pomiędzy snem a rzeczywistością. Jest to oczywiście adualizm, jedna z najbardziej charakterystycznych cech psychoz. To ostra patologia, dotykająca najbardziej pierwotnego, najbardziej podstawowego poziomu istnienia – materialnego ja. We wczesnym dzieciństwie zaburzenie to prowadzi do autyzmu i psychoz depersonalizacyjnych; jeżeli taki stan utrzymuje się, w wieku dojrzałym wywołuje psychozy depresyjne i schizofrenię.

Jako metodę terapii proponuję leczenie „fizjologiczno-uspokajające", gdyż, niestety, rezultaty daje jedynie farmakoterapia lub stała opieka.

EZ: A poziom następny, drugi?

KW: Gdy wyłania się poziom emocjonalno-obrazowy, zwłaszcza między pierwszym a trzecim rokiem życia, ja musi najpierw odciąć się od świata materialnego i utożsamić z biologicznym światem własnego, odrębnego i czującego ciała, a potem zintegrować fizyczny świat we własnej percepcji. Innymi słowy, ja musi zburzyć swoją wyłączną tożsamość z materialnym ja i materialnym światem i stworzyć tożsamość na wyższym poziomie – z ciałem jako odrębną i osobną całością w świecie. To jest *fulcrum* drugie, które badacze tacy jak Margaret Mahler nazywają „fazą separacji – indywiduacji". W procesie indywiduacji ja musi się odseparować od matki i od fizycznego świata.

EZ: A jeżeli na tym etapie pojawiają się jakieś trudności?

KW: Wówczas granice ja pozostają niejasne, płynne, niepewne. Świat emocjonalnie „zalewa" ja. Jest ono bardzo zmienne i niestabilne. To tak zwane objawy *borderline,* usytuowane pomiędzy psychozami poprzedniego poziomu a nerwicami następnego. Są z tym związane nieco bardziej prymitywne zaburzenia narcystyczne: ja, dlatego że nie oddzieliło się od świata, traktuje świat jak swoją „skorupę", a ludzi jako swoje rozszerzenie. Jest całkowicie skupione na sobie, gdyż świat i ja jest tym samym.

EZ: Jak leczy się takie zaburzenia?

KW: Są tak podstawowe, że zwykło się uważać je za nieuleczalne. Ale ostatnio, pod wpływem prac Mahler, Kohuta, Kernberga i innych, rozwinięto terapie znane jako „techniki budowania struktury". Okazały się one dość skuteczne. Ponieważ główny problem związany z zaburzeniami typu *borderline* polega na tym, że granice ja nie są stałe, techniki budowania struktury pomagają w wyznaczaniu granic ego, aby człowiek mógł odróżnić ja od reszty świata. Osiąga się to przede wszystkim przez ukazywanie osobie zaburzonej, że to, co przydarza się innym, niekoniecznie dotyka ja. Możesz na przykład nie zgadzać się ze swoją matką, ale przecież niczym ci to nie zagraża. Nie jest to oczywiste dla kogoś, kto nie zakończył procesu separacji – indywiduacji.

Ważne jest, by zdawać sobie sprawę, iż w przypadku objawów *borderline* celem psychoterapii nie jest wydobywanie treści podświadomości. Tak postępuje się dopiero na następnym poziomie. W *borderline* nie jest tak, że silne bariery ego tłumią jakieś uczucie albo popęd. Problem polega na tym, że w ogóle nie istnieje coś takiego jak silna bariera ego czy granica. Wobec braku tłumienia nie można mówić o istnieniu dynamicznej nieświadomości i nie ma niczego, co dałoby się z niej wydobyć. Celem technik budowania struktury jest więc „podniesienie" człowieka do poziomu, na którym będzie zdolny coś tłumić!

EZ: Rozumiem, że to pojawia się na następnym, trzecim poziomie.

KW: Zgadza się. Poziom trzeci – albo poziom reprezentującego umysłu – zaczyna się wyłaniać około drugiego roku życia i panuje w świadomości aż do siódmego roku życia. Pojawiają się symbole, pojęcia, język, i to pozwala dziecku przenieść swoją tożsamość z ja związanego z ciałem do ja umysłowego albo egoicznego. Dziecko już nie jest tylko ciałem zdominowanym przez bieżące uczucia i popędy; jest również ja umysłowym, mającym swoje własne imię, własną tożsamość, nadzieje i pragnienia, rozciągnięte w c z a s i e. Język jest wehikułem czasu; używając języka, dziecko może pomyśleć o dniu wczorajszym i marzyć o jutrze – i dlatego potrafi żałować przeszłości, mieć poczucie winy, martwić się o przyszłość i odczuwać niepokój.

Tak oto na tym etapie pojawia się poczucie winy i lęk, a jeżeli lęk jest zbyt duży, wówczas ja może tłumić wszystkie myśli i uczucia, które go wywołują. Te stłumione myśli i uczucia, zwłaszcza seks, agresja i dążenie do władzy, tworzą stłumioną dynamiczną nieświadomość, którą za Jungiem nazywam cieniem. Jeżeli cień staje się zbyt silny, zbyt przeładowany, zbyt pełny, wówczas wybucha serią bolesnych objawów, znanych jako psychonerwice albo krócej – nerwice.

Tak więc na poziomie trzecim pojawia się wspomagane przez język, umysłowo-egoiczne ja, które uczy się odróżniać od ciała. Jeżeli jednak to odróżnienie idzie zbyt daleko, rezultatem jest brak związku, stłumienie. Ego nie przekracza ciała, ono je odrzuca. Oznacza to, że aspekty ciała i jego pragnienia stają się cieniem, boleśnie sabotując ego, co przybiera postać konfliktu neurotycznego.

EZ: A więc leczenie nerwic polega na doprowadzeniu do kontaktu z cieniem i reintegracji?

KW: Tak. Te terapie nazywane są „technikami odsłaniania" – ich celem jest odkrycie cienia, wyniesienie go na powierzchnię, a potem, jak powiedziałaś, zreintegrowanie go. Aby doprowadzić do tego, trzeba osłabić barierę tłumienia, stworzoną przez język i podtrzymywaną przez lęk i poczucie winy. Można na przykład zachęcać osobę dotkniętą zaburzeniem poziomu trzeciego, by mówiła, co jej przychodzi do głowy, bez cenzury. Bez względu na to, jaką zastosujemy technikę – cel jest ten sam: oswoić i przyswoić cień.

EZ: A następny etap?

KW: Etap czwarty, zasada–rola – między siódmym a jedenastym rokiem życia – oznacza pewne bardzo głębokie zmiany w świadomości. Dziecku z poziomu trzeciego (myślenie przedoperacyjne) pokazujesz piłkę, która z jednej strony jest zielona, a z drugiej czerwona. Następnie czerwoną stroną zwracasz ją do dziecka, a zieloną do siebie. Kiedy spytasz, na jaki kolor ty patrzysz, ono odpowie, że na czerwony. Innymi słowy, nie potrafi ono przyjąć twojej perspektywy, nie potrafi przejąć roli kogoś innego. Wraz z wyłonieniem się poziomu konkretnego myślenia operacyjnego dziecko prawidłowo odpowie, że patrzysz na kolor zielony. Wtedy już może ono przejąć czyjąś rolę. Na tym etapie dziecko zaczyna również wykonywać operacje oparte na zasadach: mnożenie, podział, hierarchizacja.

Innymi słowy, dziecko w coraz większym stopniu wchodzi w posiadanie świata ról i zasad. Jego zachowanie jest podporządkowane zasadom lingwistycznym. Przejawia się to zwłaszcza w poczuciu moralności, co podkreślają Piaget, Kohlberg i Carol Gilligan. Poczucie moralności poprzednich etapów, od pierwszego do trzeciego, nazwano prekonwencjonalnym, nie jest bowiem oparte na zasadach, lecz na systemie nagrody i kary, przyjemności i bólu; jest skupione na sobie, narcystyczne. Wraz z pojawieniem się etapu zasada – rola poczucie moralności dziecka staje się już konwencjonalne – zmienia się ze skupionego na sobie na skupione na zasadach społecznych.

Jest to niezwykle ważne, gdyż umysł konwencjonalny na etapie zasada – rola nie jest jeszcze zdolny do introspekcji; zasady i role, których uczy się dziecko, są przeznaczone do konkretnych celów. Dziecko akceptuje te zasady i role bez kwestionowania ich – badacze nazywają to etapem konformistycznym. Nie mając zdolności do introspekcji, dziecko nie może ich niezależnie oceniać, więc bezrefleksyjnie postępuje według nich.

W większości te zasady i role są potrzebne i korzystne, przynajmniej na tym etapie, ale niektóre z nich mogą być fałszywe, sprzeczne, wprowadzające w błąd. Wiele scenariuszy życiowych, które otrzymujemy od rodziców i społeczeństwa, to zwyczajne mity; są nieprawdziwe, wprowadzają w błąd. Na tym etapie jednakże dziecko nie potrafi tego osądzić! Traktuje wszystko dosłownie i konkretnie. Jeżeli taka błędna wiara utrzymuje się, mamy do czynienia ze scenariuszem patologicznym. Możesz żyć w przekonaniu, że nie jesteś dobra, że jesteś zepsuta do szpiku kości, że Bóg ukarze cię za brzydkie myśli, że nikt nie będzie cię kochać, że jesteś nędznym grzesznikiem...

Metoda leczenia – zwłaszcza metoda znana jako kognitywna – polega na wykorzenianiu takich mitów i przeciwstawianiu ich racjonalnym dowodom. Nazywa się to „przepisywaniem scenariusza". Jest to niezwykle skuteczna terapia, zwłaszcza w przypadkach depresji i poczucia małej wartości.

EZ: A co z poziomem piątym?

KW: Wraz z pojawieniem się formalnego myślenia operacyjnego, zazwyczaj pomiędzy jedenastym i piętnastym rokiem życia, zachodzi kolejna niezwykła przemiana. Człowiek jest zdolny do refleksji nad normami i zasadami obowiązującymi w społeczeństwie, a więc może sam oceniać ich wartość; daje to początek temu, co Kohlberg i Gilligan nazywają moralnością postkonwencjonalną. Przestaje być podporządkowany konformistycznym normom szczepu, grupy czy społeczeństwa, a postępowanie ocenia według bardziej uniwersalnych standardów: co jest dobre czy uczciwe nie tylko dla mojej grupy, lecz także dla innych ludzi. To ma sens. Wyższy rozwój zawsze oznacza możliwość wyższej albo bardziej uniwersalnej integracji. W tym przypadku człowiek przechodzi od skupienia na sobie poprzez skupienie na społeczeństwie do skupienia na świecie. To jest droga do skupienia się na Bogu.

Na tym etapie człowiek również rozwija w sobie umiejętność silnej i trwałej introspekcji. Po raz pierwszy wyłania się paląca kwestia: „Kim jestem?". Niechroniony już przez konformistyczne zasady i role poprzedniego etapu, musi sam ukształtować swoją tożsamość. Jeżeli na tym poziomie pojawiają się jakieś problemy, powstaje kryzys tożsamości, jak to nazywa Erikson. Jedyną terapią jest jeszcze głębsza introspekcja. Terapeuta staje się kimś w rodzaju filozofa, nauczyciela – wciąga pacjenta w sokratejski dialog...

EZ: To pomaga dowiedzieć się, kim jestem, kim chcę być, kim mogę być?

KW: Dokładnie. W tym momencie nie jest to jakieś wielkie, mistyczne poszukiwanie transcendentalnego Ja przez duże „J", takiego samego u wszystkich ludzi. To poszukiwanie ja przez małe „j", nie absolutnego Ja. Jak w *Buszującym w zbożu.*

EZ: Poziom egzystencjalny?

KW: John Broughton, Jane Loevinger i kilku innych naukowców wskazało, że jeżeli trwa rozwój psychologiczny, można wykształcić w sobie wysoce zintegrowane osobiste ja; mówiąc słowami Loevinger, „umysł i ciało są doświadczeniami zintegrowanego ja". Tę integrację umysłu i ciała określam mianem centaura. Problemy na poziomie centaura są egzystencjalne, odziedziczone wraz z samym istnieniem: śmiertelność, skończoność, integralność, autentyczność, znaczenie w życiu. Pojawiają się one także na innych etapach, lecz na tym są dominujące. W przypadku tego rodzaju problemów stosuje się terapie humanistyczne i egzystencjalne z kręgu tak zwanej trzeciej siły (pierwsza siła to psychoanaliza, druga zaś to behawioryzm).

EZ: OK, doszliśmy więc do wyższych poziomów rozwoju, zaczynając od poziomu psychicznego.

KW: Tak. W miarę rozwoju i dochodzenia do poziomów transpersonalnych, od siódmego do dziewiątego, twoja tożsamość zaczyna się rozrastać, najpierw przekraczając oddzielone ciało–umysł, potem docierając do szerszych duchowych i transcendentalnych wymiarów istnienia, w końcu osiągając kulminację w największej tożsamości – w tożsamości wyższej, tożsamości twojej świadomości i wszechświata nie tylko fizycznego, lecz także wielowymiarowego wszechświata boskiego.

Poziom nadpsychiczny jest po prostu początkiem tego procesu, rozpoczęciem etapów transpersonalnych. Możesz doświadczać przebłysków tak zwanej świadomości kosmicznej, mogą się w tobie rozwinąć pewne umiejętności medialne i niezwykła, przenikająca wszystko intuicja. Ale przede wszystkim po prostu uświadamiasz sobie, że twoja własna świadomość nie jest nierozerwalnie związana z indywidualnym ciałem–umysłem. Zaczynasz przeczuwać, że twoja świadomość wychodzi poza, jest trwalsza niż indywidualny organizm. Zaczynasz jedynie być świadkiem tego, co się dzieje z ciałem–umysłem, bo już nie jesteś wyłącznie z nim utożsamiony, związany. Rozwijasz w sobie równowagę. Zaczynasz się kontaktować ze swoją transcendentalną duszą, ze Świadkiem, co ostatecznie może doprowadzić do bezpośredniej tożsamości z Duchem.

EZ: Techniki tego poziomu nazywasz drogą joginów.

KW: Za Da Free Johnem dzielę wielkie tradycje mistyczne na trzy drogi, to znaczy drogę joginów, drogę świętych i drogę mędrców. Odnoszą się one odpowiednio do poziomu nadpsychicznego, subtelnego i przyczynowego. Jogin używa energii indywidualnego ciała – umysłu po to, by wyjść poza ciało – umysł. Gdy ciało – umysł, wraz z wieloma zwykle nieuświadamianymi procesami, znajdzie się pod rygorystyczną kontrolą, uwaga uwalnia się od niego i w ten sposób powraca na grunt transpersonalny.

EZ: Rozumiem, że ten proces przebiega również na poziomie subtelnym.

KW: Tak. Gdy uwaga stopniowo uwalnia się od zewnętrznego świata, zewnętrznego środowiska i od wewnętrznego świata ciała – umysłu, świadomość zaczyna przekraczać dwoistość podmiot – przedmiot. Iluzoryczny świat dualizmu jawi się takim, jaki jest w rzeczywistości – jako manifestacja samego Ducha. Świat zewnętrzny i świat wewnętrzny widziane są jako boskie. Świadomość zaczyna wypełniać się światłem i zdaje się bezpośrednio dotykać Boskości, a nawet jednoczyć się z Nią.

Taka jest droga świętych. Zauważ, że święci zarówno na Wschodzie, jak i na Zachodzie są zazwyczaj przedstawiani z aureolą nad głową. To jest symbol wewnętrznego Światła oświeconego i intuicyjnego umysłu. Na poziomie psychicznym zaczynasz jednoczyć się z Boskością albo z Duchem. Na poziomie subtelnym odnajdujesz zjednoczenie z Duchem, *unio mystica;* nie tylko połączenie, lecz zjednoczenie.

EZ: A na poziomie przyczynowym?

KW: Proces jest zakończony; dusza albo czysty Świadek rozpuszcza się w swoim Źródle, a związek z Bogiem ustępuje miejsca tożsamości z Bóstwem albo nieobjawioną Podstawą całego istnienia. To jest oczywiście to, co sufi nazywają Wyższą Tożsamością. Uświadomiłaś sobie swoją fundamentalną tożsamość z Warunkiem wszystkich warunków, Naturą wszystkich natur i Istnieniem wszystkich istnień. Ponieważ Duch jest warunkiem wszystkich rzeczy, jest doskonale zgodny ze wszystkimi rzeczami. Nie ma w tym nic niezwykłego. To tak jak rąbanie drewna czy noszenie wody. Dlatego ludzie, którzy osiągnęli ten etap, często są przedstawiani jako bardzo zwyczajni. To droga mędrców, ludzi tak mądrych, że nawet tego nie widać. Zajmują się swoimi sprawami. W *Ten Zen OxHerding Pictures,* które przedstawiają etapy na drodze do oświecenia, ostatni rysunek ukazuje zwykłego człowieka, który idzie na targ. Podpis głosi: „Przychodzą na targowisko, by obdarzać". Tylko tyle.

EZ: Fascynujące. I na każdym z tych trzech wyższych poziomów możliwe są patologie?

KW: Tak, ale nie będę ich szczegółowo analizował, gdyż to bardzo obszerny temat. Powiem tylko, że na każdym etapie można się zatrzymać, zafiksować na doświadczeniach – i to powoduje różne trudności i patologie. Oczywiście każdą z nich można leczyć odpowiednimi metodami. Wyjaśniam to w *Transformations*.

EZ: W pewnym sensie już odpowiedziałeś na moje pytanie o związek między psychoterapią i medytacją. Opisując całe spektrum świadomości, każdej rzeczy dałeś właściwe, zgodne z rolą miejsce.

KW: Tak, w pewnym sensie tak. Pozwól, że dodam jeszcze parę punktów. Punkt pierwszy: medytacja nie jest techniką odsłaniającą, jaką jest psychoanaliza. Celem medytacji nie jest osłabienie granic, odkrywanie stłumionych treści podświadomości po to, by umożliwić ujawnienie się cienia. Medytacja może do tego doprowadzić, co wyjaśnię później, ale nie musi. Jej głównym celem jest podtrzymywanie aktywności umysłu i ego i ułatwienie rozwoju transegoicznej, transpersonalnej świadomości, co wiedzie do odkrycia Świadka albo Ja.

Innymi słowy, medytacja i psychoterapia dotyczą zupełnie różnych poziomów psychiki. Zen nie wyleczy twojej nerwicy (nie to jest jego przeznaczeniem). Można wykształcić w sobie całkiem silne poczucie Świadka i mimo to pozostać neurotykiem. Uczysz się po prostu obserwować swoją nerwicę, co pomaga ci żyć z nią całkiem bezkonfliktowo, ale nie pozbywasz się jej. Gdy złamiesz rękę, zen także jej nie wyleczy, jak również nie odmieni twojego nieudanego życia uczuciowego. Mam własne, dość gorzkie doświadczenia i mogę ci powiedzieć, że zen ułatwił mi życie z moimi nerwicami, ale nie sprawił, że się ich pozbyłem.

EZ: Tym zajmują się techniki odsłaniające.

KW: Dokładnie tak. W przeogromnej literaturze z dziedziny kontemplacji i mistyki nie znajdziesz nic na temat dynamicznej nieświadomości czy tłumienia. To jest odkrycie i wkład współczesnej Europy.

EZ: Zdarza się jednak, że u początkującej osoby medytującej tłumiony materiał wybucha.

KW: Rzeczywiście, to może się zdarzyć, ale nie musi. Moim zdaniem wygląda to następująco: medytacja prowadzi na przykład na poziom przyczynowy, poziom czystego Świadka (który w końcu sam roztapia się w czystym, niedualistycznym Duchu). Będzie to zen, *vipassana* albo wgląd w siebie (w postaci „Kim jestem?" albo „Unikanie związku"). A więc rozpoczynasz medytację zen i masz poważną nerwicę, na przykład depresję z *fulcrum* trzecim, wywołaną silnym tłumieniem gniewu. Zamiast identyfikować się z ego – umysłem i jego zawartością, zamiast dać się przez nie uwięzić i prowadzić, zaczynasz być jedynie świadkiem; wpływ ego zaczyna słabnąć, samo ego coraz bardziej rozluźnia się, aż nagle zaczyna się „ roztapiać" – jesteś wolny jako Świadek poza ego, a w każdym razie nagle na mgnienie oka dostrzegasz Świadka. Aby to nastąpiło, nie jest konieczne, by całe ego było rozluźnione; wystarczy tylko pozwolić mu rozluźnić się na tyle, by mogło je przeniknąć światło Świadka. Wtedy to właśnie może „puścić" bariera tłumienia. Jeżeli tak się stanie, to będziesz odczuwała depresję, wyłonią się elementy cienia, w tym przypadku gniew, który dosyć gwałtownie wybuchnie w twojej świadomości. To się zdarza dosyć często. Ale niekiedy nie zdarza się w ogóle. Bariera tłumienia po prostu pozostaje nietknięta. Utrzymujesz ego w stanie rozluźnienia dostatecznie długo, by na jakiś czas roztopiło się, ale nie na tyle długo, by osłabić barierę tłumienia. Często pozostaje ona nietknięta. Zen zatem nie jest zwykłą techniką odsłaniania. Jeśli dochodzi do „wylania się" treści nieświadomości, jest to przypadek. Tego nie da się zaplanować. Tak samo możesz stosować wszystkie techniki odsłaniania, jakie znasz, ale nie przeżyjesz dzięki temu oświecenia, nie staniesz się wyższą tożsamością. Freud nie był Buddą, Budda nie był Freudem. Uwierz mi.

EZ (śmiejąc się): Rozumiem. Twoje zalecenie jest więc takie: ludzie, stosujcie psychoterapię i medytację jako uzupełniające się metody i niech każda z nich spełnia własne zadanie! Czy tak?

KW: Tak, dokładnie tak. Są to metody niezwykle silne i skuteczne, ale wymierzone w inne poziomy świadomości. Nie znaczy to, że nie zachodzą na siebie i w ogóle nie mają ze sobą nic wspólnego – bo mają. Nawet psychoanaliza do pewnego stopnia uczy umiejętności obserwowania, gdyż „wolna uwaga" jest podstawowym warunkiem wolnych skojarzeń. Ale poza tym podobieństwem obie te techniki wyraźnie różnią się między sobą, odnosząc się do bardzo różnych wymiarów świadomości. Medytacja może pomóc psychoterapii, gdyż sprzyja wytworzeniu „obserwującej świadomości" i w ten sposób uczestniczy w rozwiązywaniu pewnych problemów. Również psychoterapia może pomóc medytacji, bo uwalnia świadomość od skutków tłumienia i od przywiązania do niższych poziomów. Poza tym jednak ich cele, metody i dynamika znacznie się różnią.

EZ: Jeszcze jedno, ostatnie pytanie.

Edith zadała mi pytanie, ale ja go nie usłyszałem. Szukałem wzrokiem wiewiórek, które znowu zniknęły w głębi lasu. Dlaczego nie potrafię już być Świadkiem? Piętnaście lat medytacji, w czasie których miałem kilka niekwestionowanych doświadczeń *kensho,* w pełni potwierdzonych przez moich nauczycieli – jak to wszystko mogło mnie opuścić? Gdzie są zeszłoroczne wiewiórki?

Częściowo o tym właśnie mówiłem Edith. Medytacja niekoniecznie uzdrawia cień. Ja też zbyt często używałem medytacji po to, by uniknąć pracy nad emocjami, którą powinienem był ukończyć. Posługiwałem się zazen, żeby ominąć nerwice – a to naprawdę nie wystarczy. Tak oto teraz przechodziłem proces naprawy...

EZ: Powiedziałeś, że każdy poziom świadomości wiąże się z jakimś szczególnym widzeniem świata. Czy mógłbyś krótko wyjaśnić, co przez to rozumiesz?

KW: Pytanie jest następujące: Jak by wyglądał świat, gdyby na każdym poziomie istniały tylko struktury poznawcze? Widzenie świata na dziewięciu poziomach ma odpowiednie nazwy: archaiczne, magiczne, mityczne, mityczno-racjonalne, racjonalne, egzystencjalne, nadpsychiczne, subtelne i przyczynowe. Krótko je wszystkie opiszę.

Jeśli są to tylko struktury poziomu pierwszego, świat jest nierozróżniony, to świat *participation mystique*, globalnej fuzji, niedwoistości. Nazywam takie spojrzenie archaicznym z powodu jego pierwotnej natury.

Gdy wyłania się poziom drugi i obrazy wraz z wczesnymi symbolami, ja odróżnia się od świata, ale wciąż jest bardzo blisko z nim związane, pozostając w stanie quasi-fuzji. Wydaje ci się, że możesz zmienić świat w sposób magiczny, jedynie myśląc o czymś albo czegoś pragnąc. Przykładem tego jest *voodoo*. Jeżeli zrobię twoją podobiznę, a potem wbiję w nią szpilkę, wierzę, że ciebie to rzeczywiście zaboli. To dlatego, że obraz i odpowiadający mu przedmiot nie są dokładnie rozróżnione. To spojrzenie na świat zwane jest magicznym.

Na poziomie trzecim ja i reszta są całkowicie rozróżnione. Wiara magiczna umiera, zastąpiona przez wiarę w mit. Nie mogę już magicznie rządzić światem, ale Bóg to potrafi, jeżeli będę wiedział, jak mu się spodobać. Jeżeli chcę, by spełniły się moje osobiste życzenia, ślę do Boga prośby, modlitwy, a Bóg zadziała w moim imieniu i zakwestionuje prawa przyrody za pomocą cudów. To jest mityczne spojrzenie na świat.

Gdy wyłania się poziom czwarty wraz z możliwością konkretnych operacji czy rytuałów i zaczynam zdawać sobie sprawę, że moje modlitwy nie zawsze się spełniają, usiłuję manipulować naturą, by spodobać się bogom, którzy w sposób mityczny zadziałają na moją korzyść. Do modlitw dodaję starannie przygotowane rytuały. Historycznie głównym rytuałem, który powstał na tym etapie, był rytuał ofiary z człowieka, który, jak to zauważył sam Campbell, na tym etapie rozwoju nawiedził każdą ważniejszą cywilizację świata. Choć wydaje się to bardzo ponure, myślenie leżące u podstaw takich działań jest o wiele bardziej złożone i skomplikowane niż zwyczajny mit, więc mówimy tu o spojrzeniu mityczno-racjonalnym.

Wraz z wyłonieniem się poziomu piątego, formalnego myślenia operacyjnego, zaczynam sobie uświadamiać, że wiara w osobistego Boga, który zaspokaja moje osobiste zachcianki, prawdopodobnie nie ma sensu, gdyż brak na nią wiarygodnego dowodu, a zresztą i tak nie skutkuje. Jeżeli chcę czegoś od natury – na przykład pożywienia – pomijam rytuały i ofiary z ludzi i bezpośrednio się do niej zbliżam. Posługując się rozumowaniem hipotetyczno-dedukcyjnym – to znaczy metodą nauki – zdobywam dokładnie to, czego chcę. To ogromny postęp, ale ma również swoje złe strony. Świat zaczyna wyglądać jak bezsensowny zbiór materialnych przedmiotów bez wartości i bez znaczenia. To jest racjonalne spojrzenie na świat, często nazywane naukowym materializmem.

Gdy wyłania się poziom szósty, wizja i logika, widzę, że na niebie i ziemi istnieją rzeczy, o których się nie śniło moim racjonalnym filozofom. Dzięki integracji ciała świat staje się „zaczarowany na nowo", używając słów Bermana. To humanistyczno-egzystencjalne widzenie świata.

Na poziomie siódmym, nadpsychicznym, zaczynam sobie uświadamiać, że n a p r a w d ę na niebie i ziemi istnieją rzeczy, o których mi się nie śniło. Wyczuwam Boskość kryjącą się pod powierzchnią i wchodzę z nią w kontakt – nie przez mityczną wiarę, lecz przez doświadczenie wewnętrzne. To jest ogólne, psychiczne widzenie świata. Na poziomie subtelnym poznaję tę Boskość bezpośrednio i odnajduję z nią związek. Utrzymuję jednak, że dusza i Bóg to dwie osobne, ontologiczne całości. To subtelne widzenie świata – istnieje dusza, istnieje transpersonalny Bóg, ale są subtelnie oddzielone. Na poziomie przyczynowym to rozdzielenie przestaje istnieć i uświadamiam sobie wyższą tożsamość. To widzenie przyczynowe, *tat tvam asi,* ty jesteś Tym. Czysty, niedualistyczny Duch, który będąc zgodny ze wszystkim, nie jest niczym niezwykłym.

EZ: Teraz rozumiem, dlaczego w swoich książkach zawsze utrzymywałeś, iż współczesny racjonalizm, który tak wiele czasu poświęcił niszczeniu religii, sam jest w istocie ruchem duchowym.

KW: Tak. Pod tym względem jestem chyba jedyny wśród socjologów religii. Moim zdaniem, nie dysponują oni dokładną mapą świadomości. Potem oczywiście biadają nad rozwojem współczesnego racjonalizmu i nauki, bo współczesna nauka i racjonalizm – poziom piąty – niewątpliwie przekraczają archaiczne, magiczne i mityczne widzenie świata. Większość naukowców uważa więc, że nauka zabija duchowość, zabija wszelką religię, bo nie rozumieją zbyt dobrze religii mistycznej. Tęsknią więc za dobrymi, starymi mitami, za preracjonalizmem, które uważają za „prawdziwą" religię. Ale mistycyzm jest transracjonalny i dlatego leży w naszej zbiorowej przyszłości, a nie w naszej zbiorowej przeszłości. Mistycyzm jest ewolucyjny i progresywny, a nie dewolucyjny i regresywny, jak to sobie uświadomili Aurobindo i Teilhard de Chardin. Nauka zaś, moim zdaniem, pozbawia nas naszego niemowlęcego i młodzieńczego widzenia świata, pozbawia nas naszych preracjonalnych poglądów po to, by zrobić miejsce dla prawdziwie transracjonalnych wglądów na wyższych etapach rozwoju, transpersonalnych etapach prawdziwego rozwoju mistycznego, kontemplacyjnego. Pozbawia nas magii i mitów, by zrobić miejsce dla widzenia subtelnego i psychicznego. W tym sensie nauka (i racjonalizm) są bardzo zdrowe, bardzo ewolucyjne, są bardzo potrzebnym krokiem w kierunku prawdziwej dojrzałości duchowej. Racjonalizm jest ruchem ducha w kierunku ducha.

Dlatego wielu naukowców było wybitnymi mistykami. To naturalne połączenie. Nauka o świecie zewnętrznym połączona z nauką o świecie wewnętrznym, prawdziwe spotkanie Zachodu ze Wschodem.

EZ: To będzie chyba najlepsze zakończenie.

Pożegnałem się z Edith, pragnąc, żeby spotkała się z Treyą, i myśląc, że niestety już nigdy jej nie zobaczę. Nie wiedziałem, że powróci do naszego życia w dniach rozpaczy jako prawdziwy przyjaciel, którego bardzo będziemy potrzebować.

„Sny są tak dziwne" – myślę, idąc wolno korytarzem do trzeciego pokoju. „Do trzeciego pokoju" – to dobry tytuł dla książki. Sny potrafią być tak rzeczywiste. To jest to. Sny potrafią być tak rzeczywiste. Przypomina mi się fragment z „Blade Runner": „Obudź się, czas umierać".

A potem myślę: „W takim razie, czy chcę się obudzić, czy też nie?".

– *Powiedz mi, ty nie masz imienia, prawda?*

Treya wróciła do domu następnego dnia. Na to popołudnie umówiłem się z doktorem Belknapem.

– Terry – powiedział, gdy weszliśmy do jego przytulnego gabinetu – obawiam się, że masz cukrzycę. Oczywiście, musimy zrobić więcej badań, ale wynik badania moczu jest całkiem oczywisty.

Kiedy doktor Belknap powiedział nam, że wyniki badania moczu wskazują na cukrzycę, przypomniałam sobie słowa bohaterki *Pożegnania z Afryką,* kiedy odkryła, że ma syfilis. Bardzo spokojnie powiedziała: „Nie spodziewałam się, że właśnie na to przyszła kolej". Tak samo ja. W najczarniejszych snach, koszmarach nocnych, nie spodziewałam się, że właśnie na to przyszła kolej.

12

Innym głosem

Zabójca numer trzy dorosłych Amerykanów. Większość osób nie przywiązuje zbyt wielkiej wagi do cukrzycy; w nagłówkach gazet zwykle są zabójcy numer jeden i dwa – choroby serca i rak. Poza tym, że cukrzyca jest zabójcą numer trzy, jest również główną przyczyną utraty wzroku i amputacji kończyn. Cukrzyca oznaczała dla nas obojga kolejną, radykalną zmianę stylu życia, a dla Trei codzienne zastrzyki insuliny, niemiłą ścisłą dietę, ciągłe sprawdzanie poziomu glukozy we krwi, noszenie przy sobie kawałka cukru na wypadek szoku insulinowego. Nie mógłbym jej skutecznie pomóc, gdyby nie podsunięta przez Hioba odpowiedź na odwieczne pytanie „Dlaczego ja?", która brzmiała: „A dlaczego nie?"

Mam cukrzycę, mam cukrzycę. Jezu, kiedy się to wszystko skończy?

W zeszłym tygodniu spytałam doktora Rosenbauma [nasz miejscowy onkolog], czy mógłby wyjąć port-a-cath, gdyż chyba nie jest mi już potrzebny. Zawahał się, a potem powiedział, że go zostawi. To znaczy, że uważa, iż istnieje poważne prawdopodobieństwo nawrotu. Właśnie teraz, kiedy zaczynam czuć się dobrze, kiedy zaczynam być pewna siebie, kiedy zaczynam myśleć, że może jeszcze trochę pożyję. Może nawet będę żyła długo. Może przeżyję długie życie. Może Ken i ja razem się zestarzejemy. Może nawet będziemy mieli dziecko. Mogłabym wnieść jakiś wkład w rozwój świata. I wtedy nagle spada na mnie rak. Lekarz nie wyjmie port-a-cath. Nagle znowu jestem w punkcie wyjścia. To nieuniknione. Rak jest chorobą chroniczną.

W rejestracji podsłuchuję, jak pielęgniarka rozmawia z pacjentem chorym na raka.

– Sama nigdy nie miałam raka, więc może pan mi nie uwierzyć, wydaje mi się jednak, że są choroby gorsze od raka.

Wpadam do rejestracji, bardzo zainteresowana.

– Na przykład co?

– Och, na przykład jaskra albo cukrzyca. Stwarzają tyle naprawdę poważnych, chronicznych problemów. Pamiętam, że kiedy okazało się, że mam jaskrę...

No tak, do tego wszystkiego mam jeszcze cukrzycę. Trudno mi w to uwierzyć. Jestem zdruzgotana, zupełnie zdruzgotana. Co mogę zrobić oprócz tego, że się rozpłaczę? Rozpacz, gniew, szok, strach przed chorobą, której nie rozumiem – wszystko to wypływa ze mnie ze słonymi łzami. Przypomina mi się pewne wydarzenie sprzed dwóch dni. Weekend po Nowym Roku spędziliśmy w Tahoe z paroma przyjaciółmi i nagle zauważyłam, że strasznie chce mi się pić. Kiedy wróciliśmy do domu w Mill Valley, powiedziałam o tym Kenowi. Spojrzał znad biurka i powiedział:

– To może być objaw cukrzycy.

– Och, to interesujące – odparłam.

On wrócił do swojej pracy i żadne z nas już o tym nie myślało.

Co bym zrobiła bez Kena? Co bym zrobiła, gdyby wyjechał albo był w pracy, kiedy nadeszła ta wiadomość? Obejmuje mnie i pociesza. Wchłania mój ból. Kiedy wychodziliśmy od lekarza, płakałam. Kolejna choroba, której się trzeba nauczyć, z którą trzeba dać sobie radę, kolejna choroba, która może mnie ograniczać i stanowić zagrożenie dla życia. Jest mi siebie bardzo, bardzo żal, jestem też zła na to wszystko.

Prawie nie pamiętam, co nam powiedzieli doktor Belknap i pielęgniarka. Siedziałam tam, cały czas płacząc. Zobaczymy, czy moja cukrzyca zareaguje na glyburid, środek doustny wynaleziony w Europie. Jeżeli nie, będę musiała przestawić się na insulinę. Tymczasem co rano muszę robić badanie krwi, włącznie z sobotą i niedzielą, byśmy mogli się przekonać, ile potrzebuję leków doustnych. Pielęgniarka potem wszystko nam jeszcze raz powtórzyła; mam nadzieję, że Ken słuchał uważniej niż ja. Czułam dziwną mieszaninę buntu i złości, a jednocześnie smutek i poczucie przegranej. Brzmiało to tak, jak gdybym miała być chora przez całe życie. Pielęgniarka dała mi opis diety, której mam przestrzegać. Wkrótce bardzo dobrze ją poznam: tysiąc dwieście kalorii, zamienniki mleka, skrobii, owoców, mięsa i tłuszczów. Dzięki Bogu za potrawy, które mogę jeść do woli – rzodkiewki, chińska kapusta, ogórki, pikle.

Pierwsze kroki skierowaliśmy do supermarketu. Wciąż jestem posępna, ale na chwilę zatracam się, zafascynowana czytaniem metek na towarach i szukaniem cukru. Cukier jest wszędzie – w chlebie, w maśle orzechowym, w przyprawach do sałatek, w półproduktach, w sosie do spaghetti, w puszkowanych warzywach, wszędzie, wszędzie! Wędrujemy pomiędzy półkami, krzycząc do siebie, gdy znajdujemy coś niezwykłego: „Cukier w odżywkach dla dzieci, przejście siódme!" – drze się Ken, albo gdy natykamy się na coś, co mogę jeść: „Ziemia do roślin doniczkowych, przejście czwarte – bez cukru!". Gdy wreszcie podchodzimy do kasy, w koszyku mamy wiele nowych rzeczy – na przykład dietetyczną wodę sodową, wagę kuchenną i nowe miarki. Jak wkrótce miałam się przekonać, moja dieta polega na dokładnym odmierzaniu wszystkiego.

Co rano przed śniadaniem jadę do laboratorium na badanie krwi. W soboty i niedziele jeżdżę do Marin General Hospital, gdzie do mojej pokaźnej kolekcji dochodzi kolejna karta szpitalna. W szpitalu fachowo pobierają krew; prawie nie boli, kiedy igła wchodzi do żyły. Przez cały tydzień co rano modlę się, żeby to była miła, siwowłosa kobieta, która ma czarodziejskie ręce, a nie pielęgniarka, która za każdym razem sprawia mi ból, a czasami musi wkłuwać się dwa razy, żeby wreszcie trafić do żyły. Jest to dla mnie szczególnie ważne, bo całe to kłucie dotyczy tylko jednej ręki; z powodu operacji piersi zawsze pobierają mi krew tylko z lewej ręki, która coraz bardziej zaczyna przypominać rękę narkomana.

Każdego ranka biorę w tabletce 5 mg glyburidu – jednego z leków przeciwcukrzycowych „drugiej generacji". Codziennie koło piątej po południu przyjmuję drugą tabletkę. Chyba będę musiała sobie sprawić zegarek z budzikiem, żeby pamiętać o tej późnopopołudniowej procedurze.

Każdy dzień zaczynam od przejrzenia diety, która jest zapisana na kartce przyczepionej do drzwi lodówki. Czy mogę zamienić mleko na więcej masła orzechowego? Czy mogę zamienić skrobię na więcej warzyw? Czy mogę zjeść więcej ryby na obiad? Odmierzam filiżankę kaszy, filiżankę mleka, dwie małe łyżeczki rodzynków, jedną czwartą filiżanki twarogu. Przygotowuję lunch złożony z sałatki przyprawionej octem, kanapki z masłem orzechowym (dwie łyżki stołowe) i bananem (połówka małego) oraz połowy filiżanki warzyw. Obiad również jest starannie przemyślany i odmierzony: trzy uncje ryby, jedna filiżanka makaronu z mąki pszennej, pół filiżanki warzyw. Wieczorem przekąska w postaci połowy filiżanki mleka i dwóch krakersów.

Cztery razy dziennie badam mocz w poszukiwaniu śladów cukru – po przebudzeniu się, przed lunchem, przed obiadem i przed małym posiłkiem późno wieczorem. I cztery razy dziennie widzę, jak te przeklęte paski natychmiast robią się brązowe: czysty niebieski kolor zmienia się w zielony, potem brązowieje na brzegach i potem ten brąz coraz bardziej ciemnieje. Cały ten proces, przeklęte paseczki, które brązowieją na moich oczach, ostatecznie mnie przekonuje. Mam cukrzycę. Jestem cukrzykiem. Mam cukrzycę.

Cukrzyca Trei powoli zaczęła reagować na glyburid i ścisłą dietę, ale tylko dzięki maksymalnej dawce lekarstwa, co oznaczało, że Treya prawie na pewno będzie musiała przejść na insulinę, może za parę miesięcy, może za parę lat, ale nieuchronnie.

Insulina. To oznacza zastrzyki. Doskonale pamiętam, jak przyjeżdżaliśmy do dziadka. Wszyscy – moje siostry i brat – uwielbialiśmy go odwiedzać w jego czarodziejskim domu z białymi kolumnami, dużymi gankami, zielonymi trawnikami i wspaniałymi drzewami, na które wspinaliśmy się. Pamiętam, jak się przyglądałam, kiedy robił sobie zastrzyki. Obejmował palcami białą skórę, a my szeroko otwartymi oczami patrzyliśmy, jak wprowadza do środka igłę. Potem wszyscy tłoczyliśmy się w jego pięknie rzeźbionym, drewnianym łóżku, a później biegliśmy do własnych sypialni. Wszyscy go kochaliśmy. Wszyscy go kochali. Wysoki, postawny, z szeroką klatką piersiową, był szalenie dobroduszny i żył pełnią życia. Kiedy do nas przyjeżdżał, miał w kieszeniach cukierki, prezenty i nasze ulubione komiksy. Wspinaliśmy się po nim, żeby odnaleźć te skarby, a potem szczęśliwi siadaliśmy na jego kolanach. Moja babcia umarła, kiedy byłam jeszcze bardzo mała; to cudowne, że dziadek dożył moich dwunastych urodzin. Bardzo mi go teraz brakuje. Chciałabym, żeby tu był, żeby Ken mógł go poznać.

Dziadek miał cukrzycę. Umarł na raka trzustki, ale miał już osiemdziesiąt trzy lata i żył bardzo aktywnie. Teraz zaczęłam rozumieć, dlaczego w jego domu taką wagę przykładano do jedzenia, do świeżego, niesolonego masła, świeżych jajek z fermy kurzej, do pełnoziarnistego pieczywa i warzyw strączkowych. Pamiętam, że ze wszystkich osób, które wtedy znałam, dziadek najbardziej zważał na jedzenie, ale dopiero teraz zrozumiałam dlaczego. Brat mojego ojca, Hank, również miał cukrzycę. Cukrzyca w wieku dojrzałym ma silne podłoże genetyczne, w przeciwieństwie do cukrzycy w młodości. Dzieci chorujące na cukrzycę często nie mają żadnych krewnych cukrzyków; istnieją domysły, że chorobę tę uwalnia jakaś wirusowa infekcja, ale nikt właściwie nie wie, co ją powoduje ani jak ją leczyć.

Insulina. Cholera, cholera, cholera. Miałam nadzieję, że mój poziom cukru we krwi łatwiej będzie się obniżał i że w końcu będę mogła nad nim panować dzięki diecie i ćwiczeniom. Taka możliwość pewnie wciąż jeszcze istnieje, ale teraz, po tej wiadomości, jest bardziej odległa. Nie chcę chorować. To mnie przeraża. To mnie złości.

Przyjaciółka pogratulowała mi, że tak dobrze to znoszę. Poczułam się dziwnie. Z pewnością robię, co mogę, ale jestem zła i pełna niedowierzania. Robię sobie z tego głupie żarty. Narzekam, że muszę tak ściśle przestrzegać diety. Jestem pewna, że to mi pomoże, ale dziękuję, to żadna zabawa. Zrobię, co będę musiała, ale wcale mi się to nie podoba. Jedyne, co mogłabym zaakceptować, to autentyczność. Jestem autentyczna, autentycznie mam tego dosyć. Wierzę swojemu gniewowi, jest zdrowy. Nie zamierzam nakładać fałszywej, pogodnej maski. Nie wiem, co się stanie, ale wiem, że muszę pozwolić mojemu gniewowi żyć i rozwijać się.

Dziś myślałam o ironii losu. Parę dni temu rozmawiałam z przyjaciółką o tym, że w miarę jak się człowiek starzeje, coraz mniejsze jest jego pragnienie wielkich zwycięstw, a coraz bardziej sobie ceni drobne zwycięstwa codziennego życia. Cukrzyca z pewnością sprawiła, że zwracam większą uwagę na przyjemność, jaką daje parę kęsów jedzenia, to jedyne, co mi pozostało. To niewiarygodne, jak smaczna jest mała łyżeczka masła orzechowego, gdy ma się świadomość, że może już nigdy nie będzie się mogło tego jeść! Otwieram drzwi lodówki, widzę w środku pyszne rzeczy i myślę, że minie sporo czasu, zanim będę mogła po nie sięgnąć! Kupuję zdrową żywność bez cukru, wyroby ciastopodobne, mające służyć za podwieczorek, które po pokrojeniu na małe kawałki wystarczają mi na tydzień.

Sądzę, że trzeba być bardziej przewidującym. Być może pewne mało widoczne następstwa cukrzycy wlekły się za mną już od pewnego czasu. Chciałabym, żeby przynajmniej moi bliscy i przyjaciele, wiedząc, przez co przechodzę, dostrzegli i zaczęli bardziej cenić swoje własne dobre zdrowie.

Okazało się, że cukrzyca Trei prawie na pewno została spowodowana przez chemioterapię, nie pojawiła się ot tak. W przypadkach cukrzycy w wieku dojrzałym genetyka co prawda ładuje pistolet, ale to stres naciska na spust. W tym wypadku był to stres spowodowany chemioterapią.

Gdy pojawia się cukrzyca, w organizmie zaczynają się dziać nieprzyjemne rzeczy. Ponieważ trzustka nie wytwarza wystarczająco dużo insuliny, ustrój nie jest w stanie przetworzyć i spożytkować glukozy. Cukier gromadzi się we krwi, sprawiając, że staje się ona gęsta i w konsystencji podobna do miodu. Część tego cukru przedostaje się do moczu – Rzymianie wykrywali cukrzycę, stawiając naczynie z moczem przy gnieździe pszczół; jeżeli był to mocz cukrzyka, pszczoły gromadziły się wokół naczynia. Ponieważ krew robi się „gęsta" od cukru, pobiera wodę z innych tkanek. Dlatego chory ma ciągłe pragnienie, dużo pije i często oddaje mocz. Z powodu gęstości krwi mogą zanikać naczynia włosowate. To oznacza, że obszary ciała zasilane przez te małe naczynia, a więc kończyny, nerki i siatkówka oka, powoli ulegają zniszczeniu, co wyjaśnia ślepotę, kłopoty z nerkami i amputacje kończyn. Z tego samego powodu także i mózg jest odwodniony – powoduje to dramatyczne wahania nastroju, brak koncentracji, depresję. To plus wszystko inne – sztucznie wywołana menopauza, opóźnione efekty po chemioterapii, ogólne trudności, z którymi musieliśmy sobie radzić – z pewnością przyczyniło się do depresji Trei i jej ponurych nastrojów. Jej wzrok już zaczął się pogarszać, choć wtedy jeszcze nie wiedzieliśmy dlaczego. Przez cały czas musiała nosić okulary.

– Dlaczego tutaj tak ciemno? – Nawet krótka odległość, jaką przebyłem w mroku, wydaje się nieskończona; jestem zdezorientowany. Chyba zbliżamy się do trzeciego pokoju, ale nie przypominam sobie, żeby korytarz był tak długi.

– Powiedz mi, proszę, dlaczego tutaj jest tak ciemno?

Ściana w korytarzu gwałtownie ustępuje wejściu. To chyba drzwi. Oboje w nich stajemy, Postać i ja.

– Co widzisz? – Dziwny głos zdaje się wypływać wprost z pustki, która jest jego źródłem.

– Nic, kiedy patrzę na ciebie.

– Tam, w środku.

Zaglądam do pokoju. Co to jest? Jakieś pismo, hieroglify, symbole?

– Słuchaj, to naprawdę fascynujące, ale teraz muszę iść. Szukam kogoś, na pewno mnie zrozumiesz.

– Co widzisz?

Tak jak pozostałe pokoje, i ten zdaje się nieskończenie rozciągać we wszystkich kierunkach. Im lepiej usiłuję się przyjrzeć jakiemuś określonemu punktowi w pokoju, tym bardziej on się oddala. Jeżeli w skupieniu patrzę na punkt oddalony ode mnie o pół metra, rozciąga się na kilometry, setki kilometrów. W tym rozciągającym się wszechświecie zawieszone są miliony symboli, niektóre rozpoznaję, większości jednak nie. Nie są napisane, po prostu wiszą w powietrzu. Wszystkie mają świetliste obwódki, jakby były namalowane na czarodziejskich grzybach przez jakiegoś zwariowanego boga. Mam przedziwne uczucie, że są żywe i że tak jak ja patrzę na nie, one patrzą na mnie.

Gdy Treya zaczęła kontrolować poziom cukru we krwi, jej nastrój wyraźnie się poprawił, a depresja dosłownie zniknęła. Ale to były sprawy drugorzędne w porównaniu ze zmianą wewnętrzną, która teraz przebiegała w ogromnym tempie i wkrótce miała się objawić w sposób niezwykle dramatyczny. Ta zmiana zaczynała wpływać nie tylko na jej życie wewnętrzne, ale również na jej duchowość, pracę w świecie i na to, co uważała za swoje powołanie, swojego daimoniona, który – po wszystkich tych latach! – był już gotów, by wybuchnąć wprost do świadomości.

Obserwowałem to wszystko z mieszaniną podziwu, zdumienia i zazdrości. Przecież byłoby to takie oczywiste, gdyby pozostała pełna goryczy, żalu, jadu. Ale stawała się coraz bardziej otwarta, kochająca, przebaczająca, współczująca. I coraz silniejsza, jakby zgodnie ze słowami Nietzschego: „To, co nie jest w stanie mnie zniszczyć, czyni mnie silniejszym". Nie wiem, jaką „lekcję" odebrała Treya dzięki rakowi i cukrzycy, ale dla mnie lekcją okazała się ona sama.

> Mam cukrzycę. Jestem cukrzykiem. Jak to jaśniej powiedzieć? Pierwsze zdanie brzmi tak, jakbym miała chorobę pochodzącą z wnętrza mnie samej. Drugie zaś tak, jakby ta choroba tkwiła w moim charakterze, w moim cielesnym istnieniu. W tym istnieniu, którego wartość, jak mówi Ken, równa się zeru. Zawsze myślałam, że oddam swoje organy po śmierci, ale teraz nikt by ich nie chciał. Przynajmniej będę pogrzebana w całości albo każę rozrzucić swoje prochy ponad szczytem Conundrum.
>
> Ken jest wspaniały. Chodzi ze mną do lekarza, żartuje, podtrzymuje mnie na duchu, codziennie zawozi na badanie krwi, pomaga przy doborze pożywienia, gotuje. Ale najlepsze w tym wszystkim jest to, że tak dobrze się czuję. Wczoraj czułam się świetnie, a po powrocie do domu zastałam wiadomość od lekarza, że mam 115 [poziom glukozy we krwi], niemal normalnie, a zaczynałam od 322. Przez jakiś czas nie czułam się zbyt dobrze, najbardziej widocznym objawem było pogarszanie się wzroku. Nic dziwnego, że w ogóle nie chciało mi się ćwiczyć, że miałam takie kłopoty z koncentracją, takie wahania nastroju. Teraz przypominam sobie, co to znaczy mieć dobre samopoczucie. Mam dużo energii, o wiele bardziej optymistyczne spojrzenie na świat, o wiele więcej pogody ducha. Jestem pewna, że jestem łatwiejsza w obcowaniu. Biedny Ken, ile musiał ze mną wytrzymać, kiedy powoli, lecz nieubłaganie

obsuwałam się, a żadne z nas nie zdawało sobie z tego sprawy. Jak to cudownie znowu mieć energię, ducha i żądzę życia!

Częściowo jest to spowodowane moim nowym podejściem do pracy, mojego zawodu, powołania, czyli do tych kwestii, które od tak dawna spędzały mi sen z powiek. Ta wewnętrzna zmiana bardzo wpływa na pracę. Pracuję z Seymourem, medytuję, porzuciłam swój perfekcjonizm, uczę się, jak być, a nie tylko bez namysłu działać. Wciąż chcę działać, wciąż chcę się do czegoś przyczynić, ale chcę również, aby moje czynienie było zabarwione byciem. Przeżywam też zmianę podejścia do swojej kobiecości, która otwiera nowe możliwości, te, które kiedyś odrzucałam. Coraz lepiej zdaję sobie sprawę, że w ogromnym stopniu przejęłam wartości mojego ojca – tworzenie, przyczynianie się do czegoś i tak dalej – i widzę, że „jego buty wcale na mnie nie pasują", choć tak bardzo go podziwiam. To się łączy z nowym kierunkiem, jaki obrała moja kobiecość – nie udawać mężczyzny, nie udawać, że i my, kobiety, potrafimy zrobić to, co oni, lecz docenić, określić, uwidocznić specyficzne rodzaje pracy, którą wykonujemy. Niewidoczna praca. Praca, która nie ma nazwy i nie mieści się w hierarchii zawodowych osiągnięć. Praca amorficzna, która ma wiele wspólnego z tworzeniem nastroju, atmosfery wszędzie tam, gdzie kwitną inne rodzaje bardziej widocznych działań – czy to w rodzinie, czy w społeczeństwie.

Któregoś dnia w grupie prowadziliśmy cudowną dyskusję na temat duchowości kobiet. Pomogło mi to skrystalizować pewne myśli. Oto moje notatki:

♦ Cały obszar duchowości kobiety jest pusty. Zaginęło wiele książek napisanych przez zakonnice. Kobiety zresztą i tak nie piszą zbyt wiele o badaniach dotyczących duchowości. Trzymały się z dala od ważnych pozycji w większości uznanych religii.

♦ Duchowość kobiety wygląda inaczej niż duchowość mężczyzny. Jest mniej zorientowana na cel. Mogłaby zmienić nasze pojęcie o tym, czym jest olśnienie. Bardziej otaczająca, obejmująca; znowu – bardziej amorficzna.

♦ Duchowość kobiety trudno dostrzec, trudno określić. Jakie są etapy, kroki, trening? Czy robienie na drutach jest tak samo dobre jak nauka ćwiczenia uwagi i uspokajania umysłu?

♦ Continuum: na jednym krańcu duchowy rozwój mężczyzny, na drugim – duchowy rozwój kobiety. Duchowy rozwój mężczyzn został określony, duchowy rozwój kobiet – nie. Pomiędzy nimi istnieje wiele odmian. Czy istnieją równoległe, lecz różne czy osobne drogi à la Carol Gilligan?

Długa dyskusja na temat Gilligan i jej książki *In a Different Voice*. Była uczennicą Lawrence'a Kohlberga, teoretyka moralności, który jako pierwszy wyróżnił trzy wyraźne etapy moralnego rozwoju ludzi – etap prekonwencjonalny, na którym człowiek sądzi, że dobre jest to, czego chce; etap konwencjonalny, na którym ludzie opierają swoje decyzje na wymaganiach społeczeństwa; etap postkonwencjonalny, na którym decyzje dotyczące moralności oparte są na uniwersalnych zasadach rozumowania moralnego. Etapy te zostały zweryfikowane w licznych badaniach przeprowadzonych w różnych kulturach. Ale kobiety ciągle uzyskiwały gorsze wyniki niż mężczyźni. Gilligan odkryła, że kobiety przechodzą te same etapy, od prekonwencjonalnego, poprzez konwencjonalny, do postkonwencjonalnego, ale ich rozumowanie jest zupełnie inne niż rozumowanie mężczyzn. Mężczyźni opierają się na zasadach, prawdach i prawach, a kobiety cenią uczucia, powiązania, relacje. Jeżeli na to spojrzymy z tej strony, to kobiety nie osiągają niższych wyników; po prostu wypadają inaczej.

Mój ulubiony przykład z Gilligan: chłopczyk i dziewczynka bawią się razem. Chłopiec chcę się bawić „w piratów", dziewczynka woli bawić się „w dom". Więc dziewczynka mówi: „OK, ty będziesz piratem, który jest moim sąsiadem". Powiązanie, związek.

Kolejny przykład: Chłopcy grają w baseball, któryś wybija na aut. Dziewczynka powie: „Dajcie mu jeszcze jedną szansę", ale chłopcy odpowiedzą: „Nie, takie są zasady, on wypada z gry". Gilligan próbuje powiedzieć, że u chłopców przeważają zasady nad uczuciami, u dziewcząt jest odwrotnie. Obie te sprawy są ważne w prawdziwym świecie, ale i bardzo różne. Musimy uznać te różnice i uczyć się na nich.

♦ Ken wiele wziął od Kohlberga i Gilligan do swojego modelu, ale mówi, że nie ma pojęcia, jak ma się ten jego model do duchowości kobiety, gdyż na temat duchowości kobiety nie napisano prawie nic. „Całe to pole jest puste. Jest jeszcze wiele do zrobienia".

♦ Kobiety, które przeżyły oświecenie – czy podążały tradycyjnymi ścieżkami mężczyzn? Czy stosowały ich modele? Czy osiągnęły to dzięki własnym sposobom? Jak je odkrywały? Z jakimi konfliktami, jakimi wątpliwościami musiały sobie poradzić, żeby odnaleźć własną drogę?

♦ Findhorn to najbliższy mi model. Bardzo kobiece, matczyne miejsce. Każda musi znaleźć własną drogę. Nie trzeba trzymać się jakiejś już określonej drogi w kontekście grupy wsparcia czy rodziny. Problemy związane z tym podejściem: wolniej, bardziej organicznie? Mniej widoczne poczucie ruchu, postępu, uznania, bo nie ma zewnętrznych nagród, stopni, określonych etapów, które by oznaczały postęp.

♦ Bogini to schodzenie, Bóg – wstępowanie. Jedno i drugie jest potrzebne, jedno i drugie jest ważne. Ale niewiele pracowano nad schodzeniem Bogini. Parę wyjątków: Aurobindo, tantra, Free John.

♦ Mówiłam o wychodzeniu ze sfery utożsamiania się z ojcem i wartościami męskimi i ruchu w kierunku mojej siły jako kobiety; o tym, że mogłabym być nauczycielką dla Kena i że raz mi się to udało. Potem zdałam sobie sprawę, że tak daleko nie odeszłam – wszystkie te umiejętności, które w sobie wykształciłam, są dobre i nie zamierzam ich porzucać. Raczej coś jeszcze do nich dodaję – pojawił się w mojej wyobraźni obraz coraz większych kręgów. I – i, a nie albo – albo.

Podczas tej dyskusji nagle poczułam, że część mojego problemu, jeżeli nadal chcę to tak określać, może być związana z moją kobiecością. Oczywiście już wcześniej o tym myślałam, ale raczej w tym sensie, że kobiecie niezwykle trudno jest przystosować się do świata określonego przez mężczyzn. Tym razem to nowe uczucie łączyło się z wrażeniem, że powodem, dla którego nie udało mi się znaleźć mojego własnego kąta, było to, iż zbyt silnie utożsamiałam się z wartościami mężczyzn, a więc podążałam złą drogą. Być może powód, dla którego nie udało mi się znaleźć własnego kąta, był związany z wewnętrznym docieraniem do prawdy o sobie, z moimi talentami i zainteresowaniami jako kobiety. Zamiast więc źle siebie oceniać, teraz postrzegam ten okres poszukiwań jako czas, którego potrzebowałam, by dojść do takich wniosków. Czas, którego potrzebowałam, by odkryć, nauczyć się cenić, po prostu nauczyć się widzieć w sobie kobiece wartości.

Nagle wydaje mi się w porządku, że jestem, jaka jestem. Mieć amorficzne życie zawodowe. Angażować się w zajęcia, które mnie poruszają i inspirują. Lepiej poznać twórcze środowiska, w których może się wydarzyć wiele rzeczy. Łączyć ze sobą ludzi, tworzyć sieci powiązań. Komunikować się, przekazywać swoje idee. Rozwijać się i nie próbować zmieścić się w formie, strukturze.

Jakie uczucie ulgi i wolności! Życie jest OK! Istnienie jest OK, działanie nie jest bezwzględnie konieczne. To coś w rodzaju przyzwolenia. Coś w rodzaju odpuszczenia sobie męskich, nadaktywnych wartości tego społeczeństwa. Pracować nad duchowością kobiety, nad kobiecą twarzą Boga. Osiedlić się, zacząć uprawiać ziemię i patrzeć, co urośnie.

Pierwszą rzeczą, która urosła, była Cancer Support Community (CSC),* organizacja, która zaoferowała bezpłatną pomoc i edukację ponad trzystu pięćdziesięciu chorym tygodniowo, ich rodzinom i osobom wspierającym.

Vicky Wells poznaliśmy zaraz po mastektomii Trei. Wyszedłem z pokoju Trei, kiedy na szpitalnym korytarzu minęła mnie dość niezwykle wyglądająca kobieta. Była wysoka, posągowa, atrakcyjna, miała czarne włosy, czerwoną szminkę na ustach, czerwoną sukienkę i czarne buty na obcasach. Wyglądała jak amerykańska wersja francuskiej modelki, co wprawiło mnie w zakłopotanie. Później odkryłem, że Vicky spędziła parę lat we Francji ze swoją przyjaciółką, Anną Kariną, wówczas żoną francuskiego reżysera Jeana-Luc Godarda. Chyba jeszcze nie otrząsnęła się z paryskiego szyku.

Ale trudno było nazwać ją „ładną buzią". Po powrocie do Stanów pracowała jako prywatny detektyw w getcie, jako opiekunka alkoholików i narkomanów, jako działaczka występująca w imieniu ubogich ludzi, którzy dostali się w szpony systemu sprawiedliwości – wszystko to robiła przez dziesięć lat. W końcu odkryła, że ma raka piersi. Mastektomia, chemioterapia, kilka operacji odtwarzających – wszystko to wywołało w niej bolesną świadomość, jak żałosny jest system pomocy chorym na raka, ich rodzinom i przyjaciołom.

Vicky rozpoczęła więc społeczną współpracę z kilkoma organizacjami, takimi jak Reach for Recovery, ale wkrótce odkryła, że nawet ich usługi są mniej niż odpowiednie. Zaczęła więc rozmyślać o takiej działalności, która by sprostała jej wyobrażeniom – i wtedy właśnie spotkała Treyę.

Spędziły godziny, tygodnie, miesiące – w sumie dwa lata – omawiając projekt ośrodka wspierającego, który chciały założyć. Rozmawiały z dziesiątkami lekarzy, pacjentów, pielęgniarek, cały czas modląc się o pomoc do „anioła CSC". Skontaktowały się

---

* Organizacja społeczna wspierająca chorych na raka (przyp. red.).

z Shannon McGowan, również chorą na raka, która kiedyś pracowała z Haroldem Benjaminem nad stworzeniem Wellness Community w Santa Monica, pionierskiego ośrodka, który jako jeden z pierwszych oferował bezpłatną pomoc chorym i ich rodzinom. To do tego ośrodka Kristen zabrała Treyę, kiedy byliśmy u Kati w Los Angeles, pomiędzy drugą a trzecią chemioterapią Trei.

W październiku 1985 roku Vicky, Shannon, Treya i ja odwiedziliśmy Wellness Community. Problem polegał na tym, czy rozwinąć filię Wellness Community w San Francisco, czy założyć zupełnie nowy ośrodek. Choć byliśmy pod wrażeniem Harolda i jego pracy, Vicky i Treya czuły, że być może inne podejście również byłoby dobre. Wszystko bezpośrednio wiązało się z kwestią „bycie kontra działanie", a ujawniło się to podczas rozmowy z Naomi Remen, lekarką pracującą w Sausalito.

> Nasza rozmowa z Naomi była bardzo stymulująca i podniecająca. Zupełnie straciłam poczucie czasu i spóźniłam się na następne spotkanie – co jest teraz problemem z powodu mojej cukrzycy (posiłki o dokładnie wyznaczonej porze!). Naomi powiedziała, że doskonale porozumiewa się ze mną i z Vicky, wie, o co nam chodzi, i kiedy otrzymała materiały z Wellness Community, poczuła, że jest tam coś, co do nas nie pasuje.
>
> Powiedziałam jej, że jesteśmy tego świadome, że kładziemy nacisk na nieco inne kwestie niż Harold. Nasze podejście było bardziej kobiece, mniej uwagi zwracamy na zwalczanie raka czy powrót do zdrowia, a więcej na ogólną jakość życia w czasie choroby. Nie chciałyśmy tak ustawiać programu, by pacjenci mieli poczucie przegranej, gdy nie zdołają pozbyć się raka, co zdaje się być jedną z wad podejścia Harolda. Kiedy Vicky pokazała te materiały swoim przyjaciołom z odosobnienia ze Stephenem Levinem, którzy mieli nawrót i przerzuty, ogólna reakcja była mniej więcej taka: „Nie bardzo mi się podoba ton. Czy gdybym zaakceptowała swojego raka i nie zwalczała go, to bym tam pasowała?". Naomi powiedziała, że czytając te

materiały, odniosła wrażenie, iż choroba jest czymś złym, czymś, co trzeba zwalczać, a jeśli jej nie zwalczysz, to znaczy, że przegrałeś. Według niej natomiast – od dzieciństwa cierpi na chorobę Crohna – z chorobą trzeba nauczyć się żyć, a także wyciągać z niej nauki dla siebie.

Jako osoba chora na raka stałam się świadoma, że chociaż rak jest często postrzegany jako choroba chroniczna, ludzie, którzy nie są lekarzami i sami nie mają raka, nie chcą słyszeć wyważonych i ostrożnych relacji, że wprawdzie teraz nie masz żadnych objawów, a wyniki testów są doskonałe, ale z rakiem nigdy nic nie wiadomo, można mieć tylko nadzieję. Nie, oni chcą słyszeć, że to wszystko skończone, że czujesz się już doskonale – i wtedy mogą zająć się własnym życiem, już się o ciebie nie martwić; już żadne wilkołaki nie czają się za krzakiem. Takie chyba było podejście Harolda i na tym polegała różnica pomiędzy jego i naszym stosunkiem do raka. Zdecydowałyśmy, że nie będziemy współpracowały z centrum Harolda, choć życzyłyśmy mu wszystkiego najlepszego.

Rozmowa z Naomi wywołała u mnie inne refleksje, z których wtedy jeszcze nie zdawałam sobie sprawy. Wynikły one z dziwnej kombinacji faktów, z którymi się zetknęłam: z jednej strony ona, tak piękna, aktywna i zdrowa, choć wiedziała, że jest ciężko chora, z drugiej praca z kobietami w grupie chorych na raka, w której brałam udział w poniedziałkowe wieczory. Wahałam się, czy wziąć na siebie odpowiedzialność związaną z tą pracą, częściowo dlatego, że bałam się ciągłego przypominania sobie o niepewnej przyszłości tych wszystkich chorych, ale również dlatego, że odczuwałam lęk z powodu ich choroby: że wciąż będę miała ją przed oczami, że ciągle będę myśleć o raku.

Po paru dniach zdałam sobie sprawę ze źródła mego strachu: pozwoliłam, by choroba i jej straszliwe konsekwencje przesłoniły istotę ludzką, która siedzi przede mną. Uderzyło mnie to podczas ostatniej, wieczornej sesji z grupą. Ludzie są przecież najważniejsi i na pierwszym miejscu. Czasami przez całą sesję nawet nie wspominaliśmy o raku; był on tylko przypadkowo obecny pośród nas. Ci ludzie byli zaangażowani w swoje życie, swój ból, triumfy, miłości, dzieci – i w tej chwili tylko przypadkowo także w raka. Zrozumiałam swoje wahanie – na pewnym poziomie sądziłam, że będę pracowała z chorymi na raka, którzy są ludźmi, a nie z ludźmi, którzy mieli raka. Zdaje się, że to część mojej ewolucji od raka z powrotem do życia. Chcę pracować z ludźmi, którzy idą w kierunku życia, nawet „pośród raka". I znowu, wydaje mi się to częścią przemiany: umiejętność istnienia z rakiem, nawet jeżeli próbuje się coś z tym zrobić. I umiejętność współistnienia z chorymi na raka jako ludźmi, a nie jako ze zbiorem elementów, z którymi trzeba coś zrobić.

Ta przemiana po raz pierwszy objawiła się w dramatyczny sposób pewnej nocy wczesnego lata. Byliśmy w domu, w Tahoe, Treya nie mogła usnąć. I nagle wszystkie części zaczęły trafiać na swoje miejsce. Treya aż drżała, kiedy to odkryła. Mówiąc jej słowami – to właśnie był jej tak długo poszukiwany daimonion! Jeszcze nie całkiem dojrzały, ale głośno oznajmiający swoją obecność – jednak innym głosem – głosem, który długo tłumiła.

Wcześniej w Tahoe. Którejś nocy leżę, nie śpiąc, nie mogę usnąć. Za oknem widzę srebrny odblask księżyca w jeziorze otoczonym ciemnymi kształtami sosen rosnących wokół domu i odległą, ciemną bryłą gór.

Widzę przepływające obrazy szkła, ciemnoczerwonego, opalizująco białego, kobaltowoniebieskiego. Jestem taka podniecona, że po prostu nie mogę usnąć. Może to przez tę herbatę, którą wypiłam przed położeniem się spać? Może częściowo dlatego. Ale jeszcze coś się dzieje, coś innego, coś poruszyło się wewnątrz, coś się obudziło. Szkło, światło, kształty, płynące linie, dopasowywanie wszystkiego, obserwowanie, jak z nicości wyłania się wizja, jak piękno przybiera kształt w tym świecie form. Ekscytujące! Leżę tu, świadoma energii, która krąży w moim ciele. Czy to właśnie to? Czy to właśnie mam robić albo czy to przynajmniej część tego? Czy to właśnie ten decydujący fragment, którego mi brakowało? Kawałek serca, który zgubiłam?

Tak mi się wydaje. Odnalazłam część siebie, której tyle lat mi brakowało. Kobieta, która pracuje rękami. Artysta, rzemieślnik, twórca. Nie działający ani wiedzący, ale właśnie twórca. Twórca pięknych rzeczy, który odnajduje tyle samo przyjemności w procesie tworzenia, co w gotowym dziele.

Następnego dnia czuję się tak, jakbym doświadczyła małego objawienia. Czuję, że nadeszła chwila ważnego wglądu w siebie i w swoją przyszłość. Przypominam sobie wszystkie te momenty, kiedy byłam zaangażowana w pracę, niezwykle przejęta tym, co robię, to były chwile tworzenia... pełne życia obrazki okolic Iowa piórkiem i tuszem... wytwarzanie świec i kubków w Findhorn... tworzenie pięknych kształtów z niczego... rzeźbienie słów w notatkach, dziennikach, których nie pokazywałam nikomu. To były chwile, kiedy traciłam poczucie czasu, całkowicie pochłonięta pracą, przeżywając coś w rodzaju stanu medytacyjnego, absolutnej koncentracji i zapomnienia.

Następnego dnia zdawało mi się, że na nowo odkryłam ważną część siebie, że być może moja droga wyłania się z jakichś podziemi, spod pragnienia przyswojenia sobie męskich wartości, podkreślających rolę umysłu. Szkoła kładła nacisk na wiedzę, fakty, treść, myślenie, analizę. Odkryłam, że jestem w tym dobra. Był to sposób na prześcignięcie innych, na zdobycie uwagi i uznania. Co tak naprawdę istniało poza tym? A więc poszłam drogą dokładnie oznaczoną i równo wybrukowaną.

Tylko że tak naprawdę nigdy dobrze się z tym nie czułam. Dlaczego nie zrobiłam doktoratu i nie zostałam wykładowcą? Myślałam o tym, ale coś wewnątrz spychało mnie z tej równo wybrukowanej drogi. Miałam do tego predyspozycje, ale nie miałam serca. A jednak potępiałam siebie za to, że nie podążyłam tą drogą, uważałam się za słabą, uznałam, że lekceważę życie, nie skupiając się na robieniu kariery.

Ale teraz widzę powód, dla którego wybrukowana droga nie jest dla mnie odpowiednia: w większym stopniu jestem wiedzącym niż działającym. Może dlatego byłam taka szczęśliwa w Findhorn, bo spędzałam tyle czasu w pracowni świec i w pracowni garncarskiej? Bo zawsze kochałam tworzenie rzeczy, od wczesnego dzieciństwa, ale przejęłam pogląd, że takie zajęcia są mało ważne, niepotrzebne, że niczego nie wnoszą, że wypada je wykonywać tylko w czasie wolnym, jako hobby. W ten sposób odcięłam się od głównego źródła radości, energii i witalności. Dosyć tego!

Poruszyło mnie to wyłonienie się nowego standardu wyboru tego, co mam robić. Słyszę siebie mówiącą, że może, właśnie „może" będę robiła rzeczy, które zawsze chciałam robić. Czułam jednak, że powinnam je robić, nawet jeżeli nie wiedziałam, jaki będzie wynik, nawet nie mając pewności, czy to się do czegoś przyczyni albo czy w ogóle się w tym sprawdzę.

A więc co mnie tak pociąga? Wszystko to, co odkryłam przypadkowo, co „wykipiało" ze mnie, a czego nigdy nie planowałam ani nie odkryłam rozumowo. Samo pisanie o tym przyprawia mnie o drżenie rąk. A więc garncarstwo, to, co robiłam w Findhorn. To szalenie podniecające, daje ogromną satysfakcję. Inaczej patrzę na świat. Ciągle myślę o kształtach, wzorach, formach zainspirowanych sztuką i naturalnym światem. Widzę siebie, jak chodzę na wystawy i pokazy rzemiosła, całkowicie pochłonięta oglądaniem, ocenianiem, tworzeniem nowego. To niezwykle stymulujące, ożywiające, ekscytujące. Zawsze uwielbiałam tworzenie przedmiotów własnymi rękami, zawsze kochałam rzemiosło.

Chcę się także zająć malowaniem na szkle. Od lat miałam ochotę to robić, ale nigdy się za to nie wzięłam, bo chyba uważałam, że to mało ważne w porównaniu ze wszystkim innym. Pisząc, czuję w sobie artystę, który usiłuje się wydostać! Chcę podążać tą moją malarską drogą – pojawiła się spontanicznie, wszystko miało początek w zwykłych bazgrołach, z których zaczęły wyłaniać się prawdziwe obrazy. Widzę, że to może być podstawą malowania na szkle. Przypominam sobie wszystkie wzory wykonane igłą. I znowu – było to coś, co zaczęłam robić spontanicznie, nikt mnie tego nie nauczył ani nie zachęcał do tego.

Będę też pisać, układać słowa. To moja wczesna miłość, stłamszona po prostu przez strach. Pisanie wciąż jest najbardziej przerażającą postacią mojego tworzenia, najbardziej publiczną, odsłaniającą wewnętrzne działanie umysłu i duszy, sprawiającą, że boję się, iż mnie ocenią jako powierzchowną, niedojrzałą, nudną... Ale jestem zdecydowana napisać tę książkę, nawet jeżeli nigdy nie będzie wydana. Wrócę do rozkoszy czerpanej ze słów, ich piękna, potęgi i właściwości zadziwiania. Nadal doskonale pamiętam wypracowanie, które napisałam w szkole średniej, o tym, jak to jest, kiedy się siedzi w łóżku do późna w nocy i czyta. Opisałam swoje uczucia, ciepłe światło lampy przyciągające ćmy, dotyk prześcieradła, odgłosy spokojnej nocy, dotyk papieru, delikatny szelest kartek i trzeszczenie okładki książki. I pamiętam, jak strasznie podobały mi się pewne zwroty, zwłaszcza z Lawrence'a Durella. Przepisywałam te zdania, nawet krótkie słowa, każde smakując. Było to prawie jak jedzenie cukierka, taką mi to sprawiało przyjemność.

Zawsze również kochałam pracę w grupie, jak w Findhorn. Chyba już nie chcę wracać do szkoły i uczyć się teorii. Interesują mnie – to chyba o wiele bardziej kobieca cecha – praktyczne podejścia, dzięki którym można pomóc ludziom. Społeczność pomocy chorym na raka – to jest to!

Wszystko to zawsze kochałam! Miłość przychodziła spontanicznie, nigdy nie zaplanowana. Gdzie się to podziało? Gdzie to zatraciłam? Nie wiem. Ale zdaje się, że do mnie wraca. Prosta przyjemność bycia i działania, a nie posiadania wiedzy i działania. Jakbym wracała do domu! Czy to właśnie Ken miał na myśli, kiedy mówił, że odkrył swojego daimoniona? Mój nie jest błyskotliwy, nie jest związany z umysłem, nie popisuje się specjalnymi wyczynami. Ale rozumiem, że o to właśnie chodzi; mój daimonion jest spokojniejszy, bardziej amorficzny, delikatny, bardziej kobiecy, mniej dostrzegalny. Należy raczej do ciała niż do umysłu. Należy do Ziemi. I jest dla mnie bardziej rzeczywisty!

– A więc to właśnie wydarzyło się ubiegłej nocy – powiedziała, kończąc swoją opowieść.

Widziałem jej entuzjazm, był tak szczery. Najśmieszniejsze jest to, że każdy, kto poznaje Treyę, zawsze jest pod wrażeniem jej umysłu; mogę spokojnie powiedzieć, że Treya jest najbardziej inteligentną osobą, jaką kiedykolwiek spotkałem. Kiedy Treya ogarnie swoim umysłem jakiś temat, to biada mu. Odkryła jednak, że ta zdolność nie daje jej wystarczającej satysfakcji. Powiedziała, że do tej pory słuchała niewłaściwego głosu.

Ze „zmianą głosu" blisko związana była coraz ważniejsza teraz kwestia, czy jest tak, że sami doprowadzamy się do choroby; cały ten pogląd New Age'u, że ludzie sami na siebie sprowadzają choroby, bo albo o nich myślą, albo choroba potrzebna im jest jako wielka lekcja, której muszą się nauczyć (w przeciwieństwie do zwykłego uczenia się z choroby, niezależnie od jej przyczyn). Kwestia ta znowu nabrała ważności, kiedy okazało się, że Treya ma cukrzycę. Wręcz napadli ją różni życzliwi ludzie, którzy chcieli jej pomóc zrozumieć, dlaczego sprowadziła na siebie cukrzycę. Do różnych zastrzeżeń teoretycznych (cały ten pogląd jest stronniczy i niebezpieczny), które omówię w następnym rozdziale, Treya dodała jeszcze jedno:

podejście to jest zbyt męskie, zbyt kontrolujące, zbyt agresywne, pełne przemocy. Wkrótce stała się rzecznikiem pełnego współczucia stosunku do choroby. Skąd o tym wiem? Z jedynego naprawdę wiarygodnego testu w Ameryce: poproszono ją o wzięcie udziału w The Oprah Winfrey Show z Berniem Siegelem.

Znowu pojawiło się pytanie, czy sama na siebie sprowadziłam chorobę. Ale osoba, na której temat się teoretyzuje albo która sama teoretyzuje na własny temat, często widzi kwestię odpowiedzialności w świetle winy: „Co zrobiłam takiego, że sobie na to zasłużyłam? Dlaczego właśnie ja? Czym zawiniłam, że właśnie mnie się to przytrafiło? Nic dziwnego, że mam raka. Sama go na siebie sprowadziłam".

Niekiedy sama przyjmuję ten rodzaj logiki. Moi przyjaciele tak postępują wobec mnie. Ja tak postępowałam wobec mojej matki, kiedy osiemnaście lat temu miała raka, i wydaje mi się, że też w pewien sposób czuła się ofiarą przemocy – a jeśli tak, to prawidłowo się czuła. I chociaż czasami wydaje mi się, że jest w tym trochę prawdy, że może prowadziłam niewłaściwy tryb życia albo źle postępowałam wobec świata i nie radziłam sobie ze stresem, i to wszystko mogło się przyczynić do powstania u mnie raka i cukrzycy, to tak naprawdę w to nie wierzę. Po prostu jest to reakcja na naturalne, ludzkie pragnienie odnalezienia prostej i jasnej przyczyny chorób, które są przerażające. To była naturalna i zrozumiała obrona przed lękiem przed nieznanym.

Zależy mi więc na tym, aby wyjaśnić, że choroba ma wiele przyczyn – genetyczne, dziedziczne, dietetyczne, środowiskowe, zależne od trybu życia, typu osobowości. Ale twierdzenie, że któraś z nich jest przyczyną jedyną, że sama osobowość powoduje chorobę, to przeoczenie faktu, że chociaż możemy kontrolować nasze reakcje na to, co się nam przydarza, to nie możemy kontrolować samych wydarzeń. Złudzenie, że możemy nad wszystkim panować, wszystko kontrolować, jest niezwykle niszczące, agresywne.

Sedno sprawy leży jednak w poczuciu winy. Gdy ktoś ma raka i zaczyna podejrzewać, że sam go na siebie ściągnął, ma poczucie winy albo wydaje mu się, że jest złym człowiekiem. Samo poczucie winy jest już problemem, który może zakłócać przebieg leczenia i postępu w kierunku zdrowia i lepszej jakości życia. Dlatego jest to tak drażliwa kwestia, która musi być rozwiązana z całą delikatnością. Dlatego tak ważne jest staranne rozróżnienie przyczyn, aby nie imputować innym nieświadomych motywów. Trudno jest jednak zaprzeczyć nieświadomym lub podświadomym motywom i jeżeli z tego poziomu usiłuje się teoretyzować na mój temat, czuję się bezradną ofiarą przemocy. Trzeba zdać sobie sprawę, jakie to bywa frustrujące, kiedy ktoś cię niesłusznie oskarża o nieświadome motywy, a potem je interpretuje, protesty uznając za zwyczajne zaprzeczanie i kolejny dowód na to, że ma rację! Psychologia w swojej najokrutniejszej postaci.

Większość chorych, usiłując radzić sobie z chorobą, niezależnie od tego, czy angażują się w skomplikowaną kwestię czynników psychologicznych i innych przyczyn, czy też nie, przeżywa straszny stres. Stres ten staje się niemal nie do zniesienia, jeżeli chore osoby dają się wciągnąć w kwestie odpowiedzialności za chorobę. Ich potrzeby powinny być uszanowane. Ja naprawdę wierzę w zdrową walkę na argumenty. Chcę się tylko sprzeciwić teoretyzowaniu na mój temat, kiedy ktoś nawet nie pyta o to, co ja sama myślę o sobie i o swojej chorobie. Nie lubię, jak ktoś mi mówi: „X twierdzi, że raka powoduje długo zachowywana uraza”, zwłaszcza jeżeli jest to powiedziane w sposób, który wskazuje na to, iż mój rozmówca wierzy, że rzeczywiście taka jest przyczyna mojego rozwijającego się raka. Albo: „Cukrzycę powoduje brak miłości”. Ale nie mam nic przeciwko temu, gdy ktoś mówi: „X twierdzi, że raka powoduje długo zachowywana uraza. Co ty o tym myślisz? Czy według ciebie jest to prawda?".

Naprawdę wierzę, że możemy wykorzystywać kryzysy w naszym życiu, by się leczyć. Wierzę w to absolutnie. Wiem, że w moim życiu parę razy czułam urazę, i chociaż nie wierzę, by to jakoś przyczyniło się do mojego zachorowania na raka, to wierzę, że uświadomienie sobie takiej możliwości może pomóc w leczeniu się z żalu, w rozwijaniu w sobie zdolności do przebaczania i współczucia.

Wszystko to można streścić następująco:

Mam raka. Z tego powodu czuję się fatalnie, boję się, że jest to zagrożenie dla mojego życia, boję się operacji i leczenia, przez które muszę przejść. Jest to przerażające. Czuję się winna. Pytam samą siebie, co zrobiłam, że sprowadziłam na siebie raka? Jestem dla siebie niedobra, zadając takie pytania. Proszę, pomóż mi. Nie chcę, żebyś i ty był dla mnie niedobry. Potrzebuję twojego zrozumienia, twojej delikatności, pomocy w radzeniu sobie z takimi pytaniami. Nie chcę, żebyś za moimi plecami teoretyzował na mój temat. Chcę, żebyś mnie pytał, a nie mówił. Chcę, żebyś spróbował zrozumieć, jakie to uczucie, żebyś choć na chwilę postawił się na moim miejscu i traktował mnie lepiej, niż ja sama siebie czasami traktuję.

W marcu wybraliśmy się w podróż do Joslin Clinic w Bostonie, słynnej z leczenia cukrzycy. Chcieliśmy lepiej zapanować nad tą nową chorobą. Połączyliśmy to z wizytą w interesach w wydawnictwie Shambhala, co oznaczało spotkanie z Samem.

Sammy! Jaki on kochany! Taki błyskotliwy jako człowiek interesu, a jednocześnie tak otwarty i kochający. Uwielbiam to, że się z Kenem tak kochają, choć zawsze się czubią. W biurze wydawnictwa czytali jakieś najnowsze recenzje książek Kena. Wygląda na to, że są one niezwykle popularne nie tylko w Ameryce. Sam powiedział, że Ken jest niezwykle ceniony w Japonii, ale podciąga się go tam pod New Age, przed czym Ken się wzdraga. W Niemczech jest prawdziwym hitem, wybitnym zjawiskiem akademickim. Wszyscy komentowali, jak Ken się zmienia, że teraz jest bardziej łagodny, łatwiej się do niego zbliżyć, jest mniej kostyczny, na dystans, mniej arogancki i o wiele milszy.

Lunch zjedliśmy z Emily Hilburn Sell, redaktorką z wydawnictwa Shambhala. Bardzo ją lubię, wierzę jej opiniom. Opowiadałam jej o książce, nad którą pracuję – rak, psychoterapia, duchowość – i spytałam, czy opracowałaby ją dla mnie. „Bardzo bym chciała" – brzmiała odpowiedź, a to jeszcze mocniej zachęca mnie do pracy!

Później tego samego dnia znaleźliśmy się na oddziale dziecięcym w Joslin Diabetes Clinic, czekając na pielęgniarkę. Tablica informacyjna była zapełniona artykułami z gazet, ogłoszeniami, plakatami, rysunkami dzieci. Jeden napis głosił: „Życie dziesięciolatka jest łapaniem równowagi". Była tam też wypowiedź dziesięcioletniego dziecka o tym, że dzieci, które dowiadują się, że mają cukrzycę, są zwykle po prostu złe i nie chcą, żeby to była prawda. Nie chcą mieć z tym nic wspólnego. Obok wisiał plakat z napisem: „Czy znasz kogoś, kto chce mieć dziecko chore na cukrzycę?" i wizerunkiem twarzyczki małego dziecka, spoglądającego wprost na patrzącego. Był też artykuł o czterolatkach chorych na cukrzycę, plakat propagujący pomoc dzieciom, które boją się szpitala. Oczy napełniły mi się łzami. Biedne dzieci, ile one muszą przejść, i to w tak młodym wieku! Wszystko to było bardzo, bardzo smutne. Na tablicy wisiało też kilka rysunków namalowanych kolorowymi kredkami, których bohaterem był jakiś doktor Brink. Jeden szczególnie mną wstrząsnął. Podpis na nim brzmiał: „Doktor Brink plus cukrzyca to...", a pod spodem był rysunek butelki z lemoniadą, bananów i czekoladowych ciasteczek – czyli tego, co dziecko, które to narysowało, na pewno bardzo lubiło i czego nie mogło jeść. Wybrało te zakazane smakołyki, aby wyrazić, co czuje.

Następnego dnia Niedziela Wielkanocna w kościele Świętej Trójcy, zbudowanym w 1834 roku. Kongregacja istnieje od 1795 roku. Cudowny kościół, gotyckie łuki, w środku ornamenty ze złoconych liści, piękne, ciemnozielone i czerwonawe kolory. W tę Wielkanocną Niedzielę kościół był po brzegi wypełniony ludźmi. Gdy weszliśmy, dostrzegliśmy stoły ozdobione geranium; później dowiedzieliśmy się, że istnieje taka tradycja kościelna, by tego dnia dawać geranium każdemu dziecku z kongregacji. Było to dla mnie zaskoczeniem; przypomniało mi, że to chrześcijański kraj, a ja nawet nie zdawałam sobie sprawy, iż zapomniałam o tym fakcie. Wszyscy ludzie ubrani byli w swoje najlepsze, świąteczne ubrania.

Wcisnęliśmy się między te odświętne garnitury i kapelusze, w końcu zajmując miejsce, z którego wszystko było dobrze widać. Spoglądaliśmy w dół na siwe, brązowe, jasne i łyse głowy, w kapeluszach i bez. Czuliśmy uniesienie, przypominając sobie, że jesteśmy synami i córkami Boga, zachwyceni złoceniami, wznoszącymi się nad nami łukami, krucyfiksem w głównym sanktuarium.

Kazanie podobało mi się. Było bardzo krótkie, mądre, pełne odniesień do *Ulissesa* Joyce'a i do Biblii. Pastor mówił o cierpieniu w naszym świecie, o starym wierzeniu, że ci, którzy cierpią, w pewnym sensie zasługują na to cierpienie. Zadał pytanie: „Czy nie możemy porzucić tego starego przesądu, że ci, którzy cierpią, zasługują na cierpienie? Każdej nocy dwie trzecie ludności tego świata idzie spać o głodzie". Opisał cierpienie Jezusa w związku z kondycją ludzką. Nigdy nie słyszałam, żeby ktoś opisywał Jego cierpienie jako część Jego człowieczeństwa, a nie jako świętą misję. Pastor mówił również o naszej potrzebie sensu i modlił się za nas, abyśmy odnaleźli sens i w zwyczajności, i w heroizmie. Jakże to do mnie przemawia – mam taki nieustanny głód znalezienia sensu.

Poczułam jednak, że zaszła we mnie zmiana. Słowo „sens" nie ma już dla mnie tego samego smaku co kiedyś, nie ma tej samej właściwości unieszczęśliwiania mnie, już nie sprawia, że czuję brak satysfakcji, niepokój i potrzebę ciągłego poszukiwania. Wierzę, że teraz staję się dla siebie bardziej współczująca. Łagodniejsza wobec życia, wobec sensu człowieczeństwa. Jest to ta część mojej wiedzy, o której mówiłam Kenowi. Czasami jednak, kiedy opowiadam innym o przemianach, które zachodzą wewnątrz mnie, nie jestem całkiem pewna, czy jest to prawda. Może tylko się przechwalam, może jedynie mam życzenie, afirmuję coś, czego pragnę, ale co być może wcale prawdą nie jest. Głos prawdy, uczucie, że wcale nie udaję, pojawia się wtedy, kiedy zaczynam pisać albo mówić o tym, co mnie kiedyś martwiło, i mówię wówczas tak, jakby martwiło mnie nadal, ale skarga i gorycz nie objawiają się z dawną siłą. Nie usiłuję nikogo przekonać o swoim postępie. Nadal jestem tą samą starą kłótliwą sobą, narzekającą, użalającą się nad sobą, a jednak moje skargi są słabsze, nie wkładam już w nie całego serca, czuję się nieco znudzona tym, co mówię. Tak jest, kiedy czuję się pewna siebie i rzeczywiście idę do przodu, pozostawiając za sobą to, z czym żyłam całe lata.

Po nabożeństwie u Świętej Trójcy idziemy do kościoła Old South. Tu dla każdej rodziny są oddzielne, zamknięte przedziały o wysokich ścianach. Czy dlatego, że ta religia (protestancka) była osobistym doświadczeniem człowieka z Bogiem, a nie doświadczeniem zbiorowym? Jest tu zupełnie inaczej niż u Trójcy, gdzie widzi się całą kongregację. Pastor zapytał, czy może nam w czymś pomóc. Pokazał przedział z przodu, gdzie siadywał gubernator – kiedy Massachusetts było jeszcze pod zwierzchnictwem Anglii – i wskazał nam miejsce, na którym siedziała królowa Anglii, kiedy była tu z wizytą. Powiedział, że pewnie posadzą tam Dukakisa, kiedy przyjedzie. Przelotna myśl – kto to taki, może obecny gubernator?

Potem przeszliśmy przez zabytkowy ogród, okrążony wysokim, ceglanym murem z płytami pamiątkowymi: ku czci człowieka, który ufundował dzwony kościelne, Jerzego Waszyngtona i jakiegoś faceta, który w 1798 roku ku uciesze gawiedzi udowodnił, że potrafi sfrunąć z dzwonnicy. Ken żartował, że powinni byli położyć płytę w miejscu, gdzie wciąż jest po nim mokra plama. Ceglany mur lśnił w wiosennym słońcu, gęsto obrośnięty splątanymi pędami bluszczu, a każda z tych delikatnych łodyżek lśniła tak, iż zdawało się, że to samo słońce oplata mur. Czułam taką błogość – i wciąż ją czuję, kiedy o tym myślę.

Drugi czerwca, z powrotem w San Francisco. Lekarze zdecydowali, że można usunąć Trei cewnik z żyły. Alleluja! To oznacza, iż uznali, że szanse nawrotu są niewielkie i w tej sytuacji można pozwolić sobie na usunięcie aparatu. Szalejemy z radości. Idziemy do miasta to uczcić, do diabła z dietą! Treya jest bardzo ożywiona, promienna, radosna. Po raz pierwszy od długiego czasu czuję, że mogę oddychać, naprawdę oddychać.

W dwa tygodnie poźniej, dokładnie co do dnia, Treya odkryła guzek na klatce piersiowej. Został usunięty. Był to rak.

13

Estrella

Tego ranka, kiedy Treya znalazła guzek, leżałem obok niej.

– Kochanie, spójrz tutaj. – No, tak, tuż pod prawą pachą mały guzek, twardy jak kamień.

– Wiesz, to pewnie rak – powiedziała bardzo spokojnie.

– Chyba tak.

Cóż mogło to być innego? Co gorsza, nawrót w tym miejscu jest niezwykle niebezpieczny. To by między innymi oznaczało prawdopodobieństwo strasznych przerzutów – do kości, mózgu, płuc. Oboje wiedzieliśmy o tym.

Tym, co mnie zdumiało i zawsze będzie mnie zdumiewało, była reakcja Trei: lekki przestrach, ale bez gniewu, nawet bez łez – nie uroniła choćby jednej łzy. Treya zawsze zdradzała się, płacząc; jeśli coś było nie tak, mówiły mi o tym jej łzy; nie uroniła ani jednej. Nie dlatego, że była zrezygnowana czy pokonana. Wyglądała na pogodzoną z sobą i z sytuacją, była rozluźniona, otwarta. Co jest, to jest. Niczego nie oceniała, nie unikała, niczego kurczowo się nie trzymała, od niczego się nie odwracała – a jeśli nawet to robiła, to bardzo delikatnie. Jej medytacyjny spokój zdawał się być niewzruszony. Sam bym nie uwierzył, gdybym przez tak długi czas nie był naocznym świadkiem. Było to bardzo wyraźne, nie tylko dla mnie.

Niewątpliwie coś się działo wewnątrz niej. Treya sama opisała to jako kulminację wewnętrznej przemiany – od działania do bycia, od obsesyjności do ufności, od męskości do kobiecości i przede wszystkim – od kontroli do akceptacji. Wszystko przyszło w sposób bardzo prosty, bezpośredni, bardzo konkretny.

Treya naprawdę zmieniła się w ciągu ostatnich trzech lat i jeżeli w ogóle okazywała jakąś reakcję na nawrót, to była nią wdzięczność, gdyż mogła się dzięki temu przekonać, jak głęboka zaszła w niej przemiana. Czuła, że jej stare ja, Terry, umarło, a na świat przyszło nowe – Treya. Sama opisywała to jako odrodzenie i nie była to przesada.

Jak się teraz czuję? W tej chwili? Właściwie dobrze. Dziś wieczorem miałam bardzo przyjemną lekcję sufizmu, czułam, że podoba mi się ta praktyka i że chciałabym ją kontynuować. Jutro zamierzamy z Kenem wybrać się na wycieczkę wzdłuż jeziora, nocować gdzie popadnie. Może być bardzo miło.

Dziś po południu rozmawiałam z Peterem Richardsem i okazało się, że znowu mam nawrót. Leczenie zawiodło – tak to chyba można nazwać. Brzmi tak złowieszczo. Czuję się dobrze, ale jednocześnie słyszę niezbyt wyraźny głos, który mówi mi, że powinnam się martwić: dlaczego jestem taka spokojna, to przecież jest zaprzeczanie, czy zdaję sobie sprawę, jakie straszne rzeczy mnie czekają? Ten głos jest obecny, ale nie ma nade mną zbyt wielkiej władzy. Myślę, że to część mnie, która wariowała, kiedy po raz pierwszy dowiedziałam się, że mam raka, kiedy obudziłam się w środku nocy, pełna strachu. To głos niewiedzy; wtedy wiedziałam tak niewiele, że mógł on przede mną malować straszliwe obrazy, mówić, że posiadanie dużego R nie może oznaczać nic innego jak tylko śmierć. Przybrał taki ton i donośnie śpiewał swe złowieszcze piosenki. Teraz głos wie już więcej. Dużo czytałam o tym, jak straszny może być rak i jego leczenie, czytałam naprawdę przerażające sprawozdania, jak *Mortal Condition* i *Life and Death on 10 West.* Były tam sceny, po których miałam koszmarne sny. Ale teraz już wyblakły. Nie są tak przerażające jak kiedyś.

Kiedy odkryłam guzek, to poza tym, że w pierwszej chwili wstrzymałam oddech, jakoś nie czułam szczególnego strachu, choć doskonale wiedziałam, co to znaczy. Nie wpadłam w panikę, nie płakałam, nie powstrzymywałam łez na siłę. Było to raczej: „Och, to znowu to?". Taka zwyczajna reakcja.

W gabinecie Petera oczywiście wszystko musiało się wydać w czasie badania. Świetnie się bawiliśmy, pokazałam mu swoje „łyse" zdjęcia, był w równie dobrym nastroju jak ja. Następnego dnia, kiedy pobierał wycinek, a Ken i Vicky czekali za drzwiami, opowiedział mi historię o tym, jak pewien lekarz w końcu ożenił się z kobietą, z którą chodził długi czas i która postawiła mu ultimatum – albo się ze mną ożenisz, albo już nie będę się z tobą umawiać. Klasyczna historia kobieta – mężczyzna; opowiedziałam ją potem pielęgniarce.

Ken jest wspaniały. Mówi, że przejdziemy przez to razem. Jestem ze wszystkim całkowicie pogodzona. To moja *karma*, mój los, który muszę znieść i zaakceptować. Nie ma sensu niczego opłakiwać. Nie ma sensu rozmyślać o przerażających perspektywach. Jeżeli taka jest moja droga, to muszę nią podążać. Czuję coś w rodzaju ciekawości i spokój. Teraz czuję się doskonale. Moja dieta jest świetna, regularnie ćwiczę, czuję się pełna energii i znowu jestem podniecona życiem.

Dziś wieczorem w czasie medytacji zdałam sobie sprawę, że już nie unikam związków, nie opieram się życiu. Otwieram się na nie, na wszystkie jego aspekty. Podejmuję ryzyko, jestem ufna. Przestaję posługiwać się ostrością mego umysłu jako narzędziem obrony. Będę szła za głosem intuicji, uczucia, które podpowiada mi, co jest słuszne, i odsunę się od tych spraw, wobec których mam złe uczucia, nawet jeżeli rozum mówi mi co innego. Będę w pełni rozkoszować się życiem, doświadczaniem go. Przestanę tylko smakować, by potem odrzucać. Przestanę starać się być jak mężczyzna i zacznę rozkoszować się tym, że jestem kobietą.

Nie próbować być mężczyzną. Nie nazywać się Terry. Stać się Treyą. Treyą Wilber. Dziś w nocy miałam zadziwiający i podniecający sen; pamiętam tylko słowa: „Hej, jestem Treya".

Następnego dnia rano Terry poprosiła mnie, bym mówił do niej „Treya", i tak się stało. Treya, Treya, Treya. Wraz z przyjaciółmi martwiliśmy się, że być może Treya rzeczywiście wpadła w pułapkę zaprzeczeń – była tak spokojna, tak łagodnie wesoła, tak otwarta i akceptująca. Ale nasza obawa, jak się wkrótce przekonałem, wynikała tylko z niedoceniania jej. Naprawdę się zmieniła; zmiana ta była bardzo prawdziwa, szczera i głęboka.

Gdy zaczynam pisać o tym, jak inaczej się czuję po obecnym nawrocie, powinnam chyba zaznaczyć, że to, nad czym pracowałam przez sześć miesięcy, jest już ukończone. Zaczynam od nowa, od całkiem czystej karty.

To jest jak nowy początek, jak odrodzenie. Zmieniłam się naprawdę niezwykle głęboko. Łatwo sobie wyobrazić, że się czegoś nie boimy, jeśli się to po prostu nie wydarzyło i prawdopodobnie nie wydarzy się. Nigdy jednak nie ma pewności. Dopiero wtedy naprawdę wiesz, czy się boisz, czy też nie, gdy wszystko dzieje się naprawdę.

Tym razem nie boję się. Och, oczywiście, istnieje we mnie coś, co jeszcze się boi; w końcu jestem człowiekiem. Wciąż istnieje kilka strachliwych pajaców, ale one się nie liczą. To tylko statyści i cieszą się, że dostali byle jaką pracę!

Bez tego nawrotu nigdy bym nie wiedziała, że zaszła we mnie głęboka wewnętrzna przemiana. Kiedy mówię, że jestem wdzięczna, to naprawdę tak myślę. Wydarzyło się coś wspaniałego. Opuścił mnie ogromny ładunek strachu, który dźwigałam od tak dawna; odszedł cicho, gdzieś w noc, nie wiem nawet kiedy i jak.

O wiele mniej również boję się przyszłości, możliwych nawrotów, które mogą doprowadzić do jednego z tych ponurych zgonów na raka, o których zbyt wiele czytałam.

Kiedy patrzę w tamtą stronę, widzę, że wciąż czają się tam jakieś straszydła, ale przemiana dała mi wiarę, że nawet jeżeli będę musiała tam pójść, to teraz będę podróżować bez lęku. Ulubione powiedzenie Kena: „Być Świadkiem losu, a nie jego ofiarą". Po prostu obserwuję, jestem wyciszona i łagodnie radosna. Ten ciężar, który dźwigałam, odkąd doznałam szoku i strachu na wieść o tym, że mam raka, teraz gdzieś zniknął. Kusi mnie, żeby po drodze zbierać kamyki, myślę też, że mogłabym je później z powrotem odłożyć na miejsce.

Jestem dziwnie podniecona, jakby to była jakaś cudowna, nowa możliwość. To bodziec do odkrywania innych sposobów leczenia raka, coś w rodzaju podyplomowego kursu terapii eksperymentalnych. Zamierzam zbadać inne możliwości – terapie metaboliczne, diety niskotłuszczowe oparte na surowym pożywieniu, metody pobudzania układu odpornościowego, działanie uzdrawiaczy i chińskie zioła. Przyjrzałam się swojemu życiu, widzę, czego w nim brakowało, i teraz naprawdę zobowiązuję się wprowadzić do niego wszystko to, co sobie odpuściłam. Zamierzam poszukiwać mojego daimoniona artyzmu, by odnaleźć kobietę, która pracuje rękami, która uprawia artystyczne rzemiosło. Zamierzam medytować. Zamierzam badać psychologiczne czynniki genezy chorób, które stanowią prawie 20%. Już się nie boję tego, że będę oskarżana albo że będę miała poczucie winy. Już nie chcę mieć racji. Już nie chcę się bronić. Po prostu interesuje mnie życie, strasznie mnie ono interesuje. Chcę być ekspansywna, tak jak w moich dziecięcych marzeniach, chcę połączyć się z wszechświatem.

Jedynym rodzajem leczenia, jaki lekarze mogli zaproponować Trei, była kolejna dawka naświetlań na obszarze ogólnym, terapia, którą Treya z miejsca odrzuciła z oczywistych przyczyn: po prostu poprzedni nawrót, tych pięć guzków, wykazał, że jej rak jest odporny na naświetlania. Z tego powodu pozostały już tylko metody alternatywne, gdyż możliwości medycyny białego człowieka były wyczerpane. Treya mogła posłuchać lekarzy – muszą coś zaproponować, jeżeli nie mogą już leczyć choroby – ale nie chciała ich słuchać.

Tak zaczęło się to, co okazało się wielce zabawną podróżą po szalonym świecie sposobów na raka. Znowu wyruszyliśmy na trasę. Najpierw skierowaliśmy się do Los Angeles, by spotkać się z bardzo kompetentnym lekarzem specjalizującym się w pobudzaniu systemu odpornościowego, potem do Del Mar, gdzie spędziliśmy cały tydzień z dziką, bajkową, szaloną, uroczą, niekiedy odnoszącą sukcesy, stukniętą uzdrowicielką Chris Habib.

Nie powiem teraz, czego Chris Habib dokonała w zakresie prawdziwego leczenia. Powiem tylko, że udała jej się niewiarygodnie ważna rzecz: dokończyła przemiany Terry w Treyę, zarażając ją niezwykłym poczuciem humoru.

Przez ostatnie dni byliśmy jak nomadowie. Jednej nocy w Holiday Inn na piątym piętrze – okna się nie otwierają, wentylacja nie działa, ale za to meble obite pluszem. Następnej nocy w Mission Inn – parterowy hotel, bardzo przytulny, z bardzo popularną kawiarnią i cukiernią, zawsze pełną rodzin jedzących dobre, stare amerykańskie jedzenie, placki i ciastka. Później noc w Budget Motel, gdzie dywan jest niezupełnie czysty, a z trzeciego piętra nad nami słychać ludzi, którzy albo się rozpakowują, albo właśnie pakują. W łazience wisi tabliczka ostrzegająca, że za zaginione ręczniki płaci gość hotelowy. Tej nocy jemy wspaniałą kolację w restauracji „Five-Foot". Jest to wykwintna, europejska restauracja, prowadzona przez Chińczyków. Co oznacza ta nazwa? Nikt nie wie. Ken zgaduje, że to przeciętny wzrost kelnerów.*

Del Mar – miejsce tak cudowne, omywane falami i opromienione słońcem, tak spokojne (jak tu w ogóle można pracować?), że postanawiamy zrobić sobie wakacje i zatrzymać się w motelu na samej plaży. Tak więc nasza

---

* *Five foot* – „pięć stóp"; około 152,5 cm (przyp. red.).

podróż zmienia się z trzeba-się-zatrzymać-w-tanim-motelu w przygodę na plaży, ciche kolacyjki i sen, do którego nas kołysze szum fal. Kiedy wracaliśmy po kolacji, oglądaniu sklepów i zakupach, by zaopatrzyć naszą maleńką lodówkę w warzywa i świeże ryby, w miejscu, gdzie rzeka wpada do morza, na szerokiej plaży ujrzeliśmy ogromne fajerwerki liżące krawędź nocy, ciemne postacie poruszające się na skraju złotego światła, i wydawało mi się, że w miękkim, wieczornym powietrzu czuję zapach hot-dogów i galaretek owocowych. I teraz jeszcze to czuję, wyobrażam sobie kobiety, ich mężów i kochanków, żarzące się węgielki, wszystko maleńkie na tle przepastnego nocnego nieba.

Tego popołudnia poszłam do uzdrowicielki. Kiedy sesja się skończyła, wypisałam czek na 375 dolarów za tydzień leczenia i wydając te pieniądze, czułam się lepiej niż wtedy, gdy wydawałam je na innego rodzaju terapie. Ale nie odważę się o tym powiedzieć moim akademickim lekarzom. Cenić uzdrowiciela wyżej niż naświetlania? Jakież to nieodpowiedzialne! A jednak jest to w pełni zdrowa życiowa decyzja, podjęta przy pełnej świadomości różnych możliwych wyborów. Każdy się zgodzi, że wiara w skuteczność leczenia jest niebywale ważna, a ja już nie wierzę w to, że naświetlania czy chemioterapia pomogą mi zwalczyć chorobę. Kiedyś było to dla mnie OK, ale już nie jest. Już nie.

Jestem gotowa do czegoś innego. Po prostu zobaczę, co się będzie działo, niczego nie będę osądzać.

O trzeciej wchodzę do Centrum Zdrowia Holistycznego i znajduję drogę do rejestracji. Jakiś sympatycznie wyglądający młody człowiek – jasne, niebieskie oczy, blond włosy, miła, otwarta twarz – proponuje, że mnie zaprowadzi. To doktor George Rawls, dyrektor Centrum. Przez poczekalnię wchodzimy do gabinetu Chris. Na stole zabiegowym leży jakiś starszy mężczyzna; Chris zajmuje się nim. W pokoju jest również jej syn i jakiś inny mężczyzna, który ją obserwuje i, jak mówi, uczy się od niej. George siada. Rozmowa toczy się gładko, podczas gdy Chris zajęta jest swoją pracą. Atmosfera luźna i bardzo swojska. Starszy mężczyzna, Bill, ma guza mózgu nie nadającego się do operacji. Wcześniej miał dwa guzy, które Chris wyleczyła i które najwyraźniej „wyschły", ale później pojawił się nowy. W zeszłym tygodniu Bill został przywieziony z miejscowego szpitala. Teraz może chodzić i Chris często wysyła go po kawę dla nas. Niekiedy mówi o nim tak, jakby go przy nas nie było. Później przychodzi jego brat i włącza się do rozmowy. Lewa ręka Chris znajduje się nad głową Billa, prawa zaś z boku jego głowy. W pewnej chwili mówi, że czuje tam jakieś zimne miejsce, bardzo malutkie. On przytakuje, że też czuje zimno. Ona delikatnie go beszta: „Powinieneś mi o wszystkim mówić, czy sama mam wszystko zgadywać?". George wyjaśnia mi, że rodzaj pracy Chris nie jest typowy dla szpitala, to tylko jej sposób.

Teraz moja kolej. Kładę się na kozetce, George wychodzi, mówiąc, że bardzo chciałby spotkać się z Kenem. Ma wysokie mniemanie o *Up from Eden* i ogólnie o twórczości Kena. Najpierw Chris pracuje nad lewą stroną ciała. Czuję chłód po tej stronie piersi, gdzie znajduje się jej prawa dłoń; mówi mi, żebym zawsze jej mówiła, kiedy poczuję prawdziwe zimno. Następnie jej ręce przesuwają się i czuję chłód w okolicy żeber, tuż pod piersią. Potem przez parę minut pracuje nad moim brzuchem. Mówi, że coś się dzieje z trzustką. „Och, zapomniałam ci powiedzieć, mam też cukrzycę". Interesujące. Pracuje może jeszcze przez dwadzieścia minut, przesuwając lewą rękę na środek mojego ciała, tuż pod mostek, a prawą trzymając nad żebrami – i tam ciągle czuję chłód. Mówi trochę o tym, że raka wywołuje jakiś wirus i że może on nadal we mnie siedzi, choć lekarze twierdzą, że już go nie ma. Teraz stara się go powstrzymać przed przesuwaniem się w inne miejsce. Jedną rękę trzyma pośrodku mojej klatki piersiowej, tuż pod mostkiem, a drugą nadal nad żebrami i trzustką. W jednym miejscu czuję chłód, w drugim nic nie czuję. Kiedy przechodzi na lewą stronę ciała, nadal czuję nad trzustką chłód i przypomina mi się, że mój dziadek umarł na raka trzustki.

Potem kładzie lewą rękę pod moje ciało z prawej strony, a prawą na boku, dokładnie tam, gdzie były nawroty. Mówię jej, że nie czuję żadnego chłodu ani zimna. Po chwili przesuwa rękę do góry, przenosi ją nad protezą. Proponuję, że ją zdejmę, ale mówi, że to nie jest potrzebne. Wszystko obserwuje jej syn i tamten starszy mężczyzna.

Okazuje się, że Chris sama w wieku lat dwudziestu trzech miała raka, guzek w piersi, który w ciągu trzech lat rozprzestrzenił się. Mówi, że to był początek jej pracy, że chodziła do różnych lekarzy i uzdrowicieli. Przez jakiś czas pracowała z jakimś biochemikiem we Włoszech, ale została aresztowana za uzdrawianie dziecka chorego na białaczkę. „Czy możesz sobie wyobrazić? – mówi. – Zupełnie jakby to było przestępstwo...". Ten biochemik wierzył w metody paranormalne i powiedział jej, że od chwili, kiedy ją zobaczył, wiedział, że potrafi uzdrawiać.

Jej marzeniem jest pojechać do jakiegoś kraju Trzeciego Świata i uczyć innych. Mówi, że jej metoda ma charakter matematyczny i łatwo jej się nauczyć, choć oczywiście niektórzy mają do tego większy talent niż inni. Mówi, że istnieje dziesięć poziomów, na których może istnieć choroba, a rak jest na piątym poziomie. Cukrzyca to poziom czwarty. Aby uzdrowić, należy wznieść swoje wibracje do odpowiedniego poziomu i potem dopasować je do rodzaju raka i nauczyć się wytwarzać w mózgu odpowiednie ciśnienie. Mówi, że na przykład teraz wytwarza około trzynastu jednostek ciśnienia. Zazwyczaj pracuje pomiędzy dziesięcioma a dwudziestoma pięcioma jednostkami. Chce wyjechać do Trzeciego Świata, bo w Stanach takie rzeczy nie są dozwolone.

Następnego dnia znowu jestem u Chris. Już cały czas przychodzę tu sama, bez Kena – nie chcę, żeby mi przeszkadzał jego sceptycyzm. Uświadamiam sobie, że strasznie lubię Chris, coś w niej jest. Dziś mówi mi, że miała raka siedem razy (i trzy razy zawał), a dwa razy lekarze orzekli, że to już koniec. Jej mąż – wyszła za niego, kiedy miała piętnaście lat – któregoś dnia przyszedł do niej – miała wtedy trzydzieści lat – i powiedział, że od niej odchodzi. Ze swoją sekretarką, którą zaangażował miesiąc wcześniej. Nie podał żadnego innego wyjaśnienia, nie wspomniał o żadnych problemach, jakby wszystko było w porządku. Mieli wówczas troje dzieci i zaadoptowali jeszcze dwójkę. W ciągu miesiąca jej rak rozprzestrzenił się po całym ciele. Ciągle miała nawroty, bo miała złamane serce i była pusta wewnątrz. Nie nauczyła się akceptować własnych potrzeb. Jej ojczym odszedł od nich, kiedy miała osiem lat, i była najstarszym dzieckiem w rodzinie, musiała się zaopiekować wszystkimi, włącznie ze swoją matką, która w ciągu paru lat miała dziewiętnaście ataków serca. Miała również upośledzoną siostrę, młodszą od niej o rok, którą też musiała się zajmować. Taka sytuacja: Jej ojczym, który był stolarzem, przyszedł kiedyś do domu z brzuchem rozpłatanym piłą tarczową, wypływały jelita. Powiedział matce, żeby wezwała pogotowie, a ona zemdlała, więc Chris wezwała pogotowie, pomogła mu się położyć i jakoś się trzymać. Musiała nauczyć się opiekować sobą.

Mówi o szukaniu wirusa w moim ciele, upewnianiu się, czy się nigdzie nie ukrył. Kiedy wydziela z siebie energię, to jeżeli gdzieś w ciele jest wirus, obszar ten robi się zimny. Stąd wie, że tam jest wirus. Zimno zabija wirusy, one nie lubią zimna. Więc kiedy pracuje nade mną, przesuwa ręce nad różnymi miejscami; czasami mnie pyta, czy gdzieś czuję zimno albo czy czuję przepływ od jednego miejsca do drugiego. Czasami mówi, że coś czuje w jakimś miejscu, i pyta, czy ja też to czuję. Czuję przeważnie chłód, niezbyt wielki. Mówi, że to dobrze, jeżeli nie czuję wielkiego zimna, nie będziemy miały zbyt wiele pracy. Pytam ją, czy utrudnia jej to pracę, gdy ktoś nie ma czucia na jakimś obszarze z powodu operacji albo naświetlań. Mówi, że nie, bo ona to czuje. Ale ważne jest, by ludzie mogli poczuć zimno, bo wtedy wiedzą, że coś się dzieje. Kiedy kładzie rękę tam, gdzie czułam chłód, mówi, że nie chcemy, by ten wirus gdzieś się ukrył.

Kładzie na moim ciele dwa kamienie – dziwny kryształ na brzuchu i piękny, gładki kamień o metalicznym połysku na sercu. Nie potrafię powiedzieć, czy teraz coś odczuwam, ale przez cały czas, kiedy tam byłam, czułam, że przez moje ciało przepływa ogromnie dużo energii, zwłaszcza przez nogi i stopy.

Tego dnia Chris dużo mówiła – podczas sesji byłyśmy same – o tym, jak trudno jest pracować w Stanach. Ostatnio na przykład przyszedł inspektor, rozejrzał się, nie znalazł w jej gabinecie żadnych instrumentów. Chciał się upewnić, czy ona leczy, tylko nakładając ręce, co mu zademonstrowała. Zaproponowała mu, żeby został, ale nie mógł. Najwyraźniej jest przez cały czas kontrolowana.

Mówi, że kiedyś ludzie przyprowadzili do niej małą dziewczynkę z białaczką. Wypróbowali już wszystko, wszystkich lekarzy, wszystkie metody leczenia i Chris była ich ostatnią nadzieją. Kiedy przyprowadzili dziecko, mieli ze sobą walizki pełne witamin, ziół i specjalnego pożywienia. Chris roześmiała się, kazała im zaprowadzić dziewczynkę do McDonald'sa. Mała była zachwycona, rodzice przerażeni, ale zrobili to. „Dziewczynkę wyleczyłam w ciągu czterech sesji" – mówi Chris. Uwielbia pracować z dziećmi, są łatwe, nie takie jak dorośli.

Mówi, że dziś rano jej osiemnastoletni syn zrobił jej wykład. „Mamo – powiedział – musisz się ubierać bardziej profesjonalnie i używać innego słownictwa". Ale Chris czuje, że musi wszystko robić po swojemu, a gruby dowcip zdarza się jej równie często jak kojące słowo. „W końcu – mówi – przez większość czasu usiłuję zmusić swoich pacjentów do jaśniejszego spoglądania na świat. Ludzie są tacy poważni, gdy chodzi o ich życie, a dowcip pomaga. Widziałam już tyle chorób, cierpienia i śmierci, że niczego nie biorę poważnie, a to pomaga ludziom, którzy tu przychodzą. Zazwyczaj są zbyt poważni. Moje zadanie: codziennie opowiedzieć jakiś nowy dowcip".

Dlaczego wszyscy tak ją lubią? Dlaczego ja tak ją lubię? Wierzę w jej otwartość i jej pragnienie nauczenia tego innych. Na pewno nie jest chciwa. Lubię z nią być, z niecierpliwością czekam na każdą następną wizytę. Z pewnością posiada jakąś silną, opiekuńczą, matczyną energię. Mam nadzieję, że nauczyła się opiekować sobą. Wciąż słyszę, jak mówi, że przez wszystkie lata, kiedy opiekowała się ludźmi i przyjmowała opiekę od innych, była pusta wewnątrz, nie wiedziała, jak dawać samej sobie.

Chris Habib to było coś zupełnie nowego. Była naprawdę piękna, pięknem nieco zmęczonym. Oczywiście, jeżeli wierzyło się w siedem ataków raka, z którego sama się wyleczyła, łatwo było zrozumieć to zmęczenie. Treya chciała, żebym sceptycyzm zachował dla siebie. Atmosfera między nami zrobiła się dosyć gęsta – co wtedy było rzadkością – i opowiadaliśmy naszym przyjaciołom historie pełne żalu i urazy. W końcu zaczęliśmy sami o tym rozmawiać. Łagodny szum fal ostro kontrastował z naszą gorącą dyskusją.

– Słuchaj – zacząłem – nie jestem sceptyczny, jeżeli chodzi o uzdrawianie w ogóle, a nakładanie rąk w szczególności. Tak się składa, że wierzę, iż obie te rzeczy niekiedy pomagają.

– Równie dobrze jak ja znasz teorię, która za tym stoi – przerwała mi Treya. – W ludzkim ciele istnieją delikatne prądy energii – *prana, chi, ki* – te same energie, które wykorzystuje się w akupunkturze i jodze *kundalini.* I naprawdę wierzę, że niektórzy ludzie, tak zwani uzdrowiciele, mogą świadomie kierować tę energię na siebie i na innych.

– Ja też, ja też. Te energie to jest właściwie poziom drugi w modelu, który zaprezentowałem Edith Zundel, poziom emocjonalno-

-bioenergetyczny, który tworzy istotne połączenie między ciałem fizycznym – i jego chorobami – a umysłem i duchem. Osobiście wierzę, że manipulowanie tymi energiami, czy za pomocą jogi, ćwiczeń, akupunktury, czy też nakładania rąk, może być niekiedy istotnym czynnikiem w leczeniu chorób fizycznych, gdyż każdy wyższy poziom ma głęboki wpływ na niższy. Tak zwana „przyczynowość zstępująca".

– Skąd więc u ciebie sceptycyzm wobec Chris? W twoim tonie czuję dezaprobatę dla jej działalności.

– Nie, wcale nie. Po prostu wiem z doświadczenia, że uzdrowiciele czy media nie zawsze dokładnie rozumieją, co robią albo jak to robią. A jednak niekiedy to działa. Więc od razu wymyślają jakieś historie albo teorie na temat tego, co robią. Nie kwestionuję istnienia tej energii, tego, że działa. Kwestionuję tylko ich opowieści i teorie. Nie kwestionuję tego, co r o b i ą, kwestionuję to, co m ó w i ą o tym, co robią. Niekiedy te ich opowieści są naprawdę śmieszne i zazwyczaj przeplatają się z jakimiś niedopieczonymi teoriami medycznymi. Nie mogę reagować inaczej.

Później tego samego popołudnia wpadłem do Centrum, żeby przyjrzeć się pracy Chris. I było tak, jak powiedziałem: nie wątpię, że działo się tam coś prawdziwego – z pewnością emitowała energię – ale nie uwierzyłem w ani jedno słowo, które wypowiedziała. Nigdy w życiu nie słyszałem tak dętych opowieści. Sypała nimi jak z rękawa. Nie powstydziliby się ich bracia Grimm. Ale na tym właśnie polegał jej urok, to w niej było takie miłe. Podobnie jak Treya, oceniłem ją jako niezwykle sympatyczną. Po prostu chciało się z nią być, chciało się zatonąć w jej czarodziejskich baśniach. Jak się później przekonałem, w głównej mierze na tym właśnie polegała jej praca. Ale to nie oznacza, że uwierzyłem w jej historyjki. Platon powiedział, że przynajmniej jedna trzecia pracy dobrego lekarza to „urok", a pod tym względem Chris była wyśmienitym lekarzem.

Treya mój sceptycyzm dotyczący opowieści Chris wzięła jednak za niewiarę w jej zdolności. Wciąż uczyłem się i z trudem wciąż uczę się, co to znaczy dawać oparcie. Odebrałem następującą lekcję: jeżeli naprawdę wątpisz w jakąś metodę leczenia, okaż swój sceptycyzm, zanim ktoś zdecyduje się poddać temu leczeniu. Tylko tak możesz pomóc i to będzie najbardziej uczciwe. Jeżeli jednak chory wybierze tę terapię, schowaj swoje wątpliwości i udziel mu stuprocentowego wsparcia. W takim momencie okazanie sceptycyzmu byłoby działaniem okrutnym, nieuczciwym i podkopującym wiarę.

W każdym razie urok Chris miał wspaniały wpływ na Treyę. To właśnie tego „uroku" tak brakuje w medycynie białego człowieka, która jego działanie, jeśli je w ogóle dostrzega, zbywa lekceważącym słowem „placebo". Co jest lepsze: być wyleczonym przez medycynę „prawdziwą" czy przez „medycynę uroku"? Jaka to różnica?

Dawniej Treya zawsze polegała na mnie, na tym, że rozładuję sytuację poczuciem humoru, choć czasami wydawało jej się ono niezbyt właściwe. W porównaniu z Chris wypadałem jednak dosyć anemicznie. Nie było takiej rzeczy, z której nie potrafiłaby się śmiać, nie było dla niej nic świętego. I to właśnie przejęliśmy od zwariowanej Chris Habib: „Śmiejcie się, dzieciaki. W końcu wszystko jest jednym wielkim żartem".

Biegnąc po plaży o zmroku, w drodze powrotnej do motelu, myślę o tym, jak bardzo chcę się jeszcze bardziej zmienić. Chcę wszystko widzieć jaśniej, nie traktować spraw tak bardzo, bardzo poważnie; więcej się śmiać, więcej bawić i nie myśleć o kryzysie; zdjąć z siebie ciężar, zdjąć ciężar z innych. Moje nowe motto: brać życie lekko.

Czwarta sesja. „Wiele osób nie chce się nauczyć, jak się samemu wyleczyć – mówi Chris. – Chcą, żeby ktoś inny to za nich zrobił, chcą to zwalić na kogoś innego. Niekiedy nawet muszę być dla nich obiektem miłości. Pracowałam kiedyś nad pewnym mężczyzną – taki przystojniak, w którym każda kobieta natychmiast się zakochuje – który prowadził pięć interesów, zapłacił za siedemnaście aborcji siedemnastu różnych kobiet. Przyszedł do mnie z rakiem, miał trzydzieści dwa lata. Zakochał się we mnie. Ciągle do mnie wracał i mówił, że mnie kocha. Nie kochasz mnie – odpowiadałam mu. – Kochasz moją energię. A masz ją w sobie, możesz sam się wyleczyć. Może byś kupił sobie kryształ, a ja go dla ciebie zaprogramuję. Wtedy nie będziesz musiał ciągle do mnie przychodzić. Więc kupił sobie kryształ i odkrył, że może go używać do wykrywania zimna, kiedy działo się coś złego. Wczoraj zobaczyłam go po raz pierwszy po ośmiu miesiącach. Kiedy czuje się źle, używa kryształu. Mówi, że ostatnio czuł trochę zimna i wie, że może sobie z nim poradzić".

W tym momencie wszedł Ken. Między nami jest o wiele lepiej, kiedy przepracowaliśmy jego sceptycyzm. Teraz on kładzie się na kozetce. Naprawdę lubi Chris, mówi, że jest fajna. Ona pracuje nad jego ciałem, mówi, że nigdzie nie czuje żadnego zimna. A on? Też nie. Potem trzyma ręce nad jego głową. „To dziwne – mówi. – Każda strona mózgu ma dziesięć kanałów. Większość ludzi ma tylko dwa albo trzy otwarte kanały. Co najwyżej cztery". Powiada, że w jej mózgu po obu stronach wszystkie kanały są otwarte, ale stało się to dopiero wtedy, gdy zajęło się nią wielu wybitnych uzdrowicieli. Tylko raz na dwa tysiące lat zdarza się, żeby wszystkie kanały po obu stronach mózgu się otworzyły. Jej poprzednikiem był Budda. U Kena odkryła dziesięć otwartych kanałów po jednej stronie i siedem po drugiej. Nigdy przedtem nie spotkała się z czymś takim. Skoro jego mózg jest już tak otwarty, to chyba można otworzyć pozostałe trzy kanały. Pracuje nad nim około trzydziestu minut, cały czas zadając mu pytania, zwłaszcza czy czuje jakiś dziwny zapach. „Czuję dym". „Dobrze". „A teraz czuję pleśń". W końcu Chris mówi, że obie strony jego mózgu są całkowicie otwarte. Teoria głosi, że taka osoba zdarza się tylko raz na dwa tysiące lat, a tu siedzą dwie w jednym pokoju! Ken zaczyna się histerycznie śmiać – w ogóle w to nie wierzy – i nie mam pojęcia, czy cieszyć się, czy złościć na niego!

Chris pyta mnie, czy chciałabym się nauczyć leczyć samą siebie. Mówię, że zdecydowanie tak. Pokazuje mi ćwiczenie. Ken wygląda na całkiem zainteresowanego. „Wyobraź sobie, że się ważysz, ale ważysz tylko swoje ciało eteryczne. Wyobraź sobie, że stoisz na wadze o skali od 1 do 10. Ta skala od 1 do 10 nie ma nic wspólnego z dziesięcioma kanałami mózgu. To zupełnie co innego. Spójrz, gdzie zatrzymuje się wskazówka". Wizualizuję to. Najpierw pojawia się dwójka, ale jest to raczej myśl, a nie obraz. Usiłuję skupić się na obrazie i widzę jak wskazówka waha się pomiędzy 4,5 a 5. Mówię jej to. „Dobrze – odpowiada. – Piątka oznacza, że jesteś w równowadze. Teraz przesuń wskazówkę w kierunku piątki i zatrzymaj ją tam przez chwilę. A teraz przesuń wskazówkę w kierunku dziesiątki i obserwuj, co się dzieje w twoim umyśle". Wizualizuję ten ruch. Czuję wewnętrzny opór, muszę na siłę pchać wskazówkę. Mówię jej o tym. „Co czułaś w swoim mózgu? Czy energia przesunęła się na jedną stronę?". Tak, przesunęła się. Teraz mówi mi, żebym przesunęła całą energię na drugą stronę i obserwowała, co się będzie działo. Moja energia przesuwa się na lewą stronę mózgu. „Chcę, żebyś ćwiczyła utrzymywanie wskazówki na piątce. Jeżeli możesz ją tam utrzymać przez trzydzieści pięć minut, jesteś na dobrej drodze. Po prostu co jakiś czas sprawdzaj, czy igła jest na piątce. Jeżeli nie, to przesuń ją tam i zatrzymaj".

Przez pozostałą część sesji co jakiś czas sprawdzam, gdzie jest wskazówka. Utrzymuje się na piątce z lekką tendencją spadania do 4,5. „Dobrze – mówi Chris. – Nie znajduję już w twoim ciele żadnego zimna. Wirusa już nie ma, będziesz zdrowa".

Naładowuje energią piękny kryształ i daje mi go. Jeżeli kiedykolwiek poczuję w ciele jakieś zimno, powinnam przyłożyć kryształ do tego miejsca, a zimno zniknie. „A on – mówi, patrząc na Kena – może robić dokładnie to samo co ja, więc jeżeli będziesz potrzebowała uzdrawiania, on może ci pomóc".

– Czy możesz to robić? – spytała Treya, gdy wyszliśmy z Centrum. – I dlaczego się śmiałeś?

– Nic na to nie poradzę, kochanie. Żaden ze mnie Budda. Ty o tym wiesz i ja o tym wiem. Chciałbym emitować energię tak jak ona, ale nie potrafię.

– Czułeś coś, kiedy pracowała nad tobą?

– Z pewnością czułem przesuwającą się energię, a co najdziwniejsze, czułem te dziwne zapachy, zanim mnie o nie spytała. Jak już mówiłem, uważam, że rzeczywiście coś w tym musi być, ale nie wierzę w interpretacje uzdrowicieli.

Ostateczny wpływ wywarł na nas urok Chris. Niewątpliwie wlała w nas wiele energii. Czuliśmy się ożywieni, gotowi, szczęśliwi. A nieprzerwany strumień jej barwnych opowieści sprawił, że zaczęliśmy brać życie bardziej lekko. Przy Chris prawda traciła całe swoje znaczenie, wszystko mogło być równie dobrze prawdziwe, jak fałszywe, nie miało to żadnego znaczenia. Wszystko zaczęło robić się śmieszne. Choroba Trei, ja jako Budda – wszystko to było jednym wielkim żartem. I to, jak sądzę, było częścią tego, co chciała nam dać Chris.

– Co widzisz? – głos jest bardzo pewny.

Postanawiam z tym nie walczyć, bo i tak nie ma to najmniejszego sensu. Zaczynam głośno odczytywać te kilka słów, zdań i symboli, które rozumiem, spośród milionów otwierających się na moich oczach. Ja patrzę na nie, one patrzą na mnie.

„Nie możemy więc uciec od faktu, iż świat, który znamy, jest skonstruowany po to (i w ten sposób, aby to było możliwe), żeby widzieć samego siebie. W tym celu niewątpliwie musi się najpierw rozdzielić na przynajmniej jeden stan, który widzi, i przynajmniej jeden stan, który jest widziany. W tych podzielonych i pomnożonych warunkach to, co widzi, jest tylko częściowo sobą. Próbując zobaczyć siebie jako przedmiot musi, równie niewątpliwie, działać tak, by oddzielić się od siebie i w ten sposób stać się fałszywym sobą. W takich warunkach zawsze będzie częściowo wymykał się sobie”.

– Czytaj dalej – mówi głos, a ja spoglądam na następny przepływający przede mną fragment.

„Wszystko, co od wieczności wydarzyło się na ziemi i w niebie, życie Boga i wszystkie uczynki czasu, są po prostu walką Ducha o to, by poznać siebie, odnaleźć siebie, być dla siebie i w końcu zjednoczyć siebie dla siebie. Jest wyobcowany i podzielony, ale tylko po to, by móc odnaleźć siebie i powrócić do siebie”.

– *Jeszcze.*

„Nie wyróżnia rządzącego Cezara, bezwzględnego moralisty ani nieporuszonego źródła mocy. Zajmuje się delikatnymi elementami świata, które powoli i w ciszy działają przez miłość, i znajduje cel w teraźniejszości i obecności Królestwa, które nie jest z tego świata. W ten sposób wieczne pragnienie jest usprawiedliwione – wieczne pragnienie tego, by smak istnienia odświeżała zawsze obecna, niesłabnąca waga naszych działań, które nikną, choć wiecznie trwają".

– *Wiesz, co to wszystko znaczy? – mówi głos z nieobecności.*

W długiej drodze powrotnej do Bay Area Treya czyta na głos fragmenty *The Causes and Prevention of Cancer,* książki napisanej przez psychoanalityka Fredericka Levensona, jedną z niewielu, które według niej odpowiednio rozprawiają się z psychologicznymi czynnikami raka, przynajmniej w jej przypadku. Teraz ciężko pracowała nad psychogennym aspektem raka, który według nas stanowił około 20% całego obrazu przyczyn i zajmował bardzo ważną jego część.

– Teoria Levensona głosi, że ludzie są bardziej podatni na raka, jeśli jako dorośli mają trudności w kontaktach z ludźmi, przejawiają tendencje do hiperindywidualizmu, zbyt są skupieni na sobie, nigdy nie proszą o pomoc, zawsze usiłują wszystko robić na własną rękę. Stres, który się w nich gromadzi, nie uwalnia się w związkach w innymi ludźmi, kiedy prosi się o pomoc czy uzależnia się od kogoś. Ten skumulowany stres nie ma więc żadnego ujścia i dlatego tacy ludzie, jeżeli mają genetyczne skłonności do raka, pod wpływem napięcia mogą zachorować.

– Czujesz, że to może dotyczyć ciebie? – spytałem.

– Z całą pewnością. Przez całe życie moimi ulubionymi wyrażeniami były: „Nie, dzięki, sama sobie poradzę. Zrobię to sama. Och, nie przejmuj się, dam sobie radę". Strasznie mi trudno prosić o pomoc.

– Może częściowo dlatego, że byłaś „najstarszym synem", twardym facetem?

– Chyba tak. To żenujące, kiedy pomyślę, ile razy mówiłam takie rzeczy. Ciągle je powtarzałam. „Mogę to zrobić sama. Dam sobie radę. Nie, dzięki".

– Wiem, co się za tym kryje. Strach. Strach przed uzależnieniem. Strach przed odrzuceniem, gdybym jednak odważyła się poprosić. Strach przed ujawnieniem swoich potrzeb. Pamiętam, że jako dziecko byłam bardzo cicha, bardzo spokojna, niewymagająca, nie skarżyłam się. Nie prosiłam o wiele. Nikomu nie mówiłam o problemach w szkole. Szłam do swojego pokoju i tam w samotności czytałam książki. Bardzo cicha, bardzo zamknięta w sobie, nieśmiała, z rezerwą, bałam się krytyki, wszędzie widziałam negatywne oceny. Nawet kiedy bawiłam się z moim bratem i siostrami, często czułam się samotna.

– O tym właśnie mówi Levenson – ciągnęła. – Przeczytam ci: „Osobnik podatny na raka, pozbawiony emocjonalnej entropii, będzie niezdolny do połączenia się z kimkolwiek. Najprawdopodobniej poczuje bliskość dopiero wtedy, gdy będzie się kimś opiekował. To jest bezpieczne. Być kochanym i opiekować się, choć rezultatem jest emocjonalny dyskomfort, łatwo wyczuwalny niepokój".

– To dokładnie pasuje do mnie. Jesteś pierwszą osobą, z którą naprawdę potrafiłam się połączyć. Czy pamiętasz tę listę moich domniemanych przyczyn raka? Jednym z punktów było: „To, że nie spotkałam wcześniej Kena". Levenson na pewno by się z tym zgodził. Mówi: „Zrób to sam – to postawa rakogenna". Cóż, miałam to przez całe moje życie i chyba nikt mi tego nie przekazał, wydaje mi się, że się z tym urodziłam. Czuję, jakby to była moja karma. To nie tylko to, że chciałam być najstarszym synem. Wydaje mi się, że mam to od zawsze.

– To pozbądź się tego, dobrze? Jesteś teraz Treyą, nie Terry. Osiągnęłaś punkt zwrotny. Jest to aż nadto oczywiste. Widać to. Może więc przeszlibyśmy do połączenia się, co dla mnie oznacza czas na przytulanki, a z tym doskonale mogę sobie poradzić.

– Chyba powinnam się kopnąć za to, że nie zrobiłam tego wcześniej.

– Kopanie jest zabronione w tym samochodzie.

– OK. A ty? Jaki jest twój główny problem? Mój polega na tym, że próbuję dopuścić do siebie miłość i nie robić wszystkiego na siłę samodzielnie. Próbuję pogodzić się z faktem, że istnieją ludzie, którzy mnie kochają. Jaki jest twój problem?

– Pogodzić się z faktem, że istnieją ludzie, którzy mnie n i e kochają. Ja mam tendencję do popełniania odwrotnego błędu. Wydaje mi się, że wszyscy powinni mnie kochać, a kiedy okazuje się, że ktoś mnie nie kocha, zaczynam się denerwować. Jako dziecko odreagowywałem to jak szalony. Przewodniczyłem samorządowi klasowemu, zawsze wygłaszałem jakieś mowy na uroczystościach, byłem nawet kapitanem drużyny futbolowej. Szalone próby uzyskania akceptacji, próby sprawienia, żeby każdy mnie kochał.

– Pod tym wszystkim krył się taki sam strach, jak twój, strach przed odrzuceniem. Ale gdy ty zamknęłaś się i stałaś się introwertyczką, ja otworzyłem się i stałem się nadmiernie ekstrawertyczny. A wszystko to spowodowane niepokojem, usiłowaniem podobania się i zdobycia poklasku. Klasyczna nerwica lękowa.

– To, co nazywasz patologią F3.

– Tak, patologia *fulcrum* numer trzy. Miałem w sobie ten niepokój niemal przez całe życie. Nad tym właśnie pracowałem z Seymourem, Rogerem i Frances. Szło mi dość opornie albo raczej to ja byłem oporny. Ale właściwie nie uważam, by to właśnie był mój główny problem. To znaczy, z pewnością to jest problem, na pewno mnie to gnębi, ale żyłem z tym przez całe życie i jakoś sobie radziłem. Nie radzę sobie natomiast ze szczerością wobec mojego daimoniona, mojego wewnętrznego głosu. Nie jestem wobec niego szczery. Kiedy go nie słucham, wpadam w prawdziwe tarapaty.

– Kiedy nie piszesz, przestajesz go słuchać?

– Tak, nie słucham go i potem zwalam to moje niepisanie na kogoś innego. To jest kłamstwo, które pochodzi z duszy, nie z ciała. Niepokój F3 jest po prostu jakąś niższą energią ciała, zazwyczaj agresją, której nie pozwalasz się w z n o s i ć. Daimonion zaś jest jakąś wyższą, psychiczną albo subtelną energią, której nie pozwalasz z s t ą p i ć. To właśnie blokowanie zstępującej energii powoduje niepokój, z którym nie mogę sobie dać rady, który po prostu mnie wyniszcza. Jeżeli więc staram się być lojalny wobec mego daimoniona, daję sobie radę z niepokojem F3. Jeżeli nie, to rozwija się u mnie patologia F7 albo F8, patologia duszy, i wówczas obie mnie wyniszczają. Tak było w Tahoe. Boże, naprawdę strasznie mi przykro, że cię obwiniałem o całe to gówno.

– W porządku, kochanie, oboje musimy sobie sporo wybaczyć.

Wtedy po raz pierwszy przyznałem otwarcie, że winiłem ją za tyle własnych nieszczęść, choć oboje wiedzieliśmy o tym od jakiegoś czasu. Dobrze się stało, że atmosfera się oczyściła, zwłaszcza że w drodze do Del Mar wcale nie zgadzaliśmy się ze sobą. Odkąd zaczęliśmy się widywać z Seymourem, porzuciliśmy właściwie całkowicie naszą walkę (oboje docenialiśmy Seymoura jako sprawcę tego, że nasze małżeństwo przetrwało). Ale z powodu mojego sceptycyzmu wobec jej wyboru metody leczenia napadaliśmy na siebie z agresją, której od jakiegoś czasu już nie okazywaliśmy sobie i na którą mogą zdobyć się tylko pary małżeńskie. Najpierw oboje myśleliśmy, że to oznacza początek nowej, trudnej rundy walki. Ale wręcz przeciwnie – było to ostatnie starcie, choć całkiem spektakularne. Od tego momentu po prostu przestaliśmy walczyć. Być może od Chris nauczyliśmy się poczucia humoru.

Kiedy wróciliśmy do San Francisco, dowiedzieliśmy się, że Świątobliwy Kalu Rinpoche będzie przekazywał upoważnienie Kalachakra w Boulder w stanie Kolorado. Miał tam być Sam i zachęcił nas, żebyśmy też przyjechali. Zgodziliśmy się i w parę miesięcy później znaleźliśmy się w audytorium Uniwersytetu Colorado wraz z tysiącem sześciuset innych ludzi, by uczestniczyć w najważniejszej buddyjskiej ceremonii, trwającej cztery dni. Chociaż wtedy jeszcze tego nie wiedzieliśmy, ceremonia ta miała zaznaczyć się ostatecznym pojawieniem się „Trei", pojawieniem, które ogłosiła oficjalnie w miesiąc później, w dniu swych czterdziestych urodzin. Było to najzupełniej prawidłowe, gdyż raz tylko spojrzawszy na Kalu, wiedzieliśmy, że oto znaleźliśmy nowego nauczyciela.

25 listopada 1986 roku

Hej, przyjaciele. 16 listopada były moje czterdzieste urodziny i tego dnia zmieniłam imię na „Treya". Odtąd już nie będę się nazywała Terry Killam ani Terry Killam Wilber, lecz Treya Wilber albo Treya Killam Wilber.

Siedem lat temu, kiedy mieszkałam w Findhorn Community w Szkocji, miałam sen, jeden z tych niezwykle wyraźnych snów, w których wyczuwa się jakieś znaczenie. Śniło mi się, że powinnam nosić imię Estrella, co po hiszpańsku znaczy „gwiazda". Kiedy się obudziłam i zaczęłam o tym myśleć, pomyślałam, że imię to powinno być krótsze i brzmieć „Treya" (zresztą i tak większość ludzi nie wiedziałaby, że w hiszpańskim „ll" wymawia się jak „j"). Ale... jakoś nigdy tego nie zrobiłam. Zawsze byłam podejrzliwie nastawiona do ludzi, którzy zmieniają swoje imiona, i bardzo krytyczna wobec tych, którzy zmieniają imiona na Diamond albo Angel Ecstasy. W tym czasie wstydziłabym się zmienić imię; mój własny krytycyzm zabraniał mi „zrealizowania tego snu".

A może po prostu nie nadszedł właściwy czas? Może potrzebowałam tych siedmiu lat, żeby wrosnąć w to imię? Niewątpliwie ostatnie lata były dla mnie niezwykle dramatyczne, były też ogromnym wyzwaniem. Zwłaszcza ostatnie trzy lata, odkąd spotkałam Kena Wilbera, cztery miesiące później poślubiłam go i w dziesięć dni po ślubie odkryłam, że mam raka piersi. Operacja i naświetlania, po ośmiu miesiącach nawrót, znowu operacja, sześć miesięcy chemioterapii, łysina, osiem miesięcy później cukrzyca i teraz, w czerwcu, znowu nawrót.

Moja reakcja na ostatni nawrót zaskoczyła mnie. W przypadku poprzednich dwóch starć z rakiem reagowałam strachem, ale tym razem czułam całkowity spokój. Oczywiście, trochę się bałam – po tym wszystkim, co przeżyłam, wiem, czego mogę się spodziewać po raku – ale to, że odczuwam ogromny spokój i zdaję się kierować zdrowym rozsądkiem, dowodzi, że mój stosunek do choroby ogromnie się zmienił. Gdybym nie obecny nawrót, nigdy w pełni nie rozpoznałabym tej wewnętrznej przemiany.

Pewnego wieczora, zaraz po otrzymaniu wyników biopsji, kiedy pisałam w swoim dzienniku o nawrocie, pozwoliłam na swobodny przepływ myśli o tym, jak się czuję. Było to coś w rodzaju strumienia świadomości. Nie zdając sobie sprawy, dokąd zmierzam, złapałam się na tym, że piszę o nowej równowadze pomiędzy moją kobiecą i męską naturą, że czuję, iż mogłabym przestać być „najstarszym synem" mojego ojca. Zauważyłam, że myślę: „Treya... teraz powinnam mieć na imię Treya. Terry to męskie, niezależne imię – bez żadnych koronek, bardzo wprost, taka zawsze chciałam być. Treya jest bardziej miękka, bardziej kobieca, subtelniejsza, odrobinę tajemnicza – to osoba, jaką teraz się staję. To bardziej ja".

Ależ się rozgadałam na temat imienia! Jakie to głupie – zmieniać imię! Tak, takie byłoby podejście Terry – „co za nonsens!". Ale Treya, Treya by zrozumiała, Treya zachęcałaby i popierała zmianę. Zeszłego lata miałam jeszcze dwa znaczące sny, w tym jeden o nawrocie, a każdy z nich można by streścić słowami: „No, dalej, przestań już marudzić. Czas na zmianę imienia. Teraz nazywasz się Treya".

W zeszłym miesiącu pojechaliśmy z Kenem na czterodniowe przekazanie mocy Kalachakra z Kalu Rinpoche. W sobotę wieczorem wszyscy mieli spać na trawie *kushi* (Budda siedział na macie z tej trawy, kiedy osiągnął oświecenie) i zapamiętać swoje sny; są one niezwykle ważne i dobrze wróżące. Tej nocy śniło mi się, że szukamy z Kenem jakiegoś miejsca do mieszkania – to znaczy był to sen o „powrocie do domu". W domu, nad oceanem zobaczyłam duże, czarne pióro wieczne leżące na ziemi – i podniosłam je. Chciałam się przekonać, jakie to uczucie pisać takim piórem. Zdjęłam nasadkę i wyraźnie napisałam: „Treya".

Tak więc zdecydowałam zmienić swoje imię w czterdzieste urodziny; w moje czterdzieste urodziny wypadła pełnia księżyca. Sceneria godna Bogini!

Co jeszcze zmieniłam oprócz imienia? Robię coś, co naprawdę uwielbiam – maluję na szkle, coś, czego nie mogę się doczekać, coś, o czym śnię po nocach. Coś zupełnie nowego, co nie pochodzi z mojej przeszłości, nikt mnie do tego nie zachęcał. Prawdziwe zerwanie z przeszłością. Intryguje mnie to, interesuje, zupełnie jakbym się z tym urodziła, jakby było to we mnie od zawsze, tyle że tego nie widziałam przez okulary, które wówczas założyłam.

Jestem mniej krytyczna wobec innych. Nie porównuję ich z konwencjonalnymi standardami sukcesu wynikającego z „robienia", z działania. Mam przyjaciółkę, która jest tkaczką, jej mąż jest politykiem. Już nie uważam, że jej praca w porównaniu z jego zajęciem jest nieważna. Jestem nie tylko bardziej tolerancyjna, ale również bardziej zainteresowana tym, jak ludzie kształtują swoje życie. Widzę życie bardziej jako zabawę, już nie jest tak naładowane ważnością. Jest o wiele przyjemniejsze, łatwiejsze. Podchodzę do życia pół żartem, pół serio.

Moje belferskie podejście, tendencja do korygowania życia innych ludzi, teraz się zmniejsza. Już nie muszę być taką indywidualistką, nie muszę wszystkich tak kontrolować i coraz rzadziej uważam, że istnieje prawidłowa albo właściwa „gramatyka" ludzkiego życia. Dlatego jestem mniej skłonna do gniewu, do ostrych reakcji. Po prostu usiłuję być świadkiem, nie oceniając siebie i innych.

Bardziej sobie ufam. Jestem dla siebie milsza. Wierzę, że moim życiem kieruje jakaś mądrość i że nie musi ono wyglądać tak jak życie innych ludzi, bym czuła się dobrze, bym czuła się spełniona i – właśnie tak – bym czuła, że odnoszę sukcesy.

I naprawdę jest to zadziwiające, że wszystkie te zmiany zachodzą równocześnie, lawinowo, kumulując się właśnie w dniu moich urodzin. W pewnym sensie odradzam się. Otrząsam się z przeszłości i ruszam w przyszłość, która jest naprawdę moja, nieskrępowana i nieuwarunkowana tak mocno przez przeszłość; jest raczej prowadzona i umacniana przez moją przeszłość, ale kierunek jest mój własny. Tak więc, składając gratulacje wam wszystkim, którzy również zmieniliście swoje imiona, informuję, że nazywam się teraz Treya Killam Wilber.

Uściski

Treya

14

Jaka pomoc jest prawdziwą pomocą?

Kalu Rinpoche był nadzwyczajnym nauczycielem, powszechnie uważanym za jednego z najwybitniejszych współczesnych mistrzów Tybetu. Jako młody mężczyzna postanowił całym sercem oddać się podążaniu drogą oświecenia, porzucił więc zwyczajne życie i zaczął medytować w całkowitej samotności w jaskiniach gór Tybetu. Spędził trzynaście lat w odosobnieniu medytacyjnym. Po całym Tybecie zaczęły krążyć legendy o niezwykłym świętym; pobożni ludzie przynosili mu jedzenie i zostawiali je przed jaskinią, w której medytował. W końcu odszukał go Karmapa, którego można by nazwać „papieżem" tradycji Kalu, zbadał jego zdolności i ogłosił, że medytacyjne osiągnięcia Kalu są równe osiągnięciom Milarepy, najwybitniejszego jogina i mędrca Tybetu. Powierzył Kalu misję zawiezienia buddadharmy na Zachód. Kalu niechętnie opuścił swą samotnię i zaczął tworzyć na Zachodzie ośrodki medytacyjne. Do śmierci w 1989 roku założył ich na całym świecie ponad trzysta, wprowadził w *dharmę* więcej ludzi z Zachodu niż ktokolwiek inny.

Podczas przekazania upoważnienia Kalachakra, tej samej nocy, kiedy Treya miała swój „sen o Trei", mnie się śniło, że Kalu dał mi magiczną księgę, która zawierała wszystkie tajemnice wszechświata. Zaraz po Kalachakrze pojechaliśmy na dziesięciodniową sesję Przekazania Mądrości, prowadzoną przez Kalu w Big Bear, tuż pod Los Angeles.

Jak już mówiłem, nie uważam, że buddyzm jest najlepszą drogą czy drogą jedyną. A zwłaszcza nie nazwałbym się buddystą.

Mam zbyt wiele wspólnego z hinduską wedantą i chrześcijańskim mistycyzmem, między innymi oczywiście. Ale trzeba wybrać jakąś określoną drogę, jeżeli w ogóle chce się praktykować, a moją drogą zawsze był buddyzm. Zakończę więc aforyzmem Chestertona: „Wszystkie religie są jednakowe, a zwłaszcza buddyzm".

Jak mi się zdaje, buddyzm przewyższa inne religie, ponieważ jest kompletny. Zawiera różne praktyki, które odnoszą się do wszystkich wyższych etapów rozwoju – psychicznego, subtelnego, przyczynowego i ostatecznego – i system praktyk, które prowadzą, krok po kroku, poprzez wszystkie te etapy. Praktykujący ograniczony jest jedynie własną zdolnością wzrostu i transcendencji.

Sesja Przekazania Mądrości stanowiła wstęp do wszystkich tych praktyk i etapów. To odosobnienie było szczególnie ważne dla Trei, ponieważ oznaczało poważną zmianę rodzaju praktyki medytacyjnej.

Buddyzm tybetański dzieli drogę duchową na trzy główne etapy (każdy z kilkoma podetapami): *hinajana, mahajana* i *wadżrajana.*

Hinajana jest praktyką podstawową, obecną we wszystkich szkołach. Głównym punktem tego etapu jest *vipassana* albo medytacja wglądu, a więc medytacja, którą Treya uprawiała przez niemal dziesięć lat. W *vipassanie* po prostu siedzi się w wygodnej pozycji (lotos albo półlotos, jeżeli to możliwe, albo przynajmniej po turecku) i zwraca uwagę na wszystko, co się pojawia na zewnątrz i wewnątrz, nie oceniając tego, nie potępiając, nie unikając ani nie pragnąc. Człowiek jest po prostu świadkiem, bezstronnym świadkiem. Cel tej praktyki polega na przekonaniu się, że odrębne ego nie jest rzeczywistą i namacalną całością, lecz serią płynnych i nietrwałych wrażeń. Kiedy się przekonujemy, jak „puste" jest ego, przestajemy się z nim utożsamiać, bronić go, martwić się o nie i uwalniamy się od chronicznego cierpienia i przygnębienia, które pochodzi z obrony czegoś, co w ogóle nie istnieje. Jak to ujął Wei Wu Wei:

> Dlaczego jesteś nieszczęśliwy?
> Bo 99,9% wszystkiego, o czym myślisz,
> I wszystkiego, co robisz,
> Jest dla twojego ja,
> A czegoś takiego w ogóle nie ma.

Kilka pierwszych dni sesji Przekazania Mądrości było poświęcone tej podstawowej praktyce. Oczywiście wszyscy zgromadzeni już wcześniej intensywnie praktykowali *vipassanę,* ale Kalu podał nam jeszcze swoje własne, dodatkowe instrukcje.

Ta praktyka, choć tak głęboka, nie jest jednak kompletna, ponieważ w czystej, obserwującej świadomości wciąż istnieje subtelna dwoistość. Jest wiele technicznych sposobów wytłumaczenia tego, lecz najprostszy jest następujący: poziom *hinajana* dąży do oświecenia samego siebie, lecz zaniedbuje oświecenie innych. Czyż to nie wskazuje, że pozostał jakiś ślad ego – dawania sobie i zaniedbywanie innych?

Tak więc tam, gdzie nauki *hinajany* kładą nacisk na indywidualne oświecenie, nauki *mahajany* idą o krok dalej i podkreślają również oświecenie wszystkich istot. Jest to więc przede wszystkim droga współczucia – i to nie tylko w sensie teoretycznym; istnieją praktyki służące rozwijaniu współczucia w sercu i umyśle.

Wśród tych praktyk istnieje jedna, znana jako *tonglen,* co oznacza „branie i wysyłanie". Gdy człowiek już rozwinął podstawy praktyki *vipassana,* przechodzi do praktyki *tonglen.* Jest ona tak potężna i tak zmieniająca, że w Tybecie jeszcze do niedawna trzymana była w ścisłej tajemnicy. Tę właśnie praktykę Treya wzięła sobie głęboko do serca. Wygląda ona następująco.

Podczas medytacji wyobrażasz sobie albo wizualizujesz osobę, którą znasz, kochasz i którą dotknęło jakieś wielkie cierpienie – choroba, utrata bliskiej osoby, depresja, ból, niepokój, lęk. Gdy robisz wdech, wyobrażasz sobie całe cierpienie tej osoby – w postaci ciemnych, czarnych, podobnych do dymu, smolistych, gęstych, ciężkich chmur, które wciągasz przez nos i kierujesz do swojego serca. Zatrzymaj to cierpienie w swoim sercu. Potem, wypuszczając powietrze, zbierz cały swój spokój, wolność, zdrowie, dobroć i cnotę i wyślij je do tej osoby w postaci uzdrawiającego, uwalniającego światła. Wyobraź sobie, że ten człowiek to wszystko przyjmuje i czuje się całkiem wolny, oswobodzony i szczęśliwy. Powtórz to kilka razy. Potem wyobraź sobie miasto, w którym mieszka ta osoba, i wdychając weź całe cierpienie tego miasta i wyślij do każdego mieszkańca swoje zdrowie, szczęście i cnotę.

Kiedy ludzie pierwszy raz spotykają się z tą praktyką, ich reakcje są zazwyczaj silne i negatywne. Takie były i moje. Mam na siebie wziąć tę czarną smołę? Żartujesz chyba? A jeżeli się rozchoruję? To szalone, niebezpieczne! Kiedy Kalu po raz pierwszy przedstawił nam instrukcję *tonglen,* praktyki, która miała zająć środkową część odosobnienia, z widowni liczącej mniej więcej sto osób wstała jakaś kobieta i powiedziała to, co myśleli właściwie wszyscy:

– Ale jeżeli będę to robiła z kimś, kto jest naprawdę chory, i sama się rozchoruję na tę samą chorobę?

Kalu odparł bez wahania:

– Powinnaś wtedy pomyśleć: „Och, to świetnie! To znaczy, że to działa!".

O to właśnie chodziło. To nas zaskoczyło, nas, „bezinteresownych buddystów" o wybujałych ego. Praktykowalibyśmy chętnie, by osiągnąć własne oświecenie, by zmniejszyć własne cierpienie, ale brać na siebie cierpienie innych, nawet w wyobraźni? O nie, nie ma mowy.

Tonglen służy dokładnie temu, by odrzucić egoiczne zainteresowanie samym sobą, tę promocję samego siebie i samoobronę. Zamienia ja na inne i w ten sposób w poważnym stopniu podważa dwoistość podmiot–przedmiot. Chce od nas, byśmy wykorzenili dwoistość ja–inne dokładnie w momencie, kiedy najbardziej się tego boimy. Chce, byśmy zranili samych siebie. Nie wystarczy tylko gadanie o współczuciu, trzeba je wziąć do serca i uwolnić cierpiącego od bólu. Oto prawdziwe współczucie, oto droga *mahajana.* W pewnym sensie jest to buddyjski ekwiwalent tego, co zrobił Chrystus: gotowość wzięcia na siebie grzechów świata i przemiany ich (i siebie).

Zasada jest bardzo prosta: w przypadku prawdziwego Ja, jednego Ja, ja i inne mogą się z łatwością wymieniać, gdyż są równe, nie robi to żadnej różnicy jedynemu Ja. Jeżeli nie możemy wymienić ja na inne, jesteśmy wykluczeni ze świadomości jednego Ja, wykluczeni z czystej, niedwoistej świadomości. Nasza niechęć do wzięcia na siebie cierpienia innych zamyka nas we własnym cierpieniu, nie pozostawiając możliwości ucieczki, gdyż zamyka nas w naszym ja, koniec, kropka. Jak to ujął Wiliam Blake: „Nie daj Bóg, by Sąd Ostateczny zastał mnie nieunicestwionym, abym nie był wydany na pastwę własnego samolubstwa".

Gdy ktoś przez jakiś czas praktykuje *tonglen,* zaczynają się dziać dziwne rzeczy. Przede wszystkim nikt nie choruje. Nie znam ani jednego przypadku, by ktoś zachorował z powodu tej praktyki, choć wielu z nas posługiwało się tym strachem jako wymówką. Dzieje się coś wręcz przeciwnego – odkrywasz, że przestajesz się wycofywać w obliczu zarówno cierpienia własnego, jak i cierpienia innych. Przestajesz uciekać od bólu i odkrywasz, że możesz go przemienić, po prostu biorąc go na siebie, a potem uwalniając. Prawdziwe zmiany zachodzą dzięki prostej gotowości do usunięcia tendencji do obrony ego. Zaczynasz rozluźniać napięcie między swoim ja i innym, uświadamiając sobie, że istnieje tylko jedno Ja, czujące cały ból albo cieszące się wszystkimi sukcesami. Po co więc zazdrościć innym, skoro istnieje tylko jedno Ja, cieszące się ze wszystkich sukcesów? To dlatego właśnie „pozytywna" strona *tonglen* wyraża się w powiedzeniu: „Raduję się zasługami innych". Są one również moimi w świadomości niedwoistej. Powstaje wspaniała „świadomość równości", która podważa dumę i arogancję, a także strach i zazdrość.

Kiedy droga współczucia *mahajana* jest ustalona, kiedy uświadamiamy sobie wymienialność ja i innego, w jakimś stopniu jesteśmy gotowi do drogi *wadżrajana. Wadżrajana* jest oparta na jednej bezkompromisowej zasadzie: istnieje tylko Duch. Gdy podważa się dwoistość podmiot – przedmiot we wszystkich jego postaciach, staje się coraz bardziej oczywiste, że wszystkie rzeczy święte czy wszeteczne są pełnymi i równymi sobie objawieniami Ducha, Umysłu Buddy. Cały objawiony wszechświat jest postrzegany jako zabawa z własną świadomością, jest pusty, świetlisty, czysty, lśniący, spontaniczny. Uczymy się nie tyle poszukiwać świadomości, ile rozkoszować się nią, bawić się nią, ponieważ istnieje tylko świadomość. *Wadżrajana* jest drogą zabawy ze świadomością, z energią, ze światłem, odzwierciedlającą odwieczną prawdę, że wszechświat jest zabawą Boskości, a ty (i wszystkie czujące stworzenia) j e s t e ś Boskością.

Droga *wadżrajana* ma trzy główne działy. W pierwszym (zewnętrzna tantra) wizualizujesz przed sobą albo nad sobą Boskość i wyobrażasz sobie, jak spływa na ciebie i wpływa w ciebie uzdrawiająca energia i światło, obdarzając cię błogosławieństwem i mądrością. Jest to oczywiście poziom psychiczny, poziom szósty, gdzie ustala się połączenie z Boskością.

W drugim (niższa wewnętrzna tantra) wizualizujesz siebie jako Boskość, powtarzasz pewne sylaby lub mantry, które reprezentują boską mowę. To poziom subtelny, poziom siódmy, poziom ustalania związku z Boskością. W dziale trzecim (wyższa wewnętrzna tantra, *mahamudra* i *maha-ati*) ja i Boskość rozpuszczają się w czystej, nieobjawionej pustce; to poziom przyczynowy wyższej tożsamości. Praktyka już nie wymaga wizualizacji, recytacji mantr czy koncentracji, ale raczej uświadomienia sobie, że twoja świadomość, taka jaka jest, jest zawsze oświecona. Skoro wszystkie rzeczy już są Duchem, to nie ma sposobu na dotarcie do Ducha. Istnieje tylko Duch. Wszystko, co objawione i nie objawione, nicość i forma jednoczą się w czystej, niedwoistej grze twojej własnej świadomości – powszechnie uważanej za stan ostateczny, który nie jest żadnym szczególnym stanem.

Tłumaczem Kalu Rinpochego na odosobnieniu (i przekazaniu upoważnienia Kalachakra) był Ken McLeod, błyskotliwy uczeń Kalu, z którym zaprzyjaźniliśmy się. Ken przetłumaczył najważniejszy tekst tybetański dotyczący praktyki *tonglen* – *The Great Path of Awakening* (wyd. Shambhala) – który gorąco polecam, jeżeli kogoś interesuje ta praktyka.

Tak więc Treya, pod przewodnictwem Kalu i z pomocą Kena, rozszerzyła swoją praktykę, włączając w nią nie tylko *vipassanę,* ale również *tonglen* i Boską Jogę (wizualizowanie siebie jako Chenrezi, Buddę Współczującego). Rozpoczęła od wzięcia na siebie swojego bólu i cierpienia tamtego roku w Tahoe. Ja zrobiłem to samo w stosunku do niej. Potem rozszerzyliśmy to na wszystkie istoty czujące. Szczególnie tą właśnie drogą chcielibyśmy razem podążać w ciągu nadchodzących lat.

Zwłaszcza praktyka *tonglen* silnie pogłębiła współczucie Trei dla wszystkich cierpiących. Mówiła o głębokim związku, jaki czuła ze wszystkimi istotami, ponieważ wszystkie istoty cierpią. Praktyka *tonglen* pozwoliła jej w pewnym sensie odkupić własne cierpienie, jej własne przejścia z rakiem. Gdy opanujesz *tonglen,* odkrywasz, że zawsze, kiedy odczuwasz ból, niepokój albo depresję, przy wdechu niemal odruchowo myślisz: „Mogę wziąć całe to cierpienie na siebie", a przy wydechu uwalniasz je. Efekt jest taki, że oswajasz własne cierpienie, już się go nie lękasz. Nie cofasz się w obliczu cierpienia, a raczej używasz go jako sposobu połączenia się ze wszystkimi istotami, które cierpią. Ogarniasz to cierpienie, a potem je przekształcasz, nadając mu uniwersalny wyraz. Nie istniejesz już tylko ty i oddzielny ból; pojawia się szansa na ustanowienie związku z tymi, którzy cierpią, na uświadomienie sobie, że „wszystko, co uczyniliście jednemu z tych braci moich najmniejszych, Mnieście uczynili".* W tej prostej praktyce, w wymianie współczucia, Treya odnalazła odkupienie własnego cierpienia, jego znaczenie, kontekst. Wyprowadziła ją ze swoich „własnych", wyizolowanych nieszczęść i zawiodła w samą tkankę człowieczeństwa, gdzie już nie była samotna.

Co najważniejsze, pomogło to jej (i mnie) przestać oceniać chorobę i cierpienie własne i innych ludzi. W przypadku *tonglen* nie dystansujesz się od cierpienia (twojego lub innych), łączysz się z nim w sposób bardzo prosty, bezpośredni i współczujący. Nie odsuwasz się od niego i nie tworzysz bezsensownych teorii dotyczących przyczyn choroby, nie stawiasz pytań w rodzaju: „Dlaczego ona sprowadziła ją na siebie?" lub „Co ta choroba «naprawdę» oznacza?". To przeszkadza w łączeniu się z cudzym cierpieniem; jest to sposób na zdystansowanie się. Niezależnie od tego, co sądzisz o roli twoich teorii jako pomocy drugiemu w cierpieniu, tak naprawdę jest to jedynie sposób, by zakomunikować mu: „Nie dotykaj mnie".

Pod wpływem praktyki *tonglen,* praktyki łączenia się z cierpieniem przez współczucie, której nauczył nas Kalu, Treya napisała artykuł *Jaka pomoc jest prawdziwą pomocą?* Został on wydrukowany w „Journal of Transpersonal Psychology", a potem przedrukowany przez magazyn „New Age", gdzie spotkał się z największym odzewem czytelników w historii tego czasopisma. Właśnie ten artykuł zwrócił uwagę Oprah Winfrey Show. (Treya grzecznie uchyliła się od zaproszenia: „Oni chcą, żebym spierała się z Berniem [Siegelem]"). Wydawcy „New Age" dali artykułowi tytuł: „Więcej współczucia w spojrzeniu na chorobę"; więcej współczucia niż w przeważającym

---

* Ewangelia wg św. Mateusza, 25,40; *Biblia Tysiąclecia,* wyd. III, Pallotinum 1980 (przyp. red.).

w New Age'u poglądzie, że to właśnie ty sam ją spowodowałeś. Oto wyjątki.

JAKA POMOC JEST PRAWDZIWĄ POMOCĄ?

Pięć lat temu siedziałam przy kuchennym stole, pijąc herbatę ze starym przyjacielem. W pewnej chwili oznajmił, że kilka miesięcy temu dowiedział się, iż ma raka tarczycy. Ja opowiedziałam mu o mojej matce, która piętnaście lat temu miała operację nowotworu okrężnicy i od tamtej pory czuje się doskonale. Potem przedstawiłam różne teorie, które stworzyłyśmy z moimi siostrami, by wyjaśnić przyczynę jej raka. Było ich kilka; nasza chyba ulubiona głosiła, że matka była za bardzo żoną naszego ojca, a za mało sobą. Mówiłyśmy też, że gdyby matka nie wyszła za hodowcę bydła, mogłaby zostać wegetarianką i uniknęłaby tłuszczów, które mogły przyczynić się do raka okrężnicy. Według innej naszej teorii jej rodzina miała trudności w wyrażaniu uczuć, co również mogło się przyczynić do raka. W ciągu paru lat matka całkiem się oswoiła z naszymi pomysłami i opowieściami na temat tego wydarzenia. Mój przyjaciel, który oczywiście bardzo intensywnie rozmyślał o raku, powiedział wtedy coś, co mną do głębi wstrząsnęło.

– Czy zdajesz sobie sprawę z tego, co robisz? – spytał. – Traktujesz swoją matkę jak przedmiot, sypiąc teoriami jak z rękawa. Cudze teorie na twój temat są jak gwałt, wiem to doskonale, bo w moim przypadku pomysły, które mieli moi przyjaciele, były dla mnie ogromnym ciężarem. Nie wynikały one z troski o mnie i z pewnością ludzie ci nie szanowali mnie w owych ciężkich dniach. Tak to przynajmniej wyglądało. Miałem uczucie, że robią to m n i e, a nie d l a m n i e. Myśl o tym, że mam raka, na pewno tak bardzo ich przestraszyła, że poczuli potrzebę znalezienia jakiegoś powodu, wytłumaczenia, nadania znaczenia. Były to teorie, które miały pomóc im, nie mnie, i sprawiły mi ogromny ból.

Byłam zaszokowana. Nigdy nie patrzyłam na to w ten sposób. Nigdy nie pomyślałam o tym, jak musi czuć się matka, znając te moje pomysły. Chociaż żadna z nas nie mówiła jej o naszych teoriach, jestem przekonana, że matka czuła, co się dzieje. Taka atmosfera z pewnością pewno nie zachęcała do okazania ufności, otwartości czy poproszenia o pomoc. Nagle spostrzegłam, że w dużym stopniu zrobiłam się niedostępna dla mojej matki w największym kryzysie jej życia.

Ta rozmowa otworzyła bramę, stała się dla mnie początkiem odczuwania współczucia wobec chorych, większego szacunku dla ich integralności, większej życzliwości i pokory wobec prób tworzenia teorii. Zaczęłam dostrzegać, że za moim teoretyzowaniem kryje się nie tylko ocena; rozpoznałam też leżący głębiej strach. Pomysły i teorie na temat cudzej choroby zawierają ukrytą wiadomość: „Z pewnością zrobiłeś coś złego. Popełniłeś jakiś błąd. Sam się doprowadziłeś do takiego stanu, do porażki". Zamiast powiedzieć wprost: „Zależy mi na tobie. Jak ci mogę pomóc?", wcale nie przypadkowo ukrywam własny niepokój: „Jak ochronić samą siebie?".

Wiedziałam, że to strach mnie motywował, zmuszał do występowania z teoriami upewniającymi mnie, że wszechświat jest uporządkowany w sposób, który mogę kontrolować. (...)

W ciągu kilku lat przeprowadziłam mnóstwo rozmów z osobami chorymi na raka, w tym z wieloma takimi, które dopiero co otrzymały diagnozę. Na początku nie wiedziałam, jak z nimi rozmawiać. Najłatwiej było opowiadać o własnym doświadczeniu choroby, ale wkrótce zorientowałam się, że moi rozmówcy często nie chcieli tego słuchać. Jedynym sposobem, aby przekonać się, jak mogę im pomóc, było słuchać samemu. Tylko tak mogłam się dowiedzieć, czego potrzebują, jakie problemy ich gnębią, jakiej pomocy potrzebują w tej właśnie chwili. Ponieważ ludzie przechodzą podczas choroby przez wiele różnych faz, słuchanie o ich potrzebach jest szczególnie ważne.

Niekiedy, zwłaszcza gdy konieczna staje się decyzja dotycząca wyboru metody leczenia, ludzie potrzebują informacji. Być może oczekują wtedy, że opowiem im o metodach alternatywnych bądź pomogę zorientować się w terapiach konwencjonalnych. Kiedy jednak wybiorą plan leczenia, zazwyczaj nie potrzebują już żadnych informacji, choćby były najprostsze i niczym niezagrażające. W takim momencie potrzebują tylko wsparcia. Nie chcą słyszeć o niebezpieczeństwie naświetlań, chemioterapii czy o meksykańskiej klinice, którą właśnie wybrali; wybór był bowiem niezwykle trudny i wymagał głębokiego namysłu. Moje nowe propozycje dotyczące technik, metod czy uzdrowicieli mogłyby ich tylko znów pogrążyć w chaosie i sprawić, że zwątpiliby w drogę, którą wybrali. (...)

Decyzje, które podjęłam [dotyczące leczenia własnego raka], nie były łatwe; wiem, że decyzje, które się podejmuje w tego rodzaju sytuacji, należą do najtrudniejszych. Nauczyłam się, że nigdy nie można z góry wiedzieć, co by się uczyniło na miejscu innego człowieka. Ta wiedza pomaga mi wspierać decyzje, które podejmują inni. Moja droga przyjaciółka, która sprawiła, że czułam się piękna nawet wtedy, gdy wypadły mi włosy, niedawno powiedziała: „Nie wybrałaś tego, co ja bym wybrała, ale to nie ma znaczenia". Doceniłam ją za to, że nie zrobiła z tego problemu – działo się to w najtrudniejszym okresie mojego życia. Odpowiedziałam: „Przecież nie możesz wiedzieć, co byś wybrała, będąc na moim miejscu; ja nie wybrałam tego, co tobie się *wydaje*, że byś wybrała. Co więcej – nie wybrałam tego, co mi się wydawało, że bym wybrała".

Nigdy nie myślałam, że zgodzę się na chemioterapię. Straszliwie się bałam się tych trucizn i obawiałam się, że zniszczą mój układ odpornościowy. Opierałam się do samego końca, ale wreszcie jednak się zdecydowałam, gdyż mimo wad chemioterapia dawała mi największe szanse na wyzdrowienie. (...)

Jestem pewna, że w jakiś sposób sama wpłynęłam na to, że zachorowałam, na pewno w dużej mierze nieświadomie, i wiem, że bardzo świadomie i celowo postępowałam, wracając do zdrowia i starając się je zachować. Próbuję się skupić na tym, co mogę zrobić teraz; roztrząsanie przeszłości zbyt łatwo zamienia się w samoobwinianie, co jeszcze wszystko utrudnia. Bardzo dobrze zdaję sobie również sprawę z wielu innych czynników, których większość jest poza moją świadomością. Wszyscy, dzięki Bogu, jesteśmy częścią o wiele większej całości. Lubię mieć tego świadomość, choć to oznacza, że mam mniejszą kontrolę. Jesteśmy zbyt związani – zarówno z innymi ludźmi, jak i ze środowiskiem – życie jest zbyt cudownie złożone, by wysuwać stwierdzenia typu „sam tworzysz swoją rzeczywistość". Wiara w to, że kontroluję czy wręcz tworzę swoją rzeczywistość, wyrywa mnie z bogatego, złożonego, tajemniczego i wspierającego kontekstu życia. Usiłuję w imię kontroli zaprzeczyć całej sieci związków, które na co dzień wspomagają mnie i każdego z nas.

Teoria, że tworzymy własną rzeczywistość i dlatego – własną chorobę, jest ważna i potrzebna tylko w opozycji do wiary, że jesteśmy całkowicie zdani na łaskę większych sił lub że chorobę powodują wyłącznie czynniki zewnętrzne. Jest to jednak teoria zbyt daleko idąca i zbyt uproszczona. Poczułam, że takie ekstremalne podejście przesłania w niej wszystko, co mogłoby pomóc ludziom chorym. Jest ona zbyt często używana w sposób niebezpiecznie narcystyczny. Wydaje mi się, że jesteśmy w stanie bardziej dojrzale traktować te zagadnienia. Jak powiedział Stephen Levine, twierdzenie, że sami tworzymy rzeczywistość, jest szkodliwą półprawdą. Będziemy bardziej dokładni, gdy powiemy, że wpływamy na naszą rzeczywistość. Jest to bliższe całej prawdzie; zostawia miejsce zarówno na skuteczne działanie osobiste, jak i na cudowne bogactwo tajemnic życia. (...)

Jeżeli ktoś zadaje mi pytanie: „W jaki sposób sprowadziłaś na siebie raka?", często brzmi to tak, jakby on pochodził z miejsca zarezerwowanego dla zdrowych, w którym żyją wyłącznie sprawiedliwi, a ja jestem chora. To pytanie nie zachęca do konstruktywnej introspekcji. Ludzie wrażliwi na złożoność sytuacji zadadzą pytanie, które może okazać się bardziej pomocne, na przykład: „Jak chcesz wykorzystać raka?". Dla mnie to pytanie jest szalenie ekscytujące; pomaga mi spojrzeć na to, co mogę zrobić teraz, pomaga mi poczuć siłę, wsparcie i w pozytywny sposób podjąć wyzwanie. Ktoś, kto zada takie pytanie, mówi zarazem, że widzi moją chorobę nie jako karę, ale jako sytuację trudną, jednak pełną możliwości, co oczywiście pomaga mi podejść do tego w taki sam sposób.

W naszej kulturze judeochrześcijańskiej, z jej naciskiem na grzech i poczucie winy, choroba również postrzegana jest jako kara za występki. Ja wolę buddyjskie podejście, gdzie wszystko, co się wydarza, jest traktowane jako okazja do zwiększenia współczucia, do służenia innym. Mogę traktować „złe" rzeczy, które mi się przydarzają, nie jako karę za moje przeszłe złe uczynki, ale jako okazję do pracy nad *karmą,* do starcia tablicy, naprawienia czegoś. To podejście pomaga mi skupić się na pracy nad bieżącą sytuacją.

To niezwykle pomaga. W perspektywie New Age mogę mieć pokusę, by spytać chorego: „Co złego zrobiłeś?". Ale w perspektywie buddyzmu zbliżę się do kogoś śmiertelnie chorego i powiem: „Moje gratulacje, najwidoczniej miałeś odwagę wziąć to na siebie, miałeś chęć przepracowania tego. Podziwiam cię".

Kiedy rozmawiam z kimś, kto niedawno dowiedział się, że ma raka albo nawrót, lub jest już zmęczony po latach radzenia sobie z rakiem, przypominam sobie, że aby mu pomóc, nie muszę podsuwać konkretnych pomysłów albo rad. Słuchanie jest największą pomocą. Słuchanie to dawanie. Próbuję być emocjonalnie dostępna, sięgnąć poprzez mój strach i dotknąć chorego człowieka, utrzymać ludzki kontakt. Odkrywam, że istnieje wiele strasznych rzeczy, z których możemy się razem śmiać, kiedy już pozwolimy sobie na prawdziwy strach. Usiłuję unikać pokusy określania imperatywów, nawet takich, jak „walcz o swoje życie", „zmień się" albo „umrzyj świadomie". Próbuję nie pchać ludzi w kierunku, który ja wybrałam albo który, jak mi się wydaje, mogłabym wybrać. Usiłuję pozostać w kontakcie z własnym strachem, że któregoś dnia mogę znaleźć się w takiej samej sytuacji jak oni. Ciągle muszę się uczyć, jak się zaprzyjaźniać z chorobą, jak nie traktować jej jako porażki. Próbuję wykorzystać własne słabości, wady i choroby, by rozwinąć w sobie współczucie dla innych i dla siebie samej, pamiętając o tym, by rzeczy poważnych nie brać zbyt poważnie. Próbuję być świadoma istniejących wokół mnie możliwości psychologicznego i duchowego uzdrawiania najprawdziwszego bólu i cierpienia, które proszą o nasze współczucie.

15

New Age

Tak nam się spodobało w Boulder, że postanowiliśmy się tam przeprowadzić. Latem tego roku (1987) u Trei zaczęła się seria koszmarnych snów. Było to niepokojące, gdyż po raz pierwszy, po trzech latach walki z rakiem, miała tak złowieszcze sny związane ze zdrowiem. Choć od ostatniego nawrotu minęło dziewięć miesięcy i badania lekarskie nie wykazywały żadnych objawów choroby, jej sny mówiły co innego. Zwłaszcza dwa z nich, szczególnie wyraźne, były bardzo niepokojące.

> W pierwszym śnie zauważyłam wczepionego w mój lewy bok jeżozwierza. Był właściwie podobny do płaszczki – płaski, czarny kształt, przyssany od połowy łydki do wysokości ramienia. Kati pomagała mi to oderwać i wyjęła parę kolców. Na końcach były haczyki. Miałam uczucie, że została we mnie jakaś trucizna.
>
> W drugim śnie widziałam lekarkę, bardzo zmartwioną zmianami na mojej skórze w tych miejscach, gdzie miałam mastektomię i naświetlania. Powiedziała, że to bardzo zły znak, że dzieje się coś złego. Nie mówiła, że to rak, ale oczywiście takie było znaczenie jej słów.

Choć zgadzam się, że marzenia senne to droga do nieświadomości – magicznej i mitycznej p r z e s z ł o ś c i (indywidualnej i zbiorowej) – i choć wydaje mi się, że na poziomie psychicznym i subtelnym mogą odnosić się do p r z y s z ł o ś c i, w życiu codziennym zazwyczaj nie przywiązuję do nich zbyt dużej wagi, ponieważ ich interpretacja niekiedy bywa bardzo zawiła. A jednak oboje byliśmy pod wrażeniem złowieszczej zapowiedzi tych snów.

Ponieważ wszystkie inne znaki nie wskazywały niczego złego, mogliśmy tylko kontynuować nasz program: medytacja, wizualizacja, ścisła dieta, ćwiczenia, pobudzanie układu odpornościowego (na przykład wyciąg z grasicy), megawitaminy, pisanie dziennika. Byliśmy, ogólnie rzecz biorąc, przekonani, że Treya jest na najlepszej drodze do wyzdrowienia i w tej cudownej atmosferze spędziliśmy wspaniałe lato. Po raz pierwszy od trzech lat nic się nie waliło, wszystko wydawało się w porządku.

Treya rzuciła się w wir pracy artystycznej. Upodobała sobie witraże i zaczęła tworzyć własne wzory, które oszałamiały ludzi urodą i oryginalnością. Nigdy nie widziałem niczego równie wspaniałego w tej dziedzinie sztuki. Pokazaliśmy jej dzieła kilku profesjonalistom: „Są niezwykłe. Chyba zajmuje się tym pani od lat?". „Właściwie to dopiero od kilku miesięcy".

Zacząłem pisać! W ciągu półtora miesiąca gorączkowej pracy w dzień i w nocy spłodziłem ośmiusetstronicową książkę pod roboczym tytułem *The Great Chain of Being: A Modern Introduction to the Perennial Philosophy and the World's Great Mystical Traditions.* Mój dobry, stary daimonion – po trzech latach zamknięcia w więzieniu kłamstwa, jakim było obwinianie Trei – wtargnął na scenę z rozmachem i energią. O Boże, w jakiej ja byłem ekstazie! Treya bardzo mi pomogła, czytając każdy rozdział, który zszedł z drukarki komputera, i udzielając mi bardzo cennych rad, pod których wpływem nieraz przerabiałem całe ustępy. W wolnych chwilach siadaliśmy i wymyślaliśmy głupie tytuły, na przykład: „A kim w ogóle jest ten Bóg?".

Zdecydowałem, że mimo wszystko chcę mieć dziecko, może dwoje, co całkowicie oszołomiło Treyę. A ja po prostu uświadomiłem sobie, że to, iż nie chciałem mieć dzieci, wynikało z mojego cofania się przed życiem, przed wchodzeniem w związki. Przez parę ubiegłych lat czułem się tak zraniony, że zamiast otwierać się na życie, zamykałem się w sobie. Spędziliśmy wspaniały miesiąc w Aspen, gdzie Treya aktywnie współpracowała z Windstar i Rocky Mountain Institute. Odwiedzili nas tam John Brockman i Katinka

Matson, Patricia i Daniel Ellsbergowie, Mitch i Ellen Kapor i ich syn Adam. Mitch, założyciel Lotusa, był moim starym przyjacielem; odwiedzał mnie w Lincoln, by dyskutować o moich książkach. To dzięki obserwowaniu Mitcha i Adama po raz pierwszy zacząłem myśleć o tym, żeby mieć własne dziecko. Późniejsze rozmowy z Samem i Jackiem Crittendenem ostatecznie mnie przekonały.

Ale tak naprawdę nie to było przyczyną, lecz fakt, że po ciężkich próbach połączyliśmy się z Treyą na nowo, i to chyba na wszystkich poziomach. Było zupełnie tak jak na początku, a może nawet lepiej.

> Po raz pierwszy, odkąd jesteśmy małżeństwem, Ken chce mieć dziecko! Rozmowy z Jacksonem, Mitchem i Samem naprawdę na niego wpłynęły! Najwidoczniej pytał ich, jak to jest mieć dzieci (Jackson ma dwójkę, Mitch troje, a Sam jedno). Wszyscy mówili – nie wahaj się, nie myśl o tym, tylko weź się do dzieła. To najcudowniejsze doświadczenie. Twoje życie zupełnie się odmieni. Zrób to. Miej dziecko. A więc teraz musimy tylko przez rok dbać o moje zdrowie!
>
> Ken bardzo się zmienił, zanim zdecydowaliśmy, że chcemy mieć dzieci. Był taki cudowny, taki kochany, taki kochający. Jest uroczy, kiedy siedzi przy komputerze, kiedy eksperymentuje z przyprawami i wymyśla wspaniałe potrawy – wszystkie ściśle według mojej diety! Czy taki był, zanim nadeszły dla nas ciężkie czasy? Jest jeszcze wspanialszy niż przedtem!
>
> Pamiętam okres – byłam wtedy łysa – kiedy zastanawiałam się, czy w ogóle wrócimy do tego, co było. Wówczas wydawało mi się to bardzo ważne. Chodziło o pewien rodzaj bliskości, głodu siebie, zwłaszcza zaś o moją tęsknotę za tym, od czego zaczynaliśmy. No cóż, wydaje mi się, że teraz do tego wróciliśmy, choć oczywiście w inny sposób. Może pretensjonalnie zabrzmi nazwanie tego wyższym kręgiem spirali, ale właśnie o to chodzi. Różnica polega na intensywności potrzeb i sile przywiązania i choć nie-

kiedy tęsknię za tym, co było kiedyś, myślę też, że pewne zmiany wskazują na to, iż dojrzałam. Pamiętam, że kiedyś czułam się jak natręt, który się do niego przyczepił; Ken zaspokajał głęboką, starą, pustą potrzebę, by być tylko z nim. Wciąż ponad wszystko chcę być z nim, ale nie jest to już taka ogromnie intensywna potrzeba. Luki są już wypełnione. Powróciła czysta przyjemność z bycia razem, drobne radości czerpane z małych, niepowtarzalnych rzeczy, które razem się robi. Te momenty rozjaśniają cały dzień. Wróciła uprzejmość, łagodność i delikatność, lekkość i radość. Do tego dochodzi dojrzała wzajemna świadomość naszej wrażliwości i pragnienie chronienia jej. Nauczyłam się go zachęcać, dawać mu oparcie, coś, czego nigdy nie było w mojej rodzinie. On zaś chyba się nauczył, że złośliwość naprawdę mnie rani. Oboje umiemy teraz wyczuwać zbliżające się problemy i albo cofać przed nimi, albo delikatnie je przepracowywać. W naszym domu jest miło, a nasz związek jest o wiele łagodniejszy. Rozkoszuję się wzajemną grą naszej wrażliwości.

Kiedy Ken pisze swoją książkę, rozgrywa się inna wspaniała rzecz. Poza ogromną przyjemnością, którą odczuwam, gdy widzę jak przelewa swoje myśli na papier jasno i klarownie (to kolejna książka, którą mogłabym ofiarować znajomym mojej mamy!), odczuwam wielką radość, kiedy daje mi każdy rozdział, który schodzi z drukarki, i prosi o komentarz. Naprawdę ceni sobie moje uwagi i w wielu przypadkach uwzględnia je. Miło zobaczyć tyle naszych rozmów przelanych na papier, na przykład rozważań o różnicach między mężczyzną a kobietą. I miło jest jakoś się do tego przyczynić, pomagać kształtować myśli. Niezależnie od tego, jaki wygłaszam komentarz, czuję się jak prawdziwy uczestnik tego przedsięwzięcia. A popieram je całym sercem, bo przyda się ludziom. Samo przeczytanie przeze mnie fragmentu o przejściu od poziomu egzystencjalnego do poziomu duszy (od poziomu 6 do 7/8) pozwoliło mi odpowiedzieć na wiele moich problemów. Jestem wniebowzięta, że Ken pisze tę książkę!

I uwielbiam swoją pracę artystyczną! Tworzę wzory oparte na własnych rysunkach abstrakcyjnych, które przekształcam w starannie wycięte kawałki szkła. Te układam w trzy, cztery warstwy, a potem całość wkładam do pieca i wypalam. Widziałam w książkach, jak to się robi, ale nic nie przypomina moich wzorów. Ludziom chyba strasznie się one podobają i wydaje mi się, że nie mówią tego tylko po to, żeby mi okazać uprzejmość. Uwielbiam to robić!!! Ciągle o tym myślę, śnię o tym, nie mogę się doczekać, kiedy znowu wezmę się do pracy.

CSC w San Francisco coraz bardziej się umacnia. Od fundacji otrzymaliśmy 25 000 dolarów i ludzie walą do nas drzwiami i oknami. Z tego, co słyszałam – smutno mi, że nie mogę tam częściej bywać – ludzie wynoszą duże korzyści z pracy grupowej. Pewien mężczyzna z rakiem przerzutowym powiedział, że to jedyny system wsparcia i że już się tak nie boi. Starsza kobieta z grupy chorych na raka piersi, która mieszka daleko od swoich dzieci, teraz ma wrażenie, że ma koło siebie cztery córki (młodsze kobiety w grupie). Ludzie mówią swoim lekarzom, że nawet jedno czy dwa spotkania w grupie niezwykle im pomagają, już nie czują się tacy przestraszeni i osamotnieni. Teraz zajmuje się tym Vicky i jest w tym doskonała! Wczoraj napisałam do jej matki:

„Chciałabym zwrócić Pani uwagę na jeden z aspektów CSC, który, jak mi się wydaje, jest bardzo niezwykły. Dostrzegam go, porównując CSC z Wellness Community, która jest, jak Pani wie, naszym pierwowzorem, a teraz z Qualife, grupą z Denver zajmującą się podobną działalnością. Bardzo cenię sobie pracę, jaką wykonują obie te grupy, ale widzę, że CSC jest inne, głównie dlatego, że zostało założone przez ludzi, którzy sami kiedyś mieli raka. Tamte, choć mają podobne cele – pomaganie ludziom w tej strasznej tragedii – są bardziej skupione na technikach i rezultatach. The Wellness Community na przykład proponuje w swoich broszurkach: „zwalczmy raka razem". Ludzie wiedzą, że mają nauczyć się czegoś konkretnego, na przykład wizualizacji czy innej metody, i chcą wierzyć, że ma to znaczenie.

„Podejście CSC jest inne; tu się mówi: «tkwimy w tym razem». Tak, wierzymy, że te techniki mogą pomóc, ale jesteśmy o wiele bardziej zainteresowani tym, by ludzie spotkali się tu i teraz i otrzymali to, o co proszą. Nie chcemy dostarczać gotowych technik. Często mówiłam, że w pewnym sensie wszystko, co robimy – grupy wsparcia, zajęcia, wydarzenia towarzyskie – jest jedynie pretekstem do tego, by połączyć ludzi ze sobą. Tworzymy te struktury po to, by mogło się to wydarzyć. Kiedy miałam raka, odkryłam, że trudno mi przebywać z moimi przyjaciółmi. Musiałam zużywać masę energii na zajmowanie się nimi, tłumaczenie wszystkiego, radzenie sobie z ich lękiem spowodowanym moją chorobą, z ich często niewyrażonym lękiem o samych siebie. Odkryłam, że przebywanie z innymi ludźmi, którzy mieli raka, jest dla mnie ogromną ulgą. Zdałam sobie sprawę, że stałam się członkiem innej rodziny, rodziny ludzi, którzy znają raka z własnego doświadczenia. I wierzę, że CSC jest tym miejscem, do którego mogą przyjść i udzielić sobie nawzajem wsparcia. Mogą się wspierać swoją przyjaźnią, wymianą informacji, dzieleniem się swoimi lękami, dyskutowaniem o takich sprawach jak samobójstwo, opuszczenie dzieci, ból, strach przed bólem, śmiercią, i o tym, jak to jest być łysym.

„Musimy być dla siebie współczujący. Wiemy na przykład, że nie powinniśmy przedstawiać kogoś, kto dopiero co dowiedział się, że ma raka, osobie z tym samym rodzajem raka, która ma przerzut (w innych placówkach ludzie o różnym stopniu zaawansowania raka przebywają razem, nie przygotowani na szok). Wiemy, jak ważne jest, by mówić o szerszej definicji zdrowia, wykraczającej poza zdrowie fizyczne, gdyż wierzymy, że prawdziwym testem na sukces w stawianiu czoła rakowi jest to, jak żyjesz. Wiemy – mam nadzieję – jak sugerować ludziom różne rzeczy, jak otwierać przed nimi drzwi w taki sposób, by wiedzieli, że jeżeli odrzucą naszą propozycję albo nie zechcą przejść przez te drzwi, wciąż będziemy z nimi. Wiemy to wszystko, ponieważ sami przez to przeszliśmy. I to jest właśnie to, co wyróżnia Społeczność Wspierania Chorych na Raka".

Czytam to z dziwnym uczuciem. Strasznie się cieszę, że Ken chce mieć dzieci. Ale czy moje zdrowie na to pozwoli? Cokolwiek jednak się stanie, zawsze będę uważała przedsięwzięcia takie jak CSC za swoje dzieci. To jest niezwykłe i jak każdy rodzic jestem z tego dumna. Po raz pierwszy w życiu czuję jakiś spokój w kwestii posiadania dziecka.

Tymczasem ja poświęciłem się pisaniu książki. Jeden z jej rozdziałów, *Zdrowie, pełne zdrowie i uzdrawianie*, został wydrukowany w „New Age" obok artykułu Trei pod nowym tytułem: *Czy sami sprowadzamy na siebie chorobę?* Nie będę tu przytaczał całości, ale wyszczególnię główne punkty, gdyż reprezentują one moje podejście do tego trudnego tematu, z którym zmagaliśmy się w ciągu ostatnich trzech lat.

1. Podstawową ideą wywodzącą się z wieczystej filozofii jest to, że ludzie trwają w Wielkim Łańcuchu Istnienia. To znaczy, że mamy w sobie materię, ciało, umysł, duszę i ducha.

2. W przypadku każdej choroby niezwykle ważne jest określenie, z którego poziomu (lub poziomów) pochodzi: fizycznego, emocjonalnego, umysłowego czy duchowego.

3. Najważniejsze, by w przebiegu leczenia użyć procedury „tego samego poziomu": stosować interwencję lekarską w przypadku chorób fizycznych, terapię emocjonalną w przypadku zaburzeń emocjonalnych, metody duchowe w przypadku kryzysów duchowych i tak dalej. Jeżeli istnieje mieszanina przyczyn choroby, należy używać terapii mieszanych, dostosowanych do poziomu.

4. Jest to szczególnie ważne, gdyż jeżeli źle rozpozna się chorobę, oceniając na przykład, że pochodzi z wyższego poziomu niż w rzeczywistości, wywołuje się poczucie winy, przypisując ją zaś poziomowi niższemu, można spowodować rozpacz. W obu przypadkach leczenie będzie zupełnie nieskuteczne; zła diagnoza dodatkowo obciąży pacjenta poczuciem winy lub rozpaczą.

Jeżeli na przykład zostaniesz potrącony przez samochód i złamiesz nogę, nie siadasz na krawężniku, by wizualizować prawidłowy stan, gdyż skutkiem wypadku jest choroba fizyczna, wymagająca fizycznej terapii: nastawienia kości i nałożenia gipsu. To interwencja „na tym samym poziomie". Technika poziomu umysłowego nie jest skuteczna na poziomie fizycznym. Może się zdarzyć, iż ludzie z twego otoczenia powiedzą, że to twoje myśli spowodowały wypadek i dlatego powinieneś ich użyć, aby się wyleczyć. Jeśli uwierzysz, to zyskasz tylko poczucie winy i stracisz wiarę w siebie. Poziom choroby i poziom leczenia kompletnie się tu rozmijają.

Jeżeli jednak cierpisz z powodu poczucia małej wartości, spowodowanego przez zinternalizowane przekonanie o własnym zepsuciu albo niekompetencji, to jest to problem na poziomie umysłowym, który dobrze reaguje na interwencje na poziomie umysłowym, a więc wizualizację i afirmację (tzw. przepisywanie scenariusza, czym zajmuje się terapia kognitywna). W tym przypadku terapie należące do poziomu fizycznego – witaminy albo zmiana diety – nie będą skutkowały (chyba że do twojego stanu przyczynia się właśnie brak witamin). Stosując je uparcie, zbliżasz się ku ostatecznej rozpaczy, bowiem metody z niewłaściwego poziomu po prostu nie działają.

W ogólnym podejściu do każdej choroby powinno się, moim zdaniem, posuwać od dołu ku górze. Najpierw należy przyjrzeć się przyczynom fizycznym, wykorzystać wszystkie dostępne metody, potem przejść do ewentualnych przyczyn emocjonalnych, następnie zaś zająć się umysłowymi, a później duchowymi.

Jest to szczególnie ważne, gdyż jak obecnie wiadomo, wiele chorób, które kiedyś uważano za czysto duchowe lub psychologiczne, ma uwarunkowania fizyczne lub genetyczne. Kiedyś na przykład sądzono, że przyczyną astmy jest „dominująca matka". Teraz wiadomo, że choroba ta ma głównie przyczyny biofizyczne. Gruźlicę powodowała „konsumpcyjna osobowość", podagrę – „słabość moralna". Wierzono, że istnieje „osobowość podatna na artretyzm". Wszystko to po prostu nie zniosło próby czasu. Lekarstwa nie działały, bo pochodziły z niewłaściwego poziomu, pacjenci zaś cierpieli z powodu poczucia winy.

Nie twierdzę, że terapie z innych poziomów nie są ważne jako metody wspierające. Oczywiście są. W przypadku złamania nogi techniki relaksacyjne, wizualizacja, afirmacja, medytacja, psychoterapia mogą pomóc w stworzeniu atmosfery sprzyjającej leczeniu fizycznemu, a być może nawet przyspieszą je.

Nie jest jednak dobrze, gdy z faktu, że aspekty psychiczne i duchowe mają duże znaczenie, wyciągamy wniosek, iż to im należy przypisać odpowiedzialność za złamanie nogi. Osoba, która musi stawić czoło poważnej chorobie, może dzięki temu dokonać w sobie doniosłych i pomyślnych zmian wewnętrznych. Ale to nie znaczy, że brak tych zmian był przyczyną choroby. To tak, jakby powiedzieć: kiedy masz gorączkę – bierzesz aspirynę, a więc przyczyną gorączki jest brak aspiryny.

Większość chorób oczywiście nie wywodzi się tylko z jednego poziomu. To, co się dzieje na jednym poziomie albo w jednym wymiarze istnienia, w większym lub mniejszym stopniu wpływa na pozostałe poziomy. Konstytucja emocjonalna, umysłowa i duchowa wpływa oczywiście na zdrowie fizyczne i skutki leczenia fizycznego; podobnie choroba fizyczna może wywierać silny wpływ na wyższe poziomy. Gdy złamie się nogę, to prawdopodobnie będzie to miało również skutki emocjonalne i psychologiczne. W teorii systemowej nazywa się to „przyczynowością wznoszącą" – niższy poziom powoduje pewne wydarzenia na poziomie wyższym. I odwrotnie – gdy wyższy poziom wpływa na niższy, mamy do czynienia z „przyczynowością zstępującą", schodzącą.

Powstaje więc pytanie, w jak dużym zakresie „przyczynowość zstępująca" – umysł, myśli i emocje – może oddziaływać na nasze zdrowie fizyczne? Wydaje się, że zakres ten jest o wiele większy niż kiedyś uważano, a nie tak duży, jak to oceniają zwolennicy New Age.

Nowa szkoła psychoneuroimmunologii (PNI) znalazła przekonywające dowody na to, że myśli i emocje wywierają bezpośredni wpływ na układ odpornościowy. Wpływ ten nie jest bardzo duży, ale wykrywalny. Tego oczywiście oczekujemy w myśl zasady, że wszystkie poziomy w pewnym niewielkim stopniu wzajemnie na siebie oddziałują. Ponieważ medycyna jako nauka zaczynała z czysto fizycznego poziomu i pomijała wpływ poziomów wyższych na choroby poziomu fizycznego („duch w maszynie"), PNI wniosła niezbędną korektę, proponując bardziej zrównoważone podejście. Umysł wpływa na ciało w niewielkim, ale istotnym stopniu.

Udowodniono zwłaszcza, że wyobraźnia i wizualizacja są najważniejszymi składnikami tego „niewielkiego, ale istotnego" wpływu umysłu na ciało i układ odpornościowy. Dlaczego właśnie obraz? Jeżeli przyjrzymy się rozszerzonej wersji Wielkiego Łańcucha – materia, odczucia, percepcja, impuls, obraz, symbol, pojęcie i tak dalej – zauważymy, gdzie pojawia się obraz: jest najniższą i najbardziej prymitywną częścią umysłu, łączącą go bezpośrednio z najwyżej zorganizowaną częścią ciała. Innymi słowy, obraz jest bezpośrednim połączeniem umysłu z ciałem – jego nastrojami, impulsami, bioenergią. Nasze wyższe myślenie i pojęcia mogą więc być tłumaczone na proste obrazy, a te najwyraźniej mają skromny, lecz bezpośredni wpływ na układy ciała (poprzez uczucie lub impuls, następny niższy wymiar).

Biorąc to wszystko pod uwagę, można powiedzieć, że nastrój psychiczny odgrywa pewną rolę w każdej chorobie. I zgadzam się z tym, że składnik ten powinien być wykorzystany do maksimum. Może się zdarzyć, że to właśnie on przechyli szalę na stronę zdrowia lub choroby; sam jednak nie zadziała.

Każda więc choroba ma w sobie komponentę psychologiczną i każdy proces leczenia podlega wpływowi psychologii, jak to opisali Steven Locke i Douglas Colligan w *The Healer Inside*. Autorzy ci zwracają uwagę, że ludzie mylą terminy „psychosomatyczny" i „psychogenny". „Psychosomatyczny" oznacza, że przebieg choroby fizycznej może ulegać wpływowi czynników psychologicznych, „psychogenny" zaś – że choroba została spowodowana wyłącznie przez czynniki psychologiczne. Locke i Colligan stwierdzają: „Zgodnie z właściwym znaczeniem tego słowa każda choroba może być uznana za psychosomatyczną, a więc być może nadszedł czas na zarzucenie tego terminu. Niektórzy lekarze (i nie tylko lekarze) używają wymiennie terminu «psychosomatyczny» (co oznacza, że umysł może mieć wpływ na zdrowie ciała) i «psychogenny» (co oznacza, że umysł może powodować choroby ciała). Nie pojmują istoty chorób psychosomatycznych. Jak twierdzi Robert Ader, «nie mówimy o przyczynie choroby, lecz o interakcji pomiędzy wydarzeniami psychospołecznymi i biologicznymi»".

Ci sami autorzy wymieniają dziedziczność, tryb życia, narkotyki, miejsce zamieszkania, zawód, wiek i osobowość, do czego ja dodałbym jeszcze czynniki egzystencjalne i duchowe; interakcja pomiędzy tymi czynnikami, pochodzącymi ze wszystkich poziomów, ma wpływ na przyczynę i przebieg choroby fizycznej. Wyróżnianie tylko jednego czynnika i ignorowanie pozostałych jest więc dużym uproszczeniem.

Jakie są korzenie poglądu New Age, że sam umysł powoduje i leczy wszystkie fizyczne choroby? Jego zwolennicy widzą je w wielkich tradycjach mistycznych – duchowych i transcendentalnych. Jeanne Achterberg, autorka książki *Imagery in Healing,* książki, którą gorąco polecam, wierzy, że idea ta sięga szkół Nowej Myśli albo myśli metafizycznej, opartych na błędnym odczytaniu transcendentalistów z Nowej Anglii, Emersona i Thoreau, którzy z kolei oparli swe prace na wschodnim mistycyzmie. Szkoły Nowej Myśli, z których najsłynniejsza jest Nauka Chrześcijańska, zamienili zdanie „Bóg jest Twórcą wszystkiego", poprawnie wyrażające podejście tradycji mistycznych, w stwierdzenie, które je zniekształca: „Ponieważ jestem jednością z Bogiem, jestem twórcą wszystkiego".

Takie ujęcie kryje w sobie dwa błędy, na które z pewnością nie zgodziliby się ani Emerson, ani Thoreau. Pierwszy polega na tym, że Bóg jest interweniującym rodzicem wszechświata, a nie jego bezstronną Rzeczywistością, Tym Który Jest albo Warunkiem. Drugi błąd niesie w sobie sugestię, że ego jest jednością z tym rodzicielskim Bogiem i dlatego może interweniować i porządkować otaczający nas wszechświat. W tradycji mistycznej nie znalazłem niczego na poparcie takiego poglądu. Zwolennicy New Age twierdzą, że opierają swoją ideę na zasadzie *karmy,* która głosi, że zdarzenia twojego obecnego życia są rezultatem myśli i uczynków z życia poprzedniego. Według hinduizmu i buddyzmu jest to częściowa prawda. Ale nawet gdyby to była prawda absolutna (a nią nie jest), zwolennicy New Age i tak przeoczyli jeden istotny fakt: zgodnie z tymi tradycjami nasza sytuacja jest rezultatem myśli i uczynków z poprzedniego życia, a teraźniejsze myśli i uczynki będą miały wpływ nie na obecne, lecz następne życie, na kolejne wcielenie. Buddyści mówią, że teraz po prostu czytasz książkę, którą napisałeś w życiu poprzednim, a to, co robisz, zaowocuje dopiero w następnym życiu. W obu przypadkach twoje myśli nie stanowią o twojej teraźniejszej rzeczywistości.

Osobiście nie wierzę w ten pogląd na *karmę*. Jest to dość prymitywne stwierdzenie, przeanalizowane i ostatecznie odrzucone przez bardziej zaawansowane szkoły buddyzmu, które uznały, że nie wszystko, co się przydarza, jest rezultatem przeszłych uczynków. Wyjaśnia to Namkhai Morbu, mistrz buddyzmu *dzogczen* (powszechnie uważanego za zwieńczenie nauki buddyjskiej): „Istnieją choroby spowodowane karmą albo poprzednimi uczynkami człowieka. Istnieją również choroby wyzwolone przez energie pochodzące od innych, z zewnątrz. Są też choroby spowodowane przyczynami związanymi z okolicznościami codziennego życia, jak na przykład jedzenie, choroby spowodowane przez wypadek, a także wiele rodzajów chorób związanych ze środowiskiem". Chciałbym podkreślić, że ani prymitywna wersja karmy, ani bardziej zaawansowane ujęcia nie są żadnym poparciem dla twierdzeń New Age.

Skąd zatem wzięły się te twierdzenia? W tym punkcie zamierzam pójść inną drogą niż Treya i przedstawić własne teorie na temat ludzi, którzy wierzą w poglądy New Age związane z chorobą. Nie będę mówił o krzywdzie, którą wyrządzają one ludziom chorym, ani o cierpieniu i współczuciu. Chcę natomiast idee te uporządkować, a następnie przeanalizować. To mi pozwoli wykazać, iż są one niebezpieczne, a trzeba to zrobić choćby po to, by zapobiec dodatkowemu cierpieniu chorych. Mój komentarz nie jest zaadresowany do wielkiej liczby osób, które wierzą w te poglądy w sposób naiwny i niewinny. Przeznaczam go raczej dla przywódców ruchu, ludzi, którzy prowadzą seminaria i warsztaty na temat tworzenia własnej rzeczywistości, w czasie których uczą, że na przykład raka powoduje tylko i wyłącznie uraza; że swoją biedę powodujesz ty sam. Są to niewątpliwie ludzie pełni dobrych intencji, ale i niebezpieczni, gdyż odwracają uwagę od prawdziwych przyczyn – fizycznych, środowiskowych, prawnych, moralnych i społeczno-ekonomicznych.

Moim zdaniem wiara w to, że człowiek tworzy własną rzeczywistość, i wiele innych poglądów New Age, pochodzi z poziomu drugiego. Nosi piętno niemowlęcego i magicznego widzenia świata osobowości o zaburzeniach narcystycznych. Twierdzenie, że myśl nie tylko wpływa na rzeczywistość, ale wręcz ją tworzy, jest bezpośrednim rezultatem zaburzenia w rozróżnianiu granic ego. Myśli i przedmioty nie są wyraźnie oddzielone i dlatego manipulowanie myślą oznacza wszechmocne i magiczne manipulowanie przedmiotem.

Sądzę, że hiperindywidualistyczna kultura Ameryki, która sięgnęła zenitu w „dekadzie ja", przyspieszyła regres do poziomu magicznego i narcystycznego. Uważam (wraz z Robertem Bellahem i Dickiem Anthonym), iż załamanie się niektórych struktur społecznych zmusiło ludzi do sięgania do ich własnych zasobów i w ten sposób wzmogło tendencje narcystyczne. Uważam też, podobnie jak psychologowie kliniczni, że tuż pod powierzchnią narcyzmu czai się gniew, który wyraża się zwłaszcza (choć nie tylko) w tym, co przekazuje nam New Age: „Nie chcę cię zranić, kocham cię. Ale spróbuj się ze mną nie zgodzić, a zapadniesz na chorobę, która cię zabije. Jeśli zaś zgodzisz się ze mną, że można tworzyć własną rzeczywistość, poczujesz się lepiej i będziesz żył". Przekaz ten nie ma żadnych podstaw w wielkich mistycznych tradycjach świata; bierze się z narcyzmu i mieści w obszarze *borderline.*

W wielu listach przysłanych w odpowiedzi na artykuł w „New Age" czytelnicy podzielali moje oburzenie na to, że poglądy New Age w rezultacie krzywdzą ludzi chorych, lecz ortodoksyjni zwolennicy tego nurtu zareagowali gniewem, twierdząc na przykład, że skoro oboje z Treyą tak uważamy, to zasługuje ona na raka; sprowadziła go na siebie takimi myślami.

Nie potępiam c a ł e g o ruchu New Age. Istnieją w nim nurty – w końcu to ogromna i szalenie zróżnicowana bestia – które rzeczywiście dotykają pewnych prawdziwych, mistycznych i transpersonalnych zasad (podkreślając na przykład wagę intuicji i głosząc istnienie świadomości kosmicznej). Każdy prawdziwy ruch transpersonalny zawsze wchłania ogromną ilość elementów prepersonalnych – po prostu dlatego, że to, co transpersonalne, i to, co prepersonalne, jest n o n p e r s o n a l n e. Mylenie przedrostków „pre" i „trans" jest jednym z głównych problemów ruchu New Age.

Konkretny przykład oparty na badaniach empirycznych: w czasie zamieszek w Berkeley, podczas których protestowano przeciwko wojnie w Wietnamie, naukowcy przebadali reprezentatywną grupę studentów testem Kohlberga, dotyczącym rozwoju moralnego. Studenci twierdzili, że głównym powodem ich sprzeciwu wobec wojny jest to, iż jest ona niemoralna. Z jakiego więc etapu rozwoju moralnego wywodziły się racje studentów?

Naukowcy odkryli, że około 20% badanych rzeczywiście „operowało" z etapów postkonwencjonalnych (lub transkonwencjonalnych). To znaczy, że ich sprzeciw oparty był na uniwersalnych zasadach dobra i zła, a nie standardach obowiązujących w społeczeństwie czy indywidualnych przekonaniach. Niezależnie od tego, czy ich poglądy dotyczące wojny były właściwe, czy nie, moralne rozumowanie wydawało się wysoko rozwinięte. Ogromna większość protestujących – ok. 80% – była jednak na etapie prekonwencjonalnym, co oznacza, że ich moralne rozumowanie opierało się na motywach osobistych i raczej egoistycznych. Odmawiali udziału w wojnie nie dlatego, że uważali ją za niemoralną czy że obchodził ich los Wietnamczyków; po prostu nie mieli ochoty nikogo słuchać, nie chcieli, by ktoś dyktował im, co mają robić. Ich motywy nie były uniwersalne ani nawet społeczne, lecz czysto egoistyczne. I wbrew oczekiwaniom, w grupie badanych studentów znaleziono bardzo niewiele osób na poziomie konwencjonalnym („dobry czy zły, ale to mój kraj"), ponieważ ci ludzie przede wszystkim w ogóle nie widzieliby powodów do protestu. Innymi słowy, mała liczba osób znajdujących się na post- albo transkonwencjonalnym etapie rozwoju przyciągnęła bardzo dużą liczbę typów prekonwencjonalnych, gdyż obie grupy łączyła niekonwencjonalność.

To samo można odnieść do ruchu New Age – niewielki procent elementów naprawdę mistycznych, transpersonalnych, transracjonalnych (poziom od siódmego do dziewiątego) przyciąga ogromną liczbę elementów prepersonalnych, magicznych i preracjonalnych (poziom od pierwszego do czwartego), po prostu dlatego, że obie te grupy są nieracjonalne, niekonwencjonalne, nieortodoksyjne (a więc nie z poziomu piątego i szóstego). Osoby działające na etapach prepersonalnych i preracjonalnych podobnie jak „prekonwencjonalni" studenci mają poczucie władzy i poparcia „wyższych" poziomów, podczas gdy tak naprawdę tylko racjonalizują własne problemy. Jak zauważył Jack Engler, przyciąga ich transpersonalny mistycyzm jako sposób na racjonalizowanie własnych skłonności prepersonalnych. To klasyczny błąd – mylenie „pre" z „trans".

Powtórzyłbym również za Williamem Irvinem Thompsonem, że New Age jest ruchem transpersonalnym (transcendentalnym i prawdziwie mistycznym) w około 20%, w 80% – prepersonalnym (magicznym i narcystycznym). „ Transpersonalne" zaś nie lubi być nazywane „New Age". Nie ma w nim niczego „nowego"; jest wieczyste.

Na polu psychologii transpersonalnej wciąż musimy niezwykle delikatnie zajmować się elementami prepersonalnymi, gdyż zagrażają one całej tej dziedzinie swą „niepoważną" reputacją. Nie jesteśmy przeciwko wierze poziomu prepersonalnego; mamy tylko kłopot, gdy oczekuje się od nas, że zwiążemy tę wiarę z poziomem transpersonalnym.

Nasi „niepoważni" przyjaciele wściekają się na nas, gdyż uważają, że na całym świecie istnieją tylko dwa „obozy": racjonalny i nieracjonalny, a my powinniśmy dołączyć do nich przeciwko obozowi racjonalnemu. Tak naprawdę istnieją trzy: preracjonalny, racjonalny i transracjonalny. Jesteśmy bliżej racjonalistów niż preracjonalistów. Poziomy wyższe przekraczają, ale i zawierają w sobie niższy. Duch jest translogiczny, a nie antylogiczny; zawiera w sobie logikę i wykracza poza nią, ale nie odrzuca logiki. Każdy dogmat transpersonalny musi przejść egzamin z logiki i dopiero wtedy wykracza poza nią. Buddyzm jest niezwykle racjonalnym systemem, który uzupełnia racjonalizm intuicyjną świadomością. Obawiam się, że niektóre z „niepoważnych" kierunków nie tylko nie wykraczają poza logikę, ale nawet jej nie dosięgają.

Usiłujemy więc oddzielić prawdziwe, uniwersalne, „przetestowane w laboratorium" elementy rozwoju mistycznego od tendencji fizycznych, magicznych i narcystycznych. Jest to trudne i skomplikowane zadanie i nie zawsze nam się to udaje. Przywódcami na tym polu są Jack Engler, Daniel Brown, Roger Walsh, William Irwin Thompson i Jeremy Hayward.

Dyskusję tę chciałbym zakończyć powtórzeniem mojego początkowego twierdzenia: lecząc chorobę, należy uczynić wysiłek, aby określić, z jakich poziomów pochodzą różne jej składniki – i do nich dostosować metody leczenia. Jeżeli właściwie określi się poziom, wówczas działanie daje największe szanse na wyleczenie;

jeżeli określi się go błędnie, skutkiem będzie jedynie poczucie winy lub rozpacz.

– Te obrazy, te idee – są naprawdę piękne, prawda? Wyglądają jakby były żywe, świadome. Czy tak jest? – zadaję Postaci pytanie.

– Tędy, proszę.

– Zaczekaj chwilę. Czy mógłbym tam wejść? To dziwne, ale wydaje mi się, że w tym pokoju znajdują się odpowiedzi na wszystkie moje pytania. Spójrz, te myśli są żywe. Jestem filozofem – zdaję sobie sprawę, jak bardzo głupio to brzmi.

– W końcu – ciągnę jednak dalej – to jedyna w życiu okazja.

Czy ja naprawdę to mówię? Czy chcę tam wejść? A jednak tam są te zdumiewające idee, tak zachęcające do współpracy. „Muszę przyznać – myślę – że nie wszędzie znajduje się takie pomysły".

– Szukasz Estrelli, prawda?

– Treya? Co wiesz o Trei? Widziałeś ją?

– Tędy, proszę.

– Nigdzie nie pójdę, dopóki mi nie powiesz, o co w tym wszystkim chodzi.

– Proszę, musisz pójść ze mną. Proszę.

W miarę zbliżania się następnego badania Trei oboje coraz bardziej baliśmy się, głównie z powodu tych złowieszczych snów. Po badaniu tomograficznym wszystko stało się jasne!

> Otrzymałam wyniki rocznego testu, po raz pierwszy od roku nie mam nowotworu! Jestem zachwycona! Jednocześnie nie zamierzam skupiać się tylko na poziomie fizycznym, bo jeżeli zdefiniuję zdrowie w ten sposób, to co się stanie, gdy pojawi się nawrót? Czy wówczas przeżyję porażkę?
>
> W każdym razie teraz czuję się zdrowo i rześko. Jestem taka szczęśliwa. Wychodzę z Kenem, pracuję w ogrodzie, maluję na szkle. Jestem jak nowo narodzona. Moje korzenie sięgają teraz bardzo głęboko...
>
> Kontynuuję wizualizacje miłości, niekiedy parę razy dziennie. Wyobrażam sobie, że jestem otoczona przez ludzi, którzy mnie kochają, oddycham ich miłością. Począt-

kowo było to dla mnie trudne, ale powoli stawało się coraz łatwiejsze. Dwa dni temu miałam sen, najbardziej pozytywny ze wszystkich, które w życiu śniłam. Paru moich przyjaciół wydało na moją cześć przyjęcie i każdy mi mówił, jaka jestem wspaniała. Przyjmowałam to wszystko bez oporów, nie protestowałam ani nie udawałam skromnej, nie myślałam, że jeżeli nawet oni tak uważają, to ja tak nie myślę. Nie, ja to wchłaniałam i słuchałam sercem, był to najwspanialszy sen.

Podczas wizualizacji niekiedy wyobrażam sobie miłość jako złociste światło. Kiedyś ujrzałam wokół mojego ciała cienką, niebieską otoczkę; uświadomiłam sobie, że ta otoczka to mój smutek związany z ciężkim okresem, który przeszliśmy z Kenem. Nagle te dwa światła połączyły się i stały się bardzo jaskrawe, zielone, wibrujące, jakby elektryczne, bardzo mocne. Byłam skąpana w tym uzdrawiającym świetle, czułam obecność miłości w sobie, nie na zewnątrz. Poczułam, że zostanie ona ze mną na zawsze.

Kilka afirmacji, obecna jest następująca: „Wszechświat odsłania się doskonale". Ufność zawsze była dla mnie czymś niezwykle istotnym. Ta afirmacja pomaga mi także dlatego, że dzięki niej zamiast grzęznąć w sprawach, których nie załatwiłam, wyciągam z nich naukę.

Wszystko to nazywam układem odpornościowym ducha. Białe ciałka T i B tego systemu to pozytywne myślenie, medytacja, afirmacja, *sangha, dharma,* współczucie i życzliwość. Jeżeli te czynniki „są warte" 20% procesu chorobowego, chcę całe 20%.

Medytuję teraz *tonglen.* Kiedy zaczęłam prawie rok temu, od razu pojawił się Ken i Tahoe. Wydawało mi się, że będę czuła smutek, złość i gorycz; było tylko współczucie. Współczucie dla tego wszystkiego, przez co przeszliśmy z Kenem, dla naszych walk, naszych zmagań, naszego strachu. Zadziwiło mnie, że czuję współczucie dla tych dwojga zranionych, raniących się, przestraszonych ludzi.

Ta medytacja wypędziła całą moją gorycz. Teraz zaś daje mi poczucie głębokiego związku ze wszystkimi istotami. Już nie czuję się osamotniona, już nie czuję się wyizolowana. Strach został zastąpiony głębokim spokojem i pokojem.

Czasami po prostu siedzę, jak w medytacji zen, mając poczucie otwartości i przestrzeni. Zawsze powracam do podejścia Suzukiego Roshiego – czuję, że medytacja przyciąga mnie, bo to sposób na wyrażenie i afirmację czegoś, co jest we mnie. To zupełnie tak, jakbym coś ofiarowała jakiejś większej sile. Siedzę więc z uczuciem, że składam to w darze, zaspokajając w ten sposób i afirmując jakąś tajemniczą część mnie samej, której nie potrafię opisać. Nie szukam ani nie pragnę tych zmian, które się pojawią. Jeżeli nic się nie zmienia, to w porządku. Uczucie, że coś darowałam i tak pozostaje, a wraz z nim pojawia się spokój.

Co teraz czuję w związku z rakiem? Wciąż mam chwilowe lęki przed tym, co by było, gdybym znowu znalazła się w szpitalu, zadaję sobie pytanie: „Czy zdecydowałabym się wtedy na chemioterapię?", ale nie mam już na tym punkcie obsesji. Rak stał się raczej obecnością w tle. Nie odczytuję tego jednak jako „znaku". Zbyt wiele słyszałam o osobach, które pięć lat nie miały raka, myślały, że już są wyleczone, i odkrywały, że mają przerzuty do kości. W każdym razie to miłe, że rak już nie jest dla mnie „złowieszczą obecnością".

Po badaniu po raz pierwszy od trzech lat zaczęliśmy mieć uczucie, że nasze życie może wrócić do czegoś przypominającego normę. Byliśmy z tego powodu bardzo szczęśliwi, pozwoliliśmy, by rosły nasze nadzieje dotyczące przyszłości. Poza tym, że zacząłem pisać, znowu medytowałem, łącząc praktykę zen z *tonglen* i jogą Boskości.

Zwłaszcza dzięki medytacji *tonglen* przestałem się bać mojego strachu, niepokoju, mojej depresji. Za każdym razem, kiedy pojawiał się jakiś bolesny stan lęku, zaczynałem głęboko oddychać, myśląc jednocześnie: „Chcę wziąć cały lęk na siebie", a potem wypuszczałem go razem z powietrzem. Zacząłem wtapiać się w swoje stany, nie cofać się przed nimi ze strachem czy gniewem. Trawiłem bolesne doświadczenia ostatnich trzech lat, których wówczas nie mogłem lub nie chciałem przetrawić.

Jak co roku od czterech lat, spędziliśmy Boże Narodzenie w Laredo. Było cudownie, wszyscy robili noworoczne postanowienia z myślą o zdrowiu Trei.

Kiedy wróciliśmy do Boulder, Treya zauważyła, że z pola widzenia jej lewego oka nie chce zniknąć jakaś dziwna falistość. Utrzymywała się z przerwami od miesiąca i stawała coraz bardziej uporczywa.

Poszliśmy do naszego onkologa w Denver, który zlecił zrobienie badania CAT mózgu.* Siedziałem w poczekalni, kiedy podszedł do mnie lekarz i poprosił na stronę.

– Wygląda na to, że ma dwa lub trzy guzy w mózgu. Jeden z nich jest dość duży, ma około trzech centymetrów. Zbadamy również płuca.

– Czy Treya już wie? – Ta wiadomość jeszcze do mnie nie dotarła. Czuję się tak, jakbym mówił o kim innym, nie o Trei.

– Nie, jeszcze nie. Zaczekajmy na wyniki badania płuc.

Usiadłem i tępo zapatrzyłem się przed siebie. Guzy mózgu? G u z y m ó z g u? Guzy mózgu... są... groźne.

– Ma guzy również w płucach, około dwunastu. Jestem tak samo zaszokowany jak pan. Myślę, że najlepiej, jak jej o tym powiem jutro w moim gabinecie. Proszę na razie nic nie mówić. Chcę przygotować dla niej wszystkie informacje.

Jestem tak zaszokowany, tak sparaliżowany, że nie przychodzi mi do głowy, by powiedzieć: „Proszę zaczekać, tak nie można. Powiem jej teraz. My nigdy nie robiliśmy takich głupstw". Nie, tępo kiwam głową i mówię:

– Co? Ach, tak, oczywiście. OK.

Powrót do domu jest straszny.

– Naprawdę wydaje mi się, że to nic takiego. Jestem tego pewna. To pewnie jest związane z cukrzycą. Wszystko będzie dobrze, kochanie. Nie miej takiej smutnej miny. Co o tym myślisz?

---

* CAT (*computer aided tomography*) – badanie tomograficzne mózgu, wspomagane komputerowo (przyp. red.).

Myślę, że mam ochotę zamordować tego lekarza. Chciałbym wszystko powiedzieć Trei, ale już jest za późno. Niedobrze mi się robi na myśl o tym, co to dla niej oznacza i co będzie musiała znieść. O Boże, gdyby choć *tonglen* zadziałał! Zamknąłbym oczy i razem z powietrzem wciągnąłbym do środka jej prawdopodobną śmierć z taką siłą, że zniknęłaby, wziąłbym na siebie tę przeklętą chorobę i zatopiłbym ją w kosmicznej próżni. Moja miłość do Trei i jednocześnie nienawiść do lekarza przybrały niezmierzone rozmiary. Mruczę cały czas:

– Na pewno wszystko będzie dobrze.

Kiedy wróciliśmy do domu, poszedłem do łazienki i zwymiotowałem. Tego wieczora poszliśmy do kina na *Fatalne zauroczenie.* Kiedy wróciliśmy do domu, Treya zadzwoniła do lekarza i usłyszała tę wiadomość.

> Moją pierwszą reakcją był gniew! Absolutny, totalny, całkowity, przytłaczający gniew! Jak to się mogło stać! Przecież wszystko robiłam dobrze! Jak to się mogło stać! Cholera! Cholera! Cholera! Cholera! Cholera! Nie czułam strachu. Nie byłam jakoś szczególnie przerażona. Po prostu byłam wściekła. Zaczęłam kopać meble w kuchni, tłuc przedmioty, drzeć się. Rozgniewana, rozwścieczona. Nie zamierzałam tłumić swojego gniewu. Był właściwą reakcją. Ja to pieprzę, chcę walczyć! W moich wizualizacjach biali rycerze przemieniali się we wściekłe piranie.

Zadzwoniliśmy do rodziny i przyjaciół i następnego dnia rozpoczęliśmy intensywne poszukiwania metody leczenia, która miałaby jakiekolwiek szanse na powstrzymanie tak agresywnej i tak zaawansowanej choroby. Treya zaczęła poważnie rozważać niemal dwadzieścia pięć różnych terapii, w tym podejście Burzynskiego, Revici, Burtona, Janker Klinik (w Niemczech), Kelleya i Gonzalesa, Livingstona-Wheelera, Hansa Niepera (Niemcy), Steiner Lucas Klinik (w Szwajcarii), Gersona (w Meksyku).

> Gdy minął gniew, nastąpiła trwająca kilka dni faza rezygnacji i smutku. Płakałam nieustannie w ramionach

> Kena. Czułam się tak, jakbym się rozpadła, coś, czego nie czułam od lat. Żal, obwinianie samej siebie, że mogłam zrobić więcej – „czy zrobiłam wystarczająco dużo?". Myślałam o rzeczach, których będzie mi brakowało: sztuka, jeżdżenie na nartach, starzenie się z rodziną i przyjaciółmi, Ken, dziecko Kena. Tak bardzo chcę się zestarzeć ze wszystkimi moimi wspaniałymi przyjaciółmi. Nawet nie chce mi się o tym pisać, ale nigdy nie będę mogła mieć dziecka Kena. Ken – chcę z nim być za życia, nie chcę go opuszczać, chcę się do niego tulić jeszcze całe lata. Będzie sam; czy znajdzie sobie kogoś? Może pojedzie na trzyletnie odosobnienie Kalu; ta myśl nieco mnie pociesza.
>
> Czuję się tak, jakbym dopiero co się urodziła i teraz nie mogła tu być.

Po rozważeniu wszystkich możliwości terapii pozostało kilka: standardowe leczenie amerykańskie, co oznaczało kolejne dawki adriamycyny, intensywne leczenie amerykańskie zalecane przez Bloomenscheina, i niezwykle intensywne leczenie proponowane przez Janker Klinik w Niemczech. Tę pierwszą możliwość zaproponował nam doktor Dick Cohen, dobry znajomy Vicky i CSC, który zalecił program długoterminowego stosowania małych dawek adriamycyny. Treya jednak nie chciała adriamycyny, nie dlatego, że nie mogła jej znieść, ale dlatego, że czuła, iż adriamycyna już nie jest skuteczna w jej przypadku.

Janker Klinik słynie z krótkotrwałego stosowania wysokich dawek chemioterapii, tak agresywnej, że zagraża życiu. Klinika co i raz dostaje się na łamy gazet jako słynne miejsce, w którym leczyli się na przykład Bob Marley i Yul Brynner. Opublikowane (ale nie naukowe) raporty podają, że osiąga ona niewiarygodny procent (70%) remisji. Amerykańscy lekarze twierdzą, że te remisje trwają bardzo krótko, a kiedy wraca rak, szybko prowadzi do śmierci.

Bloomenschein dał Trei całą serię zaleceń, które każdy dyktator z Ameryki Środkowej określiłby jako szczególnie okrutne. Zakończył słowami: „Błagam, kochanie, nie jedź do Niemiec". Podał nam ponure statystyki przypadków takich jak Trei: może rok, jeśli szczęście dopisze.

16

Posłuchaj, jak śpiewają ptaki!

– Cześć, Edith. Mówi Ken Wilber.
– Ken! Jak się masz? Jak miło cię usłyszeć!
– Edith, niestety mamy złe wiadomości. Terry ma bardzo niebezpieczny nawrót, tym razem w płucach i w mózgu.
– Och, to okropne. Tak strasznie mi przykro.
– Nigdy nie zgadniesz, skąd dzwonię. I, Edith, przydałaby się nam pomoc.

Nie mogę uwierzyć, że od dziesięciu dni jestem w szpitalu i jeszcze nie zaczęłam chemioterapii. Przyjechaliśmy do Bonn w poniedziałek, tego samego dnia wieczorem wyszliśmy na kolację, a we wtorek rano zaczęłam się jakoś dziwnie czuć, po południu poszłam do kliniki. Jestem strasznie przeziębiona, mam temperaturę powyżej 103,6 stopni.* Wciąż jeszcze czuję się nie najlepiej i dopóki całkowicie mi to nie przejdzie, nie rozpoczną chemioterapii z uwagi na ryzyko zapalenia płuc, a to oznacza zwłokę niemal dwutygodniową.

Pierwszej nocy byłam w pokoju z dwiema innymi kobietami, obie są Niemkami. Bardzo miłe panie, ale żadna nie mówi po angielsku. Jedna z nich chrapała całą noc, a drugiej wydawało się, że jeżeli jeszcze więcej będzie

---

* 103,6 stopni Fahrenheita, czyli ok. 40 stopni Celsjusza (przyp. red.).

mówiła po niemiecku, to może ją zrozumiem, więc przez cały czas zasypywała mnie niemieckimi słowami, nieustannie paplając. Mówiła nawet do siebie i to przez całą noc.

Doktor Scheef, dyrektor kliniki, jakoś zdołał znaleźć dla mnie osobny pokój (w całej klinice są tylko dwie albo trzy jedynki) i od tej pory czuję się jak w siódmym niebie. Pokój jest mały, po prostu maleństwo, ale wspaniały.

Byłam zdziwiona, że tak niewiele pielęgniarek mówi po angielsku. Kilka trochę zna angielski, żadna z nich nie mówi płynnie, większość w ogóle nie zna angielskiego. Trochę mi wstyd, że nie umiem po niemiecku. Tłumaczę wszystkim, że mówię po francusku i hiszpańsku, żeby usprawiedliwić brak znajomości niemieckiego.

Pierwszego wieczoru tamta rozmowna Niemka zabrała nas z Kenem na dół, do kawiarni. Kolację podaje się tu od 16.45 do 17.30. Jedzenie jest okropne. Na śniadanie przeważnie podają zimne dania – plasterki sera, szynki, mięsa, kiełbasy plus różne rodzaje chleba. Niekiedy na lunch są gorące gotowane potrawy i ziemniaki. Do tego ogranicza się wybór. Przy mojej diecie nic mi nie pasuje. Dlaczego szpitalne jedzenie na całym świecie jest takie paskudne? Ken głośno się zastanawiał, co zabija więcej pacjentów: szpitalni lekarze czy szpitalne jedzenie?

Tego pierwszego wieczoru w kawiarni zobaczyłam niezwykle atrakcyjną młodą kobietę, która miała na głowie naprawdę piękną perukę, a na niej śliczny berecik. Trochę znała angielski, więc spytałam ją o perukę, wiedząc, że wkrótce sama będę tego potrzebowała. Spytałam również, jak jest po niemiecku „rak", ponieważ nie wiedziałam nawet tego. Powiedziała mi, że *Mütze.* Wtedy spytałam, czy wszyscy tutaj mają *Mütze.* Odparła, że tak, wskazując na pozostałych ludzi w kawiarni. Spytałam ją, jaki ma rodzaj raka. Powiedziała, że ma białego i niebieskiego. Siedziałam zdumiona, nic nie powiedziałam, nie mogłam tego zrozumieć. Dopiero następnego dnia odkryłam, że

Mütze oznacza kapelusz albo czapkę. Rak po niemiecku to *Krebs*.

Po artykule, który czytaliśmy, spodziewaliśmy się, że Bonn to ponure, brzydkie, przemysłowe miasto. Ale jedyną ponurą rzeczą w Bonn jest pogoda. Poza tym to cudowne i piękne miasto – dyplomatyczne centrum Niemiec z widowiskową *Dom,* czyli katedrą zbudowaną w 1728 roku, imponującym uniwersytetem, ogromnym *Zentrum,* czyli promenadą ciągnącą się na przestrzeni jakichś trzydziestu kwartałów (zamkniętą dla samochodów), i ze wspaniałym Renem w odległości krótkiego spaceru.

Dworzec, czyli *Hauptbahnhof,* znajduje się tuż obok kliniki, usytuowanej niedaleko hotelu „Kurfürstenhof", gdzie się zatrzymałem na skraju Zentrum. Całe miasto otacza ogromny, wspaniały park. W samym środku Zentrum znajduje się *Marktplatz,* gdzie okoliczni rolnicy codziennie przywożą niezwykłą różnorodność świeżych owoców i warzyw i wystawiają je na sprzedaż na ogromnym, otwartym, pokrytym cegłami obszarze. Na jednym końcu Zentrum stoi zbudowany w 1720 roku dom, w którym urodził się Beethoven. Na drugim znajduje się Hauptbahnhof, a także klinika i „Kurfürstenhof". Pomiędzy nimi są restauracje, bary, sklepy ze zdrową żywnością, muzea, sklepy odzieżowe i z artykułami sportowymi, galerie sztuki, apteki i sex shopy (niemiecka pornografia jest przedmiotem zazdrości Europy). Wszystko na odcinku od Renu do hotelu, w zasięgu pieszej przechadzki, w ostateczności przejażdżki na rowerze.

Spędziłem tu cztery miesiące, chodząc po brukowanych ulicach i drogach Zentrum, powoli poznając każdego taksówkarza, każdą kelnerkę albo sprzedawcę, którzy mówili po angielsku. Wszyscy wiedzieli o Trei i za każdym razem, kiedy ich spotykałem, pytali: „Undt how iss dear Treyyah?". Wielu z nich odwiedziło ją w klinice z kwiatami i czekoladkami. Treya mówiła, że ma takie uczucie, jakby połowa Bonn śledziła jej chorobę.

To właśnie w Bonn miałem ostatni kryzys dotyczący akceptacji sytuacji Trei i mojej roli jako osoby wspierającej. Ciężko pracowałem – począwszy od sesji z Seymourem, skończywszy na praktyce *tonglen* – aby przetrwać, przepracować i zaakceptować ciężkie czasy, jakie oboje z Treyą przeszliśmy. Jednak wciąż miałem kilka głęboko zakorzenionych problemów dotyczących moich własnych wyborów, mojej słabej wiary i możliwej (nie dało się temu dłużej zaprzeczać) śmierci Trei. Wszystko to pojawiło się w ciągu trzech dni, podczas których całkiem się rozsypałem. Po prostu moje serce pękło.

Problemem bardziej bezpośrednim i praktycznym było przeziębienie Trei, które w poważnym stopniu komplikowało sytuację. Klinika specjalizuje się w jednoczesnym stosowaniu naświetlań i chemioterapii, traktując to jako dawkę uderzeniową. Przeziębienie wykluczało stosowanie chemioterapii z powodu ryzyka zapalenia płuc. W Stanach Trei powiedziano, że nieleczony guz mózgu może zabić w ciągu sześciu miesięcy. Klinika musiała coś zrobić, i to szybko, więc zdecydowano się na same naświetlania, czekając, aż spadnie gorączka i zwiększy się liczba białych ciałek krwi.

Przez następne trzy dni chodziłam jak nieprzytomna, bo miałam wysoką gorączkę. Dali mi sulfonamidy, ale działały zbyt wolno. Ken pomagał mi chodzić po korytarzach, gotował jedzenie w moim pokoju. Co rano chodził na Marktplatz po świeże warzywa. Kupił specjalne naczynia do gotowania zupy i – co najlepsze – rower do ćwiczeń (na moją cukrzycę). Kupił mi też rośliny doniczkowe, kwiaty i krzyże do mojej kapliczki. Razem z tymi kwiatami, jedzeniem, kapliczką i rowerem mój pokoik pękał w szwach! Byłam słaba, ale w miarę zadowolona.

Dowiedzieliśmy się od Scheefa, że zostanę poddana hipertermii i naświetlaniom mózgu, co jest bezbolesne i zajmuje około pół godziny dziennie. Kiedy zaczniemy chemioterapię w wysokich dawkach, o której tyle słyszeliśmy (same nieprzyjemne rzeczy), leczenie potrwa pięć dni. Ósmego, dziewiątego dnia moje ciało osiągnie najniższy punkt. Jeżeli liczba białych ciałek krwi spadnie poniżej 1000, będę musiała zostać w klinice, przy wskaźniku poniżej 100 potrzebne będą zastrzyki ze szpiku kostnego. Piętnastego dnia przewidziane jest badanie mózgu i płuc za pomocą CAT albo NMR.* Będą trzy cykle terapii, oddzielone trzytygodniowymi odstępami.

Pod wpływem wysokiej gorączki i infekcji w klatce piersiowej trzustka Trei przestała wytwarzać insulinę.

Chodzimy z Kenem po szpitalnym korytarzu, bardzo wolno, bo czuję się słaba i chora. Mam wysoką gorączkę, rośnie mi poziom cukru we krwi. Trzy dni pokonywałam sprzeciw Kena wobec ćwiczeń na rowerze, które mają mi pomóc utrzymać równowagę „cukrową". Ale metoda ta nie pomaga. Straciłam cztery kilogramy i nie mogę sobie pozwolić na większy ubytek wagi. Kiedy leżę na boku, boli mnie wystająca kość biodrowa. Wszystko odbywa się tu strasznie powoli. Ken narobił hałasu i w końcu przestawili mnie na insulinę. Zaczęłam jeść, chcę odzyskać stracone kilogramy.

Kiedy próbowałam dostosować dawkę, miałam pierwszą reakcję insulinową. Serce zaczęło mi walić jak oszalałe, cała się trzęsłam. Badanie cukru krwi wykazało 50 mg/100 ml. Przy 25 mg pojawiają się drgawki i utrata przytomności. Dzięki Bogu był ze mną Ken, a ponieważ nie mogliśmy porozumieć się z pielęgniarkami, zbiegł na dół do kawiarni i przyniósł parę kostek cukru. Znowu sprawdzam krew, tym razem było 33 mg, po dwudziestu minutach poziom podniósł się do 50, a potem do 97 mg. Ach, te blaski i cienie życia w pokoju 228...

Dni ciągnęły się powoli, czekaliśmy, aż minie infekcja Trei. Wciąż towarzyszyła nam myśl o „morderczyni chemioterapii". Kati przyjechała w samą porę, by nieco rozładować napięcie, okazała się prawdziwym wybawieniem. Przy jej pomocy odzyskaliśmy trochę spokoju, a nawet poczucia humoru. Bardzo tego potrzebowaliśmy!

---

* NMR (*nuclear magnetic resonance*) – jądrowy rezonans magnetyczny, efekt fizyczny wykorzystywany do badania struktur wewnętrznych ludzkiego ciała z dużo większą dokładnością niż tomografia komputerowa (przyp. red.).

No i jeszcze była Edith. Spotkałem ją na schodach kliniki i zaprowadziłem do Trei. Była to miłość od pierwszego wejrzenia. Od razu się z sobą dogadały, jakby znały się od niepamiętnych czasów. Przeżywałem to już wcześniej: moi przyjaciele od razu zakochiwali się w Trei, a mnie spychali do roli tła. „Wiecie, jestem jej mężem, jej dobrym znajomym. Jeżeli chcecie, mogę was umówić z nią na kolację".

Spędziliśmy wiele uroczych godzin z Edith i jej mężem Rolfem, którego od razu polubiłem. Rolf reprezentował to, co podziwiałem w Europejczykach – był kulturalny, błyskotliwy, bystry, oczytany, kompetentny, bardzo miły w obcowaniu. Przede wszystkim jednak pomogła nam obecność Edith. Nasza rodzina i przyjaciele przestali się martwić o nas – dzieci zagubione gdzieś w Niemczech – bo ona była z nami.

Postać lekko popycha mnie w kierunku czwartego pokoju. Zastanawiam się, jak udaje jej się ciągnąć mnie za rękę, skoro wydaje się jedynie nieobecnością, nicością. Jak nicość może ciągnąć za rękę? Chyba że... ta myśl mnie przeraża...

– Co widzisz?

– Co? Co widzę? – Ostrożnie zaglądam do pokoju. Już wiem, że zobaczę coś dziwnego. Ale to, co widzę, zapiera dech w piersiach, absolutnie zapiera w piersiach. Przez kilka minut stoję zdumiony jak dziecko.

– Wejdziemy?

Ciągle bez chemioterapii. Wszystko to jest bardzo dziwne. Leżę sobie w szpitalu, czekam i nie mam czasu dosłownie na nic! Piszę listy, czytam powieści i inne książki – teraz jest to *Healing into Life and Death* Stephena Levine'a – medytuję, jeżdżę na rowerze, odbieram pocztę, piszę mój dziennik, rozmawiam z Kenem, Edith i Kati, odwiedzam innych Amerykanów, zajmuję się swoją sztuką. Trochę to śmieszne – dowód na to, że nigdy nie ma się dość czasu. Dziwnie się czuję, myśląc o tym, gdyż z pewnością mam mało czasu w tym życiu. Chwilami czuję optymizm, innym razem potwornie się boję, że to już koniec, że nie przeżyję roku.

Kiedy wyszłam z pokoju, natknęłam się na grupkę płaczących ludzi. Kto wie, jaką złą wiadomość właśnie usłyszeli? To było smutne. Młody mężczyzna obejmował kobietę, która mogła być jego żoną lub dziewczyną, oboje mieli czerwone, podpuchnięte oczy. Jakaś inna kobieta obejmowała drugą, być może tą, która była chora. Obie płakały. Trzy osoby siedziały przy stole – wszyscy mieli czerwone oczy. Pierwsza prawda: cierpienie istnieje.

Skończyłam czytać artykuł z „Newsweeka" na temat prawa do umierania. Interesowało mnie to, zanim jeszcze zachorowałam na raka. Myślałam wtedy o cierpieniu, prawdziwym cierpieniu i heroicznych wysiłkach podejmowanych po to, by utrzymać chorych ludzi przu życiu, i zastanawiałam się, czy było warto. Mam nadzieję, że kiedy nadejdzie mój czas, będę mogła umrzeć spokojnie, bez leków podtrzymujących i środków przeciwbólowych. Któregoś dnia powiedziałam Kenowi, że chciałabym poprosić Scheefa o jakieś tabletki – tak na wszelki wypadek.

Chcę zdobyć dla siebie jak najwięcej czasu. Muszę pracować nad tym z całą uwagą, oddaniem, koncentracją i skupieniem, ale jednocześnie nie przywiązywać się do rezultatów tej pracy. Ból nie jest karą, śmierć nie jest porażką, życie nie jest nagrodą.

Dostałam miły list od Lydii. Napisała coś, co mnie naprawdę wzruszyło. „Jeżeli Pan cię wezwie, jeżeli będziesz musiała odejść, wiem, że i to zrobisz z wdziękiem". Jeżeli nie uda mi się pozostać przy życiu, odejdę z wdziękiem, mam taką nadzieję. Niekiedy wydaje mi się, że dla wielu ludzi z mojego otoczenia miarą mego sukcesu czy porażki jest to, jak długo będę żyła, a nie – jak będę żyła. Oczywiście chciałabym żyć długo, ale jeżeli umrę, nie chcę, aby zostało to ocenione jako porażka. Bardzo miło, że Lydia napisała taki list.

Medytuję przynajmniej dwa razy dziennie – rano *vipassana*, *tonglen-chenrezi* po południu. Usiłuję trzy razy dziennie wizualizować. Chcę sobie udowodnić, że nie jestem zbyt leniwa, chcę próbować sobie pomóc. Umacnia to moje przekonanie, że robię to dla przyszłości – ale bez żadnego przywiązywania się do rezultatów. Po prostu chcę umocnić wiarę w siebie, czcić ducha, uczynić ofiarę.

Choć okoliczności były tak trudne, po tygodniu od naszego przyjazdu do Bonn Treya raz jeszcze odzyskała spokój, co zastanawiało lekarzy, pielęgniarki i osoby odwiedzające ją. Ludzie chętnie przebywali w jej pokoju, bo zdawała się emanować radością i pogodą. Niekiedy trudno było nam znaleźć czas dla siebie.

Zdumiewające, jak odbijam od siebie złe wiadomości; jestem gotowa być z tym, co jest. Niewątpliwie to zasługa medytacji. Po otrzymaniu ostatnich wiadomości po prostu się rozpadłam. Teraz pozwalam sobie na gniew, strach, złość, smutek. Wszystko to przepływa przeze mnie, a potem gdzieś uchodzi, a ja po prostu wracam do tego, co jest. Jest, jak jest. To akceptacja, nie rezygnacja, ale kto to wie? Może oszukuję samą siebie? Ten cichy głosik: „Treya, powinnaś się martwić". Ale jest bardzo cichutki. Coś tam mówi, ale nie ma słuchacza.

Faktem jest, że to niewiarygodne szczęście – mieć koło siebie taką rodzinę, męża, wspaniałych przyjaciół. Nie mogę wręcz uwierzyć, jak wspaniałe jest moje życie! Poza tym przeklętym rakiem.

Powiedziałam Kenowi, że choć trudno mi to zrozumieć, mam doskonały nastrój, jestem pełna optymizmu i radości życia, uwielbiam słuchać śpiewu ptaków za oknem, uwielbiam odwiedzać ludzi leżących w klinice. Mam zbyt mało czasu. Czekam dnia, nie chcę, żeby się kończył. Nie rozumiem tego! Wiem, że mogę nie przeżyć roku. Ale posłuchajcie tylko, jak śpiewają te ptaki!

W końcu nadeszła decyzja, że chemioterapia zacznie się w poniedziałek. Tego dnia siedziałem niezgrabnie na siodełku roweru,

Kati zaś stała w kącie pokoju. Treya była całkiem odprężona. Żółty płyn powoli spływał do jej żyły. Minęło dziesięć minut – nic. Dwadzieścia minut – nic. Pół godziny – nic. Nie wiem, czego się spodziewaliśmy. Może tego, że Treya eksploduje czy coś w tym rodzaju – tak straszne były opowieści, którymi karmiono nas w Stanach. Już tydzień temu dzwonili ludzie z pożegnalnymi życzeniami, przekonani, że ta terapia ją zabije. Rzeczywiście, była to bardzo silna i intensywna terapia; liczba białych ciałek krwi w niektórych przypadkach spadała do zera! Ale klinika dysponowała równie silnymi środkami „ratunkowymi", dzięki którym można było opanować lub zminimalizować większość problemów; tego oczywiście amerykańscy lekarze nam nie powiedzieli. Treya doszła do wniosku, że to bułka z masłem i spokojnie zaczęła jeść swój lunch.

> Minęło dziesięć godzin od pierwszej terapii, a ja czuję się doskonale! Jestem tylko nieco senna po leku przeciwwymiotnym i czuję się o wiele lepiej niż po adriamycynie. Kiedy chemikalia wnikały w mój organizm, ja po prostu jadłam...
>
> Dziś miałam drugą terapię i znowu czuję się naprawdę świetnie. Zaczęłam ćwiczyć na rowerze. Myślę, że te środki, które łagodzą działanie chemioterapii, całkiem nieźle im się udały. Brawo dla nich. Brawo! Brawo! Brawo! Ale pieprzę wszystkich amerykańskich lekarzy, którzy nie wiedzieli nic o tej metodzie, a karmili nas sadystycznymi opowieściami. Wszystko dobre, co się dobrze kończy. Faktem jest, że czuję się zupełnie normalnie, zupełnie zdrowo. To pewne jak w banku!

Janker Klinik
26 marca 1988 roku

Drodzy przyjaciele!

Nie wiem, jak Wam dziękować za Wasze wspaniałe kartki, listy i telefony... To cudowne, zupełnie jakbym pływała w rozkosznie ciepłym, kojącym oceanie. Każda kartka i każdy telefon wzmaga ciepło i spokój tego oceanu.

W tym cudownym oceanie jest wiele źródeł oparcia. Jednym jest Ken, który jest Doskonałą Osobą Wspierającą – to niełatwe zadanie i często niedoceniane. Robi wszystkie sprawunki, trzyma mnie za rękę, rozmawia ze mną i po prostu jesteśmy w sobie tak zakochani, jak zawsze. Drugim źródłem jest moja rodzina, wspaniała w swej miłości dla mnie. Mama i tato spotkali się z nami w San Francisco, kiedy pobierano mi szpik kostny przed wyjazdem do Niemiec. Moja siostra Kati była tu tylko przez dziesięć dni, ale pomogła nam przy wstępnych przygotowaniach. Rodzice są teraz w Niemczech i planują wycieczkę samochodową, kiedy będę zdrowsza. Moja siostra Tracy i jej mąż Michael spotkają się z nami w Paryżu i wrócą z nami do Bonn na drugą turę terapii. I wspaniała rodzina Kena – Lucy i Ken, którzy tak nam pomagają i tyle okazują miłości. Także wszyscy ludzie ze Społeczności Wspierania Chorych na Raka, przede wszystkim Vicky, która zbierała zewsząd potrzebne informacje. Moi cudowni przyjaciele z Aspen, Boulder i Findhorn, rozrzuceni po całym świecie... Jestem bardzo, bardzo wdzięczna.

Po przyjeździe było trudno. Przeziębiłam się i niestety trwało to trzy tygodnie. Leżałam wtedy w szpitalu, codziennie poddając się naświetlaniom – bałam się zrezygnować z pokoju, który mógłby być zajęty, kiedy by nadszedł czas leczenia. Przyjechała moja siostra i w tym trudnym okresie bardzo nam pomogła. Mam pełne zaufanie do Herr Profesora Doktora Scheefa, człowieka, który prowadzi Janker Klinik. Jest pełen energii, witalności i radości; porównuję go do młodego Świętego Mikołaja (szpakowata broda), z czerwoną torbą pełną antyrakowych prezentów. W przeciwieństwie do większości lekarzy w Stanach, których torba jest o wiele mniejsza za przyczyną FDA,* i którzy czasem sprawiają wrażenie, jak gdyby brak zainteresowania alternatywnymi sposobami leczenia był dla nich dowodem profesjonalizmu. Na przykład podstawowe lekarstwo, które dr Scheef stosuje w moim przypadku: ifosfamid, pochodna cytoxanu lub cyclofosfamidu, jednego z głównych środków chemioterapeutycznych w Stanach. Scheef posłużył się nim jako pierwszy,

* FDA (*Food and Drug Administration*) – organizacja rządowa w USA, decydująca o dopuszczeniu na rynek leków i żywności (przyp. red.).

a było to przed dziesięciu laty. Dopiero w zeszłym roku środek ten zatwierdzono w Stanach – ale tylko jako lek przeciw mięsakom (a jest skuteczny w przypadku wielu rodzajów raka) i w dawkach o wiele mniejszych niż te, które zaleca dr Scheef. A więc w Stanach nie mogłabym być leczona tym lekarstwem.

Wszyscy lekarze, z którymi konsultowałam się w styczniu i lutym, proponowali mi ten sam środek, którego już używałam – adriamycynę. Zgodnie z zaleceniami powinnam go stosować aż do śmierci (mogłyby mnie zabić również skutki uboczne chemioterapii, jak to ostatnio zdarzyło się z moim znajomym). Kuracja trwa przeciętnie czternaście miesięcy, licząc od pierwszej terapii. Kiedy moja siostra spytała mnie, jak przeszłam kurację adriamycyną, i zaczęłam jej wymieniać objawy, zdałam sobie sprawę, że wcale nie brzmi to tak strasznie. Potem przypomniało mi się, co mówiłam Kenowi, kiedy byłam pod wpływem tego środka: wiesz, to wcale nie jest takie okropne – mogę chodzić i robić różne rzeczy, ale to lekarstwo zatruwa moją duszę. Wyobraźcie więc sobie, jak byłam przerażona perspektywą ponownego poddania się chemioterapii i tym, co powiedzieli lekarze o skuteczności leczenia. Kiedy ich przyparłam do muru i zapytałam, ile czasu zyskam dzięki tej terapii, powiedzieli, że jeżeli będę miała tylko częściową reakcję (czego należało się spodziewać, jako że już przechodziłam tę terapię i nie dała ona żadnych rezultatów), mam 25 – 30% szansy na dodatkowe sześć do dwunastu miesięcy. Zaczęłam więc szukać gdzie indziej!

Wiem od dawna (choć niekiedy o tym zapominam!), że przy tego rodzaju komórkach rakowych, jakie mam (najgorszy stopień), i po dwóch nawrotach wkrótce po operacji, ryzyko przerzutów jest bardzo wysokie. Od 19 stycznia, to jest od momentu otrzymania wiadomości o pojawieniu się guzków w mózgu, wiele przeszłam – począwszy od ogromnego gniewu, że przydarzyło mi się coś takiego i że w ogóle przydarza się to ludziom. Mój duch stawał do walki i przez cały czas byłam w niezłym nastroju. Jeszcze lepszy nastrój miałam wtedy, kiedy odkryłam tę klinikę... Najwyraźniej najtrudniejszym okresem był ten, kiedy decydowałam się na wybór terapii.

Oprócz gniewu czułam wielkie przygnębienie, choć byłam zbyt zajęta i zabiegana, by wpadać w depresję. Na początku przez kilka dni byłam potwornie roztrzęsiona, byłam bliska załamania, dużo płakałam, karmiąc się myślami o śmierci... Potem nagle pojawiły się myśli o wszystkich ludziach żyjących na tej planecie, którzy w tej chwili cierpią, o tych, którzy kiedyś cierpieli – i wkrótce poczułam przypływ spokoju. Już nie byłam samotna, już nie byłam wyizolowana; miałam niesamowite poczucie związku ze wszystkimi cierpiącymi, jakbyśmy byli częścią jednej wielkiej rodziny. Myślałam o dzieciach chorych na raka, myślałam o młodych ludziach, którzy giną nagle w wypadkach samochodowych, o chorych psychicznie, o głodujących w Trzecim Świecie, o dzieciach upośledzonych. Myślałam o rodzicach, którzy musieli przeżyć śmierć własnego dziecka, o żołnierzach, którzy zginęli w Wietnamie, gdy mieli połowę tych lat co ja, o ofiarach tortur. Moje serce wyszło im naprzeciw, jakby byli członkami mojej rodziny. Poczułam ulgę na myśl o pierwszej szlachetnej prawdzie, o szlachetnej prawdzie cierpienia. Na tym świecie istnieje cierpienie. Zawsze istniało.

Jestem wdzięczna za treningi buddyjskie, zwłaszcza za *vipassanę* i *tonglen*. Znowu pociąga mnie chrześcijaństwo, muzyka, rytuały i wspaniałe katedry. Wzruszają mnie tak, jak buddyzm wzruszyć nie potrafi. Zupełnie jakby zlewały się w jedno – chrześcijaństwo ze swym naciskiem na boskość, buddyzm ze swą akceptacją tego, co jest, i prostą drogą, która prowadzi do zniesienia cierpienia.

Zaraz po moim przyjeździe przyszła grupa pielęgniarek, nieco nieśmiałych i speszonych, by mnie spytać: „Jaką religię pani wyznaje?". Nie winię ich za to zmieszanie! Na stole w moim pokoju stoi ołtarzyk. Jest tam piękna statuetka uzdrawiającego Buddy i druga statuetka Maryi, którą dostałam od Kena, okrągły kryształ od moich przyjaciół z Sunshine Canyon, statuetka Madonny z Dzieciątkiem od mojej bratowej, od Vicky statuetka świętej Anny, która kiedyś pomogła jej wrócić do zdrowia, rysunek Kwan Yin od Ange, małe *thangka* od Kena, piękna sentencja namalowana przez moją siostrę Tracy, oprawiona w starą ramę, szczypta soli, w której zakonserwowano ciało Trungpy Rinpochego, od jego następcy Regenta (i inne relikwie), portret Kalu Rinpochego, który mnie uczył, portrety Trungpy Rinpochego i Regenta, rysunki przysłane mi przez różnych ludzi, przedstawiające Ramanę Maharishiego, Sai Babę i papieża, stare meksykańskie malowidło na metalu z uzdrawiającą postacią, piękny krzyż od kuzyna i stary modlitewnik od cioci, modlitwa od Eileen Caddy, współzałożycielki

Findhorn, wzruszające podarunki od przyjaciół ze Społeczności Wspierania Chorych na Raka, różaniec przywieziony z Odosobnienia Mądrości z Kalu Rinpochem... nie zdziwiło mnie ich speszenie! Ale czuję, że to jest bardzo słuszne. W głębi duszy zawsze byłam za ekumenizmem, a teraz wyraziłam to w swoim ołtarzyku!

Choć mam filozoficzne problemy zarówno z chrześcijaństwem, jak i z buddyzmem, w takich chwilach problemy te rozwiewają się. Przypomina się ostrzeżenie Buddy w związku z filozofowaniem na temat pytań, na które nie możemy znaleźć odpowiedzi. Więc nie podejmuję żadnego wysiłku, żeby pogodzić obie te sprawy – z pewnością jest to zadanie nie do wykonania! – ale zauważam, że w sytuacji takiej jak moja, filozofia chrześcijańska nie daje odpowiedzi na wiele pytań: dlaczego właśnie mnie się to przydarzyło, dlaczego w ogóle to może się komuś przydarzyć, czy Bóg mnie karze, czy zrobiłam coś złego, co mogę zrobić, żeby to naprawić... To przecież niesprawiedliwe, że małe dzieci chorują na taką straszną chorobę, dlaczego na świecie dzieje się tyle złych rzeczy, dlaczego Bóg pozwala, żeby dobrzy ludzie tak cierpieli? Ale spokój katedr, hymny i prosta radość bożonarodzeniowych kolęd głęboko mnie wzruszają.

Buddyzm natomiast jest źródłem prawdziwego pocieszenia. Zamiast lamentować albo gwałtownie coś naprawiać, dzięki buddyzmowi uczę się akceptować rzeczy takimi, jakie są. Nie prowadzi to jednak do bierności, wyzwolenie się z pragnień i niechęci wymaga wysiłku. Dzięki temu wysiłkowi mniej teraz przywiązuję się do rezultatów, jestem bardziej zaangażowana w badanie tego, co się dzieje, zamiast ustalać cele. Mniejsze jest pragnienie osiągnięć i mniejsze rozczarowanie, kiedy nie udaje mi się czegoś osiągnąć.

Na przykład wciąż mam zaburzenie widzenia – falistość – w lewym oku. Jest to objaw, który doprowadził do wykrycia guza mózgu (w prawej półkuli potylicznej) i guzów płuc. Kiedy skończyłam naświetlania mózgu, miałam nadzieję, że zauważę zmianę, więc za każdym razem, kiedy pojawiała się owa falistość, czułam jakąś reakcję – niechęć, strach, rozczarowanie. I nagle falistość stała się czymś, co jedynie zauważam, badam, czego jestem świadkiem. Pojawia się – i wszystkie reakcje tego świata nie są w stanie zmienić prawdy chwili obecnej. Poziom lęku wyraźnie się obniżył, a kiedy lęk się pojawiał, po prostu obserwowałam go. To niezwykle pomaga również wtedy, gdy obniża się WBC [liczba białych ciałek krwi] albo kiedy podnosi się temperatura. Jest, co jest. Mogę to obserwować, mogę obserwować swoje reakcje, swój strach – i czuję, jak powoli wracam do równowagi.

Wracając do terapii. Leczą mnie dwoma środkami – ifosfamidem i BCNU. Trwa to pięć dni. Ifosfamid podają mi codziennie, a BCNU pierwszego, trzeciego i piątego dnia. Istnieje cała gama środków ochraniających i podtrzymujących, które w dużym stopniu zmniejszają efekty uboczne terapii, zarówno te krótko-, jak i długotrwałe. Jeden z tych środków, mesna, który chroni nerki, biorę cztery razy dziennie. Inny środek, który nazywają antifungalem, zażywam przez cały czas terapii i także po niej; stosuję podwójną dawkę, gdy WBC spada poniżej 1000. Środki przeciwwymiotne działają niezwykle dobrze, bez efektów ubocznych – poza niewielką sennością. W razie potrzeby można zastosować też silniejsze środki przeciwwymiotne. Kiedy sobie przypomnę, co musiałam znosić w czasie leczenia adriamycyną (tylko jeden środek – THC w kapsułce) i jakie okropne były te pierwsze godziny... Tym razem było tak łatwo, że po prostu nie mogłam w to uwierzyć! Kiedy powiedziałam o tym doktorowi Scheefowi, odparł: „Ach, to jest o wiele silniejsze!".

Nie chodzi tylko o to. Tutaj nie mówią o chemioterapii trwającej całe lata. To jest chemioterapia w wysokich dawkach, ale krótkotrwała. Tylko trzy razy w ciągu mniej więcej miesiąca. W przybliżeniu (wszystko oczywiście zależy od wyników badania krwi) wygląda to następująco: pięć dni chemioterapii, potem dziesięć do czternastu dni w szpitalu z powodu spadku liczby białych ciałek krwi (Amerykaninowi, który też się tu leczy, liczba ta spadła do 200). Przez cały ten czas przyjmuje się środki podtrzymujące, mierzy temperaturę i zawsze po jedzeniu trzeba płukać usta obrzydliwym antybiotykiem. Można opuścić szpital, kiedy liczba białych ciałek krwi dochodzi do 1500. Kiedy wzrasta do 1800, można pomiędzy terapiami wyjechać poza miasto. Zazwyczaj jest to dwutygodniowa przerwa, ale jeżeli będzie trwała trzy tygodnie, to nic się nie stanie. Przed następną terapią WBC musi dojść do 2500 – 3000.

Jedyna rzecz, której mi tu brakuje, to cenne informacje, które zazwyczaj uzyskuje się od innych pacjentów. Nie mówię po niemiecku, a poza mną jest tu tylko jeden Amerykanin, Bob Doty. Szybko zaprzyjaźnili się z Kenem. Poddany jest terapii nr 2 (od ośmiu do dziesięciu dni chemioterapii w przypadku stosunkowo rzadkiego mięsaka). Dużo się od niego dowiedziałam. Pielęgniarki kiepsko znają angielski, więc piszę list do przyszłych anglojęzycznych pacjentów o wszystkim, czego można tu oczekiwać i co się może przydać: o jadłospisie, jak przeliczać stopnie Celsjusza na stopnie Fahrenheita (chodzi o temperaturę ciała), kilogramy na funty, jakie są chemiczne i firmowe nazwy lekarstw, których tu używają, oraz ich amerykańskich odpowiedników etc. Najbardziej lubię przebywać z dwojgiem ludzi – z moją mamą i tatą; na szczęście Ken ma o nich takie samo zdanie! Zamierzamy spędzić razem dwa tygodnie przerwy pomiędzy terapiami, jeżdżąc po Szwajcarii, Niemczech i Francji, lądując w końcu w Paryżu, gdzie będziemy przez pięć dni. Mój najmilszy czas spędzony z rodzicami to dwie podróże po Europie, więc naprawdę z niecierpliwością czekam na tę wyprawę. A będzie to coś wyjątkowego, bo to pierwsza podróż Kena po tym kontynencie! Do tej pory widział tylko Bonn i okolice... Nie mogę się doczekać, kiedy pokażę mu Paryż! To straszny mieszczuch, ja natomiast cieszę się widokami: wzgórzami, wąskimi dolinkami i wysokimi górami, jeziorami, polami, małymi wioskami, rzekami, zmieniającą się roślinnością – w ziemi, w krajobrazie jest coś takiego, co sprawia mi ogromną rozkosz. W niedzielę przed rozpoczęciem terapii Kati, Ken i ja wybraliśmy się na przejażdżkę. Przypomniała mi ona o tym, co koi moją duszę, i że moje duchowe korzenie leżą w głębokiej miłości do ziemi.

Mam nadzieję, że nie przywiążę się zbytnio do ubocznych korzyści, jakie wynikają z choroby! Było to niezłe doświadczenie dla takiej zrób-to-sam osoby jak ja – wszyscy wszystko za mnie robili. Prawdziwe odpuszczenie sobie... przyzwolenie na to, bym czuła się warta tej pomocy, bez czepiania się wewnętrznej podpórki w rodzaju „odwdzięczę się wam"; uczę się przyjmować komplementy. Siedzę na szpitalnym łóżku, a Ken lub ktoś inny kupuje mi jedzenie i załatwia sprawunki, przynosi gazety i czasami coś dla mnie gotuje.

Pogoda ustaliła się i jest kiepska: mokro, pochmurno, smętnie. Deszcz ze śniegiem, który nas tu przywitał, zmienił się w deszcz. Słońce czasem wychodzi zza chmur, ale tylko na dziesięć minut. Prawie cały czas pada deszcz. Z tego powodu Ren ma najwyższy od ośmiu lat poziom wody. Nie bardzo mnie to martwi, mnie – królową pokoju 228. Nie wychodzę ze szpitala od rozpoczęcia kuracji, to znaczy od trzynastu dni. Taka pogoda jest dobra na drzemkę!

Jest tu taka miła młoda dziewczyna, która dwa razy w tygodniu prowadzi zajęcia plastyczne. Sprawiła, że przestawiłam się na farby akrylowe, co oznacza zmianę po moich rysunkach kredkami i malowaniu na szkle. Na razie tylko się tym bawię, uczę się łączyć kolory, uczę się budować obraz od tła do pierwszego planu (rysując ołówkiem, pracowałam odwrotnie, zaczynając od pierwszego planu). Trudno w to uwierzyć, że naprawdę podoba mi się długie siedzenie w moim pokoju, ale to prawda.

Jeżeli chodzi o doktora Scheefa, to obawiam się, że wstąpiłam w szeregi tych, którzy uważają, że potrafi on chodzić po wodzie. Ken mówi, że Scheef to jeden z „najwybitniejszych, najtęższych" umysłów, jakie spotkał. Jego wtorkowe obchody są jak letnia burza, zbyt krótkie, więc zaczęłam się z nim raz na jakiś czas umawiać osobno. Za każdym razem musimy strasznie długo czekać, od dwóch do czterech godzin, zanim nas wpuszczą do jego gabinetu.

Kiedy jednak jesteśmy już w środku, doktor Scheef jest tylko nasz. Zaczęłam nagrywać te spotkania, gdyż moje pióro nie może nadążyć za jego opowieściami, opiniami i dowcipami! Okazuje się, że czytał dwie książki Kena, i powiedział, że jest zachwycony, iż „leczy tak słynnych ludzi". Na jego półkach widzieliśmy książki o terapii Isselsa, Burzynskiego, Gersona i Kelleya; czy znalazłabym je w gabinecie amerykańskiego lekarza? To utwierdza mnie w przekonaniu, że doktor Scheef zadał sobie trud zaznajomienia się z najszerszym wyborem terapii i że większość wypróbował. Ma niesamowitą energię i witalność i budzi we mnie ogromne zaufanie. Jest na bieżąco, ma dostęp do najnowszych osiągnięć – od interferonu* do enzymów. Nie tylko ufam jego leczeniu, jestem również pewna, że jeżeli on uzna, iż coś będzie dla mnie dobre, to z pewnością mi to poleci. To zdumiewające, że w ten sposób mówię o lekarzu; czuję ogromną ulgę, że aż tak mogę zawierzyć człowiekowi, który mnie leczy.

---

* Interferon – białko wydzielane przez limfocyty – rodzaj krwinek białych. Działa pobudzająco na układ odpornościowy, a także przeciwnowotworowo (przyp. red.).

Skończę ten list po naszej poniedziałkowej konferencji z doktorem Scheefem, kiedy będą już wyniki badania mózgu i dowiemy się, jak się miewa mój guz. Mam cały tydzień na przygotowanie się na spokojne przyjęcie poniedziałkowych wyników...

– Czy lubi pan lukrecję? – były to jego pierwsze słowa do mnie.

– Lukrecję? Uwielbiam. – Odtąd nasze spotkania z Scheefem zawsze zaczynały się od garści najlepszej lukrecji, jaką jadłem.

Było też piwo. Scheef zainstalował w klinice automat – dwa piwa kölsch za 5 marek. W dniu, kiedy wyjechaliśmy z Tahoe, przestałem pić wódkę, ale pozwalałem sobie od czasu do czasu na butelkę piwa. Scheef pił kiedyś od dziesięciu do piętnastu piw dziennie – Niemcy mają największe spożycie piwa na głowę – ale teraz miał cukrzycę. Zaprzyjaźniłem się ze szpitalnym automatem. „Piwo – zachęcał mnie Scheef – to jedyny alkohol, który daje ciału więcej, niż z niego zabiera". Pacjenci doktora zawsze mogli napić się piwa. Kiedyś spytałem go, a często pytałem o to lekarzy, czy terapię, jaką zastosował wobec Trei, zaleciłby swojej żonie. „Niech pan nigdy nie pyta lekarza, czy zaleciłby coś swojej żonie – powiedział. – Nigdy nie wiadomo, w jakich są układach. Niech pan pyta, czy zaleciłby ją swojej córce!".

– W takim razie – czy zaleciłby ją pan swojej córce? – spytała Treya. Miała na myśli hormonalne powstrzymywanie wzrostu raka piersi.

– Nie stosujemy tego rodzaju terapii, ponieważ wpływają na znaczne pogorszenie jakości życia. Nie należy zapominać – powiedział – że wokół raka jest istota ludzka.

Wtedy właśnie zakochałem się w Scheefie.

Spytaliśmy go o inną terapię, popularną w Stanach.

– Nie, nie robimy tego.

– Dlaczego?

– Cóż, to niszczy duszę – powiedział wprost. Oto człowiek znany z najbardziej intensywnej chemioterapii na świecie, który po prostu nie zrobi pewnych rzeczy, gdyż zniszczyłyby one duszę.

Co zatem sądzi o szeroko rozpowszechnionej wierze w to, że wyłącznie czynniki psychologiczne powodują raka, że rak jest psychogenny?

– Niektórzy mówią, że rak piersi to problem psychologiczny: problem z mężem, problem z dziećmi, problem z psem. Ale podczas drugiej wojny w obozach koncentracyjnych, w tragicznych okolicznościach i w warunkach niewyobrażalnego stresu, statystyki zachorowań na raka piersi były bardzo niskie.* To dlatego, że dieta nie zawierała tłuszczu. W latach 1940–1951 w Niemczech, kiedy ludzie żyli w skrajnie trudnych warunkach, odnotowano najmniej przypadków raka. Czy więc można przypuszczać, że rak powodowany jest przez problemy psychologiczne?

– A co pan sądzi o witaminach? – spytałem. – Z wykształcenia jestem biochemikiem i wiem, że witaminy nie tylko pomagają w walce z rakiem, ale niektóre działają tak silnie, że dezaktywują środki chemioterapeutyczne. Nasi amerykańscy lekarze nie zgadzają się z obu tymi poglądami.

– Ma pan rację. Zwłaszcza witamina C ma właściwości antyrakowe, ale jeżeli stosuje się ją razem z chemioterapią, osłabia działanie ifosfamidu i większości innych środków chemioterapeutycznych. Tutaj, w Niemczech, był lekarz, który twierdził, iż potrafi tak pokierować chemioterapią, że pacjentom nie wypadają włosy. Podawał im duże dawki witaminy C i oczywiście włosy nie wypadały, ale nie ustępował również rak. Aby udowodnić, że witamina C osłabia działanie chemioterapii – to obrazuje europejską tradycję Herr Profesora: wypróbuj najpierw na sobie – wstrzyknąłem sobie śmiertelną dawkę ifosfamidu, oczywiście w obecności lekarzy, i dwadzieścia gramów witaminy C. Jak widać, wciąż żyję. Tak więc lekarz ten nie stosował kuracji ifosfamidem, lecz terapię WGZO – wyrzuć go za okno.

Treya rozmawiała z Niemką, której syn mieszkał w Los Angeles. Dopiero co wykryto u niej groźny nowotwór jajnika. Bojąc się, że wkrótce może umrzeć, chciała odwiedzić syna. Nie miała jednak pieniędzy i nie mogła uzyskać wizy. Scheef załatwił jej bilet na samolot oraz wizę i powiedział po prostu:

– Najpierw zajmiemy się rakiem, a potem odwiedzi pani syna.

---

* Nie ujmując nic doktorowi Scheefowi, należy jednak wątpić, czy akurat w obozach koncentracyjnych badania medyczne były tak starannie prowadzone, iżby można było wyciągać na ich podstawie daleko idące wnioski (przyp. red.).

Absolwenci amerykańskich uczelni medycznych umieją tylko wywieszać na swojej tablicy ogłoszeń napis: „Śmierć nie zwalnia od opłaty za leczenie".

Któregoś dnia spotkałem Scheefa na ulicy.

– Gdzie, u licha, jest tu jakaś dobra restauracja?

Roześmiał się.

– Dwieście mil na zachód, zaraz za francuską granicą.

1 kwietnia

We wtorek, po poniedziałkowym badaniu mózgu, spotkaliśmy się z doktorem Scheefem. Powiedział, że wyniki są „zdumiewające, wspaniałe"... Ogromny guz mózgu niemal całkowicie zniknął, został tylko kawałeczek w kształcie półksiężyca. Najwidoczniej naświetlania podziałały. Zostały jeszcze dwie chemioterapie, jest więc szansa całkowitej remisji. Hurra! (Płuca zbadają dopiero przed następną terapią). To niezwykle dodaje odwagi; mama i tato, którzy byli z nami, czuli się bardzo podniesieni na duchu.

Jedynym rozczarowaniem jest to, że jeszcze nie poprawiły się wyniki badania krwi, choć może to być tymczasowe. Liczba białych krwinek musi dojść do 1500 i dopiero wtedy będę mogła udać się w podróż z mamą, tatą i Kenem. Od siedmiu dni wskaźnik waha się pomiędzy 400 a 600, a poziom hemoglobiny wciąż jest niski. Jednakże nie jest to dla mnie niespodzianką, gdyż zanim tu przyjechałam, usunięto mi połowę szpiku kostnego. Doktor Scheef mówi, iż oznacza to, że mam mniej „komórek macierzystych",* a ponadto młodą populację komórek w szpiku. Gdy te już dojrzeją, moje wyniki o całe niebo się poprawią. Wyniki Boba Doty najpierw obniżyły się do 200, potem podniosły do 400, znowu spadły do 200, ale gdy już wzrosły do 800, następnego dnia podskoczyły do 1300, a dzień później do 2000.

Takiego właśnie postępu oczekuję... Coraz bardziej zbliża się termin naszego wyjazdu do Paryża, a jestem uwięziona w szpitalu. Moja siostra z mężem będą tam na nas czekać, więc wrócimy razem z nimi, co może być bardzo miłe.

---

* Są to komórki, z których powstają wszystkie inne rodzaje komórek krwi (przyp. red.).

Dziś nie będę miała badania WBC, bo jest święto (Wielki Piątek). Jeżeli mnie nie zbadają, nie będę mogła wyjść. Ken narobił trochę szumu, teraz wszyscy są na niego źli, ale zrobią mi to badanie. Jest taki pogląd, że trudni, tzn. wymagający chorzy na raka, szybciej wracają do zdrowia. Moi rodzice powiedzieli, że lekarze, z którymi rozmawiali w szpitalu Andersona, zgadzają się z tym; nie chcą biernych pacjentów, gdyż aktywni radzą sobie lepiej. Mam nadzieję, że tutejsze pielęgniarki wiedzą o tym! Jeżeli krępuję się o coś poprosić albo nie chcę drażnić innych swoimi wymaganiami, przypomina mi się to i od razu czuję ulgę. Zabawne – w tym przypadku przyzwalam sobie nie na to, by być „dobrą" albo „miłą", lecz na to, by się czegoś domagać. Kiedy na przykład wróciłam do treningu buddyjskiego i zastanawiałam się nad akceptacją – „być z tym, co jest", czułam, jak zanika we mnie chęć walki, złość i podejście „zwalczę tego raka". To jest dla mnie dobre, ale z drugiej strony wiem, że rozzłoszczeni, walczący pacjenci lepiej sobie radzą z chorobą. Czy zatem dobrze to, czy źle, że „tracę ducha walki"? Stary paradoks: bycie i działanie.

Zeszłego wieczoru czytałam artykuł Daniela Golemana w „New York Timesie" (17 września 1987). Doktor Sandra Levy badała w grupie trzydziestu sześciu kobiet z zaawansowanym rakiem piersi różnice między pacjentkami walczącymi i tymi, które były pasywne i „dobre". Oto wyniki:

> Po siedmiu latach 24 z 36 kobiet zmarły. Ku swemu zdziwieniu doktor Levy odkryła, że w pierwszym roku badania gniew i złość nie wpłynęły na przeżycie. Jedynym czynnikiem psychologicznym, który zdawał się mieć znaczny wpływ na przebieg choroby w ciągu siedmiu lat, była radość życia.
>
> Podstawowy czynnik, który zapowiada przeżycie, jest dobrze znany onkologii: to długość okresu bez choroby po pierwszym leczeniu. (...) Drugim w kolejności czynnikiem okazał się wysoki poziom „radości" w standardowym teście oceniającym nastrój. Radość jako wskaźnik przeżycia miała wyższą istotność statystyczną niż liczba przerzutów po rozwinięciu się raka. Nie spodziewano się, że radosny nastrój może być tak ważny.

Miło to było słyszeć, zwłaszcza że ostatnio czułam się taka szczęśliwa pomimo uwięzienia w szpitalu. Z przyjemnością zmienię swój gniew w radość, o tak! Ale zastanawiam się, jak by to na mnie podziałało, gdybym była przygnębiona i nieszczęśliwa... Perspektywa takiej niekończącej się huśtawki nastrojów pod wpływem kolejnych artykułów, kolejnych wyników badań i testów, nowych prognoz, i tak dalej, i tak dalej – oto dlaczego tak mi pomaga kultywowanie obojętności, bycie z tym, co jest, obserwowanie bez prób zmieniania i „ulepszania".

Dzisiaj jest Wielki Piątek. W szpitalu cicho i spokojnie. Za oknem śpiewają ptaki. Jeden śpiewa jakąś przejmującą melodię, tworzącą tło dla innej, wygrywanej jakby na jednej nucie – powtarzające się raz-dwa-trzy-cztery, przerwa, raz-dwa-trzy-cztery, przerwa. Nektar bogów.

Budzę się ze śpiewem ptaków wplatającym się w dźwięk dzwonów katedry. Biją z przerwami przez cały dzień, akompaniując pięknie ptakom. Ken chodzi do katedry co rano, żeby zapalić świeczkę, i czasami, jak sam mówi, żeby „trochę popłakać". Zabrał tam kiedyś mamę i tatę i oni też zapalili dla mnie świeczkę.

Moje okno wychodzi na przepiękną, otwartą przestrzeń otoczoną domami. Drzewa jeszcze są nagie, ale jestem pewna, że będę tu, kiedy okryją się liśćmi. Cieszę się na ten widok.

Jest już jutro – Niedziela Wielkanocna. Tego ranka obudziło mnie słońce. Najbardziej słoneczny dzień, odkąd przyjechaliśmy. Później, kiedy jadłam śniadanie i myślałam o tym, jak bardzo lubię śpiew ptaków, nagle jakiś ptaszek o czerwonej główce usiadł na parapecie. Od kiedy jestem w tym pokoju, żaden ptak nie przyleciał tak blisko. I nagle dzisiaj pojawia się czerwony ptaszek i zerka na mnie oczkiem. Staram się siedzieć nieruchomo, żeby go nie spłoszyć. Potem przylatuje drugi, z nakrapianą główką, siada na parapecie, dziobie ryżowy sucharek, który kiedyś tam położyłam, i po paru minutach oba odlatują. Jakby to była komunia. Przyjęły mój dar!

Ściskam was bardzo, bardzo mocno. Czuję waszą miłość i wsparcie, a to się szalenie liczy. Jest jak woda, którą podlewam kwiaty na parapecie okna. Wasza miłość jest jak balsam dla mego ducha: umacnia moją radość. Jestem niezmiernie szczęśliwa, że mam taką rodzinę, męża, przyjaciół. To jest niezwykle silny Krąg Miłości!

Całuję, Treya

PS Liczba białych ciałek krwi doszła do 1000, więc wygląda na to, że jednak będę mogła pojechać do Paryża!

17

„Wiosna jest teraz moją ulubioną porą roku"

– Niech cię nie zraża ten incydent, Ken. Paryż to cudowne miasto.

W małej wiosce pod Paryżem, po raz pierwszy w swoim siedemdziesięciosiedmioletnim życiu Radcliffe spowodował wypadek. On prowadził, ja bawiłem się w pilota, szamocząc się z niezliczonymi mapami, a Treya i Sue siedziały z tyłu. Była to wspaniała podróż – najpierw Niemcy i Szwajcaria, a teraz Francja. Po miesiącu uwięzienia w maleńkim pokoiku Treya chłonęła krajobrazy jak gąbka.

W tym momencie jechaliśmy całkiem wolno, dołączając do kolumny samochodów zmierzających do Paryża. Rad na chwilę spojrzał do tyłu i uderzył w samochód przed sobą, który z kolei uderzył w samochód przed sobą... Nikomu nic się nie stało, choć było to dosyć widowiskowe. Miejscowi, z których nikt nie mówił ani słowa po angielsku, zbiegli się jak na przedstawienie, z podnieceniem gestykulując i trajkocząc. Na szczęście Treya płynnie mówiła po francusku i przez następne trzy godziny cierpliwie i spokojnie negocjowała z zainteresowanymi stronami, stojąc w swojej Mütze, okrywającej jej teraz doskonale łysą głowę, i wreszcie uwolniła nas.

Ten dzień, kiedy wyjechaliśmy z Bonn, Niedziela Wielkanocna, był rozsłoneczniony i rześki – pierwszy taki dzień od naszego przyjazdu pod koniec lutego. Jechaliśmy i jechaliśmy, tata prowadził, a Ken wiódł nas najmniejszymi, najbardziej urokliwymi drogami. Gdy przejeżdżaliśmy przez różne miasta, patrzyliśmy, jak z kościołów wychodzą odświętnie ubrani ludzie, ojcowie prowadzą swe córki za rękę, dziadkowie idą z tyłu, wszyscy tacy schludni i wyraźni w jaskrawym świetle słońca, na tle zieleni. Jedno miasto przypominało nadmorski kurort – pełne świętujących ludzi cieszących się słońcem i wiosennymi kwiatami. Było tam chyba ze trzydzieści restauracji ze stolikami wystawionymi na zewnątrz i zwróconymi w kierunku rzeki. Wszystkie były zajęte. Szeroka, zatłoczona promenada, park nad rzeką ze spacerowiczami w różnym wieku. Wyglądało tak, jakby każdy chciał znaleźć się w tym właśnie mieście: gdy stamtąd wyjeżdżaliśmy, drogi do miasteczka zapchane były samochodami.

Gdy tak jechaliśmy i jechaliśmy, moje oczy chciwie chłonęły widoki: żółtozielone łąki, drzewa nad jeziorami i wzdłuż pól świeżo obsypane liśćmi, żółta forsycja stercząca jak wykrzyknik, kwitnące wiśnie, plamy winnic porastających strome wzgórza i brzegi rzek, krajobraz zmieniający się, gdy z jednej doliny wjeżdżaliśmy w drugą, gdy wyjeżdżaliśmy z Niemiec i zbliżaliśmy się do Paryża. Moje zmęczone szpitalem oczy i dusza piły to wszystko łapczywie, haustami. Nigdy nie nudzą mnie widoki, zwłaszcza wiosną. Czy to coś znaczy, że jesień, niegdyś moją ulubioną porę roku, teraz zastąpiła wiosna, delikatna, jasna wiosna?

Paryż naprawdę był piękny. Pozwoliliśmy sobie na jednorazową ekstrawagancję: Rad i Sue zakwaterowali nas w hotelu „Ritz", gdzie skromne śniadanie, składające się z rogalika i kawy, kosztuje marne 40 dolarów od osoby. Ale to nieważne. Zaraz za rogiem był „Harry's New York Bar", ulubione miejsce Hemingwaya, Fitzgeralda i w ogóle „straconej generacji", jedno z niewielu miejsc w Paryżu, gdzie ludzie mówią po angielsku. Wciąż jest tam pianino, przy którym Gershwin komponował *Amerykanina w Paryżu.* To właśnie tam podobno wynaleziono Krwawą Mary i Sidecar; prawda to czy nie, wszyscy zgodziliśmy się, że Krwawa Mary była niezrównana.

Notre Dame wzruszyła nas z Treyą do łez. Jeden krok – i wiesz, że jesteś w miejscu świętym. Pogański świat raka, chorób, nędzy, głodu i nieszczęścia pozostał za tymi wspaniałymi drzwiami. Wszędzie obecna zapomniana, święta sztuka geometrii, przypominająca świadomości o doskonałych, boskich kształtach. Któregoś dnia poszliśmy tam z Treyą na mszę, jakby w nadziei, że Bóg Wszechmogący zstąpi na Ziemię i cudownym sposobem usunie raka z jej ciała, tak po prostu, jakbyśmy wierzyli, że nawet Jego zniewala do działania atmosfera świętego miejsca, tak odległego od tego wszystkiego, co Jego dzieci uczyniły z Jego Dziełem. Słońce, które przeświecało przez witraże, zdawało się mieć uzdrawiające właściwości; siedzieliśmy tam parę godzin w zachwycie.

Przyjechali Tracy i Michael, więc pożegnaliśmy się z Radem i Sue i przenieśliśmy na lewy brzeg Sekwany. Tracy to utalentowana artystka, Treya również jest artystką. Michael i ja doceniamy sztukę, więc ustawiliśmy się w kolejce do Musée d'Orsay, żeby obejrzeć wystawę van Gogha. Schopenhauer w swej teorii sztuki twierdził, że zła sztuka kopiuje, dobra tworzy, a wybitna przekracza wszystko. Mówiąc o przekraczaniu, miał na myśli „przekraczanie dwoistości podmiot–przedmiot". Wielkie dzieła sztuki mają coś wspólnego: wydobywają wrażliwego widza z niego samego i przenoszą w sztukę tak całkowicie, że zupełnie znika jego poczucie odrębnego ja, a przynajmniej na krótką chwilę jest on wchłonięty przez nieduałistyczną i wieczną świadomość. Innymi słowy, wielka sztuka jest mistyczna, niezależnie od jej wymowy. Nigdy nie wierzyłem, że sztuka ma taką moc, dopóki nie zobaczyłem van Gogha. Było to czyste oszołomienie. Zaparło mi dech w piersiach, straciłem poczucie ja.

W drodze powrotnej do Niemiec Michael prowadził, Tracy pilotowała, a my rozparliśmy się na siedzeniach z tyłu. Z powrotem na wieś, która zawsze była moim ulubionym miejscem. Jedna noc w Vittel, skąd pochodzi słynna woda mineralna. Trudno powiedzieć, czy to miasto, którego czasy świetności minęły, czy kurort, który jeszcze nie obudził się z zimowego snu. Ale to nieważne, bo nasz pokój wychodził na zalany słońcem, cudownie zielony park. Wystawiłam krzesło na malutki balkonik i byłam bardzo zadowolona.

Z powrotem w drogę na wiejskie trasy; uroczy piknik nad strumieniem, a potem, gdy wjechaliśmy wyżej – niespodzianka... trasy zjazdów narciarskich, wyciągi narciarskie i ludzie na nartach! Była już czwarta po południu – gdyby nie to, mogłabym namówić moją załogę na parę zjazdów – aż mi serce rosło na myśl o tym. Okropnie chciałabym tam być, na słońcu, na śniegu. Przypomniał mi się chłopiec, o którym mówił doktor Scheef. Pojechał na narty, mimo że miał zaledwie 400 WBC; umarł na zapalenie płuc. Odczuwałam to samo pragnienie, które doprowadziło go do tego ryzykownego kroku.

Najbardziej podobał nam się Colmar. Zwariowane, małe domki, ciasno stłoczone, bratersko opierające się o siebie, jak gdyby podtrzymujące się wzajemnie pod naporem stuleci. Pochyłe, zwichrowane, chwiejące się, wystające – każdy miał inną osobowość. Jeden pomalowany na piękny łososiowy kolor, inny kremowy, następny niebieski, a obok szary. Ulice w starej części miasta wybrukowane kocimi łbami, wąskie i przeznaczone tylko dla pieszych. Domki pochylają się ku sobie nad wąskimi uliczkami, jak przygięte ku ziemi kumoszki, latami plotkujące przez płot. Oglądaliśmy wystawy sklepowe, zapalaliśmy świeczki w kościołach i chodziliśmy, chodziliśmy, chodziliśmy.

W Colmar jest słynny ołtarz, Retable d'Issenheim (1515). Nieco ponury – pewnie i życie było ponure w tamtych czasach – i przedstawia Jezusa Ukrzyżowanego nie tylko w cierniowej koronie i z gwoździami, spod których wycieka krew, lecz także z małymi, czerwonymi, krwawiącymi ranami pokrywającymi całe jego ciało. Tracy zauważyła, że w Europie wówczas szalał syfilis i artysta przedstawił Jezusa z tymi szczególnymi śladami cierpienia. Poruszona tą chrześcijańską wizją przypominam sobie, że buddyjscy mnisi tradycyjnie medytują w grobach, w których leżą zmarli w różnych stadiach rozkładu. Cierpienie i ból istnieją – jak by to było żyć w XVI wieku? – i ołtarz jedynie o tym przypomina. Biorę oddech i obserwuję swoją reakcję na to szczególne przedstawienie, obserwuję tę część siebie, która nie chce wiedzieć, że takie rzeczy zdarzały się i wciąż zdarzają; tę część siebie, która wzdraga się na myśl o nieszczęściu i cierpieniu własnym i innych ludzi. Obserwuję swoją niechęć. Biorę głęboki oddech i szukam w sobie miłosierdzia, uczucia przyjaźni, współczucia, które również we mnie są.

W Salzburgu pijemy wino alzackie, jemy żabie udka, kupujemy drukowane wiejskie obrusy i zwiedzamy katedrę. Nasza wesoła kelnerka – zjedliśmy wtedy jeden z najsmaczniejszych posiłków – powiedziała, że następnym razem pojedzie z nami do Paryża i że w Paryżu jedzenie zbyt często jest *très cher et pas bonne* – bardzo drogie i niedobre.

Z powrotem w Niemczech, po drodze do Bonn zatrzymaliśmy się w Baden-Baden, jednej z najsłynniejszych miejscowości uzdrowiskowych. Tam Treya miała przygnębiające przeżycie, które zwróciło nas wszystkich w stronę myślenia magicznego, by w ten sposób wytłumaczyć to, co się stało.

Drugiego dnia pobytu poszliśmy do rzymsko-irlandzkiej łaźni. Był to bardzo odprężający zabieg. Przechodzi się przez dziesięć różnych pomieszczeń, w każdym jest nieco inna temperatura. Ma to powodować maksymalne rozluźnienie. Ale tego wieczora nagle odkryłam, że zginął mój złoty naszyjnik z gwiazdką. Zniknął! Nie mogłam w to uwierzyć! Wszystko przeszukaliśmy i wszystkich pytaliśmy. Mój amulet! Gwiazdkę dostałam od rodziców w San Francisco na dzień przed wyjazdem do Niemiec. Gwiazdka została zrobiona na podstawie mojego rysunku przez Russella, starego i oddanego przyjaciela rodziny. Wiele dla mnie znaczyła. Kilka razy podczas tego mrocznego miesiąca w Niemczech budziłam się, ściskając w ręku gwiazdkę i czułam się mniej samotna. To było straszne. Jak mogłam ją zgubić? Moja przesądna natura, która oczywiście bierze górę w okresach załamania, natychmiast zareagowała myślami w rodzaju: Czy moje szczęście odeszło? Czy to znaczy, że teraz będzie gorzej? Czy utraciłam również swoją „gwiazdkę"?

Po przepłakanym wieczorze, podczas którego Tracy, Michael i Ken robili, co mogli, żeby mnie pocieszyć, nagle coś mi przyszło do głowy. Przyszedł mi do głowy ustęp z medytacji *chenrezi,* której uczył mnie Kalu Rinpoche. Wizualizuje się wszystkich bogów i boginie, buddów i bodhisattwów, i ofiarowuje im wszystko, co piękne na tym świecie. Oni są zadowoleni i na cały wszechświat spuszczają deszcz błogosławieństw. Przypomniała mi się również wizualizacja brania i wysyłania [*tonglen*], w której bierze się na siebie cierpienie i ból innych w postaci czarnej smoły (sadzy) i wysyła własne dobro i dobrą *karmę* w postaci białego światła.

Oto była moja droga, sposób na przepracowanie bólu wynikającego z przywiązania, sposób na przemianę utraty w dobroczynne doświadczenie. Medytowałam nad odpuszczeniem sobie posiadania tej gwiazdki, jej fizycznego istnienia i jej mocy przynoszenia mi szczęścia; w zamian chciałam jej właściwości przesłać innym. Gdy usiłowałam to zrobić, poczułam siłę swego przywiązania – do rodziców, do przyjaciela, który wykonał tę gwiazdkę, do pojęcia szczęścia, do okoliczności, w których dostałam gwiazdkę, do oryginalnego znaczenia estrelli (po hiszpańsku oznacza to gwiazdę) w moich snach sprzed lat, które doprowadziły do zmiany imienia. Głębokie pędy przywiązania, trzymania się, ujawniły się właśnie przez szok spowodowany utratą fizycznego symbolu, wzmocniony przez fakt, że była to dosyć droga biżuteria.

A więc pracowałam, pracowałam, by móc ją oddać. Po prostu oddać. Wizualizowałam gwiazdkę, mnożyłam w swoim umyśle, a potem rozsypywałam błyszczące, złote gwiazdki tak, by inni mogli cieszyć się ich pięknem, ich uzdrawiającymi właściwościami. Za każdym razem, kiedy czułam ból utraty, co zdarzało się często, gdy nieświadomie sięgałam po gwiazdkę do szyi, robiłam wizualizację. Nie było to proste, ale jedyne, co pomagało. Czasami w myślach dawałam gwiazdkę jakiejś określonej osobie. Czasami darowywałam ją komuś w restauracji, w której akurat byliśmy. Niekiedy wizualizowałam ją na szyjach przechodniów na ulicy lub w postaci milionów gwiazd rozrzuconych po całej kuli ziemskiej, połyskujących w blasku słońca, niosących światło innym ludziom.

To ćwiczenie sprawiło, że stałam się wyraźniej świadoma innych form kurczowego trzymania się albo egoizmu – na przykład gdy miałam ochotę na ostatni kawałek sera na pikniku, ostatni łyk wina albo pokój z najlepszym widokiem. Utrata gwiazdki uwydatniła te drobne, chwilowe formy przywiązania, pragnienia, zachłanności i wówczas, podobnie jak to robiłam ze swoją gwiazdką, ćwiczyłam odpuszczanie, robiąc komuś innemu podarunek z tego, czego pragnęłam. Niezwykle interesujące doświadczenie.

W czasie wizualizacji nie zawsze podoba mi się to, co w sobie odnajduję, nie zawsze też wystarczająco szybko odnajduję zachłanność i z pewnością nie jestem mistrzem w odpuszczaniu sobie, ale też nie zamierzam nim być. Kiedy sięgam po najlepszy kąsek albo staję się świadoma myśli kotłujących się w mojej głowie lub słyszę niemiłe słowa wychodzące z moich ust wbrew najlepszym intencjom, czuję, że na mojej twarzy pojawia się coś w rodzaju uśmiechu pełnego zrozumienia. Mam nadzieję, że uczę się być świadoma tych chwil. Przychodzi mi na myśl to, co powiedział święty Paweł: „Nie czynię bowiem dobra, którego chcę, ale czynię to zło, którego nie chcę".* Przypomina mi

* List do Rzymian, 7,19. *Biblia Tysiąclecia,* Pallotinum 1980 (przyp. red.).

to, że nie jestem samotna w swojej walce, i wzmacnia moje współczucie dla trudu człowieczeństwa.

Zdaję sobie sprawę, że w tym momencie mówię trochę tak jak Polyanna, ale to dla mnie ogromne wyzwanie, i to wyzwanie bardzo, bardzo potrzebne. Dzięki wizualizacji gwiazdka nadal istniała – w moim umyśle były miriady gwiazd, których nie mogłam utracić. Myśli o jej fizycznej obecności czy nieobecności gdzieś zniknęły. Pędy przywiązania słabły. Nawet podobały mi się te wizualizacje – jaka to przyjemność robić komuś prezenty! Co jakiś czas czułam ból na myśl o tym, że zgubiłam coś, co mi dali rodzice i co zrobił własnymi rękoma Russell. Ale pamiętam, jak mówiłam do Kena: „Wiesz, minęły dopiero trzy dni, ale myślę, że naprawdę już się pogodziłam z utratą mojej gwiazdki!".

Wracaliśmy do Bonn. W ostatnim motelu, w którym się zatrzymaliśmy, Michael powiedział: „Te materace są tak bryłowate jak ziemia na polach pod Verdun". Tracy szukała jakiegoś mleczka do twarzy, ale wszystkie sklepy były zamknięte. Michael wetknął głowę do naszego pokoju.

– Słuchajcie, nie macie trochę mleczka do twarzy?

– Zrób tylko jeden krok. Potem wszystko pójdzie samo.

– Ależ to pusta przestrzeń – narzekam. Czarna, niekończąca się, pusta przestrzeń.

– Musisz to zrobić.

– Co tam, przecież to tylko sen. – Robię krok do przodu i spadam w pustkę, by po chwili znaleźć się na szczycie góry lub wzgórza. Obok mnie stoi Postać. Gdy spoglądam w górę, widzę nad sobą miliony gwiazd rozświetlających wszechświat.

– A więc gwiazdy to Treya? Estrella? To całkiem jasne.

– Gwiazdy to nie Estrella.

– Nie? OK, jakoś to przełknę. A więc?

– To nie gwiazdy.

– OK, co to jest?

– Nie wiesz?

– *Nie. Nie wiem.*

– *Dobrze. To bardzo dobrze.*

Z powrotem w Bonn. Pożegnaliśmy się z Michaelem i Tracy. Bardzo mi było przykro, że już odjeżdżają. Czułem, że przed nami trudny czas i będzie nam brakowało ich towarzystwa. Scheef oglądał ostatnie wyniki badań Trei i robił przy tym jakieś dziwne miny, których znaczenia jeszcze nie znaliśmy. Z powodu komplikacji związanych z różnymi chorobami – infekcją płuc, cukrzycą, spuchniętymi nogami, zmniejszoną ilością szpiku kostnego, nie wspominając już o raku – cała procedura, która powinna trwać dwa miesiące, zajęła cztery. Dni ciągnęły się powoli. Strach przeplatał się z nudą – dziwne połączenie.

– Norbert, jesteś tu?

– Tak, Ken, czym mogę służyć?

Norbert i jego żona Ute prowadzili hotel „Kurfürstenhof". W czasie miesięcy, kiedy tam mieszkałem, Norbert okazał się zupełnie nieoceniony. Był błyskotliwy i inteligentny, miał nieco swoiste poczucie humoru, zupełnie różne od mojego (o lekarzu, którego uważał za zupełnie niekompetentnego, powiedział, że „potrafi przepowiedzieć przeszłość na 90%"); pasował do wizerunku prawnika, a może lekarza, ale zdaje się, że on lubił prowadzić hotel. Pierwszego dnia, kiedy przyjechałem do hotelu, poprosiłem Norberta, by zrobił dla mnie parę tabliczek z napisem „Doktor Scheef dał mi specjalne pozwolenie", którymi potem posługiwałem się w klinice (pozwoliły mi one na przykład wpadać jak burza do kawiarni, kiedy Treya miała reakcję insulinową, i łapać po drodze wszystko, co wyglądało na cukier).

Norbert przede wszystkim był dobrym przyjacielem, z którym razem przeszedłem ciężkie chwile.

– Norbert, jaka dziś będzie pogoda?

– Spytaj mnie wieczorem.

– Dobrze. Powiem ci, dlaczego pytam. Treya miała właśnie badanie krwi i okazało się, że ma za mało białych krwinek, by rozpocząć następną rundę chemioterapii. Jest nieco przygnębiona. Nie chodzi tylko o to, że chciałaby mieć to już za sobą. Chodzi o zwłokę, o każdy dzień, bo im później zacznie chemioterapię, tym gorzej. Teraz zaś okazuje się, że wszystko opóźni się przynajmniej o tydzień. Ostatnim razem były to dwa tygodnie. Nie wygląda to dobrze, Norbert. Do diabła z tym – jak to się mówi po niemiecku?

– Ken, tak mi przykro. Co mogę dla ciebie zrobić?

– Potrzebny jest mi mały, ładny motel, niezbyt drogi, nad rzeką, powiedzmy trzydzieści kilometrów stąd, z którego prowadzi droga do Königswinter. I taksówka z kierowcą, który zna angielski. Potrzebny mi jest jeszcze rozkład kursów promów na Renie. I godziny zwiedzania Drachenfels. Och, i jeszcze restauracja w Königswinter, w której można zjeść coś oprócz mięsa. Da się to zrobić?

– Załatwione, Ken.

Załatwienie tego zajęłoby mi więcej niż pół dnia. Pół godziny później jechaliśmy z Treyą wzdłuż Renu, najpierw do Bad Godesberg, a potem przez rzekę do Königswinter, do wspaniałego Drachenfels, a w końcu do uroczego moteliku nad Renem – wszystko dzięki uprzejmości Norberta.

Co za pogoda! Już nie ponura i paskudnie deszczowa, ale słoneczna i miła. Od kilku dni na niebie nie ma ani jednej chmurki. Mówią, że to niezwykle piękna wiosna po tak okropnie deszczowej zimie. Spędziliśmy wspaniały weekend w Bad Godesberg i Königswinter, oglądając widoki z różnych wysoko położonych miejsc, otoczonych ruinami zamków. Zatrzymaliśmy się w motelu nad Renem i było niesamowicie romantycznie. Wiosna to rzeczywiście moja ulubiona pora roku. Strasznie lubię obserwować, jak wszystko dokoła bucha zielonością. I mogę to zabrać ze sobą do szpitala, by zamknąć oczy i znów widzieć białe kwiaty wiśni w blasku słońca, czystą zieleń świeżych listków na gałęziach drzew, płachty zielonych łąk, przybranych maleńkimi, białymi stokrotkami i jaskrawożółtymi mleczami.

Znów z powrotem w szpitalu, w samym środku tego całego zamieszania. Chemioterapię rozpoczęłam tydzień później, niż tego oczekiwaliśmy, czekając, aż poprawią się wyniki badań. Kolejny tydzień zwłoki to mniejsza skuteczność chemioterapii. Ale znowu zniosłam ją bardzo dobrze. Mniejszy apetyt, większa potrzeba snu, proszki nasenne i trochę zamętu w głowie – jednak było to o wiele łatwiejsze niż po adriamycynie. Gdybym miała brać te środki przez cały rok, tak jak to było z adriamycyną, dałabym sobie radę. Kiedy stosowałam adriamycynę, miałam uczucie, że zatruwa mi ona duszę, jakbym ostatnim wysiłkiem walczyła o odrobinę szczęścia. Obecne leczenie przebiega łagodnie, jestem całkiem zadowolona!

Niemcy są niezwykle uczynni, mili i uprzejmi dla nas – zwłaszcza dla Kena, który ma z nimi więcej kontaktu niż ja. Któregoś dnia dwie kelnerki z restauracji, do której chodzi Ken, przyniosły mi kwiaty. Trudno sobie wyobrazić, ilu taksówkarzy, właścicieli sklepów, kelnerek śledzi moje losy.

W tym tygodniu obchodzono wielkie święto „Ren w płomieniach". Wszystkie zamki są rozświetlone, w niebo strzelają fajerwerki. Odwiedza nas Vicky. Poszli z Kenem oglądać fajerwerki. Na brzegu Renu, wzdłuż rzeki, ustawił się wielki tłum ludzi w różnym wieku, mnóstwo dzieci. To wspaniałe widowisko. Widziałam fajerwerki z okna mojego pokoju. Ken i Vicky zachwycają się, ach i och, spójrz na ten, jaki piękny, aż nagle uświadamiają sobie, że wszyscy wokół nich milczą. Cisza jak makiem zasiał. Nawet dzieci nie trajkoczą. Bardzo dziwne. Ken potem spytał kogoś, dlaczego tak było, tłumacząc, że w Ameryce wszyscy głośno zachwycają się fajerwerkami. W odpowiedzi usłyszał: „Może pijecie więcej piwa?". Ken na to, że nie, że niemożliwe, bo to przecież Niemcy piją najwięcej piwa na świecie i pewnie nie o to chodzi. Wtedy usłyszał: „W Niemczech nie mówimy «ach i och», tylko «szszsz...»".

Pakowaliśmy się z Vicky z jednej niesamowitej sytuacji w drugą, co bardzo poprawiało nam nastrój. Siedzieliśmy w małej kawiarence przy deptaku. Vicky wzięła sobie cappuccino, ja – kölscha. Podszedł do nas kelner i powiedział: „Pan jest Ken Wilber, prawda? Mam dziurę w brzuchu i potrzebuję natychmiastowej pomocy".

Dziura w brzuchu? Byliśmy przerażeni. Myśleliśmy, że ma raka żołądka i że z powodu mojej łysej głowy uznał, że ja też mam raka. Vicky zbladła. Wstałem i chciałem go zaprowadzić do kliniki. Okazało się, że widział jedną z moich książek na wystawie księgarni, rozpoznał mnie na zdjęciu i zapragnął porozmawiać o swoich problemach, a zwłaszcza o swojej dziewczynie, która go opuściła. „Dziura w brzuchu" była próbą określenia „pustki w samym centrum mojego istnienia" – innymi słowy, był w depresji. Usiadł z nami, machnął ręką na innych klientów i przez godzinę opowiadał o tej okropnej dziurze w brzuchu.

Powiedziałam Vicky i Kenowi, że żałuję, iż nie odkryłam tej kliniki wcześniej. Mówiłam trochę o „błędach", które popełniłam w przeszłości: o tym, że od razu nie zrobiłam całkowitej mastektomii, że nie przeszłam na tamoxifin.* Prawdopodobnie każdy pacjent, który ma nawrót, zawsze ma poczucie, że nie zrobił dość dużo. Każdy z nas może przytoczyć przykłady, że przeoczyliśmy coś, co mogło pomóc przynajmniej opóźnić nawrót.

Najważniejsze dla mnie jest to, bym nie zagubiła się w obwinianiu samej siebie – choć czasami ześlizguję się ze „zbocza żalu" – lecz bym spróbowała wykorzystać okulary mądrości (zawsze dostępne), by przez nie spojrzeć na swoją sytuację. Tym, co dostrzegam w swych dawnych wyborach, jest pewne lenistwo i tendencja do polegania na „wystrzałowych" terapiach, z zaniedbaniem dodatkowych metod, jak ścisła dieta, megawitaminy, ćwiczenia, wizualizacje itp. Te ostatnie stosowałam w miarę regularnie, choć czasami odpuszczałam sobie. Przeszłam operacje, naświetlania, chemioterapię – czy to nie wystarczy? Chcę wrócić do życia, nie widzieć lekarzy, nie dokonywać trudnych wyborów w sprawie leczenia. Ubyło mi ciała, cały rok cierpienia – to przecież powinno wystarczyć... Tak trudno zdecydować, co jeszcze można zrobić.

---

* Preparat hormonalny używany do leczenia raka sutka (przyp. red.).

Zauważyłam również, że naturalne pragnienie widzenia wszystkiego w jasnych barwach („to tylko miejscowy nawrót") nieproporcjonalnie wzrasta dzięki pozytywnemu myśleniu: koncentruję się na zdrowiu, z pełnym przekonaniem mówię „jestem zdrowa", wystrzegam się każdej zbłąkanej myśli o ewentualnym pobycie w szpitalu albo podejrzenia, że gdzieś w moim ciele czai się rak, gdyż są to negatywne myśli, które mają czarodziejską moc urzeczywistniania się.

Czuję nacisk przyjaciół i rodziny na pozytywne myślenie. Wiadomo, że nikt, czy to chory, czy zdrowy (tzn. potencjalnie chory), nie chce myśleć o najgorszym, ale przyjaciele i rodzina powinni pamiętać, że strach człowieka chorego na raka nie jest wyimaginowany, nie jest tylko negatywnym myśleniem. Można się oswoić z tym strachem, który w wielu wypadkach może być pożyteczny. Należy go słuchać i pracować nad nim, a nie zaprzeczać mu.

Teraz czuję, że uproszczone sądy na temat pozytywnego myślenia nie tylko doprowadziły mnie do wypierania strachu, lecz zmniejszyły motywację do stosowania innych metod leczenia po chemioterapii. Potrzebny jest bardzo wysoki poziom motywacji, najpierw wtedy, kiedy trzeba dokonać trudnego wyboru (nic nie jest proste, gdy wybiera się metodę leczenia raka), a potem, kiedy niezbędna staje się codzienna, znojna praca (że nie wspomnę już o czasie i wydatkach w związku z dojazdami do odległych klinik i honorariami lekarzy). To, co na papierze wygląda na interesującą metodę leczenia, kiedy człowiek jest zdrowy, dla chorego staje się wyzwaniem, któremu trzeba sprostać. Tak więc, jeżeli praktykuje się tylko pozytywne myślenie, trudno odnaleźć w sobie potrzebną motywację.

Kiedy zwracam się ku teraźniejszości, oto co widzę: znowu lenistwo, bo chcę polegać na niezwykłości leczenia doktora Scheefa. Znowu wiarę, że pozytywne myślenie wszystko załatwi. Widzę to wszystko dość wyraźnie i dlatego odczuwam silną motywację, żeby nie ustawać w poszukiwaniu dodatkowych metod terapii. Kiedy już wybieram kombinację, która mi odpowiada, będę bardzo sumiennie ją realizować. Wiem, że moje lenistwo, moje pragnienie prowadzenia normalnego życia będzie się karmiło pytaniami i wątpliwościami dotyczącymi tego wyboru; pojawią się nieuchronnie, gdy dostanę nowe zalecenia, gdy usłyszę od przyjaciół, co na ten temat sądzą lub co słyszeli, albo gdy będą nowe wyniki badań. Ale czuję, że lenistwo i pragnienie wiary w to, co najlepsze, nie przesłania już prawdziwego obrazu. Piszę w nadziei, że pomoże to innym w utrzymaniu wysokiego poziomu motywacji, tak potrzebnej, by dać sobie radę pośród nieustannych wzlotów i upadków życia z rakiem.

Ciągle przypominam sobie, że wszystko, co robię, może mieć niewielki lub nie mieć żadnego wpływu na przebieg choroby i jej skutki. Pamiętam, żeby głęboko oddychać, żeby się rozluźniać. Obwinianie się o błędy popełnione w przeszłości tylko mnie osłabia. Kiedy czuję, że zaczynam kurczowo się czegoś trzymać, przypominam sobie o odpuszczeniu. „Być dla siebie łagodną. Pozostać z niewiedzą". Zawsze ta sama zagadka wysiłku bez wysiłku, wyboru bez wyboru, motywacji bez motywacji. Wysiłek bez przywiązywania się do celu.

Gdy Treya rozpoczęła drugą rundę chemioterapii, znowu pojawiła się sprawa wizualizacji, gdyż należy wizualizować środki atakujące raka. Problemy Trei dotyczyły tak zwanej wizualizacji aktywnej i wizualizacji pasywnej. W końcu doszła do wniosku, że obie są ważne – nie chodzi o działanie *versus* bycie, lecz o równowagę obu tych rzeczy. Jednakże chorzy na raka w większości stosowali wizualizację aktywną, a Treya czuła, że powinna być ona uzupełniona podejściem pośrednim, bardziej otwartym. W ten sposób często pracowała z Edith, która sama była transpersonalnym terapeutą. Opisała swoje obserwacje w artykule rozpowszechnianym później w różnych ośrodkach walki z rakiem w Ameryce (jego egzemplarz jest dostępny w Społeczności Wspierania Chorych na Raka).

– Ken? Ken? Jesteś tam?
– O, cześć, Norbert. Co się dzieje?
– Spójrz na to...
– Żartujesz! Do diabła, skąd się to wzięło? Nie wierzę.

Któregoś dnia siedziałam z Edith w pokoju, kiedy wszedł Ken. Właśnie mówiłam Edith o tym, jak zgubiłam swoją gwiazdę, o tym, jak pracowałam nad tym, żeby ją oddać, oddać wszystkim. Powiedziałam jej, że przywiązywałam wielkie znaczenie do tej straty, gdyż gwiazda była moją imienniczką. Ken zażartował sobie z tej dziwacznej, przesądnej części mojej natury, mówiąc, że do złych omenów przykładam więcej wagi niż do dobrych. Natychmiast odpowiedziałam:

– To nieprawda. Dobre znaki znaczą tyle samo co złe.

– Och, świetnie, a więc wierzysz w dobre omeny. Co więc powiesz na to? – spytał, wyciągając z kieszeni moją gwiazdkę na łańcuszku.

Byłam oszołomiona. Skąd się wzięła po tylu dniach poszukiwań? Ken przez dłuższy czas nie chciał mi odpowiedzieć.

– Chciałem się tylko upewnić, czy jeżeli widzisz coś złego w stracie czegoś, to czy ujrzysz coś dobrego w odzyskaniu tego czegoś.

Praczka z hotelu znalazła gwiazdkę w tylnej kieszeni moich spodni, o której istnieniu zapomniałam. Nie chcąc zostawiać gwiazdki wraz z ubraniem w szafce w łaźni, pewnie wetknęłam ją do kieszeni i natychmiast o niej zapomniałam. Byłam zachwycona, że ją odnalazłam, że znowu wisi na mojej szyi, przynosząc mi szczęście. Ale, co dziwne, choć tak bardzo ją kochałam, jej moc wzrosła, kiedy ją zgubiłam. Nadal ćwiczę oddawanie jej, widzę ją na szyjach innych osób, wyobrażam sobie, że żyje w ich sercach. To dobre ćwiczenie, ale jest mniejszym wyzwaniem niż oddawanie czegoś, za czym tęskniłam, a czego nie miałam. Z drugiej jednak strony, z upływem czasu ćwiczenie oddawania jej mogło stracić na znaczeniu, podobnie jak wyblakłaby pamięć o niej. Teraz gwiazdka wisząca na mojej szyi nieustannie mi o tym przypomina, a ja kontynuuję ćwiczenia.

Pewnego wieczoru podczas godzinnego spaceru w lesie miałam bardzo silne poczucie oddawania. „Oddając" gwiazdę, zauważyłam, że kiedy jestem dla siebie dobra, mam wrażenie, że nie jestem dobra dla innych. To resztki tego przykładu z winem – gdy jestem dobra dla siebie, wypijam ostatni łyk wina i wtedy kto inny nie może się napić.

Miałam w związku z tym wewnętrzny konflikt, gdy nagle pojawiło się pytanie: „Kim jestem?". Zaczęłam sobie uświadamiać, że rozróżnienie pomiędzy „być dobrą dla innych" i „być dobrą dla siebie", że ten konflikt w ogóle nie istnieje. Jeżeli wystarczająco pilnie pracuję nad pytaniem „Kim jestem?", to wszelkie granice, rozróżnienie pomiędzy mną i innymi znikają; nie jest to więc kwestia albo – albo. Im bardziej zacierają się granice, tym bardziej to, czego chcę dla innych, staje się tym, czego pragnę dla siebie. Lubię oddawać ostatni łyk wina. Oddam nawet całą butelkę!

Było to dla mnie niezwykle ważne zagadnienie. Pracowałam nad nim z gwiazdką, a przedtem praktykując *tonglen*. Kolejny krok na drodze, wykorzystanie pytania „Kim jestem?", aby wykorzenić poczucie rozdzielenia, poczucie odrębności. Za każdym razem, kiedy sięgam po ostatni kawałek sera, pytam: „Kto wyciąga rękę? Kto czuje się czegoś pozbawiony?". I wtedy odczuwam przyjemność, oddając ostatni kawałek. Jak mówi Ken, istnieje tylko jedno Ja czerpiące przyjemność. Wygląda na to, że dawniej moim sposobem na życie był dość ostry podział na ja i inne – i to właśnie powstrzymywało mnie przed byciem miłą dla siebie. Zamknięta w tym podziale, gdy byłam miła dla innych, czułam się czegoś pozbawiona, a gdy byłam miła dla siebie, czułam się podle. Teraz jest mi o wiele łatwiej odpuścić i cieszyć się dawaniem, co przynosi korzyść nie tylko innym, ale i mnie. Oczywiście wiedziałam o tym wcześniej, lecz teraz było to bardzo konkretne i namacalne. Uświadomiłam sobie coś niezwykle dla mnie ważnego.

Gdy Treya dochodziła do siebie po drugiej turze chemioterapii, znowu miała lekką infekcję płuc. Lekarze zapewniali nas, że to nic poważnego, ale chcąc uniknąć zakażenia, poprosili mnie, bym przez parę dni powstrzymał się od wizyt. Tak więc dużo rozmawialiśmy przez telefon. Zajmowała się pracą artystyczną, medytowała, pisała listy, pracowała nad pytaniem „Kim jestem?", pisała swój dziennik, miała się dobrze.

Ale ja nie. Działo się ze mną coś bardzo złego, lecz nie wiedziałem, co to jest. Czułem się okropnie.

– Norbert, wracam do Drachenfels. Zadzwonię do ciebie z Königswinter. Masz numer telefonu do Edith, prawda?

– Tak, Ken. Czy wszystko w porządku?

– Nie wiem, Norbert. Nie wiem.

Poszedłem nad Ren i wsiadłem na prom do Königswinter. Stamtąd kolejką aż na sam szczyt, do bajecznej Drachenfels, najczęściej odwiedzanej przez turystów góry w Europie, gdzie wznosiła się dumna twierdza. Niegdyś broniła ziem rozciągających się wzdłuż Renu. Jak każde piękne miejsce, Drachenfels jest połączeniem zapierającego dech w piersiach pomnika historii z kiczowatymi atrakcjami turystycznymi. W fortecy jest jednak wieża, na którą wspina się niewielu turystów. Pokonanie małych, stromych, powodujących zawrót głowy schodów zajmuje około dwudziestu minut.

Ze szczytu wieży widać wszystko w promieniu blisko dwustu mil we wszystkich kierunkach. Spoglądam w prawo: wieża w Bad Godesberg, katedra w Bonn, siedemdziesiąt kilometrów na północ wspaniała katedra w Kolonii. Spoglądam w górę: Niebo. Spoglądam w dół: Ziemia. Niebo, Ziemia, Niebo, Ziemia. I wtedy właśnie zacząłem myśleć o Trei. Wróciła do swoich korzeni, do Ziemi, do swej miłości natury, do ciała, do bycia, do kobiecości, do otwartości, ufności i opiekuńczości. A ja pozostałem tam, gdzie chciałem być, gdzie czuję się jak u siebie w domu – w Niebie, które w mitologii nie oznacza świata Ducha, lecz apolliński świat idei, logiki, pojęć i symboli. Niebo należy do umysłu, Ziemia do ciała. Ja uczucia łączę z ideami, Treya idee łączy z uczuciami. Ja nieustannie przenoszę się od konkretów do uniwersalności, Treya zawsze od uniwersalności do konkretów. Ja kocham myślenie, ona kocha działanie. Ja kocham kulturę, ona kocha naturę. Ja zamykam okno, by posłuchać Bacha, ona wyłącza Bacha, by posłuchać śpiewu ptaków.

W większości tradycji Duch nie istnieje ani w Niebie, ani na Ziemi, lecz w Sercu. Serce zawsze było uważane za coś, co łączy Niebo i Ziemię, punkt, w którym Ziemia przyciąga Niebo, a Niebo sięga Ziemi. Ani samo Niebo, ani sama Ziemia nie są siedzibą Ducha, dopiero ich spotkanie w Sercu otwiera sekretne drzwi wiodące poza śmierć, śmiertelność i ból.

To właśnie Treya zrobiła dla mnie, zrobiliśmy to dla siebie nawzajem: utorowaliśmy sobie drogę do Serca. Kiedy się obejmujemy, Niebo i Ziemia się jednoczą. Łączy się muzyka Bacha i śpiew ptaków, przychodzi szczęście. Na początku niekiedy irytowały nas różnice. Ja zawsze byłem nieobecnym duchem profesorem, pochłoniętym swoimi ideami, tworzącym skomplikowane teorie na temat prostych rzeczy. Treya zawsze mocno stała obiema nogami na ziemi, nie decydując się na lot samolotem bez uprzedniego ustalenia godziny.

Wkrótce zrozumieliśmy, że o to właśnie chodziło: byliśmy różni i może odnosi się to do wszystkich kobiet i mężczyzn (à la Carol Gilligan); osobno daleko nam do zdrowia i pełni człowieczeństwa, każde z nas jest tylko połową – jedno w Niebie, drugie na Ziemi – i tak właśnie być powinno. Nauczyliśmy się doceniać te różnice – nie tylko je uznawać, ale odczuwać wdzięczność za to, że istnieją. Ja zawsze będę się czuł wolny z moimi ideami, Treya zawsze będzie w zgodzie z naturą, ale razem, połączeni w Sercu, byliśmy jednością. Odnaleźliśmy tę pierwotną jedność, której żadne z nas z osobna odnaleźć by nie zdołało. Naszym ulubionym powiedzeniem stało się zdanie z Platona: „Mężczyźni i kobiety byli kiedyś jednością, ale potem zostali rozdzieleni i odtąd poszukiwanie i pragnienie tej jedności jest nazywane miłością".

„Związek Nieba z Ziemią – myślałem, spoglądając to w niebo, to na ziemię. – Zaczynamy z Treyą dopiero odnajdywać nasze Serce".

Ale Treya musi umrzeć. Zacząłem płakać, bardzo głośno szlochać, nie mogłem się opanować. Kilka osób spytało mnie po niemiecku, czy dobrze się czuję. Szkoda, że nie miałem tabliczki z napisem: „Doktor Scheef dał mi specjalne zezwolenie".

Nie wiem, kiedy po raz pierwszy uświadomiłem sobie, że Treya umrze. Być może wtedy, gdy lekarz powiedział mi, że ma guz mózgu i płuc. Być może wtedy, gdy amerykańscy lekarze dali jej sześć miesięcy życia, jeśli nie podda się leczeniu. A może, kiedy na własne oczy zobaczyłem wyniki badań jej zżartego przez raka ciała. W końcu spadło to na mnie jak grom z jasnego nieba. Myśli, które od lat od siebie odganiałem, teraz zaczęły się kotłować w mojej głowie. Mogła nastąpić remisja guza mózgu, ale nawet Scheef dawał tylko 40% szansy na remisję guza płuc, a i niezbyt wiele osób wierzyło w te liczby. W wyobraźni widziałem potworne sceny z jej prawdopodobnej przyszłości. Treya szalejąca z bólu, z trudem łapiąca oddech, podłączona do respiratora, stale na morfinie. Rodzina i przyjaciele nerwowo przemierzający szpitalny korytarz, czekający, aż umrze. Skuliłem się, zacząłem się kołysać do przodu i do tyłu, powtarzając: „Nie, nie, nie, nie, nie, nie, nie...".

Zjechałem kolejką na dół i z pobliskiego pubu zadzwoniłem do Norberta.

– Treya ma się dobrze, Ken. A ty?

– Nie czekaj na mnie, Norbert.

Usiadłem przy barze i zacząłem pić wódkę, całe morze wódki. Przed moimi oczami ciągle przesuwały się potworne obrazy związane z Treyą, teraz dołączył do nich nieukojony żal nad samym sobą. „Biedaku, biedaku" – powtarzałem sobie, wlewając w siebie korn, podły gatunek niemieckiej wódki. Nawet w Tahoe nigdy nie upiłem się do nieprzytomności. Tym razem tak się stało.

Nie pamiętam, jak wróciłem do „Kurfürstenhof". Norbert wpakował mnie do łóżka, a na stoliku zostawił garść witaminy B. Następnego ranka wysłał do mnie sprzątaczkę, żeby się upewniła, że połknąłem wszystkie pastylki. Zadzwoniłem do Trei.

– Cześć, kochanie. Jak się masz?

– Świetnie, najdroższy. Jest niedziela, więc nic się nie dzieje. Gorączka mi spada. Za parę dni będę już na nogach. Na środę jesteśmy umówieni z Scheefem. Ma omówić wyniki ostatniej terapii.

Na tę myśl zrobiło mi się niedobrze, gdyż wiedziałem, co Scheef powie, a przynajmniej tak mi się wydawało.

– Potrzebujesz czegoś, kochanie?

– Nie. Właściwie jestem w samym środku wizualizacji, więc nie mogę długo rozmawiać.

– Nie ma sprawy. Posłuchaj, wybieram się na przejażdżkę. Jeżeli będziesz czegoś potrzebowała, zadzwoń do Norberta albo Edith, dobrze?

– Jasne. Baw się dobrze.

Zjechałem windą do recepcji. Był tam Norbert.

– Ken, nie powinieneś tyle pić. Musisz być silny dla Trei.

– O Boże, Norbert, ja już jestem tym zmęczony. Przez chwilę chcę być słaby i bez kręgosłupa. To mi jest potrzebne.

– Nie można tak, Ken. To ci nie pomoże.

– Posłuchaj, Norbert, wybieram się na przejażdżkę. Do Bad Godesberg. Zadzwonię.

– Nie rób niczego głupiego, Ken.

W niedzielę całe Niemcy są zamknięte. Spacerowałem bocznymi ulicami Godesberg, odczuwając coraz większy smutek. W tej chwili nie tyle myślałem o Trei, co nurzałem się w żalu nad samym sobą. Moje całe pieprzone życie to szambo. Oddałem je Trei, a teraz Treya, ja ją chyba zabiję, musi umrzeć.

Chodziłem tak, przeklinając, że wszystkie puby są zamknięte. Nagle nieopodal usłyszałem dźwięki polki. To pewnie pub, pomyślałem. Nawet w niedzielę nie utrzyma się Niemców z dala od kölscha i piersa. Kierując się w stronę muzyki, dotarłem do uroczego, małego pubu. Wewnątrz było może z dziesięciu mężczyzn, wszyscy nieco starszawi, grubo po sześćdziesiątce, o rumianych policzkach dzięki rozpoczynaniu dnia od kölscha. Muzyka była niezwykle żywiołowa, zupełnie niepodobna do tego, co Amerykanie uznają za polkę, przypominająca raczej niemiecką muzykę ludową. Strasznie mi się spodobała. Połowa mężczyzn – nie było ani kobiet, ani dzieci – tańczyła w półkolu, obejmując się ramionami jak w tańcu z *Greka Zorby* i co jakiś czas zgodnie przytupując.

Usiadłem samotnie przy barze i ukryłem twarz w dłoniach. Przede mną pojawił się kölsch, wypiłem go duszkiem, nie zastanawiając się nawet, skąd się wziął. Pojawił się następny, wypiłem.

Gdzieś po czwartym piwie znowu zacząłem płakać, lecz teraz usiłowałem to ukryć. Nie pamiętam, bym kiedykolwiek tak płakał. Płakałem nad sobą. Byłem już trochę na rauszu. Paru mężczyzn tanecznym krokiem zbliżyło się do mnie i gestem zaprosili, bym się do nich przyłączył. Nie, dziękuję – machnąłem ręką. Po paru piwach znowu na mnie skinęli, lecz tym razem jeden z nich po przyjacielsku ujął mnie pod ramię i pociągnął na środek sali.

– *Ich spreche kein Deutsch* – powiedziałem jedyne zdanie, które zapamiętałem. Oni nadal mnie ciągnęli i gestykulowali, uśmiechnięci i przejęci. Chcą mi chyba pomóc. Poważnie zaczynam się zastanawiać, czy nie uciec, ale jeszcze nie zapłaciłem za piwo. Niezręcznie, bardzo nieśmiało dołączam do nich, kładę ręce na ramionach mężczyzn stojących obok, poruszam się do tyłu i do przodu, co jakiś czas przytupuję. Zaczynam się śmiać, potem znowu płaczę, śmieję się, płaczę. Chciałbym odwrócić twarz, ukryć to, co jest we mnie, ale jestem uwięziony przez ramiona moich towarzyszy. Przez jakieś piętnaście minut zupełnie tracę kontrolę nad emocjami. Strach, panika, żal nad sobą, śmiech, radość, przerażenie – wszystko przepływa przeze mnie i uwidocznia się na twarzy, co mnie zawstydza, ale mężczyźni kiwają głowami i uśmiechają się, jak gdyby chcieli mi powiedzieć: wszystko w porządku, młody człowieku, wszystko w porządku. Tylko tańcz, młody człowieku, tylko tańcz. Widzisz? W ten sposób...

Zostałem w tym pubie dwie godziny, tańcząc i pijąc kölscha. Nie chciałem wychodzić. W ciągu tego krótkiego czasu wszystko wypłynęło na powierzchnię, przepłynęło przez mój organizm, ujawniło się i zostało zaakceptowane. Nie całkiem, ale w końcu poczułem coś w rodzaju spokoju, przynajmniej w takim stopniu, by móc dalej żyć. W końcu zacząłem się zbierać do wyjścia i pomachałem mężczyznom ręką na pożegnanie. Oni też do mnie pomachali i wrócili do tańca. Nic nie zapłaciłem za piwo.

Później opowiedziałem tę historię Edith, a ona powiedziała: „Więc teraz już wiesz, jacy są prawdziwi Niemcy".

Chciałbym napisać, że moje wielkie *satori*, dotyczące akceptacji stanu Trei, moje oswojenie się z jej śmiercią, mój świadomy wybór, by odłożyć na bok interesy i poświęcić się jej – że wszystko to ma swój początek w jakiejś potężnej medytacji z oślepiającym białym światłem i spontanicznym wglądem; że zaczerpnąłem z zen odwagę i znów rzuciłem się w wir walki, że doznałem jakiegoś transcendentalnego objawienia, które natychmiast mnie wyprostowało. A stało się to w małym pubie, w grupie miłych, starszych panów, których nazwisk nie znam i których językiem nie mówię.

Z powrotem w Bonn. Zaczęły się materializować moje najgorsze obawy dotyczące Trei. Przede wszystkim guz mózgu nie uległ całkowitej remisji, jak się to zdarza w około 80% przypadków. Było to szczególnie groźne, gdyż Treya wyczerpała już limit dawki naświetlań mózgu. Po drugie, choć ogromny guz płuc się zmniejszył, pojawiły się przynajmniej dwa nowe. I po trzecie, USG wykazało dwie plamki na wątrobie.

Wróciliśmy do jej pokoju i Treya wybuchnęła płaczem. Objąłem ją i oboje zaczęliśmy spoglądać przez okienko. Usiłowałem wziąć na siebie jej ból, delikatnie ją obejmując. Czułem, że swoje łzy wypłakałem po to, by sprostać tej chwili, właśnie tej chwili.

– Czuję się tak, jakbym właśnie otrzymała wyrok śmierci. Stoję tu, przy oknie, patrząc na tę cudowną wiosnę, moją ukochaną porę roku, i myślę, że to już moja ostatnia wiosna.

Treya napisała do swoich przyjaciół, bardzo starannie dobierając słowa:

Doszłam do wniosku, że istnieje jedyna metafora na opisanie życia z rakiem przerzutowym – niekończąca się jazda kolejką górską (jak ja to kiedyś lubiłam!). Po prostu nie wiem, czy dostanę dobrą wiadomość, czy spadnę w dół, a żołądek podejdzie mi do gardła i strach obejmie całe ciało. W zeszłym tygodniu zrobili mi USG wątroby. Leżałam na kozetce, lekarz przesuwał czujnik pod różnymi kątami po ciele, a potem zawołał jakąś kobietę, nad czymś dyskutowali po niemiecku i znowu zaczęli mnie badać. Wpadłam w straszną panikę, choć słyszałam tylko: „Oddychaj głęboko... zatrzymaj... oddychaj normalnie" – tak w kółko. Kiedy się podniosłam, zobaczyłam na ekranie dwie małe plamki. Przekonana, że mam raka wątroby, poszłam do swojego pokoju i zupełnie się załamałam. Mogę nie przeżyć nawet roku, myślałam, muszę się na to przygotować.

Jak więc mam przygotować się wewnętrznie na straszne wieści, które mogą nadejść w każdej chwili, nie zatracając jednocześnie woli życia? Jak mam rozwijać w sobie akceptację, jednocześnie walcząc o życie? Naprawdę nie wiem. Nie jestem nawet pewna, czy to ważne pytania – może nie są w opozycji? Dochodzę do wniosku, iż fakt, że raz w moim nastroju przeważa akceptacja, a innym razem duch walki, być może oznacza po prostu, że takie jest życie, że waha się ono pomiędzy biegunem pozytywnym i negatywnym: dzień i noc, działanie i kontemplacja. I powinnam ćwiczyć obie te umiejętności, by jakoś obie zinterpretować, połączyć. Znowu zagadka wysiłku, a zarazem nieprzywiązywania się. Najpierw odczułam straszliwy żal na myśl o raku wątroby (wciąż nie wiemy, co oznaczają te plamki). Po paru głębokich oddechach odkryłam, że choć niechętnie, dopuszczam tę możliwość. Co ma być, to będzie. Później się tym zajmę, a teraz nie chcę o tym myśleć. I odkryłam także, że nadal cieszę się wszystkimi aspektami życia, choć jestem uwięziona w szpitalnym pokoju, z kwiatami na parapecie. Poczułam determinację, by uczynić wszystko, co w mojej mocy, przekonanie, że jeżeli nawet rzeczywiście mam raka wątroby, to niekoniecznie jest to początek końca, że istnieją inne metody leczenia, które dają jakąś szansę. A poza tym zdarzają się cuda.

Mój system odpornościowy nie reaguje tak, jak by życzyli sobie tego moi lekarze, więc podają mi wysokie dawki sterydów anabolicznych (ośmiotygodniowa dawka w ciągu czterech dni). Doktor Scheef jest rozczarowany, że guz mózgu nie zniknął całkowicie. Spodziewał się całkowitej remisji po naświetlaniach i po pierwszej rundzie chemioterapii. Jeżeli guz nie zniknie całkowicie po trzeciej terapii, będzie musiał zastosować cis-platinum* – jeszcze nie wiadomo, ile i na jak długo.

Postanowiliśmy, że wrócimy do Boulder i tam spędzimy czas do trzeciej terapii. Nie mogę się doczekać, kiedy znowu będę w Stanach, tam, gdzie mówi się po angielsku z amerykańskim akcentem! Trzeba wyjechać z Ameryki, żeby spojrzeć na nią z perspektywy – z naszej grządki, tu w Bonn, czytając o problemie narko-

---

* Lek przeciwnowotworowy (przyp. red.).

manii i bezdomnych, widzieliśmy te problemy całkiem nowymi, wrażliwymi oczyma. Zdumiewające, że liczba morderstw popełnionych w zeszłym roku przez gangi w Los Angeles była większa od ogólnej liczby morderstw w całej Europie. Ale... ja to kocham. Chcę być w domu.

Ucałowania i uściski dla Was wszystkich! Wasze listy, telefony, modlitwy i życzenia niesłychanie rozjaśniały nasze dni. Jestem nieskończenie szczęśliwa, że Ken wciąż podróżuje ze mną – i obydwoje głęboko doceniamy Wasze towarzystwo na tej drodze...

Całuję

Treya

To, czego nie napisała w liście, było o wiele bardziej wymowne.

Zaniosę strach do serca. Spotkam się z bólem i strachem otwarcie, obejmę je, nie będę się ich bała, wpuszczę je do środka – jest, co jest. To cierpienie, które wszyscy znamy. Gdy zdamy sobie z tego sprawę, dziwimy się życiu. Jestem tego pewna. Kiedy słyszę ptaki za oknem albo kiedy jedziemy na wieś, czuję ciepło w sercu i w duszy. Czuję taką radość. Nie próbuję zniszczyć choroby, przebaczam jej. Jak to ujął Stephen Levine: „Żal to doświadczenie spotkania bólu ze strachem. To sprawia, że człowiek chce zmienić teraźniejszość... Ale kiedy dotkniemy tego bólu z miłością, kiedy pozwolimy, by był, skoro jest, powitamy go miłosierdziem, a nie strachem i nienawiścią, wtedy to jest współczucie".

Otworzyć serce. Ostatnio czułam ogromną miłość do Kena. Jest tak otwarty i obecny po swoim ostatnim kryzysie. To chyba najważniejszy moment leczenia – zmiękczyć swoje serce, otworzyć je. Zawsze jest to bardzo ważne, prawda? Zawsze jest to bardzo ważne.

Gdy tak wyglądam przez okno, raz jeszcze zdaję sobie sprawę, że wiosna to moja ulubiona pora roku. Zawsze kochałam złoty ogień jesieni, ale wiosna głęboko porusza moje serce. Pewnie dlatego, że mam nadzieję na jakąś nową szansę, na nową wiosnę w życiu.

Wciąż bardzo chcę zrobić wszystko, co mogę, żeby wrócić do zdrowia, ale już nie jest to walka, już nie jest to wściekła walka. Będę robić swoje bez gniewu i goryczy, lecz zdecydowanie i z radością.

18

Ale nie martwa!

Wróciliśmy do Boulder, do naszego domu, naszych psów, naszych przyjaciół. Czułem dziwny spokój w związku z sytuacją Trei, jeżeli spokój to w ogóle odpowiednie słowo. Wydaje mi się, że była to raczej mieszanina prawdziwej akceptacji i melancholii. Treya w pełni rozumiała powagę swojej sytuacji, a pomimo to jej spokój i czysta radość życia zdawały się rosnąć niemal z dnia na dzień. Jej radość była prawdziwa – Treya była szczęśliwa, że żyje teraz! Do diabła z jutrzejszym dniem! Chwilami jej radosny nastrój był wręcz zaraźliwy i kiedy patrzyłem, jak bawi się z psami, pielęgnuje rośliny w ogrodzie czy maluje szkło, czułem, jak ta cicha radość wnika do mojego serca. Cieszyłem się tym, co było teraz – chwilą obecną, momentem, który zdawał się być tak niewypowiedzianie cenny. Byłem szczęśliwy, że mogę się nim cieszyć – w pewnym sensie byłem szczęśliwszy niż wtedy, gdy miałem przed sobą bardzo wiele chwil, przez które mogłem przesączać swoją radość, rozciągając ją na całe życie, zamiast skupiać na teraźniejszości. Była to lekcja, którą odebrałem od Trei, na co dzień żyjąc za pan brat ze śmiercią.

Przyjaciele i rodzina nie mogli nie zauważyć tej radości, którą zdawała się promieniować. Grupa z Windstar zorganizowała czterodniowe odosobnienie, w którym Treya chciała brać udział, ale nie mogła się tam udać z powodu przedłużającego się przeziębienia. W pewnym momencie odosobnienia każdy z trzydziestu uczestników wstawał, wybierał słowo, które go najlepiej opisywało – gniew, miłość, piękno, siła, cokolwiek – by potem powiedzieć grupie: „Jestem...” używając tego słowa. Jeżeli był wiarygodny, grupa wstawała, jeżeli nie, wybierał inne słowa tak długo, aż wszyscy stali. Wiele osób wymieniało po kilka słów, by zabrzmieć przekonująco. Niektórzy spędzali pięć albo dziesięć strasznych minut, stojąc przed resztą grupy, usiłując znaleźć odpowiednie określenie i mówiąc takie głupoty, jak „jestem deszczem", „jestem żółwiem"; oczywiście nikt wtedy nie wstawał. W samym środku ćwiczenia podniosła się Cathy Crum i powiedziała, że jest osoba, która nie mogła tu przyjechać, więc ona ją zastąpi. Wszyscy wiedzieli, że miała na myśli Treyę. Cathy powiedziała: „Jestem radością" i zabrzmiało to tak naturalnie i prawdziwie, że wszyscy od razu zerwali się na równe nogi. Potem wysłali Trei ogromny rulon papieru z napisem „Jestem Radością" i wspaniałymi dopiskami każdego z uczestników.

Wkrótce zaczęliśmy z Treyą spoglądać na jej śmierć z tej samej perspektywy: realne szanse na to, że może przeżyć jeszcze rok, były niewielkie. Oboje wiedzieliśmy o tym już w Bonn. Ale po pełnym uświadomieniu sobie tego, przestaliśmy o tym myśleć. Poza paroma praktycznymi sprawami, jak na przykład spisanie testamentu, rozmowami o tym, co będę robił, kiedy ona umrze, albo co mam zrobić po jej śmierci, po prostu nie zaprzątaliśmy sobie głowy tą sprawą i żyliśmy z minuty na minutę. Treya jeszcze bardziej zaczęła żyć teraźniejszością, oddając hołd temu, co jest, a nie temu, co może być.

Przyjaciele i rodzina często podejrzewali ją o brak realizmu: Czyż nie powinna się martwić? Bać się? Być nieszczęśliwa? Ale faktem jest, że żyjąc teraźniejszością, odmawiając życia przyszłością, zaczęła świadomie żyć ze śmiercią. Pomyślcie tylko: śmierć n i e m a p r z y s z ł o ś c i. Żyjąc chwilą obecną, bez przyszłości, nie ignorowała śmierci, tylko właśnie ją przeżywała. A ja próbowałem robić to samo. Przypomniał mi się piękny cytat z Emersona:

> Róże pod moim oknem nie mają żadnego związku z tymi, które przekwitły, ani z tymi, które zakwitną po nich. Są, jakie są; żyją dziś z Bogiem. Dla nich czas nie istnieje. Róża po prostu jest – doskonała w każdej chwili swojego istnienia. Człowiek zaś wybiega w przyszłość albo wspomina; nie żyje teraźniejszością, lecz z oczyma zwróconymi poza siebie opłakuje przeszłość lub nie bacząc na bogactwa, które go otaczają, staje na palcach, by dojrzeć przyszłość. Nie może być szczęśliwy i silny, jeżeli nie żyje w zgodzie z chwilą obecną.

To właśnie robiła Treya. Śmiercią zajmie się wtedy, gdy ona nadejdzie, nie teraz. Jest taki wspaniały koan zen. Do mistrza przychodzi uczeń i pyta: „Co się z nami stanie po śmierci?". A mistrz zen odpowiada: „Nie wiem". Uczeń jest skonsternowany. „Nie wiesz?! Przecież jesteś mistrzem zen!". „Tak, ale nie martwym".

To oczywiście nie oznaczało, że zamierzaliśmy się poddać. Rezygnacja dotyczy przyszłości, nie teraźniejszości. Były jeszcze różne metody alternatywne, które Treya rozważała, niektóre całkiem obiecujące. Przede wszystkim metoda enzymowa Kelleya-Gonzalesa, która dawała zdumiewające rezultaty, nawet w przypadkach tak zaawansowanych jak u Trei. Zaplanowaliśmy, że po drodze z Bonn, po trzeciej i ostatniej terapii, zatrzymamy się w Nowym Jorku, gdzie Gonzales ma swoją praktykę.

Tymczasem Treya skupiła się na pozbyciu się przeziębienia.

> Jednym z moich celów stało się pozbycie przeciągającego się przeziębienia, które złapałam w lutym i przez które na trzy tygodnie trzeba było odłożyć chemioterapię. Trwało już trzy miesiące. Uporczywa infekcja ciągle trzymała mnie w niepewności – bałam się, że pojawi się znowu podczas [trzeciej] chemioterapii. Chciałam pozbyć się wreszcie tego stresu. Kiedy zbierałam się do powrotu [do Bonn], odkryłam, że moje wielotorowe podejście chyba skutkuje. Ale co konkretnie zadziałało? Może po prostu taka infekcja przechodzi sama z siebie po określonym czasie? Warto przyjrzeć się moim rozważaniom, bo przeziębienie nie wiąże się z tak silnymi emocjami i nie jest tak mocno uwikłane w naszą kulturę i wierzenia New Age'u jak rak.
>
> Poszłam na akupunkturę, leczono mnie igłami, ziołowymi herbatkami i akupresurą. Co przechyliło szalę? Podniosłam dawkę witaminy C do około dwunastu gramów dziennie – czy właśnie to zaważyło? Brałam echinaceę – ziele, które wzmacnia układ odpornościowy – czy to jest ten sekret? Odpoczywałam tyle, ile tylko mogłam – czy to przeważyło? Każdego dnia przeznaczałam chwilę, by

poświęcić trochę uwagi twardemu miejscu na klatce piersiowej, by nawiązać z nim dialog. Pewnego dnia kazało mi ono krzyczeć, więc zamknęłam drzwi, odkręciłam prysznic, by zagłuszyć hałas, i urządziłam sobie przynoszącą ulgę, lecz rozdzierającą gardło sesję krzyków. Czy o to właśnie chodziło – o rozwiązanie jakiegoś psychologicznego węzła? Skonsultowałam się z moimi przewodnikami – Mary i Starym Człowiekiem z Gór – i robiłam to, co mi kazali; czy ich przewodnictwo było czynnikiem decydującym?

Kto wie, co to jest – przeziębienie czy rak... Kto z całkowitą pewnością mógłby odpowiedzieć na to pytanie? Jestem wciąż świadoma, że nie znam prawdy. To właśnie leży u podłoża mojego niezobowiązującego podejścia do własnych teorii, lekkiego podejścia do życia. Zdaję sobie sprawę, iż faworyzuję pewne rodzaje tłumaczenia, pamiętam o tym, że nie mogę naprawdę wiedzieć, co jest prawdziwe w różnych zabawnych historyjkach, które tworzę na ten temat.

Po drodze do domu chcę spotkać się w Nowym Jorku z doktorem Gonzalesem, by rozpocząć program „ekologii metabolicznej", stworzony przez doktora Kelleya, lekarza dentystę, który cierpiał na raka trzustki. Wiem o tym programie od dawna, w domu mam nawet dwie książki na ten temat i zawsze mnie on jakoś pociągał. Nie dlatego, że przemawia do mnie dieta; wygląda na strasznie rygorystyczną. Jest tak ostra jak dieta makrobiotyczna, ale również stosuje się ją indywidualnie, co mi się podoba. W pewnych przypadkach będzie na przykład całkowicie wegetariańska, w 70% oparta na surowym pożywieniu, a w innych może zalecać trzy razy dziennie mięso. Podoba mi się to, iż oparta jest na założeniu, że rak związany jest z brakiem pewnych enzymów. Jeżeli brak wystarczającej ilości enzymów trzustki, są one w całości zużywane na trawienie pożywienia, a więc nic nie przedostaje się do krwi, by chronić organizm przed rakiem, kiedy się on pojawia. Z powodu cukrzycy od 1985 roku moja trzustka nie pracuje prawidłowo. A więc po ostatniej chemioterapii następnym punktem będzie Kelley-Gonzales!

Medytowaliśmy, i to dosyć intensywnie. Zacząłem wstawać o piątej rano, by posiedzieć ze dwie, trzy godziny przed rozpoczęciem, bez żalu i goryczy, normalnego dnia osoby wspierającej. Wyglądało na to, że osiągnąłem prawdziwy spokój – nie wiem, co było tego przyczyną, poza tym, że zacząłem sobie zdawać sprawę, iż winienie raka, Trei czy życia za mój los było po prostu błędem. Podczas medytacji powoli, lecz nieustępliwie, zaczął pojawiać się Świadek; przynajmniej w tych momentach głębokiego spokoju wszystko – dobre czy złe, życie czy śmierć, przyjemność czy ból – ma „jeden smak": jest doskonałe takie, jakie jest.

Treya kontynuowała *vipassanę* i *tonglen.* Zwłaszcza *tonglen* głęboko ją poruszał i przemieniał; nawet gdy nie stosowała tej praktyki, spontanicznie realizowała jej główne przesłanie: leczenie jednostki nie ma żadnego sensu – nikt nie jest naprawdę wyleczony, dopóki wszyscy nie są wyleczeni – oświecenie jest dla ja i całej reszty, nie tylko dla samego ja.

> Ostatnio wzięłam udział w „kręgu uzdrawiającym" na rzecz przyjaciela, który również ma raka. Krąg tworzy grupa niezwykłych kobiet, które stosują wobec nas obojga niesłychane praktyki uzdrawiające. Czuję się swobodniej w moim ciele i akceptuję je takim, jakie jest – bardzo chude i okaleczone. Ken zgadza się ze mną! Kiedy leżałam w centrum koła, jedna z kobiet modliła się o moje całkowite wyzdrowienie. Wydawało mi się to bardzo śmiałe, zwłaszcza w porównaniu z tym, co ciągle mówią mi lekarze, i jeszcze dlatego, że spędziłam mnóstwo czasu, usiłując przygotować się na najgorsze (oczywiście na przemian z wyobrażaniem sobie najlepszego rozwiązania). Pomyślałam o śnie, który miałam tej nocy, kiedy usłyszałam wiadomość o nawrocie, śnie, który zakończył się moimi słowami: „Wierzę w cuda!". Może się to wydarzyć, mogę zostać

wyleczona; to mało prawdopodobne, kiedy weźmie się pod uwagę statystyki, ale może się to zdarzyć. Wzięłam głęboki oddech, czując jak myśl o tym przepływa przeze mnie, przynosząc ulgę.

Potem pomyślałam bardzo spokojnie: „Dlaczego ja?". Na pewno byłabym zachwycona, gdybym wyzdrowiała albo gdybym mogła pożyć nieco dłużej, ale pojawiła się inna myśl: Dlaczego miałabym mieć więcej szczęścia niż moi bracia i siostry? Dlaczego i oni nie mieliby zostać wyleczeni, dlaczego wszyscy nie mielibyśmy wyzdrowieć? Jak mogę prosić o kres mojego cierpienia, skoro oni wciąż cierpią, ci, którzy też są członkami mojej rodziny? Świadomość własnego bólu uświadamia mi ich ból, otwiera serce na ich cierpienie. Pierwsza prawda brzmi: „Cierpienie istnieje". A *tonglen* mówi: „Miej dla niego współczucie".

Niezależnie od tego, co się ze mną stanie, doświadczenie z rakiem zawsze będzie mi przypominać o bliźnich, którzy cierpią. To znaczy o wszystkich. Jeżeli jeszcze trochę pożyję, zamierzam wykorzystać to, czego się nauczyłam, by pomagać innym na ich drodze do zdrowia albo do śmierci. Taki jest cel książki, którą piszę, dlatego jestem tak dumna ze Społeczności Wspierania Chorych na Raka. Czasami życie nie ma żadnego sensu. Czasami pomaganie sobie nawzajem, delikatnie, bez oceniania, jest wszystkim, co możemy dla siebie uczynić. Nasi przyjaciele, którzy również walczą z rakiem, powiedzieli nam, czego nauczyło ich doświadczenie: życie nie jest sprawiedliwe, nie przysługują nam żadne nagrody za dobre sprawowanie. Pewne twierdzenia New Age znęciły nas kiedyś możliwością zrozumienia, dlaczego tak się dzieje, i nadzieją, że za każdym doświadczeniem człowieka kryje się jakaś wyższa przyczyna, jakaś lekcja, tylko my często po prostu niczego nie rozumiemy. Nic nie jest proste. Trudno jest żyć w tym świecie „nie wiem", ale przecież tu jesteśmy!

To mi przypomina coś, co wczoraj przeczytałam w biografii Ramany Maharishiego, dosłowny cytat z jego odpowiedzi udzielanych uczniom: „Bóg nie ma pragnień ani celu w swych aktach tworzenia, niszczenia, odbierania i zbawienia, którym podlegają wszystkie istoty". Trudno to zrozumieć człowiekowi przywiązanemu do znaczenia i celu w życiu, ale buddyzm bardzo mi pomógł w rezygnacji z prób zrozumienia tego. Nauczyłam się brać rzeczy takimi, jakie są. Ramana Maharishi mówi dalej: „Wszystkie istoty zbierają owoce swych działań zgodnie z Jego prawami, lecz odpowiedzialność należy do nich, nie do Boga". Tak, czuję się odpowiedzialna w sensie umiejętności odpowiadania na wyzwania, uznając jednocześnie rolę moich wyborów i kaprysów życia, przypadku i dziedziczności oraz poprzednich wcieleń, co nie wiąże się z ocenianiem czy bohaterstwem, lecz jest podejściem wynikającym ze zrozumienia i miłosierdzia.

Ramana Maharishi zwykł mówić: „Dziękujesz Bogu za dobre rzeczy, które ci się przydarzają, lecz nie dziękujesz Mu za złe rzeczy – i tu właśnie postępujesz niewłaściwie". (Przy okazji – to również błąd New Age). Chodzi o to, że Bóg nie jest mitycznym rodzicem karzącym lub nagradzającym za egoiczne tendencje, lecz bezstronną Rzeczywistością wszystkich manifestacji. U Izajasza czytamy: „Ja tworzę światło i stwarzam ciemności, sprawiam pomyślność i stwarzam niedolę. Ja, Pan, czynię to wszystko".* Dopóki jesteśmy uwięzieni w dwoistości dobra i zła, przyjemności i bólu, zdrowia i choroby, dopóty pozbawieni jesteśmy niedwoistej wyższej tożsamości ze wszystkimi jej manifestacjami, z całym wszechświatem „o jednym smaku". Ramana utrzymywał, że tylko oswajając cierpienie, chorobę, ból, możemy naprawdę odnaleźć większą i więcej obejmującą tożsamość ze Wszystkim, z Ja, które nie jest ofiarą życia, lecz bezstronnym Świadkiem i Źródłem. A zwłaszcza, mówi Ramana, należy oswoić śmierć, tego ostatecznego nauczyciela.

---

* Księga Izajasza, 45,7. *Biblia Tysiąclecia* (przyp. red.).

Jedna z osób biorących udział w „kręgu uzdrawiającym", z wielkim zaangażowaniem wspierająca osoby chore na raka, powiedziała mi, że praca ta jest dla niej wielkim wyzwaniem. Chodziło jej zwłaszcza o to, że będąc zdrowa, pragnęła zyskać taką świadomość i chęć życia, które są właściwe osobom chorym, liczącym się z bliską śmiercią. Wiem, co miała na myśli. Nagle zadałam sobie pytanie: „Jeżeli wyzdrowieję na dłużej, to czy utracę tę cudownie ostrą świadomość, to skupienie?". My, chorzy na raka, czujemy, jak pod presją choroby kruszą się pewne ograniczenia i wyłania nowy poziom kreatywności. Nie chciałabym tego utracić... Uświadomiłam sobie, że zawsze będę żyła z myślą o śmierci. Każdego miesiąca, tygodnia, dnia, każdej minuty będę żyła ze świadomością bliskiej śmierci. Zawsze będzie istniał ten bodziec, ostroga, cierń – to, co przypomina, że muszę być gotowa. Jakbym miała przy sobie na stałe mistrza medytacji, takiego roshiego, który w każdej chwili może niespodzianie dać mi sygnał!

Przypomina mi to wspaniały film *Moje psie życie,* który po raz pierwszy zobaczyliśmy zeszłego lata na festiwalu filmowym w Aspen. Od razu powiedziałam, że to doskonały film dla ludzi chorych na raka i CSC powinno mieć jego kopię. Stał się wielkim przebojem i ostatnio znowu obejrzeliśmy go na wideo. Jest to opowieść o pewnym uroczym, dwunastoletnim chłopcu, któremu umiera matka, zabierają mu ukochanego psa i musi opuścić swój dom. „Nie jest tak źle – mówi po tym wszystkim. – Mogło być gorzej. Tak jak z tym człowiekiem z przeszczepioną nerką. Był sławny, często widziało się go w telewizji. Ale i tak umarł". Chłopiec dużo rozmyślał o Łajce, wysłanym przez Rosjan w kosmos psie, który umarł z głodu: „Myślę, że warto pamiętać o takich rzeczach, kiedy rozmyśla się nad własnym życiem". Po obejrzeniu filmu o Tarzanie, w którym ktoś zawisł na przewodach wysokiego napięcia i umarł na miejscu, chłopiec powiedział: „Mogło być gorzej, należy o tym pamiętać", a opisując katastrofę kolejową, w której zginęło wiele osób, stwierdził: „Właściwie to miałem sporo szczęścia w porównaniu z nimi. Trzeba zachować perspektywę". Pewien motocyklista próbował pobić rekord świata w skoku przez samochody: „Skoczył o jeden samochód za blisko". Pewien gość skracał sobie drogę przez boisko podczas zawodów lekkoatletycznych i trafił go oszczep: „Musiał być zaskoczony" – skomentował ten chłopiec. „Pomyślcie o Łajce – wiedzieli, że umrze, po prostu ją zabili". Wszystko z ust dwunastolatka wyznającego filozofię „mogło być gorzej". W swoim pełnym zawirowań życiu zdał sobie sprawę, że śmierć nigdy nie jest daleko, i to czyni go tak świadomym, tak żywym.

Ubezpieczyliśmy dom i przygotowaliśmy się do powrotu do Bonn, gdzie czekały na nas dziwne wiadomości.

Tego ranka poszłam z psami na ostatni spacer – potem Ken odda je do specjalnego zakładu. Było to coś niesamowitego (Ken obserwował nas z balkonu na górze). Po łące skakały koniki polne. Kairos, nasz ogar, chciał koniecznie złapać jednego i w tym celu wykonywał mnóstwo śmiesznych podskoków na sztywnych łapach, eleganckie piruety i długie susy przez trawę, zastanawiając się jakby, gdzie je znaleźć i złapać i jak udaje się im zawsze uciec? Chwila zdumienia, głowa uniesiona do góry, uszy wychwytujące najlżejszy dźwięk, potem nos przy ziemi, gwałtowne obwąchiwanie trawy, wszystkie zmysły w pogotowiu, nagły skok, blisko sukcesu, tuż-tuż, pasikonik już prawie złapany... ale ucieka, znika. Głowa do góry, pies zastyga w jednej pozycji, zdziwione spojrzenie. Potem pełen wdzięku kłus wzdłuż drogi, potem... nagłe zatrzymanie się, skupienie, zaprzeczający prawu grawitacji skok w trawę – polowanie zaczyna się jeszcze raz. I tak w kółko – od dawna nie widziałam niczego tak śmiesznego. Doskonały prezent na rozstanie!

– Wyciągnij rękę i dotknij – powiedziała Postać.
– Dotknąć gwiazdy? Nie można dotknąć gwiazdy.
– To nie są gwiazdy. Wyciągnij rękę i dotknij.
– Jak?
– Po prostu zwróć palec w kierunku tej, która najbardziej ci się podoba, i pchnij ją umysłem.

Dziwne polecenie, ale wykonuję je. „Gwiazda" natychmiast zmienia się w figurę geometryczną, która wygląda na gwiazdę wpisaną w koło. Zewnętrzna obwódka koła jest żółta, wewnętrzna – niebieska. Środek koła, a zarazem środek gwiazdy jest nieskazitelnie biały.

– A teraz pchnij w sam środek, pchnij swoim umysłem.

Robię tak i „gwiazda" zmienia się w różne symbole matematyczne, których nie rozumiem. Pcham mocniej i symbole przemieniają się w węże. Pcham jeszcze mocniej i węże zamieniają się w kryształy.

– Wiesz, co to znaczy?
– Nie.
– Czy chciałbyś poznać Estrellę?

Z powrotem w Bonn. Dam sobie radę. Czuję się lepiej po trzech tygodniach spędzonych w domu, w bezpośrednim kontakcie z moim życiem, mniej odosobniona w kokonie raka. W samolocie miałam na sobie żakiet, którego nie nosiłam od dłuższego czasu, i w kieszeni znalazłam nierozpakowane ciastko z życzeniem-niespodzianką. Na karteczce był napis: „Zrealizujesz swoje plany". To dosyć skromna przepowiednia, niezbyt entuzjastyczna, ale w przeddzień naszego wyjazdu na kolejną rundę chemioterapii brzmiała cudownie! Kiedy przyjechaliśmy na miejsce, okazało się, że Norbert wyjechał na czterotygodniowe wakacje, nikogo nie zawiadamiając o naszym przyjeździe – to u Norberta niezwykłe przeoczenie! Tak więc nie spodziewano się nas ani w szpitalu, ani w hotelu i przez jakiś czas wyglądało na to, że nie będzie dla nas miejsca w gospodzie... Ale w końcu wszystko jakoś się ułożyło. Ken mieszka w pokoju na poddaszu, gdzie nie może się nawet wyprostować, czekając, aż zwolni się jakiś pokój.

Jest po północy. Spaceruję samotnie po ulicach Bonn. Medytacja przychodzi mi z trudnością, więc spaceruję całymi godzinami bardzo wcześnie rano i bardzo późną nocą, za towarzystwo mając jedynie krótkie i przypadkowe przebłyski Świadka.

Minąłem budynek z ogromnym szyldem „Nightclub". Widziałem takie nocne kluby w paru miejscach i zastanawiałem się, co to właściwie jest. Nie dzisiaj, zdecydowałem, jestem zbyt zmęczony. Mijam kolejny i jeszcze jeden. Wygląda na to, że to jedyne miejsca w Bonn otwarte o tej porze. Dochodzę do wniosku, że w Bonn istnieje niezwykle ożywione życie nocne. Zaczynam się śmiać na myśl o zgrai pijanych dyplomatów.

Kiedy mijam czwarty „Nightclub", decyduję się wejść do środka. A co tam, do diabła. Zbliżam się do drzwi i natychmiast uderza mnie, że są zamknięte, choć z wnętrza dochodzi głośna muzyka. Na ulicy żywego ducha. Obok wejścia dzwonek z jakimś napisem. Pewnie jest po prostu napisane, żeby zadzwonić. Robię tak. Przez małe okienko spogląda na mnie dwoje oczu pod gęstymi, szerokimi brwiami. Włącza się brzęczyk, drzwi otwierają się.

Nie wierzę własnym oczom. Wygląda to jak sekretny bar z lat dwudziestych, ale zaprojektowany przez jakąś zwariowaną i do tego pijaną królową cygańską. Ściany pokryte są fioletowym aksamitem. Jest coś w rodzaju parkietu do tańca i kula z mnóstwa lusterek zwisająca z sufitu, rzucająca jasne błyski na twarze gości. Poza tym jest tu strasznie ciemno. Udaje mi się policzyć, że jest tu sześciu mężczyzn, siedzących przy stolikach rozmieszczonych wokół parkietu. Wszyscy wyglądają na nieco zaniedbanych, żaden nie jest zbyt atrakcyjny, ale każdemu z nich towarzyszy niezwykle atrakcyjna kobieta. Cholera, myślę, Niemki są n a p r a w d ę miłe.

Wszyscy przerywają rozmowy i patrzą na mnie. Powoli podchodzę do baru, który ma około dziesięciu metrów długości. Przy nim stoi około trzydziestu stołków pokrytych takim samym aksamitem, jaki dusi ściany. Przy barze pusto. Wybieram stołek pośrodku rzędu. Na twarz padają mi błyski z lustrzanej kuli – wszyscy wyglądamy jak plamy światła na tle ciemności tego... tego... tego czegoś, czym jest to miejsce.

– Cześć, postawisz mi drinka?

– Już rozumiem! To burdel, prawda? Dom publiczny? No, właśnie. Wydaje mi się, że... Och, przepraszam. Czy mówisz po angielsku? – Obok mnie stoi bardzo piękna kobieta, na pewno nie dlatego, że nie mogła znaleźć wolnego miejsca.

– Tak, mówię trochę po angielsku.

– Słuchaj, nie chciałbym cię obrazić, ale to burdel, tak? Wiesz, co to znaczy burdel?

– Tak, wiem, co to znaczy burdel. Ale to nie jest burdel.

– Nie? – Jestem zupełnie zdezorientowany. Szukam wzrokiem jakichś drzwi, którymi panie i ich, hmm... goście mogliby udać się na bardziej prywatną rozmowę, ale nie widzę żadnego miejsca, gdzie mogłoby się to odbywać.

– To nie burdel? Te kobiety to nie prostytutki? Wiesz, co to znaczy prostytutka?

– Te kobiety to z pewnością nie prostytutki.

– O kurczę, przepraszam. Trochę to wszystko dziwne.

– Postawisz mi drinka?

– Postawić ci drinka? Oczywiście. – Jestem strasznie speszony tą sytuacją i kompletnie niesamowitą atmosferą. Jest parkiet, ale nikt nie tańczy. Wygląda to na burdel, ale nikt nie rusza się z miejsca. Przesuwające się odblaski czerwonofioletowego światła robią dziury w ciemności, ukazując obite aksamitem ściany. Jeśli nie jest to burdel – to jaki jeszcze lokal może mieć zamknięte drzwi z dzwonkiem?

Pojawiają się przed nami dwa drinki. Oba wyglądają nieźle, ale mój smakuje jak rozcieńczony szampan.

– Słuchaj, nie jestem gliną ani nic takiego, ale czy jesteś pewna... Hmm, wiesz, co to glina?

– Wiem, co to glina.

– Nie jestem gliną. Jesteś pewna, że nie jesteś dziwką? Wiesz, co to dziwka?

– Nie musisz ciągle powtarzać „wiesz, co to...". Nie jestem dziwką, naprawdę. Słowo daję.

– Jezu, strasznie cię przepraszam. – Teraz jestem już okropnie zmieszany. – Wiesz, to wygląda na klub taneczny. Ci mężczyźni... – spoglądam w kierunku zbieraniny mojej płci – ci mężczyźni tu przychodzą, płacą i tańczą z ładnymi dziewczynami, tak? – Czuję się jak idiota.

– Mogłabym z tobą zatańczyć, jeśli chcesz, ale nie, to nie jest klub taneczny. To klub nocny. Przychodzę tu od czasu do czasu, kiedy mi się nudzi. Mam na imię Tina.

– To klub nocny. O Jezu. Cześć, Tina. Ja jestem Ken. – Podajemy sobie ręce, wypijam rozcieńczony szampan i zaczyna boleć mnie głowa.

– Wiesz, niespecjalnie się czuję. Moja żona, Treya, jest w Janker Klinik. Wiesz, to znaczy, znasz Janker Klinik?

– Tak, leczą tam *Krebs,* raka. Twoja żona ma raka?

– Tak.

I z jakiegoś powodu zaczynam opowiadać Tinie wszystko – o raku, o podróży tutaj, o złych prognozach, o tym, jak bardzo mi zależy na mojej żonie i jak bardzo się martwię. Tina jest bardzo przejęta, bardzo miła i cały czas słucha ze skupieniem. Opowiadam tak może z godzinę. Tina mówi, że pochodzi z Kolonii. Przyjeżdża do klubów nocnych w Bonn, kiedy jej się nudzi. Taka piękna kobieta musi tu przyjeżdżać? Obserwuję mężczyzn; wszyscy są okryci fioletową poświatą, wszyscy rozmawiają z pięknymi, fioletowymi kobietami i żaden z nich nie rusza się z miejsca, nie tańczy, nie romansuje, nic.

– Słuchaj, Tina, jesteś bardzo miła i wspaniale było się przed tobą wygadać, naprawdę. Ale będę musiał już iść, jest druga w nocy. Do zobaczenia.

– Chcesz pójść na górę?

Oho! Wiedziałem, wiedziałem, wiedziałem.

– Na górę?

– Tak, możemy pójść na górę i pobyć trochę sami. Tutaj mi się nie podoba.

– Dobrze, Tina, chodźmy na górę.

– Żeby pójść na górę, musimy kupić butelkę szampana.

– Butelkę szampana. Oczywiście, oczywiście kupimy butelkę szampana.

Dostaję butelkę, oglądam etykietę, zawartość alkoholu 3,2%. Jasne. Zupełnie jak w burdelach w Stanach, gdzie podają sok jabłkowy w cenie whisky, żeby panie się nie upiły. Wiem, że się nie mylę. Zostawiam „szampana" na kontuarze.

Tina wstaje i prowadzi mnie przez parkiet do tańca, obok fioletowych ludzi, którzy uważnie nam się przyglądają. Skręcamy za róg, są tam kręte schody niewidoczne z baru, kręte schody prowadzące na górę.

Tina idzie pierwsza, a ja za nią. Czuję się dziwnie, patrząc w górę, ale ona na pewno nie ma nic przeciwko temu. Ze szczytu schodów widzę jakieś sześć pomieszczeń, wszystkie otwarte i obite tym wstrętnym aksamitem. W każdym jest ławka i wieszak z ręcznikami. Z głośników dobywa się cicha muzyka – Frank Sinatra – lecz Tina zapewnia mnie, że może być taka muzyka, jakiej sobie życzę.

– Lubisz U2?

– Tak.

Siadamy na ławce w pierwszym pomieszczeniu i wnętrze zaczyna wypełniać głos Bono. Dostrzegam otwór w podłodze, przez który widać parkiet do tańca na dole.

– Tina, w podłodze jest dziura.

– Tak, Ken. Po to, żebyśmy mogli widzieć tańczące dziewczyny.

– Kiedy tańczą? Dziewczyny tańczą?

– Striptiz. Za kilka minut występuje Mona. Możemy poglądać.

– Tina, dlaczego mi nie powiedziałaś, że to burdel? Okłamałaś mnie.

– Ken, to nie burdel. Tutaj nie uprawia się miłości. Jest to nielegalne i żadna z nas tego nie robi.

– To co w takim razie tutaj robicie? Wiem, że jestem naiwny, ale chyba nie wróżycie z ręki?

Słyszę jakiś hałas na schodach i na górze pojawia się kobieta, która stawia szampana na małym stołku przed ławką.

– To będzie sześćdziesiąt amerykańskich dolarów. Może pan zapłacić na dole. Życzę udanej zabawy.

– Co?! Sześćdziesiąt dolarów! Jezu, Tina, no nie wiem...

– Ken, zaraz będzie tańczyć Mona. – I rzeczywiście, przez dziurę w podłodze mamy doskonały widok na Monę. To długi, dziki striptiz, odsłaniający oszałamiające ciało, które, choć jak wszystko inne oblane jest fioletowym światłem, wygląda zdumiewająco pięknie.

– Posłuchaj, Tina. – Tina wstaje i szybko, lecz spokojnie zdejmuje z siebie ubranie, a potem siada obok mnie.

– Czego więc sobie życzysz, Ken?

Nic nie mówię, tylko patrzę.

– Ken?

Cały czas się na nią gapię. Nie wiem dlaczego, po prostu patrzę. A potem nagle wiem. Po raz pierwszy od trzech lat widzę dwie kobiece piersi. Patrzę na Tinę, a potem spuszczam wzrok; patrzę na Tinę i znowu spuszczam wzrok. Przelewa się przeze mnie ogromna fala sprzecznych emocji.

– Słuchaj, Tina, niczego nie musisz robić. Po prostu trochę posiedźmy, dobrze?

Mój umysł zatraca się w świecie ciała, wszystkiego, co ono znaczy, co rak może z nim zrobić. Siedząc tak, dostrzegam dwa światy. Nie ma żadnych wątpliwości: seks i rak to kiepska kombinacja. Zwłaszcza seks z kobietą, która ma raka piersi i przeszła mastektomię. Najpierw pojawia się problem, jak ta osoba zareaguje na swe zniekształcone ciało. Żadna to tajemnica, że w naszym społeczeństwie piersi są najbardziej widocznym i najbardziej „cenionym" symbolem kobiecej seksualności; ich utrata może być dla kobiety tragedią. Zawsze zdumiewało mnie, że Treya stosunkowo dobrze radziła sobie z tym problemem. Oczywiście brakowało jej piersi i niekiedy gorzko narzekała przede mną i przed swoimi przyjaciółmi – był to dla niej bardzo trudny okres. Ale najczęściej mówiła: „Myślę, że wszystko będzie w porządku". Jest to, ogólnie rzecz biorąc, najtrudniejszy i najbardziej palący problem dla kobiety chorej na raka piersi. Może zniszczyć jej wizerunek samej siebie i praktycznie pozbawić popędu płciowego, gdyż często czuje się nieatrakcyjna seksualnie.

Sytuacja jest jeszcze bardziej skomplikowana, jeżeli kobieta przechodzi przez chemioterapię albo naświetlania. Często jest zbyt zmęczona, zbyt wyczerpana, by w ogóle interesować się seksem, i wówczas ma straszne poczucie winy, wywołane seksualną niedostępnością dla swojego mężczyzny. A więc do poczucia braku atrakcyjności dochodzi jeszcze poczucie winy.

Partner może bardzo poprawić albo bardzo pogorszyć sytuację. Prawie połowa mężczyzn, których żony poddały się mastektomii, opuszcza je w ciągu pół roku. Mężczyzna czuje, że jego żona jest towarem uszkodzonym, na który on nie może reagować seksualnie.

– Brakuje ci jej? – pytała często po operacji.

– Tak.

– Czy to bardzo ważne?

– Nie. – I była to prawda. Nie to było najważniejsze. Nie jest to kwestia „wszystko albo nic", raczej kwestia procentów. Powiedziałbym, że moje pożądanie zmniejszyło się o jakieś 10%, po prostu dwie piersi są lepsze niż jedna. Ale pozostałe 90% było wciąż wspaniałe. Treya wiedziała o tym, wiedziała, że jestem z nią szczery, i wydaje mi się, że bardzo jej to pomogło w oswojeniu się ze swoim nowym wizerunkiem. Te 90% należało do najpiękniejszej i najbardziej atrakcyjnej dla mnie kobiety.

Przez większą część roku w Tahoe, kiedy Treya przechodziła przez chemioterapię i byliśmy bliscy rozstania, w ogóle nie uprawialiśmy seksu. Trei zdawało się, co zrozumiałe, że jej zmaltretowane ciało nie mogło wzbudzić pożądania. Ale wtedy nie tyle jej ciało, ile o n a s a m a mi się nie podobała, co oczywiście przeniosło się również na płaszczyznę seksualną.

Uczuciem dominującym u wielu mężczyzn, którzy opiekują się żonami chorymi na raka, jest strach. Boją się uprawiać z nimi seks w obawie, że mogliby im zadać ból. W męskiej grupie wsparcia CSC, gdzie mężczyznom proponowano pomoc specjalisty, najczęściej wybierali ginekologa. Potrzebowali prostych informacji – na przykład o estrogenowym kremie w przypadku suchości w pochwie – i to niezwykle pomagało im w kłopotach.

Mężczyznom pomaga także, gdy usłyszą, że zwyczajne przytulanie niekiedy jest najlepszym rodzajem seksu, zawsze dozwolonym. Byliśmy z Treyą mistrzami w przytulaniu, i to od bardzo dawna.

W Nevadzie działa trzydzieści pięć burdeli, wszystkie zalegalizowane i pod kontrolą. Najsłynniejszym jest „Mustang Ranch", tuż koło Reno, czterdzieści minut jazdy z Incline Village. Większość czasu spędzaliśmy w Incline. Wówczas Treya albo przechodziła chemioterapię, albo wracała po niej do siebie i w pewnym momencie zaproponowała, żebym wpadł do „Mustanga".

– Naprawdę?

– Dlaczego nie? Nie chcę, żebyś pozbawiał się seksu z powodu głupiej chemioterapii. Myślę, że gdybyś miał romans, czułabym się bardzo źle. Stałoby się to dla mnie bardzo trudne, gdyby było w tym coś bardzo osobistego. Ale z czymś takim jak „Mustang" nie ma problemu. Dwadzieścia dolców za dwadzieścia minut, prawda?

– Coś koło tego. – Osobiście uważam, że prostytucja to szlachetne zajęcie (jeżeli pochodzi z własnego wyboru), ale po prostu nie w moim stylu. Cały czas byłem wierny Trei i zamierzałem utrzymać taki stan rzeczy. Tu każdy mężczyzna powinien decydować sam za siebie. Często jednak żałowałem, tylko z powodów czysto teoretycznych, że nigdy nie wstąpiłem do „Mustanga".

Były oczywiście takie chwile, kiedy bardzo brakowało mi tych 10%, obu piersi, tej cudownej równowagi.

A więc siedzę tu, gapiąc się na Tinę, i widzę tylko 10%. Wyciągam rękę, pieszczę jej piersi, a potem obie całuję. Jestem wstrząśnięty tym, jak bardzo brakuje mi tej symetrii, harmonii. Jakie to wspaniałe uczucie dotykać obu, jakie to podniecające, że mogę to robić obiema rękami. Czuję wielki smutek, siedząc tak przy Tinie o słodkiej twarzy, blisko jej harmonijnego ciała i dwu pełnych piersi.

– Ken? Ken?

– Posłuchaj, Tina, naprawdę muszę już iść. Było cudownie, ale muszę iść.

– Ależ my jeszcze niczego nie zrobiliśmy.

– Tina, co ty tu, do diabła, robisz?

– Robota ręczna, tego rodzaju rzeczy.

– A więc to, że nie masz stosunku z klientem, oznacza, że nie jesteś prostytutką, mam rację?

– Zgadza się.

– Muszę lecieć. Trudno to wytłumaczyć, ale chyba już zobaczyłem wszystko, co chciałem zobaczyć. Pomogło mi to bardziej, niż możesz sobie wyobrazić. Do zobaczenia, Tina.

Zszedłem po kręconych schodach w chorobliwie fioletowe światło, do pogrążonych w mroku gości. Zapłaciłem za szampana i wyszedłem na brukowaną kocimi łbami uliczkę.

Parę dni poźniej opowiedziałem Trei o tym doświadczeniu, ona się roześmiała i powiedziała:

– Powinieneś był pójść na całość.

– O, kurczę.

– Cześć, Fritjof.

– Ken? Nie do wiary! Co ty tu robisz?

Byłem ostatnią osobą, którą Fritjof Capra spodziewał się zobaczyć na schodach Janker Klinik. Nie widzieliśmy się od dnia mojego ślubu. Przywiózł do kliniki matkę, która miała mały guz. Leczenie było bardzo pomyślne i w końcu wróciła do Innsbrucku, gdzie mieszkała. Z Fritjofem różniliśmy się poglądami naukowymi, ale zawsze bardzo go lubiłem.

– Treya leczy się w klinice. Nawrót w płucach i mózgu.

– Och, tak mi przykro. Nie wiedziałem. Dużo podróżowałem i prowadziłem wykłady. Ken, poznaj moją matkę. Również leczy się w klinice.

Postanowiliśmy spotkać się później, a pani Capra poszła do Trei. To wspaniała osoba. Słynna autorka – poezja, biografie, sztuka – podobnie jak Edith zdawała się uosabiać wielką mądrość Europy. Była za pan brat ze sztuką, nauką, przedmiotami humanistycznymi. Poznała Treyę i znowu była to miłość od pierwszego wejrzenia.

> Pani Capra leczy się tutaj z powodu wczesnego raka piersi. Jaka ona wspaniała! Naprawdę ją lubię. Między innymi wróży z ręki i wczoraj wróżyła nam obojgu. Ken ma bardzo długą linię życia, aż do samego końca dłoni! Dokładnie wskazała obecny kryzys zdrowia odbity na mojej dłoni, ale powiedziała, że wkrótce wyzdrowieję i dożyję osiemdziesiątki. Oczywiście bardzo się ucieszyłam. Nie wiem, czy to prawda, ale jestem świadoma silnego pragnienia, by się to spełniło. Kiedy najbardziej bałam się nawrotu, myślałam, że będę wdzięczna, jeżeli pożyję jeszcze z osiem lat. Dzisiaj Ken przeczytał w liście od przyjaciela, że jego matka umarła na raka piersi w wieku lat pięćdziesięciu trzech. Miesiąc temu pomyślałabym, że pięćdziesiąt trzy minus czterdzieści jeden (tyle mam lat) to dwanaście i brzmi to całkiem nieźle. Wystarczyłoby mi. Ale dzisiaj pomyślałam: o Boże, przecież to tak młody wiek. Chciałabym dożyć osiemdziesiątki, chciałabym zobaczyć, jak się zmienia świat, mieć w tym swój udział, chciałabym widzieć, jak dojrzewają dzieci moich przyjaciół. A potem

zadaję sobie pytania: Czy to tylko pobożne życzenia? Albo pozytywne wyobrażanie sobie przyszłości? Czy to wynik pragnienia, chwytania lat życia? A może chęć życia, która triumfuje nad okolicznościami... albo chęć życia, która ignoruje prawdziwe okoliczności? Nie wiem.

Być może był to skutek niewinnego wróżenia z ręki albo znowu wypieraliśmy fakty lub już nam tak nie zależało, ale do momentu spotkania z Scheefem oboje byliśmy nastawieni całkiem optymistycznie. Tym bardziej przygnębiające okazało się to, co miał nam do powiedzenia.

Znowu z pieca na łeb... Dr Scheef miał zupełnie nieoczekiwane nowości. Zdaje się, że guzy w płucach w ogóle nie zareagowały na chemioterapię. Według jednej z interpretacji chemioterapia dotarła do wszystkich aktywnych komórek, a guz, który pozostał, jest teraz uśpiony lub w stanie równowagi z ciałem. To, co wykazało zdjęcie rentgenowskie, może również być jakąś opuchlizną; należy wykonać MRI, żeby się przekonać, co to naprawdę jest. „Przesada w leczeniu – powiedział Scheef – jest niebezpieczna. Trzeba mieć ogromne doświadczenie, żeby podjąć decyzję i lekarz prosto po akademii medycznej nie mógłby tego zrobić". Tłumaczył nam, że nadmiar terapii może doprowadzić do pogorszenia. Jeżeli nawet 80–90% komórek nie urośnie, trzecia terapia miałaby szanse na zniszczenie tylko 10–20% tych komórek, które rosną, i osłabiłaby układ odpornościowy. To z kolei umożliwiłoby rozwój tych uśpionych 80–90% komórek. Stan uległby tylko pogorszeniu, jest tego całkowicie pewien. Byliśmy zdumieni i zaszokowani.

Wiedzieliśmy, że sytuacja zrobiła się bardzo poważna, że w płucach i wątrobie Trei pojawiły się jakieś nowe plamy. Podczas trzeciej rundy chemioterapii Scheef zamierzał przestawić Treyę z ifosfamidu na cis-platinum, bardzo skuteczne lekarstwo w takich przypadkach. A teraz mówi nam, że nawet to nie pomogłoby, a prawdopodobnie tylko by zaszkodziło. Miał ważne powody do podjęcia takiej decyzji i podziwiałem jego odwagę, gdy odmówił prowadzenia dalszej chemioterapii, gdyż nasi amerykańscy lekarze z całą pewnością zaleciliby kolejną turę, wiedząc doskonale, że to nie pomoże. Ale nie doktor Scheef: dalsze leczenie tylko „zniszczyłoby jej duszę", a rak pozostałby nietknięty.

Jak by nie było, Scheef położył na nas kreskę, choć nigdy tego tak nie ujął. Był bardzo optymistycznie nastawiony do programu Kelleya-Gonzalesa, który całkiem nieźle znał i uważał, że mógłby on, właśnie mógłby dać rezultaty. Faktem jest jednak, że on sam wypalił ze wszystkich swoich armat, a nieobliczalna komórka z wypisaną datą – przetrwała.

Po raz ostatni rozmawialiśmy z tym niezwykłym człowiekiem.

> Aby ustabilizować moją sytuację [utrzymać guzy w obecnym stanie], doktor Scheef przestawił mnie na aminoglutethimid. Jest to nowy środek, który ma szersze zastosowanie niż tamoxifen. Przepisał mi również trzy środki biologiczne – wyciąg z grasicy (jeden czopek dziennie i dwie ampułki tygodniowo), witaminę A w płynie (dziesięć kropli – 150 tys. IU* dziennie przez trzy miesiące w roku, wyciąg z wątroby przez pozostałe miesiące) i enzymy Wobe Mugos. Wyciąg z grasicy, niedostępny w Stanach, jest nieswoistym środkiem stymulującym układ odpornościowy. Jak dotychczas jego skuteczność została udowodniona jedynie w eksperymentach na zwierzętach. Okazało się, że aby wywołać raka u 50% zwierząt z badanej grupy, wystarczy wszczepić im 120 000 komórek nowotworowych. Sytuacja się zmienia, jeśli najpierw potraktuje się zwierzęta wysokimi dawkami witaminy A – do wywołania nowotworu potrzeba miliona komórek. Jeżeli zaś zwierzęta dostają wyciąg z grasicy, to nowotwór pojawia się dopiero

* IU (*international units*) – standardowe jednostki aktywności witamin, hormonów, enzymów i innych substancji biologicznie czynnych (przyp. red.).

po wszczepieniu pięciu do sześciu milionów komórek. Całkiem dobra obrona.

Przypomniałam doktorowi Scheefowi o planach rozpoczęcia programu Kelleya i odpowiedział natychmiast, bez wahania:

– Tak, oczywiście, bardzo dobrze, bardzo dobrze.

– Czy wysłałby pan do niego swoją córkę? – spytał Ken.

Scheef uśmiechnął się i powiedział:

– Absolutnie tak.

Jestem ogólnie zadowolona, że będę mogła oprzeć się na programie Kelleya, skoro poprzednia metoda zawiodła. Spytałam, jakie mam szanse.

– Mam dobre przeczucia, gdyż guzy utrzymują się w tym samym stanie. To daje czas na nowe terapie, na które się zdecydujesz. Problem polega na tym, że jeżeli złapiesz przeziębienie albo zapalenie płuc, wówczas organizm nie będzie mógł zwalczyć raka.

Mówił dalej, że powinnam kontynuować makrobiotyczny program Kelleya i zaproponował, żebym spotkała się z doktorem Burzynskim. Ważne jest to, że wszystkie te metody mogą pomóc, a ponieważ są nietoksyczne, nie są w stanie zaszkodzić. „Zawsze należy zwracać na to uwagę. Zarówno Kelley, jak i Burzynski są uczciwi, czego nie można powiedzieć o wielu lekarzach leczących raka metodami alternatywnymi".

Ofiarowaliśmy Scheefowi jeden z aparacików Trei do pomiaru poziomu cukru we krwi – prezent od diabetyka dla diabetyka! – i pożegnaliśmy się z nim. Wróciłem do „Kurfürstenhofu", żeby rozpocząć przygotowania do naszego wyjazdu. Treya wyszła na spacer.

Wyszłam ze szpitala bardzo przybita i zmartwiona tym, co powiedział Scheef. Od naszego przyjazdu pogoda była dziwna, ani trochę słońca, chmury, mżawka i o wiele zimniej niż wtedy, gdy wyjeżdżaliśmy w maju; strasznie przygnębiająca pogoda. Zaczęłam iść wzdłuż Poppenheimerallee, pięknej ulicy z szeroką promenadą pośrodku obsadzoną drzewami, podobną do parku. Spojrzałam na budynki po prawej stronie – widziałam je już wiele razy – i pomimo złego nastroju zainteresowałam się nimi. Nie wiem, kiedy zostały zbudowane – pod koniec XIX wieku? – ale w Bonn jest wiele pięknych domów, każdy pomalowany na inny kolor, z balkonami o różnych kształtach, ornamentami z gipsu. Zobaczyłam jasnoniebieski dom, potem ciemnoczerwony, ciemnożółty, jasnozielony, kremowy, z pięknymi wejściami, bałustradami, niektóre proste i klasycznie eleganckie, inne bardziej ozdobne, barokowe, a wszystkie okolone drzewami rosnącymi na chodniku. Niezwykle piękna ulica. Po przeciwnej stronie, za parkiem, zauważyłam kilka nowoczesnych budynków, nudne powierzchnie, kwadratowe okna, toporne proporcje i szara farba; nie miały w sobie ani odrobiny piękna czy gracji w porównaniu z tymi po drugiej stronie ulicy i z bogatą zielenią parku. Nagle poczułam, jak przepływa przeze mnie fala radości.

Z pewnością czułam się lepiej. Czy to tylko moja wyobraźnia, czy rzeczywiście chmury trochę się przerzedziły? Czy widzę cień na ścieżce? Szłam dalej, ku pięknym budynkom na końcu ulicy, pomalowanym na głęboko żółty kolor. Nagle natknęłam się na dziwną grupę ośmio-, dziewięcioletnich dziewczynek w białych kapelusikach. Niektóre z nich ubrane były w kostiumy baletowe; obok nich dorośli nieśli kamery wideo. Dziewczynki właśnie zdjęły swoje baletki; przykro mi było, że nie widziałam głównego przedstawienia, ale podobała mi się ta scena po przedstawieniu.

Tak, słońce usiłowało wyjść zza chmur i coraz lepiej mu się to udawało. Nagle złapałam się na tym, że idę wzdłuż jakiegoś ogrodzenia. Po drugiej stronie był cudowny ogród botaniczny! Nigdy nie natknęłam się na niego podczas moich wędrówek. Wkrótce znalazłam się w Ogrodzie Botanicznym Uniwersytetu w Bonn. Cóż za odkrycie! Stare drzewa o wdzięcznie opadających gałęziach, które łagodnie dotykały pysznego trawnika. Rzeczka i stawy obramowane starymi, uroczymi drzewami, zamieszkane przez kaczki krzyżówki, których zielone główki połyskiwały w słońcu (tak, teraz już całkowicie wyjrzało zza chmur). Egzotyczne gatunki roślin na rabatach, starannie oznaczone tabliczkami. Oto trawnik, pośrodku przepiękny ogród różany. Różowe róże chyba zakwitły pierwsze, teraz są już pełne, rozwinięte i przejrzałe, gubią płatki. Czerwone róże dopiero osiągnęły swą płomienną, pyszną dojrzałość. Za nimi róże herbaciane, ledwo, ledwo rozwinięte, na tyle, by ukazać oszałamiające barwy. Przeszłam każdą alejkę, błądząc pośród głębokiej, ciemnej zieleni posągowych drzew i jaskrawych, płomiennych kolorów kwiatów. Czułam się cudownie.

Przypomniałam sobie, że istnieją jeszcze inne sposoby. Muszę pamiętać o wizualizacji i medytacji, gdyż ostatnio guzy były bardzo spokojne, nie wysyłały żadnych głosów, obrazów ani emocji. Ale dopiero podczas spaceru w Ogrodzie Botanicznym poczułam się pogodzona z sytuacją. Tak to już jest. Zrobimy, co w naszej mocy, i zobaczymy, jakie będą skutki. Nie można niczego przewidzieć, nie ma potrzeby niczego kurczowo się trzymać, nie ma sensu dążyć do określonego rezultatu. Nie można czuć niechęci, to tylko prowadzi do cierpienia. Życie jest dobre, Ken jest moim ukochanym – i jeszcze kolor tych róż!

W drodze powrotnej z Bonn zatrzymaliśmy się w Kolonii i Akwizgranie, żeby obejrzeć zabytkowe katedry – ostatnie, które mieliśmy zwiedzić w Europie. Ogarnęła nas jednak mała melancholia.

W Akwizgranie nie było co robić, zwłaszcza że sklepy w Niemczech w sobotę zamykane są o drugiej (poza pierwszą sobotą miesiąca). Jesteśmy zmęczeni pobytem tutaj i chcemy już wracać do domu, skoro nie czeka mnie już żadne leczenie. Nuda, którą odczuwamy, spotęgowana jest przez jedzenie, które nam podano. Trochę mnie rozbawiły dwa szyldy – ZŁE TOWARY i SCHMUCK U. ANTIQUITATEN – ale tylko trochę. Oboje byliśmy zmęczeni chodzeniem i oglądaniem wystaw. Chwilami zastanawiam się, o co w ogóle w życiu chodzi, zwłaszcza przy tak intensywnym skupieniu na leczeniu, kiedy nie ma czasu na nic innego. Na pewno nie jest to zbyt oryginalne pytanie. A jednak moja chęć, by być zdrową, jest tak silna, jakby pochodziła z poziomu komórki. Chwile filozoficznej zadumy i przygnębienia nie mogą jej zniszczyć, choć oczywiście przygniatają mnie i gaszą nieco radość życia. Gdy zapaliliśmy świeczki przed ołtarzem Marii Panny w katedrze w Kolonii, stawiając je w płonącym, migoczącym, roztańczonym rzędzie innych, pomyślałam, jak niespodzianie pojawia się moja miłość do życia, gdy odczuwam rozkosz na widok kwitnących róż albo słysząc śpiew ptaków. Ale dzisiaj nawet te chwile wydają się płaskie, nie są w stanie poprawić mi nastroju ani wyprostować przygarbionych ramion. Wcześniej tego dnia powiedziałam Kenowi, że być może wpadamy w takie nastroje, bo nie mamy dzieci; dzieci nieustannie wciągają w życie, budzą poczucie odpowiedzialności i każą myśleć o przyszłości. Kiedy wzrasta poczucie ograniczenia, ciało „zwalnia", człowiek staje się bardziej realistycznie nastawiony do życia.

W kościele, kiedy klęczałam przed lasem świec migoczących w miękkiej ciemności, jedyną rzeczą, o której mogłam myśleć, było to, że tylko pomaganie innym ludziom nadaje życiu znaczenie. Jednym słowem – służba. Takie rzeczy jak rozwój duchowy czy oświecenie zdały mi się jedynie pojęciami. Dążenie do pełnego rozwoju również wydało mi się egocentryczne, chyba że prowadzi on (jak to się często zdarza) do powstawania idei albo dzieł, które pomagają ulżyć cierpieniu. Piękno? Moja sztuka? Tworzenie? Cóż, przynajmniej dzisiaj nie wydawało mi się to tak ważne, być może poza tymi dziełami, które zdobią miejsca święte, takie jak ta katedra. Ważne wydawały się jedynie związki między ludźmi, powiązania, delikatne, miłosne związki ze wszystkimi formami życia i całym stworzeniem. Jest ważne, bym miała otwarte serce, co zawsze było dla mnie najtrudniejsze, bym wyzbyła się wszelkich form obrony, była otwarta zarówno na ból, jak i radość. Czy to oznacza, że spędzę mniej czasu na tworzeniu swojej sztuki, a więcej poświęcę pracy z ludźmi, którzy mają raka? Nie wiem. W tej chwili, kiedy piszę tę książkę, chciałabym przekazać informację, że to może być bardziej wartościowe niż malowanie witraży. Mam jednak nadzieję, że znów odnajdę się w sytuacji, w której będzie miejsce na radość i piękno, że chmury się rozproszą, a mój nastrój poprawi.

Podróż powrotną mieliśmy rozrywkową i luksusową. Jechaliśmy specjalnym pociągiem Lufthansa Airport Express. Od dworca kolejowego w Bonn aż do końca przelotu samolotem nie musicie się już martwić o bagaż, a w pociągu podają pyszny posiłek i szampana dla chętnych. Już po raz piąty jedziemy trasą wzdłuż Renu i w końcu udało mi się dostać przewodnik, który opisuje wszystkie zamki – a jest ich dużo, dwadzieścia siedem twierdz strzegących drogi wzdłuż rzeki. Oto Drachenfels, najczęściej odwiedzana góra w Europie (byliśmy na niej z Kenem, Ken wracał tu wiele razy, a raz zabrał Vicky) – jej stoki, niebezpiecznie osłabione przez kamieniołom, podtrzymuje obecnie betonowy mur; oto Der Pfalzgrafenstein, wzniesiony w 1327 roku zamek na wyspie pośrodku rzeki; oto zamek Ehrenbreitstein, zbudowany w X wieku dla obrony miejsca, w którym Mozela spotyka się z Renem; oto wąski przesmyk Renu ze skałą Lorelei, gdzie mieszkała czarodziejka; oto Burg Gutenfels, wzniesiony około 1200 roku, ze stromymi, skalistymi tarasami winnic, schodzącymi od murów zamkowych aż na brzeg rzeki...

Muszę powiedzieć, że taka wycieczka w dół Renu robi wrażenie. Uwielbiam patrzeć na działki, które pojawiają się tu i ówdzie, obok torów kolejowych. Niekiedy jest to tylko jeden lub dwa ogródki, innym razem ogromny obszar złożony z trzydziestu lub nawet więcej działek. Przy każdej mała szopa albo składzik na narzędzia i letni domek – leżaki ustawione do słońca, jakieś warzywa, których nie znam, jaskrawe kwiaty. Szkoda, że to wtorek, a nie sobota, mogłabym obserwować krzątających się tu ludzi. Te maleńkie ogródki tworzą kolorowy, naturalny patchwork, okrywający niezwykłe miejsce na ziemi.

Gdy mijaliśmy Drachenfels, przysunąłem się do okna i patrzyłem na zamek – zniknął za horyzontem dopiero po dziesięciu minutach.

19

Namiętny spokój

Program Kelleya-Gonzalesa oparty jest na prostym założeniu, że enzymy trawienne rozpuszczają tkankę organiczną, w tym guzy. Dlatego w trakcie leczenia stosuje się duże dawki enzymów podawanych doustnie. Sprawa jest naukowo udowodniona, a lekarze sportowi od lat używają enzymów, by rozpuszczać chore tkanki po urazach. Główną częścią programu Kelleya jest więc przyjmowanie sześć razy dziennie ogromnej liczby pigułek na bazie enzymów trzustki (w tym raz w nocy). Należy je brać pomiędzy posiłkami, na pusty żołądek, gdyż inaczej enzymy nie przedostałyby się do krwiobiegu, by rozpuścić guzy, lecz po prostu rozpłynęłyby się w jedzeniu.

Obecnie program Kelleya stosuje w Nowym Jorku doktor Nicholas Gonzales. Nick, jak do niego mówimy, jest niezwykle inteligentnym, mądrym lekarzem. Ukończył studia w uniwersytecie Columbia i praktykował w Sloan-Kettering. Badając różne metody leczenia raka, natknął się na pracę doktora Kelleya, lekarza dentysty, który twierdził, że wyleczył z raka samego siebie oraz dwa i pół tysiąca swoich pacjentów, stosując enzymy trzustki w połączeniu z dietą, witaminy, lewatywy z kawy i jeszcze inne sposoby leczenia alternatywnego. Leczenie dużymi dawkami enzymów trzustki rozsławiło metodę Kelleya.

Kelley w końcu zachorował na schizofrenię paranoidalną i z tego, co nam powiedział Nick, wynika, że gdzieś tam jeszcze wegetuje, rozmawiając z małymi ludzikami z innych planet. Ze zdziwieniem odkryliśmy, że ta część jego historii bardzo nas uspokaja. Próbowaliśmy już wszystkich metod, które proponowali nam ludzie przy zdrowych zmysłach.

Nick przejrzał tysiące opisów przypadków zgromadzonych przez Kelleya i odrzucił wszystkie, które nie były dobrze udokumentowane, niezależnie od tego, jakie robiły wrażenie. Poprzestał na pięćdziesięciu i zaprezentował je jako pracę dyplomową w Sloan-Ketering. Niektóre rezultaty były zdumiewające. Na przykład szansa na pięcioletnie przeżycie przy przerzutowym raku piersi (takim jak u Trei) praktycznie wynosi 0%. Ale wśród tych pięćdziesięciu opisów trzy dotyczyły osób, które przeżyły więcej niż pięć lat (jedna z nich siedemnaście lat). Na Nicku zrobiło to takie wrażenie, że pojechał do Kelleya, gdy ten był jeszcze zdrowy, i razem z nim prowadził badania. Własną praktykę otworzył niedawno – osiem miesięcy przed naszym pierwszym spotkaniem. Chciałbym podkreślić, że nie jest to jakaś meksykańska klinika (choć i na taką zdecydowalibyśmy się, gdyby wzbudzała zaufanie). Gonzales jest doskonale wykształconym lekarzem, stosującym bardzo obiecujące alternatywne podejście do leczenia raka, całkowicie zgodne z prawem obowiązującym w Stanach Zjednoczonych.

Podstawowym narzędziem diagnozy, którego używa Gonzales, jest badanie krwi na obecność markerów nowotworowych.* Ten test określa umiejscowienie i stopień zaawansowania różnych guzów. Zanim poznaliśmy Gonzalesa, zanim mu w ogóle cokolwiek powiedzieliśmy o przypadku Trei, badanie to wykazało, że Treya ma rozległy guz mózgu i płuc oraz podejrzenie guza w węzłach chłonnych i wątrobie.

Z innych badań – właśnie wróciliśmy z Niemiec i rozpoczęliśmy program Kelleya-Gonzalesa – przeprowadzonych równocześnie w szpitalu w Denver, wynikało, że Treya ma około czterdziestu guzów w płucach, trzy w mózgu i przynajmniej dwa w wątrobie, a być może także guzy w węzłach chłonnych.

Gonzales posługiwał się testem, który polegał na ocenie wielkości guza w skali od 0 do 50. Uważał on, że powyżej 45 to stany nieuleczalne, krańcowe. Wskaźnik ten w przypadku Trei wynosił

---

* Substancje białkowe, których obecność we krwi często jest podwyższona przy niektórych nowotworach.

38, był bardzo wysoki, ale nie przekraczał normy, a nawet wróżył możliwą remisję.

Niezwykle niepokojące w programie Kelleya-Gonzalesa było to, że nawet wtedy, gdy działał, albo właśnie wtedy, gdy działał, powodował zmiany, których nie sposób było odróżnić od przyspieszonego rozwoju raka. Na przykład kiedy enzymy atakują guz i zaczynają go rozpuszczać, guz „wybucha" – standardowa reakcja histaminowa – i ten wybuch na prześwietleniu wygląda dokładnie tak samo jak rozwijający się nowotwór. Po prostu nie istnieje żaden sposób na rozróżnienie tych dwóch zjawisk (poza operacją i biopsją).

Tak oto rozpoczęliśmy najbardziej szarpiący nerwy odcinek naszej podróży. Gdy zaczęły działać enzymy, badania wykazały rozwój guzów, a jednak z analizy krwi wykonanej przez Gonzalesa wynikało, że wskaźniki raka obniżyły się! I w co tu wierzyć? Treya albo bardzo szybko wracała do zdrowia, albo bardzo szybko umierała, a my nie wiedzieliśmy, co jest prawdą.

Wypracowaliśmy sobie bardzo ścisły sposób postępowania w domu i czekaliśmy.

Na samym początku tego okresu Treya uległa kolejnej wewnętrznej przemianie. Była ona jakby uzupełnieniem tej, w czasie której zmieniła imię z Terry na Treya. Ta nowa przemiana nie była aż tak dramatyczna czy tak spektakularna jak pierwsza, ale Treya czuła, że była równie głęboka, być może nawet głębsza. Jak zawsze, chodziło o różnicę pomiędzy byciem a działaniem. Treya zawsze pozostawała w bliskim kontakcie z „działającą" stroną swojej natury. Pierwsza przemiana dotyczyła ponownego odkrycia strony kobiecej – ciała, Ziemi, artysty (tak przynajmniej ona to widziała). Ostatnia przemiana doprowadziła do integracji bycia i działania, połączenia ich w harmonijną całość. Znalazła dla tego określenie – namiętny spokój – które zdawało się doskonale opisywać cały ten proces.

Myślałam o pasji karmelitów i spokoju buddystów. Wydawało mi się to ważniejsze od starej dyskusji o opozycji teizm – nie-teizm, w którą zazwyczaj angażują się obie grupy. Nagle doszłam do wniosku, że nasze rozumienie pasji obciążone jest ideą kurczowego trzymania się, pragnieniem czegoś albo kogoś lub strachem przed utratą. Żądza posiadania. Może istnieje pasja bez przywiązania, pasja czysta? Co by to było, co by to oznaczało? Pomyślałam o tych chwilach medytacji, kiedy czułam, jak otwiera się moje serce, co jest boleśnie cudownym doświadczeniem, namiętnym uczuciem bez przywiązywania się do treści, osoby czy rzeczy. Nagle dwa słowa połączyły się i stworzyły całość. Namiętny spokój, namiętny spokój – być pełnym pasji wobec wszystkich aspektów życia, wobec związku z duchem, dbać o głębię własnego istnienia bez śladu przywiązania – oto co dla mnie oznacza to określenie. Jest pełne, okrągłe, kompletne – i jest wyzwaniem.

Brzmi dla mnie bardzo dobrze, sięga głęboko i jest bardzo bliskie temu, nad czym pracowałam tyle lat, aż do zmiany imienia. To tak, jakbym przez pierwszą część życia uczyła się pasji. Potem rak – i spokój. A teraz łączę pasję i spokój. To dla mnie takie ważne! I powoli, ale nieuchronnie, przenika wszystkie aspekty mojego życia. Wciąż mam do przebycia długą drogę! Ale mam wrażenie, że w końcu, w tej „podróży bez celu", widzę ją wyraźnie.

Moim zadaniem jest teraz namiętna praca na rzecz życia, bez przywiązywania się do rezultatów. Namiętny spokój, namiętny spokój. To brzmi właściwie!

Głównie było to rąbanie drewna i noszenie wody, do czego Treya podchodziła ze spokojnym zapałem. Pozwoliliśmy, by naszą świadomość wypełniły różne drobiazgi codziennego życia i niesłychanie wymagający program Kelleya-Gonzalesa. I czekaliśmy na wyniki badań, które miały określić naszą przyszłość.

Boulder, lipiec 1988

Drodzy przyjaciele!

Minęło już kilka tygodni od naszego powrotu z Niemiec. Bardzo nam się podoba zmienna pogoda w Górach Skalistych, swojskość Ameryki, nasze szczenięta, bliskość przyjaciół i rodziny.

Oczywiście moim głównym celem jest wyleczenie się, jeśli to w ogóle możliwe. Program, który stosuję, to metaboliczna terapia według Kelleya (enzymy trzustki, dieta, różne metody wewnętrznego oczyszczania), medytacja, wizualizacja, duchowa lektura, akupunktura u Chińczyka z Tajwanu (jednego z tych, którzy wyznają zasadę: „Jeżeli nie boli, to znaczy, że nie działa") poleconego przez Michaela Broffmana [specjalista od chińskiej medycyny z San Francisco], rozsądne konsultacje i badania u miejscowego onkologa, ćwiczenia i jak najczęstsze wychodzenie z domu. Szukam psychologa, z którym mogłabym tu pracować, i znowu troszkę uprawiam jogę.

Z tej kombinacji wyłoniła się codzienna rutyna. Ken wstaje koło piątej i kilka godzin medytuje, a potem zaczyna codzienny żywot osoby wspierającej – sprzątanie, pranie, robienie zakupów i wyciskanie soków z warzyw. Śpię tak długo, jak się da, zazwyczaj do dziewiątej trzydzieści albo do dziesiątej (chyba nigdy nie kładę się spać przed północą). Potem codzienna rutyna, wyznaczona przez rytm programu Kelleya. Zanim wstanę, biorę dwie z siedmiu dziennych dawek enzymów trzustki (sześć kapsułek), jedną o trzeciej trzydzieści rano, a drugą około siódmej rano. Później, kiedy wstaję, natychmiast biorę lekarstwo na cukrzycę i pigułki na tarczycę. Potem od razu jem śniadanie, bo inaczej nie mogłabym na czas przyjąć pozostałych dawek enzymów i dodatkowych leków do posiłków (ponad trzydzieści pigułek przy każdym). Zaczynam od surowych ziaren zboża (namoczonych w wodzie na noc), a Ken przyrządza mi jedno lub dwa jajka z ogromną garścią dodatków. Ja tymczasem robię kawę na poranną lewatywę, by mogła ostygnąć przez ten czas, kiedy będę jadła. Mogę również wypić jedną filiżankę kawy dziennie, gdyż pobudza metabolizm. Muszę przyznać, że zawsze z niecierpliwością czekam na tę chwilę...

Jem, rozkoszuję się kawą i spoglądam na zadrzewioną dolinę. Zazwyczaj czytam – ostatnio były to *Denial of Death* Beckera, *Open Mind, Open Heart: The Contemplative Dimension of the Gospel* ojca Thomasa Keatinga, *Ramana Maharishi and the Path of Selfknowledge* i *The Teachings of Ramana Maharishi* Osborne'a. Dobrze, że zawsze mam pod ręką coś, co przypomina o różnych sposobach spojrzenia, podejścia do wyższych duchowych prawd, kiedy jestem tak nieustannie zajęta swoim ciałem i tym, co ono czuje; gdy tak często przeraża mnie jakieś dziwne odczucie jaskrawego światła w oczach czy drętwienie nogi; gdy ciągle jestem zajęta obserwowaniem ciała, zaabsorbowana życiem na poziomie komórki, ciągle myląc Ja z ego i ciałem. Trudno jest wkładać tak wiele energii w leczenie, trudno jest rozniecać płomienie życia i wolę życia bez chwytania życia, bez przywiązywania się do niego, bez identyfikowania się z tym zbiorem żywych komórek, które są mną.

Po lekturze trochę uprawiam jogę, potem medytuję, ofiarowując mój czas i uwagę Duchowi; jest to afirmacja mojej wiary w coś, co trudno mi wyartykułować czy wytłumaczyć. To podejście pomaga mi w trzymaniu się z dala od wysiłku skierowanego na jakiś cel.

Myślę również o słowach ojca Thomasa Keatinga: „Głównym aktem woli jest nie wysiłek, lecz przyzwolenie. (...) Usiłowanie dokonania rzeczy siłą woli oznacza wzmocnienie fałszywego ja. (...) Ale gdy wola pnie się w górę po drabinie wewnętrznej wolności, jej działanie coraz bardziej zaczyna przypominać przyzwolenie na nadejście Boga, na przypływ łaski". Zazwyczaj wstawiam słowo „Duch" tam, gdzie on mówi „Bóg", gdyż to ostatnie jest zbyt męskie, zbyt patriarchalne i oceniające, za bardzo przypomina odrębne istnienie albo rodzica, podczas gdy Duch jest wszystko obejmującą Jednością, Pustką bez formy, w którą mogę się jakoś wtopić. Ale podoba mi się to, że Keating nie kładzie nacisku na wysiłek, usiłowanie, lecz na otrzymywanie, otwieranie się, przyzwalanie. Mówi: „Usiłowanie osłabia podstawową skłonność do przyjmowania, konieczną w modlitwie kontemplacyjnej. Przyjmowanie nie jest brakiem aktywności. Jest prawdziwą aktywnością, ale nie wysiłkiem w zwyczajnym tego słowa znaczeniu. (...) Jest po prostu postawą polegającą na oczekiwaniu Ostatecznej Tajemnicy. Nie wiesz, czym ona jest, ale gdy twoja wiara jest czysta, nie chcesz wiedzieć". Ta „aktywna nieaktywność" jest przykładem tego, co uważam za „namiętny spokój". Ken przypomina mi, że taoiści nazywają to *wei wu wei,* co dosłownie oznacza „działanie-nie-działanie" i co często jest tłumaczone jako „wysiłek bez wysiłku".

Keating zaleca używanie pięcio-, dziewięciosylabowych „aktywnych modlitw" zamiast mantry. Podoba mi się mantra (nie ma jej na jego liście) „Przyzwalam na obecność Ducha". Słowo „przyzwalam" porusza mnie, budzi, zdumiewa, gdyż tak łatwo „wpadam" w wysiłek. Sprawia, że ustaję w swojej aktywności i w czasie tej przerwy czuję ciche odprężenie, łagodność, przyzwolenie. W ciągu dnia używam mantry *„om mani padme hung"* [mantra *chenrezi,* Buddy współczującego], ale miło mieć teraz mantrę w języku angielskim, której znaczenie poszerza moją świadomość. Na lewej ręce zawsze noszę drewniany różaniec ze Snowmass Monastery i za każdym razem, kiedy się o coś zaczepia, a zdarza się to dość często, przystaję, delikatnie go rozplątuję, zauważam swoją irytację i powtarzam sobie: „Przyzwalam na obecność Ducha". To stwarza chwilę spokoju, otwartości – i bardzo to lubię.

Po medytacji czas na lewatywę z kawy. Jest to zabieg odtruwania, pobudzający wątrobę i woreczek żółciowy do uwalniania toksyn i produktów rozpadu. Wchodzi w skład wielu alternatywnych metod leczenia raka, także programu Gersona. Z powodzeniem stosowany jest od ponad stu lat. Wiem, że lewatywy z kawy dobrze mi robią. Pamiętam, jak przed laty dałam się od nich odstraszyć mojemu onkologowi, choć przynosiły ogromną ulgę po chemioterapii, która uszkodziła mi odbytnicę. Lekarz ten twierdził, że zaburzają równowagę elektrolityczną. Dopiero później zdałam sobie sprawę, że prawdopodobnie niezbyt dużo o nich wiedział. Żeby coś takiego udowodnić, trzeba by aplikować lewatywę po dwadzieścia razy dziennie!

Lewatywa zajmuje około trzydziestu minut i czas ten wykorzystuję na wizualizację, słuchając przy tym taśmy z Goenką. W zależności od tego, w jakim jestem nastroju, mogę wizualizować w sposób bezpośredni i ukierunkowany na cel, widząc trawienie, niszczenie i wydalanie guzów. Innym razem, kiedy mam potrzebę otwierania się, zadawania pytań i badania, rozmawiam z guzami, zadaję im pytania, obserwuję, czy mają mi coś do powiedzenia.

W pierwszym przypadku aktywnie wyobrażam sobie, jak enzymy atakują guzy (robię to jeden raz wobec każdego guza, zaczynając od guza mózgu, potem przechodząc do płuc). Wyobrażam sobie, jak guz mięknie pod wpływem enzymów, które przedostają się do niego z krwią: enzymy niszczą komórki, a pomaga im układ odpornościowy. Potem widzę, jak guz umiera od wewnątrz, ciemny obszar w jego wnętrzu robi się coraz większy, zmniejsza się otaczająca go opuchlizna. Czasami obserwuję, jak guz zapada się w sobie, a ze środka wypływają martwe komórki.

Kiedy aktywnie rozmawiam z każdym guzem, to jest to całkiem inny proces. Najpierw sprawdzam, czy coś się zmieniło od ostatniej „rozmowy". Potem pytam guzy, czy mają mi coś do powiedzenia, na przykład, czy potwierdzają to, co robię, albo czy mają jakieś inne propozycje. To, co widziałam i słyszałam, było prawie zawsze pozytywne – nie wiem, czy ma to jakieś obiektywne znaczenie, ale przynajmniej wiem, że na głębszych, mniej świadomych poziomach istnieje nadzieja. Guzy mówiły na przykład: „Nie martw się, wszystko będzie dobrze", albo: „Nie martw się, gdy będziesz miała jakieś dziwne objawy. Wszystko się tu zmienia. Zmieni się kształt i guz będzie uciskał inne obszary, ale to nie ma żadnego znaczenia, w ogóle się tym nie przejmuj". Parę tygodni temu guz mózgu powiedział mi, dosyć przepraszającym tonem, że nie chce mi zrobić nic złego, że z pewnością nie chce mnie zabić i jest zadowolony, że biorę enzymy, bo jakoś nie mógł zareagować na naświetlania i chemioterapię (rzeczywiście był dosyć oporny). Uważa, że będzie mógł poddać się enzymom, że powinnam dać temu programowi szansę, przynajmniej przez trzy miesiące.

Podchodzę do tego dość swobodnie. Nie wiem, czy informacje i rady, które w ten sposób otrzymuję, zawierają w sobie jakąś obiektywną prawdę, ale pomaga mi łączenie się z tymi różnymi głosami wewnątrz, lepsze rozumienie tego, co się dzieje pod poziomem codziennej świadomości – w ten sposób zwracam uwagę na te wewnętrzne rady. Często guzy milczą albo sprawiają wrażenie niedostępnych. Zawsze proszę o pomoc Pannę Marię i Małego Starego Człowieka z Gór (wygląda on podejrzanie podobnie do niemieckiej lalki, którą pod wpływem impulsu kupiłam na lotnisku – ma wielką, siwą brodę, zieloną kurtkę i plecak). Oni stali się moimi przewodnikami w wewnętrznej podróży i są najlepszym źródłem pocieszenia i najbardziej pożądanym towarzystwem. Jeżeli w dzieciństwie nie byłam na tyle pomysłowa, żeby sobie wymyślać towarzyszy zabawy, to teraz to nadrabiam!

Po lewatywie z kawy pora na dawkę enzymów numer trzy (między posiłkiem a przyjęciem enzymów musi być godzinny odstęp, gdyż inaczej enzymy wesolutko zajmą się trawieniem jedzenia i nie przedostaną się do krwiobiegu). Zabieram psy na krótki spacer, zajmuję się sobą i nagle nadchodzi pora lunchu. Byłam zdziwiona dietą, którą zalecił mi doktor Gonzales. Jest właściwie o wiele bogatsza niż na pół makrobiotyczna dieta, którą do tej pory stosowałam. To dla mnie ogromna ulga, gdyż spodziewałam się, że będzie bardziej rygorystyczna. Jestem zaklasyfikowana, na podstawie analizy włosów i badania krwi, jako umiarkowany typ metaboliczny – wegetariański, jeden z dziesięciu typów metabolicznych (program, a zwłaszcza dieta, jest nieco inny dla każdego typu). To oznacza, że odpowiadają mi białka roślinne (od 1972 roku jestem wegetarianką; jem tylko mięso ryb), ale jeszcze bardziej chude białka zwierzęce (jajka, sery, ryby, drób, od czasu do czasu czerwone mięso). Jedynym moim wykroczeniem (stosuję program od dwunastu dni) jest to, że nie mogę się przekonać do jedzenia czerwonego mięsa! Wysoki płotek do przeskoczenia! Ja po prostu muszę je jeść! Ciekawe, jak będzie mi smakować... Jak to będzie, znowu jeść wołowinę... Mój ojciec, hodowca bydła, jest oczywiście zachwycony tą nagłą zmianą!

Dieta jest w 60% surowa (trudno mi się z tym pogodzić), przynajmniej cztery razy dziennie jem warzywa, niemal codziennie piję sok ze świeżych jarzyn (sok z marchwi), surowe ziarna zbóż pięć razy w tygodniu, jajka i produkty mleczne (mój typ z łatwością sobie radzi z cholesterolem, ale mam unikać żółtych serów), orzechy, dwa razy w tygodniu chudy drób, raz w tygodniu chude czerwone mięso. Mogę również raczyć się trzy razy dziennie owocami, ale to dla mnie niemożliwe, gdyż jestem na insulinie. Mam unikać alkoholu, zwłaszcza przez pierwsze trzy miesiące, choć niekiedy mogę sobie pozwolić na okazyjną lampkę wina. Ludzie nie powinni używać sztucznego słodzika, ale mała jego ilość (ponieważ jestem cukrzykiem i nie mogę jeść owoców ani miodu, które są dozwolone w tej diecie) jest OK. Nie do wiary, ile dla mnie znaczy ta słodycz w malutkiej paczuszce.

Podczas lunchu połykam kolejną ogromną garść pigułek, choć czasami dosyć niechętnie. Kiedyś umiałam na raz połknąć całą garść tabletek. Teraz już nie. Teraz biorę po jednej, a jeżeli mam wystarczająco dużo odwagi, połykam po dwie na raz. Nie ma nic gorszego od tabletki, która o wpół do czwartej nad ranem utknęła gdzieś w połowie drogi, zwłaszcza jeżeli zawiera coś tak smakowitego, jak enzym trzustki. Do tego wszystkiego, także do lewatywy, używam wody destylowanej albo przefiltrowanej.

Mniej więcej w godzinę po lunchu biorę czwartą dawkę enzymów, a w dwie godziny później piątą dawkę (tak, żeby jedzenie nie połączyło się z enzymami). Godzinę po przyjęciu dawki piątej wypijam szklankę soku z warzyw z sokowirówki „Champion". Potem jemy obiad – Ken zazwyczaj przyrządza coś wspaniałego. Robi świetną pizzę wegetariańską z wegetariańskim chili, kurczakiem i rybą z Tajlandii. Wciąż zastanawia się, jak przyrządzać czerwone mięso! Potem oglądamy filmy wideo i tulimy się na kanapie razem z psami.

Ken robi wszystkie zakupy, pranie i wszelkie prace domowe, za co jestem mu szalenie wdzięczna, gdyż enzymy powodują zmęczenie. Jest na moje zawołanie, spokojny, zawsze dostępny, kiedy go potrzebuję, słodki i kochający. Wieczorami tulimy się do siebie i zastanawiamy się, co się stało z naszym życiem. Jesteśmy wściekli, zdenerwowani i źli, że musiało się nam to przydarzyć, że w ogóle ludziom przytrafiają się takie rzeczy. Uczymy się głęboko oddychać i akceptować to, co jest (przynajmniej chwilami!), cieszyć się z życia takiego, jakie jest, doceniać chwile bliskości i radości, wykorzystać te przerażające, rozdzierające serce doświadczenia, aby otworzyć się na życie i zwiększyć współczucie.

To dziwne uczucie – kupujemy nowy samochód (Jeep Wrangler) z sześcioletnią gwarancją i zastanawiam się, czy będę żyła, kiedy gwarancja wygaśnie. Albo słyszę, jak ludzie robią plany na pięć lat naprzód, i zastanawiam się, czy będę wtedy żyła. To dziwne uczucie, kiedy postanawiamy, że nie będziemy odkładać różnych rzeczy, na przykład zbudowania tarasu do ogrodu, do przyszłego roku, gdyż wtedy może mnie już nie być. Słyszę, jak nasi przyjaciele opowiadają o podróży do Nepalu i uświadamiam sobie, że prawdopodobnie nigdy nie będę mogła tam pojechać, że ryzyko jest zbyt duże, mogę złapać tam jakąś chorobę, która osłabi mój układ odpornościowy. Swego czasu dużo podróżowałam, choć nigdy nie byłam w Nepalu. Ken zawsze mówił, że zbyt często wyjeżdżam, mam więc szansę, by się przekonać, jakie zmiany w moje życie wniesie przesiadywanie w domu.

Trzy razy w tygodniu, pod koniec zdominowanego przez pigułki dnia, chodzę na akupunkturę, co zajmuje prawie dwie godziny.

Potem sprawdzam poziom cukru we krwi i podczas wieczornego posiłku biorę kolejną garść tabletek. Po godzinie dawka enzymów numer sześć, potem przez 45–60 minut ćwiczę na rowerze, biorę siódmą porcję enzymów i przez krótki czas medytuję. Przed pójściem spać ostatnia garść pigułek (w tym środek antyestrogenowy); sprawdzam jeszcze, czy budzik jest nastawiony na wpół do czwartej. Tak przez dziesięć dni, potem pięć dni odpoczynku: nie biorę ani witamin, ani enzymów. Ten cykl dziesięciu dni programu i pięciu dni odpoczynku to ogólny wzór, gdyż w czasie odpoczynku ciało ma szansę „nadążyć za toksycznym obciążeniem". Podczas dni odpoczynku trzy razy dziennie biorę duże dawki łupinek nasion *psyllium* i roztwór bentomitu. *Psyllium* przedostaje się przez jelito grube i cienkie, wypychając resztki, które utkwiły w załomkach i zagłębieniach, natomiast bentomit wchłania toksyny z jelit. Dzisiaj drugi dzień tego programu. W czasie następnych pięciu dni odpoczynku będę oczyszczać wątrobę. Osoby bez cukrzycy używają w tym celu soku jabłkowego, ja natomiast, jako diabetyk, kwasu ortofosforowego rozpuszczonego w czystej wodzie; piję cztery szklanki dziennie. Na koniec biorę sole epsom, robię sobie lewatywę, znowu sole, a potem – hurra! – posiłek złożony z gęstej bitej śmietany i owoców. Przed pójściem spać – oliwa z oliwek. Kwas ma usunąć wapń i tłuszcze z naczyń, zmiękczyć i rozpuścić kamienie żółciowe. Sole epsom rozluźniają mięśnie zwieracza woreczka żółciowego i przewody żółciowe, robiąc przejście dla kamieni. Śmietana i oliwka powodują skurcze woreczka żółciowego i wątroby, wypychając resztki i kamienie do jelita cienkiego. Bardzo skomplikowany proces.

Oboje z Kenem polubiliśmy doktora Gonzalesa. Jego gabinet w Nowym Jorku mieści się w pobliżu mieszkania mojej cioci. Gonzales twierdzi, że 70–75% jego pacjentów doskonale radzi sobie z programem, co chyba oznacza, że albo zostają całkowicie wyleczeni, albo żyją z rakiem jeszcze wiele lat. Ponieważ mam dużo tkanki rakowej, istnieje według Gonzalesa 50% szans na to, że dobrze zareaguję na jego program, choć wydaje mu się, że szanse są jeszcze większe z powodu mojej determinacji i zrozumienia programu.

Dzięki specjalnej analizie krwi można ocenić wydolność różnych narządów i układów ciała oraz wykazać obecność nowotworu.

To badanie ujawnia słabe punkty organizmu i pomaga wybrać odpowiednie leki. Nie będę wdawała się w szczegóły, ale wyniki moich badań były całkowicie zgodne z tym, co wcześniej było wiadomo na przykład na temat umiejscowienia guzów, i to zanim lekarz mnie zbadał i obejrzał wcześniejsze badania. Za pomocą specjalnej próby można również określić ogólną ilość tkanki nowotworowej w organizmie; tego testu używa się później, by ocenić postępy terapii. Doktor Gonzales powiedział, że większość jego pacjentów uzyskuje wskaźniki pomiędzy 18 a 24. Uważa on, że rak jest nieuleczalny przy wskaźnikach 45 do 50. Mój wynosi 38, jest dosyć wysoki, ale jeszcze daje szansę na pozytywną reakcję. Gonzales powiedział, że miał pacjentów ze wskaźnikiem 15, którzy nie uzyskali poprawy, i ze wskaźnikiem powyżej 30, których organizm po rozpoczęciu programu całkiem sprawnie dawał sobie radę z guzami. Więcej dowiem się o sobie po miesiącu stosowania programu. Wtedy znowu zrobimy badanie krwi. Również moje samopoczucie będzie świadczyło o reakcji organizmu. Doktor Gonzales twierdzi, że ludzie, zanim dojdą do siebie, podczas stosowania programu często czują się po prostu strasznie, jakby umierali. Za każdym razem, kiedy narzekam, że jestem zmęczona, Ken mówi: „dooobra" – żadnych oznak współczucia. Rzeczywiście czuję się okropnie zmęczona – musiałam ograniczyć ćwiczenia fizyczne i zacząć brać insulinę.

Kiedy wybiegam myślą naprzód, myślę o tym, co przyniesie leczenie, lub o dniu swojej śmierci. Wiem, że będę czuła większy spokój, mając pewność, że wybory, których dokonałam, były moimi wyborami. Leczenie Scheefa i program Kelleya to z pewnością moje własne wybory. Czułam jednak, że na początku ulegałam wpływowi różnych lekarzy. Myślę, że nie poddałabym się całkowitej mastektomii, gdybym uważniej słuchała własnego głosu. Uważam, że zawsze trzeba wystrzegać się lekarzy, którzy zbijają z tropu (mogą być bardzo przekonujący w tym, co robią, i straszliwie ograniczeni, jeżeli chodzi o nietradycyjne podejścia), nie spieszyć się i spokojnie zastanowić, czego naprawdę chcesz i co cię intuicyjnie pociąga; dokonać wyboru, który będzie rzeczywiście twój, którego będziesz się trzymać, niezależnie od rezultatu. To moja rada.

Właśnie skończyłam malować szklany talerz, co sprawiło mi ogromną radość. Teraz piszę „artysta", kiedy wypełniam rubrykę „zawód"!

Ostatnio skupiłam się na: 1) uwadze i 2) poddaniu się. Jest to kombinacja praktyki buddyjskiej i chrześcijańskiej. Ostatnio uczestniczyłam w konferencji poświęconej chrześcijanom z Naropa i medytacji buddyjskiej; było to fascynujące. Dla tych, którzy nie wiedzą: Naropa to kontemplacyjny college w Boulder, założony przez uczniów Chögyama Trungpy Rinpochego. Ken jest w radzie college'u, podobnie jak Lex Hixon, Jeremy Hayward i Sam Bercholz. Mają świetne programy z silnym akcentem na psychologię, sztukę, pisanie, poezję i studia buddyjskie.

Po konferencji zauważyłam, że sposoby opisu chrześcijańskiego doświadczenia mistycznego, słowa i wyrażenia nie mają już dla mnie negatywnych konotacji, za których sprawą nie czułam się swobodnie, operując takimi słowami, jak Bóg, Chrystus, grzech czy poddanie się. Odkryłam, że zwroty, których używam w swojej medytacji, traktując je jako „składnik chrześcijański", zmieniły się: mantrę „Przyzwalam na obecność Ducha", która niegdyś bardzo mi odpowiadała ze względu na swój ekumeniczny wydźwięk, choć samo „przyzwolenie" było wtedy bardzo trudne dla mnie, zamieniłam na „Poddaję się Bogu", wyrażenie złożone ze słów kiedyś niewiele dla mnie znaczących. Teraz je uwielbiam! To jest dokładnie to, czego potrzebuję. Zwracają mnie ku uwadze, koncentracji. Odkryłam, że kiedy powtarzam te słowa, nagle przestaję myśleć o tym, co mnie w danej chwili zajmuje; świadomość otwiera się, rozszerza, i przez chwilę nagle widzę i czuję wokół siebie piękno i energię, które przepływają przeze mnie, rozszerzają się w nieskończoność, w kosmos. Słowo „Bóg" nie wywołuje u mnie myśli o postaci patriarchalnej, lecz o przestrzenności i pustce, sile i kompletności, pełni i nieskończonym bycie.

Ogólnie rzecz biorąc, całkiem nieźle sobie radzę. Moja poranna duchowa rutyna stabilizuje mnie, przynosi ulgę i nieustannie przypomina, że – pomimo iż tyle uwagi zwracam na ciało – nie jestem tym ciałem. Lubię, jak mi się przypomina o „bezwarunkowym, absolutnym Bycie, którym naprawdę jestem", chociaż daleko mi do bezpośredniego doświadczania tego. Lubię, jak mi się przypomina, że „cały wysiłek polega po prostu na pozbyciu się mylnego wrażenia, że jest się ograniczonym i uwięzionym przez niedole *samsary* (tego życia)". Lubię słuchać, jak Ramana Maharishi mówi o ufności wobec Boga: „Jeżeli się poddałeś, to znaczy, że musisz zaakceptować wolę Boga i nie biadać nad tym, co może ci się nie spodobać". Lubię, jak mi się przypomina: „Dziękujesz Bogu za dobre rzeczy, ale nie dziękujesz Mu za rzeczy, które wydają ci się złe; na tym właśnie polega twój błąd". Mam wrażenie, że mój rak w jakiś sposób „umiejscowił moje przeznaczenie w ruchu" – wyrażenie, którego moja przyjaciółka używała w stosunku do własnego życia. Pamiętam, jak mój przyjaciel, artysta, który również miał raka, pokazywał mi swoje najnowsze dzieło – byłam oszołomiona jego siłą i pięknem – a potem powiedział: „Wiesz, trudno o tym mówić, ale nie odnalazłbym w sobie takiej głębi, gdyby nie rak".

Nic nie wiem o swojej przyszłości. Być może będzie łatwiej, może o wiele trudniej. Będę mogła nieco zwolnić albo w środku leczenia pojawi się jakaś nagła zmiana. Zdaję sobie sprawę, że jeszcze nie musiałam radzić sobie z bólem czy utratą kontroli nad ciałem; nie wiem, na ile będę odważna, akceptująca, spokojna, wdzięczna Bogu, kiedy to się stanie.

Piszę swoje listy w ten sposób, bo po prostu jestem zbyt leniwa, żeby pisać do każdego z osobna, a chciałabym ze wszystkimi utrzymać kontakt. Teraz żyją własnym życiem – i będę je pisać, nawet gdyby nikt nie miał ich przeczytać! Zajęłam się w nich tymi wszystkimi szczegółami dotyczącymi badań, sprzecznych wyników, opinii i trudnych wyborów nie dlatego, że ważna jest liczba wyników czy wyborów, których dokonałam, ale dlatego, że te szczegóły codziennego życia z chorobą składają się na takie uogólnienia, jak: „Życie z rakiem to emocjonalna huśtawka", „Wybór metody leczenia jest niewiarygodnie trudny", „Nie możemy planować dalej niż tydzień naprzód" i „Będzie tak samo aż do końca". Historie ludzi różnią się między sobą właśnie tymi szczegółami, czasem i rezultatem, ale właściwie są podobne, jeśli chodzi o ogólną atmosferę. To podróż po wyboistej drodze.

Z pewnością w takich chwilach, kiedy zastanawiam się, czy w ogóle warto, czy życie rzeczywiście jest aż tak wspaniałe, żeby z takim wysiłkiem o nie walczyć, może po prostu poddać się – a mam takie myśli całkiem regularnie – tym, co mnie podtrzymuje i sprawia, że chcę to ciągnąć dalej, jest proces przekazywania tego, czego doświadczam i czego się uczę – moje notatki. Któregoś dnia Ken mnie spytał, czy gdy będzie naprawdę kiepsko, dalej będę pisała te listy. Natychmiast odpowiedziałam: „Tak, oczywiście. Myślę, że to mnie podtrzyma na duchu, kiedy będę miała bóle, może powstrzyma mnie przed wybraniem łatwiejszej drogi, doda wiary, że wciąż warto żyć w cierpieniu, choć koniec jest blisko". Wciąż chcę opowiadać Wam o tym, co się ze mną dzieje, wciąż chcę wykorzystać swoje doświadczenie po to, by dotrzeć do Was. Mam nadzieję, że to, iż podzielę się nim, kiedyś w jakiś sposób komuś pomoże.

Czas na zakończenie i przejście do następnego listu! Przepraszam, że tak zwlekam z odpowiadaniem na listy i telefony, ale jestem pewna, że każdy z Was mnie zrozumie, i zapewniam, że oboje czujemy Wasze wsparcie.

Pozdrawiam bardzo serdecznie

Treya

Rozpoczęła się podróż po wyboistej – naprawdę wyboistej – drodze. Niemal natychmiast po rozpoczęciu programu zaczęły nadchodzić sprzeczne raporty o stanie Trei. Klasyczne badania lekarskie zaczęły wykazywać gwałtowny rozwój guzów. Było to jednak doskonale zgodne z tym, czego oczekiwaliśmy w związku z działaniem enzymów.

Wczoraj trochę się przestraszyłam, nie mogłam w nocy usnąć. Zadzwonił mój lekarz z Denver i podał wynik badania antygenu rakowo-płodowego (CEA). Badanie to pozwala określić ilość białek komórek nowotworowych krążących w krwiobiegu, co jest wskaźnikiem wielkości aktywnego nowotworu w organizmie. W styczniu, kiedy zostałam zdiagnozowana, wskaźnik ten wynosił 77 (norma – od 0 do 5). Po pierwszym leczeniu w Niemczech – 13, a zanim stamtąd wyjechałam, w maju – 16,7. Musimy to obserwować, aby sprawdzić, czy guzy rosną, a jeśli tak, to trzeba zastanowić się nad następnym krokiem. Ostatnie badanie dało w wyniku 21. Czy to znaczy, że guz znowu się uaktywnił? Czy guz mózgu, który powinien być uśpiony przez dwa, trzy lata, teraz zaczął rosnąć? Czy mój układ odpornościowy jest tak słaby, że nie może sobie poradzić? To oznacza miesięczną chemioterapię. Jestem w domu dopiero od dwóch tygodni. Zwracam się do swojego życia: daj spokój, daj mi jeszcze trochę czasu!

Na szczęście rano udało nam się zobaczyć z doktorem Gonzalesem. Powiedział, żeby w ogóle nie martwić się CEA: „Mam pacjentów, u których CEA wynosi 880 i 1300, i mają się świetnie. Tak naprawdę nie przejmuję się CEA, dopóki nie sięga 700". Zwrócił uwagę, że podczas stosowania programu enzymowego wskaźnik może wzrosnąć, gdyż w czasie rozpadu komórek rakowych uwalnia się to białko, które stanowi o wyniku CEA. „To nic takiego – powiedział. – Za dwa tygodnie CEA może podnieść się do 300, a nawet 1300. Wskaźnik 21 nie świadczy jeszcze o wysokiej aktywności".

Łatwo sobie wyobrazić moją ulgę. Doktor Gonzales zapewnił, że jest postęp w leczeniu zmian w mózgu, gdyż enzymy przenikają przez barierę, jaką stanowią jego naczynia krwionośne. (Ostatnio odkryłam, że większość metod, które trzymam w rezerwie – czynnik martwicy nowotworów, antyneoplastony Burzynskiego i chemioterapia monoklonalna – nie przekracza bariery krew – mózg). Dr Gonzales był tak pewny siebie, że natychmiast poczułam się lepiej. Mam nadzieję, że się nie myli, że jego metoda poskutkuje. Teraz przynajmniej czuję się bardziej bezpieczna przed spotkaniem z moimi klasycznymi onkologami w przyszłym tygodniu.

Na podstawie przeglądu badań zalecili podjęcie natychmiastowej, ciągłej chemioterapii o wysokich dawkach. Ponieważ zniszczyłaby ona szpik kostny, należałoby następnie dokonać transplantacji szpiku (procedura powszechnie uważana za najbardziej wyczerpującą metodę leczenia). Z niecierpliwością czekaliśmy na wyniki badań krwi od Gonzalesa, na ten specjalny test, który zgodnie z jego słowami miał określić, czy guzy rosły, czy się rozpuszczały.

Enzymy chyba działają! Hurra! To pierwsza dobra wiadomość od dłuższego czasu. Po miesiącu stosowania programu wysłałam na badania kolejną próbkę włosów i krwi. Okazało się, że wskaźnik CEA obniżył się z 38 do 33. Podobno jest to największy spadek w ciągu miesiąca, z jakim doktor Gonzales spotkał się w swojej praktyce. Ponieważ jednocześnie zaczęłam brać antyestrogeny, to one mogły spowodować poprawę.* (Ostatnio rozmawiałam z pewną panią, u której zmiany w płucach całkowicie ustąpiły po usunięciu jajników** – to była jedyna terapia). Byliśmy z Kenem zachwyceni słowami doktora Gonzalesa!

Mój entuzjazm nieco osłabł, kiedy zauważyłam nowy objaw na prawej ręce, być może spowodowany uciskiem guza. Ale przypomniałam sobie wizualizację, podczas której słyszałam, że nie powinnam się martwić, jeżeli znowu pojawią się jakieś objawy, bo ich przyczyną może być nowy kształt umierającego guza. Te wewnętrzne komunikaty wciąż są bardzo pozytywne i moim dominującym uczuciem – nawet w obliczu niepokojących symptomów – jest optymistyczne „wszystko będzie dobrze". Nie wynika to z pozytywnego myślenia ani z poczucia siły; nie ma w tym nawet intencji. Te myśli przychodzą spontanicznie. To uspokajające, nawet jeżeli nie pozostaje w zgodzie z wynikami klasycznych badań.

Wszystko to doprowadza mnie do szaleństwa. Komu mam wierzyć? Tego dnia zabrałem psy na spacer i zacząłem analizować sytuację.

Jestem biochemikiem i wiem, że to, co mówi Gonzales o klasycznych testach, ma sens.*** Kiedy guzy się rozkładają, rze-

---

* Konsultant naukowy tekstu zaznacza, iż poglądy na temat poszczególnych rodzajów terapii pochodzą od autorów i w wielu przypadkach są bardzo kontrowersyjne (przyp. red.).

** Jest to bardzo radykalna forma terapii u młodych kobiet – forma sterylizacji hormonalnej. Hormony produkowane w jajnikach działają pobudzająco na wzrost komórek (przyp. red.).

*** Również z tym poglądem trudno się zgodzić. W miarę stosowania programu Gonzalesa poziom tych enzymów powinien spadać, co oznaczałoby, że i liczba czynnych komórek rakowych maleje! (przyp. red.).

czywiście uwalniają te same produkty uboczne co rozwijające się guzy; badania klasyczne nie potrafią tego rozróżnić. Nawet radiolog nie zawsze potrafi odróżnić rozwijający się guz od zbliznowaciałej tkanki czy „wybuchu" histaminy.*

Ale może wprowadza nas w błąd? Chce nas pocieszyć? Lecz po co miałby to robić? Nasz onkolog uważa, że Gonzales robi to dla pieniędzy, ale to śmieszne. Pobiera z góry honorarium w ustalonej wysokości. I życie, i śmierć Trei już zostały opłacone!

Ponadto, jeżeli karmi nas pocieszającymi, ale nieprawdziwymi informacjami, wie, że wkrótce wszystkiego się dowiemy i możemy wkroczyć na drogę prawną. Treya jak to Treya, nawet go spytała:

– A jeżeli pan się myli? Jeżeli postąpię zgodnie z pańską radą i zrezygnuję z klasycznego leczenia, a potem umrę, to czy moja rodzina będzie mogła wnieść przeciw panu skargę?

– Tak – odpowiedział. – Trzeba jednak pamiętać, że mogę prowadzić program tutaj, w Stanach, tylko dlatego, że odnosi ogromne sukcesy. Gdyby tak nie było, to i ja, i moi pacjenci już dawno byśmy nie żyli!

Gonzales musi dbać o własną reputację.** Gdy program nie przynosi rezultatów, natychmiast zaleca postępowanie klasyczne. Tak samo jak każdy inny człowiek chce, żeby Treya żyła. I jest przekonany, że Treya nie tylko nie przegrywa, lecz szybko powraca do zdrowia.

Albo myli się co do wyników badania, albo kłamie. Nie może kłamać – ma zbyt wiele do stracenia. Czy w takim razie źle interpretuje wyniki? Dlaczego pokłada w nich tak wielką wiarę? Wiem, że posługiwał się CEA w setkach przypadków i na pewno empirycznie stwierdził, iż test ten jest bardzo trafny. Może nie w 100%, ale w stopniu wystarczającym, by uznać, że jest dobry, przynajmniej w porównaniu z innymi testami. Gdyby się okazało, że tak nie jest, Gonzales niewątpliwie odkryłby, gdzie leży błąd. Zapewne wziąłby to pod uwagę, dając zalecenia, za które jest odpowiedzialny pod względem medycznym i prawnym. Nie będzie

---

* Jest to jednak możliwe dzięki porównywaniu zdjęć w sekwencji czasowej (przyp. red.).

** Dr Gonzales świadomie włączył do programu klasyczny preparat stosowany w hormonoterapii raka sutka. Zabezpiecza w ten sposób efektywność swojej terapii (przyp. red.).

przecież ryzykował. Moglibyśmy wtrącić go do więzienia, gdyby się mylił – i on o tym wie!

Z dokumentacji wynika – akta Gonzalesa są dostępne badaczom – że u około 70% jego pacjentów albo następuje poprawa, albo sytuacja się stabilizuje. Ponadto w każdym przypadku badanie krwi dokładnie odzwierciedla stan pacjenta.

Wtedy właśnie zacząłem sobie zdawać sprawę, że ten zwariowany program może być skuteczny.

Treya, która już podjęła decyzję, również miała taką świadomość. Ale żadne z nas w tym momencie nie pozwoliło sobie na ślepą wiarę. Nadal zakładaliśmy, że ma przed sobą mniej niż rok życia; baliśmy się strasznego rozczarowania. Mimo to zdarzały się chwile optymizmu. Tak więc postanowiliśmy spędzić miesiąc w ukochanym przez Treyę Aspen, do którego teraz mieliśmy tylko kilka godzin jazdy samochodem.

Miesiąc w Aspen!!! Będzie to dla mnie miesiąc odpoczynku, miesiąc radości życia, miesiąc bez lekarzy, badań i wyborów leczenia! Miesiąc wakacji po całym tym zamieszaniu, miesiąc chodzenia na koncerty, odwiedzin u przyjaciół, przebywania na świeżym powietrzu, miesiąc cieszenia się rodziną... HURRA! Muszę odepchnąć od siebie cały ten bałagan, przestać myśleć o badaniach dotyczących czynnika martwicy nowotworów i chemioterapii monoklonalnej – i po prostu cieszyć się życiem!

W ostatniej chwili przed naszym wyjazdem do Aspen Ken odkrył, że w północnej Kanadzie ma się odbyć dwutygodniowe medytacyjne odosobnienie buddyjskie. Bardzo chciał tam pojechać. Byłam zachwycona, bo to pierwsza rzecz, do której tak się zapalił od czasu mojego nawrotu w styczniu. Cały ten rok był dla Kena niewiarygodnie trudny – chodzi nie tylko o napięcie, w jakim żył, będąc dla mnie główną osobą wspierającą, lecz także o nieustanny stres związany z tym, że mogę umrzeć. Byłam więc bardzo zadowolona, że odkrył to odosobnienie, a czas jego nieobecności spędziłam z rodzicami, siostrami i szczeniakami.

Stanowiło to uroczą odmianę po Boulder, gdzie już zaczynałam przegrywać w nieustannej walce ze szczegółami, szczegółami, szczegółami.

Czy enzymy poskutkują? Czy Gonzales ma rację? Nie wiem. Mam taką nadzieję, ale jednocześnie wiele mieszanych uczuć. Nie były to dla mnie zwyczajne wakacje. Po drodze płakałam na widok majestatycznego piękna obchodów Święta Niepodległości, a następnego dnia, kiedy medytowałam, płakałam na widok słońca prześwitującego przez liście osiki. Nie przeżywałabym tak tych zwyczajnych zdarzeń, gdybym nie była świadoma, że w przyszłym roku może mnie nie być. Całe to piękno sprawia, że tak bardzo doceniam życie, że po prostu chcę go coraz więcej! Jak mam nie trzymać się go kurczowo, nie czuć przywiązania, gdy słyszę oczyszczający odgłos krystalicznie czystego strumienia ocienionego przez wysokie topole i szelest wiatru w osikach, kiedy cieszy mnie wdzięk Kairosa z zapałem ścigającego świerszcze w zielonej trawie, kiedy w nocy spoglądam w górę i aż wstrzymuję oddech na widok nieoczekiwanej wyrazistości i jasności miriadów gwiazd na niebie. Tak, niekiedy czuję się bardzo przywiązana do życia, zwłaszcza w Aspen.

Pobyt tutaj wciąż przypomina mi nie tylko o moich przywiązaniach, lecz także o nowych ograniczeniach. Jest to trudne. Kiedy słucham o egzotycznych miejscach, w których byli moi przyjaciele, lub kiedy dzwoni Ken, by mi powiedzieć, że w Kathmandu jest odosobnienie, na które chce mnie zabrać, natychmiast myślę o zarazkach, brudnej wodzie, o tym, że nie mogłabym zaryzykować nawet najlżejszego przeziębienia; moje oddziały już są zaangażowane w walkę z rakiem, nie mam żołnierzy do walki ze zwyczajnym przeziębieniem, a tym bardziej z jakąś egzotyczną chorobą! Obawiam się, że od tej pory moje podróże będą ograniczone.

Kiedy wychodzę, wszystko muszę starannie zaplanować, każdą wycieczkę, każdą wyprawę, nawet każdy dzień. Muszę pamiętać o insulinie, o porze na enzymy, muszę być pewna, że mam ze sobą wszystkie pigułki i wodę, stale noszę przy sobie coś słodkiego na wypadek, gdyby obniżył się poziom cukru we krwi, wszędzie targam ze sobą ciepłe ubranie itd., itp. Potrzeba planowania wszystkiego zaczyna karmić moją obsesyjną naturę. Podczas medytacji najbardziej przeszkadzają mi zbłąkane myśli: Czy wzięłam dziś rano enzymy...? Pomyślmy: jeżeli wzięłam poranne pigułki o dwunastej, to do pierwszej będę musiała coś zjeść ze względu na insulinę... Jeżeli nie wzięłam rano pigułek, to jak zmieszczę dzisiaj jeszcze jedną dawkę...? Muszę pamiętać o tym, żeby zaopatrzyć się w insulinę i uzupełnić zapas obu rodzajów pigułek antyestrogenowych, zanim pojadę do Aspen... Muszę iść po kopie badań, żeby je wysłać do szpitala Andersona... Może dziś w nocy spróbuję zmienić dawkę insuliny, poziom cukru jest zbyt wysoki... To beznadziejne: umysł wciąż zaprzątnięty planem dnia zamiast innymi, ważniejszymi sprawami. Niekiedy mnie to irytuje, innym razem śmieszy!

Kiedy byłem na odosobnieniu *dzogczen,* po raz pierwszy rozstaliśmy się na dłużej niż kilka dni. Potem wróciłem do Aspen i dołączyłem do Trei. Nadal nie pozwalaliśmy sobie wierzyć, że enzymy naprawdę podziałają i Treya głośno się zastanawiała, czy w ogóle jeszcze kiedyś zobaczy wiosnę. Jednak zawsze wcześniej czy później powracała jej radość i spokój.

Wiele wspaniałych rzeczy wydarzyło się w czasie pobytu w Aspen. Jedną z nich był ślub Johna Denvera z Cassandrą. Uważamy, że ona jest wspaniała, i zachwycamy się jej australijskim akcentem. Wesele odbyło się na łące w Starwood, prawie całkowicie otoczonej przez szczyty gór, wspaniale oświetlone popołudniowym słońcem.

Kolejnym wydarzeniem był powrót Kena, ożywionego i pełnego pomysłów po odosobnieniu w Kanadzie. Przed wyjazdem powiedział: „Nie wiem, dlaczego chcę jechać". Ale to odosobnienie, prowadzone przez Pema Norbu Rinpochego, okazało się największym przekazem w całej historii buddyzmu, bardzo rzadkim i niezwykłym wydarzeniem. Odbyło się na Zachodzie tylko dwa razy, a na całym świecie było tylko kilku nauczycieli, którzy mogli je poprowadzić. Samo odosobnienie było dość wyczerpujące. W ciągu tych dwóch tygodni Ken otrzymał ponad dwanaście upoważnień albo duchowych przekazów. Wrócił bardzo odmieniony, bardziej swobodny, spokojniejszy.

Były też inne wspaniałe wydarzenia: chwile, które spędziłam ze swoją rodziną, pozwalając, by wszystko robili za mnie. I jeszcze Sympozjum Fundacji Windstar, Choices III, które w tym roku odbyło się w namiocie festiwalu muzycznego, cudowne, inspirujące i radosne.

W sobotę wieczorem Tom Crum, współzałożyciel Windstar, urządził specjalny wieczór pod nazwą „Stan naszej planety", składający się z wypowiedzi sześciu osób na temat tego, jak zmiana perspektywy pomogła im poradzić sobie z osobistymi wyzwaniami. Jak zmiany wewnętrzne, psychologiczne lub duchowe pomogły im w zewnętrznych trudnościach.

Tommy poprosił mnie, bym była jedną z tych osób, i natychmiast wiedziałam, że muszę to zrobić, choć strasznie się denerwowałam! Kiedy rozmawiałam z moimi guzami podczas wizualizacji, guz płuc powtórzył kilka razy, że powinnam opowiadać o sobie innym ludziom, zwłaszcza o swoim doświadczeniu z rakiem. Inny głos, który przemawia przez tego guza, był tym przerażony i koniecznie chciał się przekonać, że nie jest to aż tak straszne, jak on sobie wyobraża. Tak więc przyjęłam to zaproszenie natychmiast, choć pełna obaw.

Nasze wystąpienia były ograniczone do trzech minut. Powiedziałam, co miałam do powiedzenia, i dostałam owację na stojąco! Po moim przemówieniu John Denver zaśpiewał *Chcę żyć* – piękną piosenkę – a kiedy skończył, powiedział: „Była dla ciebie". Coś cudownego!

Później zjedliśmy kolację z Johnem i Cassandrą. Ken i John chyba naprawdę bardzo się lubią. Kiedy wróciliśmy do Boulder, przyszła Cassie, zjadła z nami lunch na balkonie i wyjawiła swoją tajemnicę: jest w ciąży! Było mi trochę smutno, bo ja nigdy nie będę miała dziecka, ale cieszyłam się ze względu Cassie i Johna! Cóż, życie toczy się dalej.

Z powrotem w Boulder. Wysłaliśmy następną próbkę krwi do Gonzalesa na kolejne badanie. Kiedy przyszły wyniki, okazało się, że wskaźnik znów spadł o pięć punktów! Gonzales sam nie mógł w to uwierzyć i kazał powtórzyć test. Wyniki były takie same. Przypisał to „spokojnemu zapałowi" (namiętnemu zapałowi!) Trei. Opowiedział o tym swoim pacjentom, podając ją za przykład właściwego radzenia sobie z programem. Zaczęli dzwonić do nas ludzie, którzy również stosowali terapię Gonzalesa, i cieszyliśmy się, mogąc udzielić im rad.

Jak pracują enzymy? No cóż, według „śmiesznego, małego testu" doktora Gonzalesa (tak nazywa on swoje badania) świetnie dają sobie radę. Z początkowego poziomu 38 (Gonzales zazwyczaj nie podejmuje się leczenia pacjentów z wynikiem powyżej 40) wskaźnik spadł do 28 w ciągu zaledwie dwóch i pół miesiąca!

Jednak nadal nie pozwalam sobie na wielkie nadzieje. „Ciężko pracować bez przywiązywania się do rezultatów" – oto moje motto! Jednak to cudownie od czasu do czasu pomyśleć sobie, że może dożyję starości albo przynajmniej wieku dojrzałego z Kenem, moją cudowną rodziną i przyjaciółmi. Gdybym mogła chociaż przeżyć gwarancję naszego jeepa!

Przyjechała rodzina Trei. Gdy odjeżdżali, odprowadziłem ich do drzwi i krzyknąłem za nimi:

– Wiecie, myślę, że może jej się udać! Naprawdę tak myślę!

Zaglądam do pokoju.

– Treya?

– Ken?

– Treya! Jezu Chryste, gdzieś ty była? Wszędzie cię szukałem! Gdzie byłaś?

– Tutaj – patrzy na mnie czule. – Wszystko w porządku?

– Tak, oczywiście. – Całujemy się, przytulamy, splatamy dłonie.

– Widzę, że go przyprowadziłeś.

– Co? Och, to raczej on mnie przyprowadził.

– A teraz posłuchaj uważnie – mówi Postać.

20

Osoba wspierająca

Program enzymowy wciąż przynosił rezultaty, a walka na interpretacje osiągnęła szczyt. Gonzales: Od trzeciego miesiąca programu pacjenci zaczynają odczuwać silne wyczerpanie, niektórym się wydaje, że umierają. Jest tak dlatego, że enzymy zaczynają niszczyć nie tylko tkankę nowotworową; w organizmie gromadzą się toksyczne produkty rozpadu – dlatego właśnie stosuje się lewatywę z kawy, sole kąpielowe epsom i inne środki, które mają pomóc pozbyć się trucizn z organizmu. Wyniki badań świadczą o dramatycznym wzroście aktywności nowotworu, a badanie tomograficzne wykazuje wzrost guzów.

Tak właśnie p o w i n n o być, jeżeli program działa właściwie. Każdy, kto poddaje się programowi Kelleya, najpierw przez to przechodzi. A więc także Treya. Na podstawie przeprowadzonych badań, między innymi specjalnej analizy krwi, Gonzales dawał jej teraz 70% szansy albo na ustabilizowanie się sytuacji, albo wręcz na remisję.

Klasyczni onkolodzy dawali jej dwa do trzech miesięcy życia. Interpretacje diametralnie różne.

Była to niewypowiedzianie trudna sytuacja. Czas wlókł się niemiłosiernie wolno, a wyniki badań stawały się coraz bardziej dramatyczne. Odkryłem, że podzieliłem się na dwie części. Jedna część mnie wierzyła Gonzalesowi, druga onkologom. Nie mogłem znaleźć żadnych przekonujących dowodów na to, że któraś ze stron albo absolutnie się myli, albo absolutnie ma rację. Treya też nie wiedziała, kto ma rację.

Była to atmosfera *Twilight Zone:** masz kilka miesięcy i albo wrócisz do zdrowia, albo umrzesz.

Treya była wyczerpana, ale poza tym czuła się całkiem dobrze. Wyglądała nieźle, właściwie wręcz pięknie. Nie miała żadnych wyraźnych objawów – kaszlu, bólów głowy, problemów ze wzrokiem. Sytuacja była tak niedorzeczna, że Treya uznała ją wręcz za śmieszną.

> Co mam robić? Wyrywać sobie włosy z głowy? Przecież ich nie mam. Faktem jest, że nadal czuję radość życia, a czasami wręcz ekstazę, kiedy siedzę po prostu na werandzie i obserwuję zabawę naszych szczeniaków. W takich chwilach jestem niewiarygodnie szczęśliwa. Każdy oddech tak cudowny, tak radosny, tak kochany. Czego mi brakuje? Na co mam narzekać?

Treya szła swoją drogą. Jak linoskoczek posuwała się krok za krokiem, nie patrząc w dół. Próbowałem podążać za nią, ale bałem się zawrotu głowy.

Jej wypowiedź na sympozjum w Windstar zdobyła uznanie wszystkich obecnych. Nagraliśmy ją na wideo i potem wiele razy oglądaliśmy. Najbardziej uderzyło mnie to, że Treya w ciągu niespełna czterech minut podsumowała to, czego nauczyła się w trakcie trwającej pięć lat swojej walki z rakiem. Była to suma jej duchowego spojrzenia na świat, choć ani razu nie odwołała się do medytacji, praktyki *tonglen,* Boga czy Buddy. Później na wideo oboje zauważyliśmy, że w momencie, kiedy Treya mówi: „lekarze dali mi dwa do czterech lat życia", ma speszoną minę. Kłamała. Lekarze dali jej dwa do czterech m i e s i ę c y życia. Nie chciała przestraszyć swojej rodziny i przyjaciół, więc postanowiła, że ten fakt pozostanie między nami.

Sam byłem zdumiony, że w ogóle zdobyła się na to wystąpienie. Miała czterdzieści guzów w płucach, cztery guzy w mózgu, przerzuty w wątrobie, badanie tomograficzne dopiero co wykazało, że główny guz w mózgu zwiększył się o 30% (był teraz wielkości

---

* Tytuł popularnego serialu w telewizji amerykańskiej (przyp. red.).

ogromnej śliwki), a jej lekarz powiedział, że będzie miała szczęście, jeżeli przeżyje jeszcze cztery miesiące.

Jeszcze inna sprawa, która mnie uderzyła: Treya wyglądała na niezwykle ożywioną i pełną energii. Rozświetliła całą scenę i wszyscy to widzieli, wszyscy to czuli. Przez cały czas myślałem: „To właśnie w niej pokochałem od pierwszego dnia, w którym ją zobaczyłem; ta kobieta mówi «ŻYCIE», mówi to całym istnieniem. Ta energia tak silnie przyciąga ludzi, sprawia, że ożywiają się w jej obecności, chcą być z nią, patrzeć na nią, rozmawiać".

Kiedy weszła na scenę, cała widownia się ożywiła, a ja pomyślałem: „Boże, to jest wino Treya".

Cześć. Nazywam się Treya Killam Wilber. Wielu z was zna mnie jako Terry. Z Windstar jestem związana od samego początku.

Dokładnie pięć lat temu, w sierpniu 1983 roku, spotkałam Kena Wilbera i zakochałam się w nim po uszy. Zawsze to nazywam miłością od pierwszego dotyku. Pobraliśmy się cztery miesiące później, a dziesięć dni po naszym ślubie wykryto u mnie raka piersi drugiego stopnia. Miesiąc miodowy spędziliśmy w szpitalu.

Od tego czasu miałam już dwa miejscowe nawroty. Przeszłam różne terapie, zarówno konwencjonalne, jak i alternatywne. W styczniu tego roku odkryliśmy jednak, że rak rozprzestrzenił się i zaatakował mózg i płuca. Lekarze dawali mi od dwóch do czterech lat życia.

Kiedy Tommy poprosił mnie, żebym dzisiaj wystąpiła, moją pierwszą myślą było: „Ależ ja jestem chora". Inni, którzy dziś przemawiali, mają za sobą rozmaite przeszkody; uzyskali też konkretne rezultaty swojej pracy. Słyszeliście, co mówił Mitchell, od piętnastu lat mój drogi przyjaciel, którego bardzo lubię i podziwiam.

„OK – pomyślałam. – Wciąż jestem chora. Ale może mogłabym się przyjrzeć temu, co zrobiłam w swoim życiu od czasu, kiedy rozpoznano u mnie chorobę".

Rozmawiałam z setkami ludzi chorych na raka – telefonicznie i osobiście. Jestem współzałożycielem Społeczności Wspierania Chorych na Raka w San Francisco, która świadczy różnorodne usługi setkom osób. Tak uczciwie, jak potrafiłam, opisałam swoje doświadczenia i wewnętrzne przemyślenia, by pomóc innym ludziom; planuję wkrótce wydać książkę.

Kiedy sporządziłam tę listę dokonań, nagle uświadomiłam sobie, że wpadłam w znajomą pułapkę. Kiedyś utożsamiałam sukces ze zdrowiem fizycznym i z konkretnymi osiągnięciami w zewnętrznym świecie. Teraz perspektywa uległa zmianie. Nastąpiła wewnętrzna przemiana, świadomy, wewnętrzny wybór innego poziomu; wewnętrzna przemiana w sposobie istnienia. Łatwo mówić o cierpieniu. Ja jednak jestem bardziej podekscytowana tymi wewnętrznymi przemianami, poczuciem coraz lepszego zdrowia na poziomach wyższych niż poziom fizyczny, pracą duchową, którą codziennie wykonuję.

Kiedy zaniedbuję tę wewnętrzną pracę, moja sytuacja staje się przerażająca, przygnębiająca, a chwilami nawet nudna. W wewnętrznej pracy – a jestem eklektyczna, pociąga mnie wiele tradycji i dyscyplin – wciąż widzę wyzwania, ona sprawia, że odczuwam głębokie zaangażowanie w życie. Odkrywam, że rak daje mi cudowną okazję do ćwiczenia spokoju i jednocześnie czuję, że rośnie moja pasja życia.

Oswajanie się z rakiem, oswajanie z myślą o przedwczesnej i prawdopodobnie bolesnej śmierci, nauczyło mnie przyjaźnienia się z samą sobą taką, jaka jestem, nauczyło mnie wiele o przyjaźnieniu się z życiem takim, jakie jest.

Wiem, że istnieją rzeczy, których nie mogę zmienić. Nie mogę zmusić życia do tego, by miało sens albo było uczciwe. Ta rosnąca akceptacja życia takim, jakie jest, z całym jego smutkiem, bólem, cierpieniem i tragedią, przyniosła mi coś w rodzaju spokoju. Czuję się jeszcze bardziej związana ze wszystkimi istotami, które cierpią. Odkrywam w sobie współczucie i pragnienie pomagania, jak tylko potrafię.

Jest takie wyświechtane, stare powiedzenie – bardzo popularne wśród chorych na raka – które brzmi: „Życie ma swój kres". W pewnym sensie mam szczęście. Zawsze zwracam uwagę na to, ile lat mają ludzie, którzy umierają. Zawsze zwracam uwagę na artykuły w gazetach o młodych ludziach ginących w wypadkach. Kiedyś nawet je wycinałam. Mam szczęście, bo dostałam ostrzeżenie z wyprzedzeniem i czas, by coś zrobić. Za to jestem wdzięczna.

Nie mogę dłużej ignorować śmierci, więc więcej uwagi poświęcam życiu.

Na widowni były setki osób, które zrobiły Trei owację na stojąco. Rozejrzałem się. Ludzie klaskali i płakali. Kamerzysta odłożył kamerę i też klaskał. Gdyby byli w stanie podarować jej siłę życia! Wszyscy chętnie oddalibyśmy Trei tyle własnej siły, by mogła przeżyć nawet kilkaset lat.

W tym czasie wreszcie postanowiłem napisać własny list, uzupełnienie do tych, które wysyłała Treya. Dotyczył trudnej roli osoby wspierającej. Oto bardzo skrócona wersja.

27 lipca 1988 roku
Boulder

Drodzy przyjaciele!

...Najtrudniejszy dla osoby wspierającej problem zaczyna pojawiać się mniej więcej po dwóch, trzech miesiącach sprawowania opieki. Stosunkowo łatwo jest radzić sobie z zewnętrznymi, fizycznymi, najbardziej oczywistymi jej aspektami. Zmienia się plan dnia; trzeba przyzwyczaić się do gotowania, prania czy sprzątania – tego wszystkiego, co wspierający musi robić, by fizycznie zaopiekować się bliską osobą. Zabiera się ją do lekarza, pomaga w przyjmowaniu leków i tak dalej. Może to być dosyć trudne, ale rozwiązanie jest całkiem oczywiste – albo będziesz to robił sam, albo wynajmiesz kogoś do pomocy.

Dla osoby wspierającej trudniejsze do zniesienia jest wewnętrzne zamieszanie, które zaczyna narastać na poziomie psychologicznym i emocjonalnym. Ma to dwie strony – osobistą i publiczną. Osobiście zaczynasz uświadamiać sobie, że niezależnie od tego, jakie ty sam możesz mieć problemy, stają się one niczym w porównaniu z problemami osoby, która ma raka albo jakąś inną zagrażającą życiu chorobę. Tak więc przez całe tygodnie i miesiące nie mówisz o swoich problemach. Nie chcesz martwić swojego partnera, nie chcesz mu utrudniać sytuacji, a poza tym myślisz i ciągle sobie powtarzasz: „Ja przynajmniej nie mam raka. Moje problemy nie są aż tak poważne".

Mniej więcej po kilku miesiącach (jest to sprawa indywidualna) osobie wspierającej powoli zaczyna przychodzić do głowy następująca myśl: Fakt, że moje problemy bledną w porównaniu z rakiem, nie oznacza, że ich nie mam. Przeciwnie, zaczynają się rozrastać, bo teraz mam dwa problemy: problem pierwotny plus niemożność jego wypowiedzenia i znalezienia rozwiązania. Próbujesz je stłamsić, ale im mocniej naciskasz, tym stają się silniejsze. Czujesz się nieco dziwnie. Jeżeli jesteś introwertykiem, zaczyna ci być duszno, narasta niepokój, zbyt głośno się śmiejesz, za dużo pijesz. Jeżeli jesteś ekstrawertykiem, wybuchasz w najmniej odpowiednich momentach, ciskasz gromy gniewu, wybiegasz z pokoju jak burza, rzucasz przedmiotami – i też za dużo pijesz. Jeżeli jesteś introwertykiem, niekiedy chcesz umrzeć; jeżeli jesteś ekstrawertykiem, czasami chcesz, żeby umarła bliska i ukochana osoba, którą się opiekujesz. Jeżeli jesteś introwertykiem, są takie chwile, kiedy chcesz się zabić; jeżeli jesteś ekstrawertykiem, są momenty, kiedy masz ochotę zabić... W każdym przypadku śmierć wisi w powietrzu; gniew, żal i gorycz nieuchronnie skradają się wraz ze strasznym poczuciem winy, których źródłem są te mroczne uczucia.

Zważywszy okoliczności, uczucia te są oczywiście całkowicie naturalne i normalne. Prawdę mówiąc, poważnie martwiłbym się osobą wspierającą, która od czasu do czasu nie miałaby takich uczuć. A najlepszym sposobem na poradzenie sobie z nimi jest rozmowa o nich. To jedyne rozwiązanie.

I tutaj osoba wspierająca napotyka kolejną trudność emocjonalno-psychologiczną: styka się z aspektem publicznym swojego problemu. Kiedy już zdecydujesz się mówić, pojawia się problem: z kim? Ukochana chora prawdopodobnie nie jest najlepszym partnerem do omawiania twoich problemów, po prostu dlatego, że często to ona jest twoim problemem; sama jest wielkim ciężarem, ale nie chcesz, by się czuła winna. Nie chcesz jej atakować, choć możesz być na nią bardzo zły o to, że zachorowała.

Z pewnością najlepszym miejscem do takich rozmów jest grupa wsparcia utworzona przez ludzi, którzy żyją w podobnych warunkach, tzn. grupa wsparcia dla osób wspierających. Mogłaby też pomóc terapia indywidualna, a także terapia dla par. Ale o profesjonalnym wsparciu opowiem za chwilę. Zwykli ludzie (również ja) niezbyt chętnie korzystają z takich możliwości, a potem jest już za późno, wyrządziło się już wiele szkody i zadało niepotrzebne cierpienie. Przeciętny człowiek robi coś normalnego i zrozumiałego:

rozmawia z rodziną albo przyjaciółmi. I w tym momencie z hukiem zderza się z publicznym aspektem swoich problemów.

Jak to ujmuje Vicky Wells, aspekt publiczny można wyrazić następująco: „Nikogo nie interesuje osoba przewlekle chora". Oznacza to tyle: „Przychodzę do ciebie z problemem. Chcę porozmawiać, potrzebuję rady, pragnę pocieszenia. Rozmawiamy, bardzo mi pomogłeś, jesteś miły i pełen zrozumienia. Czuję się lepiej, ty też dobrze się czujesz, bo mi pomogłeś. Ale bliska mi osoba przecież nadal ma raka; sytuacja się nie zmieniła, może nawet jest jeszcze gorzej. Wcale nie czuję się dobrze. Znowu biegnę do ciebie. Pytasz, jak sobie radzę. Mówię, że jest okropnie. Rozmawiamy. Znowu jesteś bardzo życzliwy, miły i pełen zrozumienia i znowu czuję się lepiej... aż do następnego dnia, bo ona wciąż ma raka i tak naprawdę nic się nie poprawiło. Mija dzień za dniem i nic właściwie nie można zrobić (lekarze robią, co w ich mocy, a ona i tak może umrzeć). Tak więc mija dzień za dniem, ty czujesz się podle; sytuacja po prostu się nie zmienia. I prędzej czy później odkrywasz, że ludzie, którzy na co dzień nie stykają się z tym problemem, zaczynają być znudzeni albo poirytowani twoimi nieustannymi opowieściami. Wszyscy, poza najbardziej oddanymi przyjaciółmi, powoli zaczynają się od ciebie odsuwać, ponieważ w twojej obecności rak zawsze wisi w powietrzu jak ciężka chmura. Zaczynasz być osobą chronicznie lamentującą, a nikt już nie chce tego słuchać, ludzie są zmęczeni wysłuchiwaniem ciągle tego samego. „Nikogo nie interesuje osoba przewlekle chora...".

Tak więc osoby wspierające powoli odkrywają, że ich problemy osobiste zaczynają się mnożyć, a rozwiązanie „publiczne" po prostu nie przynosi efektu. Zaczynają się czuć zupełnie samotne i wyizolowane. W tym momencie może się wiele wydarzyć: odchodzą, załamują się, zaczynają nadużywać różnych środków psychoaktywnych – albo szukają profesjonalnej pomocy...

Jak już powiedziałem, najlepszym miejscem na rozmowę o twoich trudnościach jest grupa wsparcia dla osób wspierających. Kiedy słuchasz tych ludzi, odkrywasz, że ich głównym zajęciem jest narzekanie na ukochanych chorych. Padają zdania w rodzaju: „Co ona sobie myśli, żeby mi tak rozkazywać? Wydaje jej się, że jest taka niezwykła tylko dlatego, że choruje. Ja mam własne problemy". Albo: „Czuję, że całkowicie utraciłam kontrolę nad swoim życiem.

Mam nadzieję, że ten drań pośpieszy się i umrze". Takich „miłych" rzeczy ludzie nie mówią publicznie i z pewnością nie mówią ich swoim chorym bliskim.

Chodzi o to, że pod tymi mrocznymi uczuciami, gniewem i urazą zawsze kryje się dużo miłości, gdyż w innym wypadku osoba wspierająca po prostu już dawno by odeszła. Ale ta miłość nie może się ujawnić dopóty, dopóki zagradzają jej drogę gniew, żal i gorycz. Jak to ujął Khalil Gibran: „Nienawiść to zagłodzona miłość". W grupach wsparcia wyraża się dużo nienawiści, ale tylko dlatego, że pod nią kryje się tyle miłości, zagłodzonej miłości. Gdyby tak nie było, nie nienawidziłbyś tej osoby, w ogóle by cię nie obchodziła. Problem osób wspierających (włączając w to mnie samego) nie polega na tym, że nie otrzymują one wystarczająco dużo miłości, ale na tym, że z trudnością przychodzi im przypomnienie sobie, jak dawać miłość, jak być kochającym w trudnych okolicznościach. A ponieważ – wiem to z doświadczenia – leczy głównie dawanie miłości, osoby wspierające naprawdę powinny pozbyć się wszystkiego, co im w tym przeszkadza – gniewu, urazy, goryczy, a nawet – zazdrości i zawiści (zazdroszczę jej, że ma kogoś, kto się nią przez cały czas opiekuje, to znaczy mnie).

Dlatego grupa wsparcia jest nieoceniona... Poza tym polecałbym indywidualną psychoterapię, głównie osobie wspierającej, ale również choremu. Wkrótce dowiadujesz się bowiem, że istnieją takie sprawy, o których po prostu nie możesz rozmawiać ze swoim chorym bliskim; i odwrotnie, o pewnych sprawach chora osoba nie powinna rozmawiać z tobą. Wydaje mi się, że większość mojego pokolenia uważa, iż „szczerość jest najlepszą taktyką" i że małżonkowie powinni rozmawiać o wszystkim, co ich martwi. Jest to złe założenie. Otwartość pomaga i jest ważna, ale tylko do pewnego momentu. W jakiejś chwili otwartość może stać się bronią, sposobem na zranienie kogoś: „Ale przecież ja tylko mówiłem prawdę". Mam w sobie wiele gniewu i żalu w związku z sytuacją, w której postawił nas rak Trei, ale przecież nie ma sensu winić jej o to wszystko. Męczy się tak samo jak ja. A jednak wciąż jestem pełen gniewu, nienawiści i urazy. Tak więc nie powinno się dzielić tym ze swoim ukochanym, nie powinno się go tym obarczać. Płacisz terapeucie i *jego* obarczasz całym tym piekłem.

Przynosi to dodatkową korzyść, polegającą na tym, że możecie być razem bez tego cichego żalu i gniewu ze strony opiekuna i bez poczucia winy i wstydu ze strony chorego. Ty już się wyładowałeś w grupie albo u terapeuty. To również pomaga ci nauczyć się subtelnej sztuki mówienia pełnych współczucia kłamstw, zamiast narcystycznego wyrzucania z siebie tego, co „naprawdę czujesz", niezależnie od tego, że może to zranić chorą bliską osobę. Nie stosujemy wielkich kłamstw, lecz małe, dyplomatyczne kłamstewka, takie, które nie tłumaczą fałszywie tych naprawdę istotnych problemów, a jednocześnie nie rozjątrzają nierozwiązanych kwestii tylko w imię tak zwanej uczciwości. Któregoś dnia możesz się poczuć szczególnie zmęczony swoją rolą opiekuna, a kiedy ukochany chory cię spyta: „Jak się dzisiaj czujesz?", możesz odpowiedzieć: „Czuję się potwornie, moje życie już nie należy do mnie. Może po prostu skoczyłabyś z mostu do rzeki?". To zła odpowiedź. Prawdziwa, ale zła. Powinieneś odpowiedzieć raczej: „Jestem dziś zmęczony, kochanie, ale jestem przy tobie". A potem idź do grupy wsparcia albo do terapeuty i przed nimi się wygadaj. Absolutnie nic nie zyskasz, obarczając wszystkim chorego, niezależnie od tego, jak bardzo byłoby to „uczciwe".

Jeśli chcesz dobrze pełnić rolę osoby wspierającej, twoim podstawowym zadaniem jest być emocjonalną gąbką. To jedna z najdziwniejszych rzeczy, jakich się nauczyłem. Większość ludzi uważa, że tym zadaniem jest dawanie rad, pomoc w rozwiązywaniu problemów, użyteczność, gotowanie obiadu, wożenie do lekarza. Ale wszystkie te zadania tracą na ważności w porównaniu z podstawowym zadaniem opiekuna, jakim jest rola emocjonalnej gąbki. Ukochany chory, który stoi w obliczu prawdopodobnie śmiertelnej choroby, doświadcza niezwykle silnych emocji: niekiedy jest całkowicie obezwładniony przez strach i przerażenie, gniew, histerię i ból. Twoim zadaniem jest być z nim i po prostu absorbować tyle emocji, ile jesteś w stanie. Nie musisz rozmawiać, nie musisz niczego mówić (tak naprawdę nie można powiedzieć niczego, co by rzeczywiście było pocieszające), nie musisz dawać mu żadnych rad (i tak byłyby nieprzydatne) i nie musisz niczego robić. Po prostu musisz z nim być, oddychać jego bólem, strachem i cierpieniem. Odgrywasz rolę gąbki.

Kiedy Treya zachorowała, myślałem, że będę mógł jej pomóc, biorąc na siebie odpowiedzialność, mówiąc odpowiednie rzeczy, pomagając jej w wyborze leczenia i tak dalej. To było potrzebne, ale nie najważniejsze. Otrzymywała jakąś szczególnie złą wiadomość – na przykład o nowym przerzucie – zaczynała płakać, a ja natychmiast wyjeżdżałem z czymś takim jak: „Słuchaj, to jeszcze nic pewnego; trzeba zrobić więcej badań". I tak dalej. Nie tego Treya potrzebowała. Potrzebowała po prostu, żebym płakał razem z nią – i tak robiłem; chciała, żebym odczuł jej uczucia, bym w ten sposób pomógł je wyciszyć lub bym je w siebie wchłonął. Wierzę, że to powinno odbywać się na poziomie ciała; rozmowa nie jest potrzebna, choć oczywiście możesz rozmawiać, jeżeli chcesz.

Kiedy ukochana osoba odbiera straszną wiadomość, opiekun przeważnie chce sprawić, by poczuła się lepiej. Jest to niewłaściwa reakcja. Chodzi głównie o to, by być z nią, nie bać się jej strachu, bólu i gniewu. Należy pozwolić, by wydarzyło się to, co się ma wydarzyć. A przede wszystkim nie można starać się pozbyć bolesnych uczuć. To dzieje się wtedy, kiedy próbujesz sprawić, by „poczuła się lepiej" albo próbujesz „wyperswadować jej" obawy. W moim przypadku taka postawa „pomagania" pojawiała się wtedy, gdy nie chciałem zajmować się uczuciami Trei i swoimi, nie chciałem wchodzić z nimi w prosty i bezpośredni kontakt; chciałem, żeby zniknęły. Nie chciałem być gąbką, chciałem być Zwycięzcą i poprawić sytuację. Nie umiałem uznać swojej bezradności w obliczu nieznanego. Bałem się tak samo jak Treya.

Rola gąbki powoduje, że czujesz się bezradny i bezużyteczny, bo niczego nie r o b i s z, po prostu jesteś, nic nie robiąc (albo przynajmniej tak to wygląda). A tego właśnie wiele osób nie potrafi. Wiem, bo było tak w moim przypadku. Minął prawie rok, zanim przestałem usiłować naprawiać i poprawiać sytuację. Dopiero po roku zacząłem być z Treyą, choć sprawiało to ból. Wydaje mi się, że to właśnie dlatego „nikogo nie interesuje przewlekle chory", bo nikt nie może nic p o r a d z i ć w takim przypadku – można tylko z nim b y ć. Tak więc, kiedy ludzie myślą, że powinni coś zrobić, żeby pomóc, i odkrywają, że to nie pomaga, są zdezorientowani. Co mam zrobić? Nic, tylko być...

Kiedy ludzie pytają, co ja robię, a nie jestem w nastroju do pogaduszek, zazwyczaj odpowiadam: „Jestem japońską żoną", co ich wprawia w kompletny zamęt. Chodzi o to, że jako osoba wspierająca musisz milczeć i po prostu robić to, czego sobie życzy twój współmałżonek – masz być dobrą „żonką".

Jest to szczególnie trudne dla mężczyzn; mnie się to jednak udało. Minęły ze dwa lata, nim przestałem się denerwować tym, że w każdej sprzeczce czy podczas podejmowania ważnych decyzji Treya zawsze miała kartę atutową: „Ale ja mam raka". Treya, innymi słowy, zawsze była górą, a ja – zredukowany do poziomu dobrej, małej żonki.

Już tego tak nie przeżywam. Nie zgadzam się automatycznie z decyzjami Trei, zwłaszcza kiedy uważam, że są złe. Przedtem zgadzałem się ze wszystkim, gdyż wydawało mi się, że rozpaczliwie potrzebuje mojego wsparcia, choć oznaczało to kłamstwo wobec moich prawdziwych odczuć. Teraz sytuacja wygląda tak, że jeżeli Treya podejmuje jakąś ważną decyzję, dotyczącą, powiedzmy, nowej metody leczenia, ja bardzo stanowczo wyrażam własną opinię. Czasami się z nią nie zgadzam, ale do momentu, kiedy w końcu postanowi, co ma zrobić. Od tej chwili zgadzam się z nią i popieram jej wybór. Nie powinienem zasiewać w niej żadnych wątpliwości. Już i tak ma wystarczająco dużo problemów...

Już nie mam nic przeciwko roli dobrej, małej żonki. Gotuję, sprzątam, myję naczynia, piorę, robię zakupy. Treya pisze listy, robi sobie lewatywę z kawy i co dwie godziny połyka ogromne garście tabletek, więc ktoś musi się zajmować domem.

Egzystencjaliści mają rację, mówiąc, że wybory, których dokonujesz teraz, muszą potwierdzać wybory już dokonane. To znaczy, że musisz bronić tych wyborów, które przyczyniły się do ukształtowania twojego losu. Jak mówią egzystencjaliści: „Jesteśmy naszymi wyborami". Niepotwierdzanie własnych wyborów zwane jest „złą wiarą" i ma prowadzić do „nieautentycznego istnienia".

Do mnie przyszło to w postaci bardzo prostej myśli: w każdej chwili tego trudnego okresu po prostu mogłem odejść. Nikt mnie nie przykuwał łańcuchami do szpitali, nikt nie groził mi śmiercią, gdybym odszedł, nikt mnie nie wiązał. Gdzieś głęboko w sobie dokonałem podstawowego wyboru, by zostać z tą kobietą na dobre i na złe niezależnie od sytuacji, być z nią na co dzień. Jednak w drugim roku jej choroby zapomniałem o tym wyborze, choć oczywiście on nadal istniał, gdyż inaczej po prostu bym odszedł.

Wykazałem jednak złą wiarę, byłem nieautentyczny, nie byłem prawdziwy. W swojej złej wierze zapomniałem o swoim wyborze i dlatego niemal natychmiast przyjąłem postawę obwiniania, a tym samym użalania się nad samym sobą. Wszystko to stało się dla mnie zupełnie jasne...

Nie zawsze jest mi łatwo potwierdzać ten wybór albo – ogólnie – wszystkie moje wybory. Sytuacja nie poprawia się automatycznie. Myślę o tym jak o ochotniczym zgłoszeniu się do wojska, a potem śmierci na polu bitwy. Być może ochotniczo zgłosiłem udział w walce, ale nie chciałem być zabity. Czuję się nieco zraniony i nie jestem z tego powodu szczęśliwy, ale na ochotnika podjąłem się wykonania zadania – był to mój wybór – i podjąłbym się jeszcze raz, wiedząc doskonale, co to oznacza.

Codziennie więc potwierdzam swój wybór. Codziennie wybieram raz jeszcze. To sprawia, że nie obwiniam Trei, i uwalnia nagromadzony żal i poczucie winy. Brzmi to prosto, ale tak naprawdę wcielanie prostych zasad w życie zazwyczaj jest trudne...

Powoli wróciłem do pisania. Powróciłem również do medytacji, której głównym celem jest uczenie się, jak umierać (umierać dla poczucia oddzielonego ja albo dla ego), a fakt, że Treya zmaga się z potencjalnie śmiertelną chorobą, jest nadzwyczaj silnym bodźcem dla medytacyjnej świadomości. Mędrcy mówią, że jeżeli utrzymujesz świadomość, niczego nie wybierając, jeżeli jest to czyste bycie świadkiem, wówczas śmierć staje się jedynie chwilą jak każda inna, czymś bardzo zwyczajnym i bezpośrednim. Nie cofasz się przed śmiercią ani kurczowo nie trzymasz się życia, gdyż zasadniczo są one zwykłymi doświadczeniami, które przemijają.

Buddyjskie pojęcie „pustki" również bardzo mi pomogło. Pustka (*śunjata*) nie oznacza nicości ani próżni; oznacza coś niezakłóconego, spontanicznego. Jest również mniej więcej równoznaczna z niestałością albo płynnością (*anicca*). Buddyści mówią, że rzeczywistość jest pusta – nie ma w niej niczego stałego albo absolutnie trwałego, czego można by się uchwycić, by poczuć się bezpiecznie. Jak to ujmuje Diamentowa Sutra: „Życie jest jak bańka mydlana, sen, odbicie w lustrze, złuda". Chodzi o to, by nie usiłować chwytać ułudy, raczej „odpuścić", gdyż tak naprawdę nie ma się czego trzymać. Rak Trei ciagle mi przypomina, że śmierć jest wielkim odpuszczeniem sobie, ale nie trzeba czekać właściwej śmierci fizycznej, by całkowicie porzucić kurczowe trzymanie się konkretnej chwili.

Mistycy utrzymują, że działanie na tym świecie, jeżeli żyje się świadomością bez wyboru, jest pozbawione ego, pozbawione koncentracji na ja. Jeżeli zamierzasz umrzeć dla poczucia odrębnego ja (albo przekroczyć je), musisz umrzeć dla skupienia na ja i działania służącego ja. Inaczej mówiąc, musisz wykonać to, co mistycy nazywają bezinteresowną służbą pozbawioną ja. Musisz służyć innym, nie myśląc o ja, bez nadziei na pochwałę. Po prostu musisz kochać i służyć – jak mówi Matka Teresa: „Kochać aż do bólu".

Innymi słowy, stajesz się dobrą żoną.

Innymi słowy, oto jestem; gotuję obiady i zmywam naczynia. Nie zrozumcie mnie źle, wciąż daleko mi do Matki Teresy, ale coraz mocniej odczuwam swoją działalność osoby wspierającej jako główną część pozbawionej ja służby i mojego własnego duchowego rozwoju. Nie oznacza to, że jestem mistrzem w tej sztuce; nadal narzekam i lamentuję, nadal wpadam w złość, nadal obwiniam okoliczności. Oboje z Treyą postępujemy jak dzieci: czasem mówimy o wzięciu się za ręce, skoczeniu z mostu i położeniu kresu temu wszystkiemu.

W nagrodę za przeczytanie tego długiego listu wszystkim innym dobrym żonom podaję mój słynny na całym świecie przepis na wegetariańskie chili.

Składniki:

2 – 3 puszki ciemnoczerwonej fasoli
2 posiekane selery
2 posiekane cebule
2 posiekane zielone papryki
2 – 3 stołowe łyżki oliwy z oliwek
1 puszka pomidorów
3 – 4 ząbki czosnku
3 – 4 stołowe łyżki chili
1 – 2 stołowe łyżki kminku
2 – 3 stołowe łyżki świeżej pietruszki
2 – 3 stołowe łyżki oregano
1 puszka piwa

1 filiżanka nerkowców (orzeszków cashew)
pół filiżanki rodzynek (niekoniecznie)

Rozgrzać olej w dużym garnku, udusić cebulę do zeszklenia, dodać seler, zieloną paprykę i czosnek. Dusić pięć minut. Dodać pomidory (z sokiem, pomidory rozdrobnić na małe cząstki) i fasolę, potem chili, kminek, pietruszkę, oregano, piwo, cashew i rodzynki. Dusić dowolnie długo. Ozdobić świeżą pietruszką albo startym serem cheddar.

Nie pamiętam, czy piwo było w moim oryginalnym przepisie, czy kiedyś przypadkowo je dodałem, robiąc tę potrawę. W każdym razie piwo jest niezbędne. Cały sekret tego chili polega na ogromnych ilościach ziół.

À votre santé. Na zdrowie.

Całuję

Ken

List został opublikowany w „Journal of Transpersonal Psychology" i wywołał tak ogromny i wzruszający odzew czytelników, że wszyscy byliśmy oszołomieni. Ale reakcja ta po prostu odzwierciedlała rozpaczliwą sytuację osób wspierających, ludzi, którzy „cierpią w milczeniu", gdyż nikt nie zauważa ich problemów, ponieważ nie są „osobami chorymi". Vicky Wells, która była zarówno osobą wspierającą, jak i chorą na raka, ujęła to najlepiej, i to słowami, które według mnie powinna usłyszeć każda osoba wspierająca:

> Byłam w obu światach – miałam raka i byłam osobą wspierającą dla Trei i innych chorych. I chciałabym powiedzieć, że o wiele trudniej jest być osobą wspierającą. Przynajmniej ja, kiedy radziłam sobie z własnym rakiem, przeżywałam wiele chwil czystego piękna, jasności, łaski, przemiany ustalonego porządku i doceniania urody życia. Jako osobie wspierającej przychodziło mi to z trudem. Chory na raka nie ma wyboru, ale osoba wspierająca dokonuje wyboru – cały czas być z nim. Było to dla mnie bardzo trudne – pokonanie smutku, uczucie, że obchodzę się z chorym jak z jajkiem czy bycie z nim, kiedy wybiera metodę leczenia. Co robić i jak go wesprzeć? Czy powinnam szczerze mówić, co czuję? To dla osoby wspierającej oznacza huśtawkę emocjonalną. Zazwyczaj zwracam się po prostu ku miłości. Zwyczajnie go kochać – to rzecz najważniejsza.

Po przemówieniu Trei w Aspen wróciliśmy na krótko do San Francisco, gdzie musieliśmy skonsultować się z Peterem Richardsem i Dickiem Cohenem. Treya wygłosiła przemówienie w CSC. Tego dnia CSC było tak zatłoczone, że ludzie stali na ulicy. Oto jak Vicky podsumowała całą tę sprawę:

– Porwała ich. Wiesz, ona wszystkich nas trochę zdumiewa; jej odwaga, jej szczerość.

– Tak, wiem, Vicky. W tej chwili wygląda na to, że jesteśmy pierwsi w bardzo długiej kolejce.

Wróciliśmy do Boulder i naszego codziennego znoju, czekania, czekania. Byłem wówczas głęboko zaangażowany w praktykę *dzogczen,* udzieloną mi przez Jego Świątobliwość Pemę Norbu Rinpochego, w skrócie Penora. *Dzogczen* (albo *maha-ati*) jest praktyką bardzo prostą i zgodną z naukami innych wielkich tradycji świata, zwłaszcza wedantą i buddyzmem *cz'an* (wczesny zen). W skrócie:

Jeżeli Duch ma jakieś znaczenie, musi być wszechobecny, wszystko przenikający i wszystko obejmujący. Nie może być takiego miejsca, w którym nie ma Ducha albo w którym nie byłby on nieskończony. Dlatego Duch musi być całkowicie obecny właśnie tutaj, właśnie teraz, w twojej świadomości. To znaczy, że twoja obecna świadomość, dokładnie taka, jaka jest, nie zmieniając się, jest doskonale i całkowicie przesiąknięta Duchem.

Nie wystarczy jednak, że Duch jest obecny; musisz być oświecony, żeby go zobaczyć. Nie chodzi o to, że jesteś jednością z Duchem, tylko po prostu jeszcze o tym nie wiesz. Gdyż to by również oznaczało, że istnieje takie miejsce, w którym Ducha nie ma. Nie, zgodnie z *dzogczen* jesteś już jednością z Duchem i ta świadomość jest już w pełni obecna, już w tej chwili. Patrzysz wprost na Ducha, w każdym akcie świadomości. Nie ma takiego miejsca, w którym nie byłoby Ducha.

Jeżeli Duch w ogóle ma jakieś znaczenie, to musi być wieczny, bez początku i końca. Gdyby Duch miał początek w czasie, wówczas byłby ściśle ograniczony czasowo i nie byłby bezczasowy i wieczny. A to by oznaczało, że nie możesz s t a ć s i ę oświecony. Nie możesz osiągnąć oświecenia. Gdybyś mógł osiągnąć oświecenie, wówczas ten stan miałby początek w czasie, więc nie byłby prawdziwym oświeceniem.

Duch i oświecenie muszą być czymś, czego jesteś w pełni świadom w tej chwili. Czymś, na co patrzysz w tej chwili. Gdy pobierałem te nauki, pomyślałem o zagadkach w niedzielnym dodatku do gazety, gdzie na rysunku przedstawiony jest jakiś widoczek, a podpis mówi: „W tym krajobrazie kryją się twarze dwudziestu słynnych osób. Czy możesz je odnaleźć?". Była tam twarz Waltera Cronkite'a, Johna Kennedy'ego i tak dalej. Chodzi o to, że patrzysz prosto na te twarze. Są w twoim polu widzenia, ale ty ich nie rozpoznajesz. Jeżeli nie możesz ich odszukać, ktoś inny ci je wskaże.

Tak samo jest z Duchem albo Oświeceniem. Wszyscy patrzymy na Ducha, ale go nie rozpoznajemy. Wszyscy mamy odpowiedni układ percepcji, ale nie mamy umiejętności rozpoznawania. To dlatego nauki *dzogczen* nie polecają szczególnie medytacji, choć może być ona przydatna do innych celów. Medytacja jest bowiem próbą zmiany percepcji, zmiany świadomości, a to jest niepotrzebne i mija się z celem. Duch jest już kompletnie i w pełni obecny w stanie świadomości, który masz teraz; niczego nie trzeba zmieniać. Próba zmiany świadomości jest jak próba narysowania twarzy na tym rysunku zamiast odnalezienia ich.

Tak więc w *dzogczen* nauka nie polega na medytacji, gdyż medytacja zmierza do zmiany stanu, a oświecenie nie jest zmianą stanu, lecz rozpoznaniem natury każdego obecnego stanu. Wiele nauk *dzogczen* głosi, że medytacja nie działa, oświecenie nigdy nie może być osiągnięte, gdyż zawsze jest obecne. Pierwsza zasada w *dzogczen* jest następująca: „Nic nie możesz zrobić ani niczego zaniechać, by osiągnąć podstawową świadomość, gdyż ona już w pełni istnieje".

Dzogzhen poleca zamiast medytacji to, co się nazywa „instrukcjami wskazującymi". Mistrz po prostu rozmawia z tobą i wskazuje ci ten aspekt twojej świadomości, który już jest jednością z Duchem i który zawsze był jednością z Duchem, tę część twojej świadomości, która jest bezczasowa i wieczna, która nie ma początku i która zawsze była z tobą, nawet przed urodzeniem się twoich rodziców (jak by to ujął zen). Innymi słowy, jest to podobne do odszukiwania twarzy w rysunku-zagadce. Nie musisz zmieniać rysunku, po prostu musisz tylko rozpoznać to, na co już patrzysz. Medytacja zmienia rysunek; *dzogczen* niczego nie narusza. Instrukcje wskazujące zazwyczaj zaczynają się od: „Bez poprawiania i modyfikowania twojej obecnej świadomości zauważ, że...".

Nie mogę podać instrukcji, gdyż są one domeną mistrza *dzogczen*. Ale mogę wam podać wersję wedanty, gdyż jest ona już opublikowana, zwłaszcza w pismach Sri Ramany Maharishiego. W moim ujęciu wygląda to następująco:

Jedyną rzeczą, której zawsze jesteśmy świadomi, jest... sama świadomość. Już posiadamy podstawową świadomość w postaci umiejętności bycia Świadkiem wszystkiego, co się pojawia. Jak mówił pewien stary mistrz zen: „Czy słyszysz ptaki? Widzisz słońce? Kto nie jest oświecony?". Nikt z nas nie może sobie nawet wyobrazić stanu, w którym podstawowej świadomości nie ma, bo wciąż bylibyśmy świadomi wyobrażania. Nawet podczas snu jesteśmy świadomi. Co więcej, wielkie tradycje utrzymują, że nie istnieją dwa różne rodzaje świadomości, czyli oświecona i nieświadoma. Istnieje tylko jedna świadomość. I ta świadomość, dokładnie taka, jaka jest, bez żadnych poprawek i modyfikacji, sama jest Duchem, gdyż nie ma takiego miejsca, gdzie nie byłoby Ducha.

Instrukcje te polegają więc na rozpoznawaniu świadomości, Świadka. Każda próba osiągnięcia świadomości jest kompletnie bez sensu. „Ale ja nadal nie widzę Ducha!". „Jesteś świadom tego, że nie widzisz Ducha i t a ś w i a d o m o ś ć jest Duchem!".

Możesz ćwiczyć uważność, gdyż istnieje nieuważność; ale nie możesz ćwiczyć świadomości, gdyż istnieje tylko świadomość. W związku z uważnością zwracasz uwagę na obecną chwilę. Próbujesz „być tu i teraz". Ale czysta świadomość jest stanem obecnym, z a n i m spróbujesz c o k o l w i e k zrobić. Usiłowanie „bycia tu i teraz" wymaga przyszłego momentu, w którym będziesz uważny, ale to czysta świadomość jest tym momentem, zanim spróbujesz coś zrobić. Już jesteś świadomy, już jesteś oświecony. Może nie zawsze jesteś już uważny, ale zawsze jesteś już oświecony.

Tak wyglądają instrukcje wskazujące. Niekiedy trwają kilka minut, niekiedy kilka godzin albo kilka dni, aż w końcu „załapiesz", aż rozpoznasz swoją Prawdziwą Twarz, „twarz, którą miałeś, zanim urodzili się twoi rodzice" (to znaczy bezczasową i wieczną, ważniejszą od narodzin i śmierci). I jest to rozpoznanie, a nie poznanie. Jest to tak, jakbyś zaglądał przez wystawę do sklepu i ujrzał niewyraźną postać spoglądającą na ciebie. Przyglądasz się jej uważniej i z zaskoczeniem stwierdzasz, że to twoje własne odbicie w szybie. Cały świat, zgodnie z tą tradycją, jest niczym innym, jak tylko lustrzanym odbiciem twojego własnego Ja, które widzisz w lustrze swojej świadomości. Rozumiesz? Już na nie patrzysz...

Tak więc, zgodnie z tą tradycją, nietrudno dotrzeć do podstawowej świadomości, niemożliwe jest jej uniknięcie, a tak zwane „ścieżki do Ja" są tak naprawdę przeszkodami. Przeszkadzają rozpoznaniu. Istnieje tylko Ja i istnieje tylko Bóg. Tak ujął to sam Ramana:

> Nie istnieje ani stworzenie, ani zniszczenie,
> Ani przeznaczenie, ani wolna wola;
> Ani ścieżka, ani osiągnięcie;
> Taka jest ostateczna prawda.

Powinienem zaznaczyć, że chociaż *dzogczen* szczególnie nie poleca medytacji, to jednak zanim zostanie się wprowadzonym w nauki *dzogczen,* należy do pewnego stopnia przećwiczyć pierwsze osiem etapów, które są etapami medytacji. Utrzymuje się bowiem, że medytacja jest bardzo ważna i bardzo dobroczynna dla wzrastania szlachetnych stanów umysłu, potęgowania koncentracji, uwagi i wglądu; medytację powinno się gorliwie uprawiać jako trening. Po prostu nie ma to nic wspólnego z oświeceniem *per se.* Każde oświecenie, które można osiągnąć, nie jest prawdziwym oświeceniem. Medytacja jest treningiem, a *dzogczen* pokazuje, że trening w ogóle nie trafia w cel już od samego początku, ponieważ odciąga cię od twojej obecnej świadomości.

Mój nauczyciel spotykał się z uczniami, a oni na tych spotkaniach mówili mu:

– Dopiero co przeżyłem niesamowite doświadczenie. Moje ego po prostu zniknęło i zjednoczyłem się ze wszystkim. Czas zniknął i było cudownie!

Mistrz odpowiadał:

– To miło. Ale powiedz mi, czy to doświadczenie miało jakiś początek w czasie?

– Tak, to się stało wczoraj. Siedziałem tutaj i nagle...

– To, co ma początek w czasie, nie jest prawdziwe. Wróć tutaj, kiedy rozpoznasz to, co jest już obecne, to, co nie jest doświadczeniem, to, co nie ma początku w czasie. Musi to być coś, czego już jesteś świadomy. Wróć tutaj, kiedy rozpoznasz ten stan b r a k u p o c z ą t k u. Ty mówisz wyłącznie o początku.

– Och.

Kiedy uczeń już dokona rozpoznania, wówczas medytacja jest wykorzystywana do jego ustabilizowania i wprowadzenia we wszystkie aspekty życia. To naprawdę trudne zadanie. W *dzogczen* mówi się: „Rozpoznanie Prawdziwej Twarzy jest łatwe, ale życie z nią trudne". Ja zacząłem praktykować właśnie to „życie z nią".

Ćwiczenia Trei przywiodły ją do podobnego zrozumienia, gdyż pracowała głównie na podstawie nauk Sri Ramany Maharishiego, który również jest moim ulubionym nauczycielem. Przede wszystkim zdała sobie sprawę, że mistyczne doświadczenie, które przeżyła mając trzynaście lat – i które opisała jako „przewodni symbol mojego życia" – było w istocie przebłyskiem zawsze obecnego Ja, które jest jednością z „całą przestrzenią". I że roztopienie się w „całej przestrzeni" – co zdarzyło się, kiedy miała trzynaście lat, i co zdarza się jej podczas medytacji – było przymiarką do własnej śmierci.

> Lubię roztapiać się w przestrzeni, w pustce mojej medytacji. Dziś rano Ken powiedział, że rozpoznawanie przestrzeni albo utożsamianie się z całą przestrzenią jest jedyną rzeczą, która go pociąga w sensie praktyki. I mnie bardzo silnie pociąga. To sprawiło, że natychmiast pomyślałam o doświadczeniu, które przeżyłam jako trzynastoletnia dziewczynka, i uświadomiłam sobie, jak ogromnie może mi to pomóc właśnie teraz, kiedy umieram. Było to doświadczenie, a nie nauka, nie coś, czego się nauczyłam czy usłyszałam od kogoś, lecz co przyszło do mnie spontanicznie. Naprawdę wierzę, że bardzo mi to pomoże w wielkim dziele odpuszczenia, gdyż widzę, jak się rozszerzam, jak całkowicie i dokładnie łączę się ze wszystkimi atomami i molekułami całego wszechświata, jestem jednością ze wszystkim, zdając sobie sprawę, że to moja prawdziwa natura. To czasami zdarza się podczas medytacji, ale moje

pierwotne doświadczenie było spontaniczne i dlatego naprawdę mu ufam. Jest to jakoś niezwykle pocieszające dla mnie.

Gonzales ostrzegł nas, że gdy guzy płuc zaczną się rozpuszczać, Treya może mieć trudności z oddychaniem. Niektórzy ludzie stosujący terapię enzymową wykrztuszają martwe i rozpuszczone guzy. Któregoś dnia zadzwonił do nas Bob Doty – nasz znajomy z Janker Klinik, który ostatnio miał nawrót i przeszedł na program Kelleya – i powiedział nam, że wykrztusił ogromny kawałek czegoś, co wyglądało jak wątroba i co zdumiało lekarzy. Powiedziano nam, że jeżeli Treya będzie miała trudności z oddychaniem, być może będzie musiała nosić przy sobie tlen.

Klasyczni lekarze powiedzieli, że umiera na raka płuc i wkrótce będzie musiała przejść na tlen.

Pod koniec października Treya przeszła na tlen. Mieliśmy małą butlę tlenową, którą uzupełnialiśmy z ogromnego pojemnika wielkości beczki, i Treya zaczęła tę butlę wszędzie nosić ze sobą. Nie była zadowolona z tego układu, ale to wcale nie zmniejszyło jej energii. Co rano, kiedy wracałem z medytacji, ona już ćwiczyła na swej bieżni, z butlą przytroczoną do pleców, przemierzając codziennie przynajmniej trzy mile, a na jej twarzy był wypisany namiętny spokój, radosna determinacja.

Klasyczni lekarze wypytywali ją, czy boi się śmierci, gdyż byli przekonani, że stosuje program Kelleya jako zaprzeczenie śmierci i jako odmowę poddania się ich zaleceniom (które, jak przyznali, i tak nie przyniosłyby pozytywnego efektu). Szczególnie zapamiętałem jedną rozmowę.

– Treya, boisz się umierania?

– Nie, naprawdę nie boję się umierania, ale boję się silnego bólu. Nie chcę umierać w bólach.

– Mogę cię zapewnić, że damy sobie z tym radę. Współczesne środki przeciwbólowe są doskonałe. Już dawno żaden z moich pacjentów nie umierał w bólach, więc mogę ci przyrzec, że to się nie stanie. Nie boisz się umierania?

– Nie.

– Dlaczego?

– Bo czuję, że jestem w kontakcie z częścią mnie samej, z częścią każdego. Kiedy umrę, po prostu rozpuszczę się w tym wszystkim. To nie jest przerażające.

Mówiła to z takim przekonaniem, że zobaczyłem, iż lekarz uwierzył jej. W końcu całkiem się rozkleił; było to niezwykle wzruszające.

– Wierzę ci, Treya. Wiesz, nigdy przedtem nie miałem takiego pacjenta jak ty. Nie użalasz się nad sobą. Nie użalasz się. Nigdy przedtem niczego takiego nie widziałem. To prawdziwy zaszczyt pracować z tobą.

Treya pochyliła się, objęła go i z uroczym uśmiechem powiedziała po prostu:

– Dziękuję.

– Czy widziałaś inne pokoje? – pytam. – Są po prostu przepiękne! W jednym były zdumiewające kryształy i góry, i dżungla i – och, widziałaś te gwiazdy? To chyba były gwiazdy. W każdym razie – gdzieś ty była? Gdzie byłaś, kiedy odbywałem tę podróż?

– Tutaj. I tak się cieszę, że ty też tutaj jesteś. Zawsze przyrzekałeś, że mnie odnajdziesz, i już zaczynałam się niepokoić.

– Poszłaś zrobić herbatę. A co by było, gdybyś chciała zaparzyć cały dzbanek?

– Kim on jest?

– Nie wiem. Myślałem, że go znasz.

– Nic nie widzę – mówi. – Jest tu ktoś?

– Nie jestem pewien. Mam pewną teorię. Wydaje mi się, że to sen. Nawzajem się sobie śnimy. Czy to możliwe? W każdym razie dopiero co szedłem z tym facetem, czy co to było. Po prostu rób, co mówi. To nawet zabawne.

– Posłuchajcie mnie uważnie – mówi Postać. – Chcę, żebyście wzięli się za ręce i poszli tą drogą.

– Jak? – pytam. – To znaczy, wydawałeś mi instrukcje – pchnij swoim umysłem i tego rodzaju rzeczy. Więc – jak?

– Po prostu weźcie się za ręce i pójdźcie tą drogą.

Spoglądamy na siebie.

– Zaufajcie mi – mówi Postać. – Musicie mi zaufać.

– Dlaczego?

– Bo te gwiazdy nie były gwiazdami i dlatego, że ten sen nie jest snem. Czy wiesz, co to oznacza?

– Już ci powiedziałem, że w ogóle nie wiem, co to wszystko znaczy. Więc może byś...

– Ja wiem, co to znaczy – mówi Treya. – Podaj mi rękę.

21

Łaska i moc

wrzesień/październik, 1988 rok
Boulder

Drodzy przyjaciele!

Na zewnątrz hula wiatr – dmie dosyć mocno i w niewłaściwym momencie, gdyż w Left Hand Canyon, niedaleko naszego domu, szaleje pożar. Według wcześniejszych raportów, chociaż ognia nie udało się opanować, zagrożonych jest tylko kilka domów. Zgodnie jednak z najnowszymi wiadomościami ewakuowano ludzi z siedemdziesięciu sześciu domów, głównie z powodu dymu. Pożaru nie da się ugasić środkami chemicznymi z powodu silnego wiatru. Z naszej werandy całkiem nieźle widać ogień; boimy się, że i nas mogą ewakuować. Przed pójściem spać chyba załadujemy do samochodu trochę niezbędnych rzeczy na wypadek alarmu w środku nocy. Kiedy skończą się te pożary w Yellowstone?

Już nie przejmuję się tak jak kiedyś „złymi" albo potencjalnie złymi wydarzeniami. Wydaje mi się, że pięcioletnie zmaganie się na przemian ze złymi, dobrymi i niepewnymi wiadomościami nauczyło mnie, by poruszać się wraz z przypływem, nie opierać się, przyzwalać, by było tak, jak jest. Nauczyło mnie obserwować rozwój wydarzeń ze spokojem, ale też z zainteresowaniem: nie wyobrażać sobie ani nie wymuszać rezultatów, ale po prostu obserwować i uczestniczyć wtedy, kiedy to właściwe. Jeżeli trzeba będzie nas ewakuować, to trudno; będę o tym myśleć, kiedy to się stanie, a teraz tylko obserwuję płomienie, jaskrawe w mrocznej nocy, czerwoną łunę na niebie, i ślę życzenia tym, których ewakuowano.

Ken lubi mówić, że celem pracy nad sobą, psychologicznej czy duchowej, nie jest pozbycie się fal w oceanie życia, lecz nauka unoszenia się na nich. Z konieczności nauczyłam się unosić na falach. W zeszłym miesiącu w Aspen przypomniałam sobie, jak to było – jakie wszystko wydawało się ważne, jakim kiedyś byłam składowiskiem „znaczeń i celów", jak intensywnie próbowałam wszystko zrozumieć – z perspektywy New Age wszystko ma swój cel, jest zaplanowane i mądre. Pamiętam modlitwę w Findhorn, która kończyła się słowami: „Pozwól, by spełnił się plan miłości i światła". Buddyzm i rak nauczyły mnie życia z nastawieniem „nie wiem", niekontrolowania przepływu życia, pozwalania, by rzeczy były, jakie są. Nauczyły mnie, jak odnaleźć spokój pomiędzy zmartwieniami i rozczarowaniami przez odpuszczenie sobie. Pamiętam, jak bardzo byłam przywiązana do działania, jak bardzo moje poczucie wartości opierało się na tym, co robiłam, jak bardzo byłam cały czas zajęta, jak każdą chwilę musiałam wypełnić działaniem.

Podczas sympozjum w Windstar wspominałam letni program, który kiedyś prowadziłam (dwa miesiące zajęć na miejscu). Z pewnym żalem myślałam, jak wypełniony był czas studentów, jakby program mógł być dobry tylko wtedy, gdy studenci są ciągle zajęci (narzuciłam im swoją nerwicę). Teraz wydaje mi się, że nie zostawiłam im przestrzeni, w której mogliby swobodnie oddychać, zintegrować bogate, różnorodne doświadczenia. Mogliby po prostu *być*, nawzajem się polubić, rozkoszować pięknem, kolorami, rześkim powietrzem i rozgwieżdżonymi nocami w górach Kolorado. Oczywiście widzę również, że przez całe lata tak samo postępowałam wobec siebie.

Ale uczę się. Podjęłam to postanowienie w tym roku, kiedy całkowicie skupiłam się na leczeniu, na programie enzymowym. Będę spała, ile się da, robiła tak mało, jak mało mi się uda, i codziennie po południu przystanę nieco, by spokojnie wypić filiżankę herbaty. Podróżować będę jak najmniej – tylko w celach leczniczych, na spotkania medytacyjne i do rodziny – ponieważ nie cierpię stresu związanego z pakowaniem się i martwieniem, że czegoś zapomnę (i robieniem lewatywy z kawy w jakimś obcym otoczeniu). W zimne zimowe wieczory rozpalę ogień na kominku i będę tuliła się z Kenem i szczeniakami przy ogniu. Będę piła herbatę i zamiast czytać, popatrzę na góry. Będę naśladowała łagodny rytm życia w Findhorn (a nie gorączkowy rytm, który wprowadziło tam wielu Amerykanów), w którym jest czas na odpoczynek, rozmyślania, wizytę u przyjaciół, spacer w ogrodzie i rozkoszowanie się słońcem późnego popołudnia.

Myślę o ostatnim chłodnym wieczorze w Aspen, kiedy siedzieliśmy przy trzaskającym ogniu przed domem Bruce'a, a Kairos wdrapał się na kolana Kena, a potem na moje, żeby się ogrzać. Uczyliśmy pewną Angielkę sztuki robienia pianek owocowych i zawsze będę pamiętać, co powiedziała o swoim pierwszym wrażeniu dotyczącym Amerykanów: wydali jej się stale gorączkowo czymś zajęci i zabiegani.

I ja byłam taką Amerykanką z obsesją na punkcie „załatwiania spraw". Wydawało mi się, że bardzo ważne jest poświęcanie całej energii na robienie „właściwych" rzeczy. Kiedy byłam na obozie, wszyscy szli się bawić, a ja z poczucia obowiązku zbierałam drewno na ognisko, pomagałam rozkulbaczać konie i rozbijać namioty – taką byłam turystką. Prawie zawsze pod koniec wakacji dostawałam za to nagrodę. Taka dobra, mała dziewczynka! Ale teraz, pod presją choroby i zmęczenia spowodowanego braniem enzymów, czuję, że moje życie stało się prostsze, bardziej wyraziste i szersze – pełne powietrza. Coraz łatwiej wszystkiego się pozbywam, na przykład oddałam komuś cały swój sprzęt fotograficzny, zamiast łudzić się, że jeszcze kiedyś może mi się przydać; oddałam ubrania, które kiedyś tak bardzo lubiłam; oddałam błyskotki, apaszki i biżuterię dzieciom moich przyjaciół. W moich kredensach i szafach nagle zrobiło się strasznie dużo miejsca! Życie teraz wydaje mi się mniej zagęszczone, bardziej przejrzyste, pełne powietrza i radości życia – gdy mniej jestem zabiegana, bo już nie udowadniam sobie własnej wartości; oddaję coraz więcej starych rzeczy; coraz bardziej odwlekam różne sprawy do załatwienia; spędzam czas spokojnie, pijąc herbatę, głaszcząc psa leżącego u moich stóp, rozkoszując się cichym, zadrzewionym krajobrazem, który rozciąga się przed moimi oczami i ciągle się zmienia – od poranka przez zmierzch aż po światło księżyca.

26 września

Następny fragment powinien chyba być zatytułowany: „Kiedy ktoś obcy chce ci pomóc – nie bój się powiedzieć *nie*", albo: „Jak zaufać własnemu psychicznemu systemowi odpornościowemu".

Nie wiem, dlaczego tak bardzo martwię się tym, że chorzy na raka czują się źle lub mają poczucie winy z powodu ludzi, którzy uważają, że chorzy sami sobie wymyślili swoją chorobę, nie są wrażliwi i nie można ich zranić. Pewnie dlatego, że mam wyrzuty sumienia i kręci mi się w głowie od tych wszystkich rad i zakamuflowanych osądów, które usłyszałam od osób skądinąd życzliwych. Korzenie tkwią pewnie w silnym poczuciu nieprzystosowania w dzieciństwie. Teraz zapewne chcę chronić w sobie i w każdym innym małe dziecko, chcę mu pomóc odkryć w sobie własną siłę, pomóc dojrzeć to, co było prawdziwe w jego porażkach, i to, co jest prawdziwe w jego sile. I chyba chcę to robić dla każdego bezbronnego dziecka w każdym z nas, a zwłaszcza dla tych dzieci, które są jeszcze bardziej bezbronne z powodu raka. Chciałabym powiedzieć każdemu z nich: „Nie słuchaj tego, co ci mówią ludzie, którym się wydaje, że rozumieją. Zaufaj sobie, przefiltruj ich komentarze przez własne zrozumienie. Nie bój się odrzucenia tych uwag, które cię ranią albo osłabiają, sprawiają, że się boisz, albo odbierają ci wiarę w siebie. Niech działa twój psychiczny system immunologiczny, byś mógł przyjąć prawdziwą pomoc, a odrzucić pomoc niszczącą".

Oto przykład.

Pewien znajomy przedstawił mi podczas sympozjum dwie uzdrowicielki. Pierwsza zaproponowała mi sesję za darmo, była bardzo delikatna i zaufałam jej. Jakoś wiedziałam, że mnie nie zrani ani nie będzie mną manipulować dla własnych potrzeb. Miałam z nią bardzo dobrą sesję, a następnego dnia poczułam taki przypływ energii, że zachciało mi się pójść potańczyć (w końcu poszłam z Kenem do dyskoteki!). I strasznie zaczęło mi brakować jazdy na nartach, ślizgania się ze stoków, wiatru na twarzy!

Druga osoba, którą zresztą już spotkałam przed kilku laty, była psychologiem i prowadziła warsztaty *est-type.* Kiedy ją zobaczyłam, była z moją przyjaciółką Lindą [Conger] – działo się to w czasie krótkiej przerwy pomiędzy dwiema wypowiedziami. Zaczęłam radośnie paplać z Lindą, opowiadając jej sen, który miałam poprzedniej nocy. Kobieta nagle mi przerwała i spytała dosyć ostro: „Czy jesteś świadoma tego, że w tej chwili jest w tobie płaczące dziecko?". Odparłam: „Nie, w tej chwili jestem szczęśliwa". Ona na to: „Och, ale ono jest w tobie. Czuję je całkiem wyraźnie; ma dwa albo trzy lata. I czuję w tobie straszną gwałtowność". „Gniew?" – spytałam. „Nie, gwałtowność, wściekła gwałtowność, coś o wiele silniejszego od gniewu". Nie mogłyśmy już dłużej rozmawiać, bo zaczynała się kolejna część sympozjum. Później spytała, czy to, co powiedziała, było OK, a miła panienka we mnie odparła: „Oczywiście".

Dopiero wieczorem zaczęłam rozumieć, jaka jestem zła – na nią! Następnego dnia wzięłam ją na bok i wytłumaczyłam tak klarownie, jak umiałam, że nie chodzi o to, czy jej intuicja jest błędna, czy też nie. Chodzi o to, że odebrałam to jako gwałt na mojej osobie. Nie prosiłam, by została moją terapeutką, nigdy jej nie zapraszałam do mojego prywatnego świata. Nie miałam do niej ani cienia zaufania. I usiłowałam jej wytłumaczyć, że powiedziała mi to wszystko w najmniej odpowiednim momencie. Cała tamta scena udowodniła, że ta kobieta nie jest terapeutką, której można zaufać, że jest kompletnym przeciwieństwem tamtej pierwszej. Cieszę się, że mój psychiczny system odpornościowy zadziałał, ale szkoda, że z opóźnieniem. To, co powiedziała, mogło być prawdą, ale sposób, jaki wybrała na przekazanie tego, wyraźnie wskazywał, że bardziej zależało jej na okazaniu swojej siły i słuszności niż na tym, by komuś pomóc.

Pierwsza kobieta, ta, której od samego początku zaufałam, prowadzi terapię podczas weekendu. Postanowiłam do niej pojechać, ale natychmiast zmieniłam zdanie, kiedy porozmawiałam z jedną z jej asystentek. I wydaje mi się, że tego dnia znowu zadziałał mój psychiczny system odpornościowy – asystentka, z którą rozmawiałam, nazwałaby to oporem. Zaproponowała, żebym wyraźnie uświadomiła sobie, nad czym chcę pracować, ustaliła swoje cele na ten weekend. Dała mi do zrozumienia, że mogę czuć narastający opór (psychiczny system odpornościowy moim zdaniem często jest mylony z oporem, którą to etykietkę trudno usunąć, gdyż wysiłki w tym kierunku często są postrzegane jako jeszcze większy opór). Cóż, mój opór czy psychiczny system odpornościowy szybko doszedł do głosu, kiedy powiedziała: „Jeżeli masz raka, to znaczy, że coś cię zżera od środka. Czy zniesiesz prawdę?".

Ken słuchał tej rozmowy z drugiego aparatu. Rzadko traci panowanie nad sobą, ale tym razem wydarł się. Nie pamiętam dokładnie, co powiedział, ale było to coś w rodzaju: „Co ją zżera, to takie dupki jak ty, które nie mają najmniejszego pojęcia o tym, co mówią!”. I odwiesił słuchawkę. „O Boże – pomyślałam. – Proszę, uchroń mnie od tych uproszczonych interpretacji. Czy przebywanie z takimi ludźmi pomoże mi, czy też tylko może mi zaszkodzić?”. Usiłowałam jej wytłumaczyć, ile agresji zawierała jej pozornie niewinna uwaga, ale było to trudne po słowach Kena! Ken mówi, że już skończył z takimi ludźmi i zgadzam się z nim, ale ja nadal próbuję do nich dotrzeć i pokazać im, jak bardzo ranią innych. W każdym razie odwiesiłam słuchawkę, czując, że to z pewnością nie dla mnie.

Odkryłam, że pewne uwagi Jeremy'ego Heywarda dotyczące edukacji buddyjskiej (w referacie wygłoszonym w Naropa Institute), dotykają właśnie tej sprawy. Powiedział tak:

„Z buddyjskiego punktu widzenia istnieją pewne istotne wyznaczniki ludzkiego istnienia, które oczywiście wykraczają poza kulturę. Jednym z nich jest to, że wszystkie ludzkie istoty cierpią. Wszyscy w ciszy naszego bezpiecznego domostwa jesteśmy przerażeni... Faktem jest, że każdy z nas w jakimś momencie musi umrzeć. I, niezależnie od tego, czy będzie to trwało długo, czy krótko, czy umrzemy po długiej chorobie, czy jako starcy, sama chwila śmierci jest nagła... Kiedy czasem myślimy o tym, czujemy przerażenie. Nie zależy to od kultury. Jest uniwersalne... Tak więc rozpoznajemy ten strach i uciekamy od niego – to balansowanie wciąż trwa. Rozpoznanie strachu staje się brakiem strachu. Kiedy go rozpoznasz i jesteś z nim, co oznacza, że pozwoliłeś sobie zadrżeć i poczułeś to drżenie, wówczas staje się to brakiem strachu. Ale gdy uciekasz przed nim, w strachu przed strachem, to jest to tchórzostwo. To ciągła gra umysłu... Więc kiedy zostajesz z tym przerażeniem, możesz odkryć w sobie pewność i radość, które pochodzą z rozpoznania niezniszczalności świadomości...

„Tak więc strach w połączeniu z brakiem strachu przynoszą pewność i radość... Podstawą człowieczeństwa jest dobroć w sensie podstawowej radości i podstawowej ufności. Dlatego jesteśmy wolni od poczucia winy, wolni od grzechu”.

Dalej mówił, że podstawą edukacji buddyjskiej jest nieobecność poczucia winy, wrodzona postawa dobroci. Musimy „porzucić poczucie winy, porzucić grzech, porzucić obwinianie, porzucić myśli o tym, że popełniliśmy błąd; musimy przestać szukać problemów do naprawienia, a zamiast tego poszukiwać dobroci i inteligencji, które można by pielęgnować... Rozpoznawanie strachu i braku strachu w sobie i w innych, pomaganie innym w rozpoznawaniu strachu i odkrywaniu braku strachu – oto prawdziwe współczucie".

Sądzę jednak, że tego rodzaju zajęcia warsztatowe przydałyby się wielu osobom. Z drugiej strony słychać słowa krytyki, że mogą być dla niektórych szkodliwe i uzależniające oraz że praca nie jest oparta na współczuciu. Opowiadam o tym, gdyż uważam, że ludzie chorzy na raka w swych poszukiwaniach terapii, w próbach zbadania wszystkich możliwości mogliby być szczególnie podatni na to, co takie zajęcia obiecują. Osoba, z którą rozmawiałam na ten temat, powiedziała mi, że podczas warsztatów mogę odnaleźć swoje „dno" i to mnie całkowicie uleczy. Cieszę się, że Ken tego nie słyszał!

Znajduję się w środku chaosu różnych możliwości, wśród których wiele jest niepewnych. Ciągle wracam do jednego – niezależnie od tego, czy będzie to wybór leczenia, czy pracy psychologicznej, każdy musi zaufać sobie i nie dać się zwieść preferencjom innych. Chcę, żeby ludzie czuli się silni, mówiąc: „Nie, dziękuję, to nie dla mnie", albo: „Nie, nie jesteś terapeutą odpowiednim dla mnie", nie bojąc się przy tym, że za ich wyborem może się kryć jakiś tajemniczy opór. Moje przesłanie jest proste, ale doszłam do niego po ciężkiej pracy: „Zaufaj sobie, zaufaj swojemu psychicznemu systemowi odpornościowemu. Spokojnie odszukaj swoje centrum, ten solidny grunt wewnątrz swego istnienia, rób wszystko, żeby pozostać z nim w kontakcie, czy to poprzez medytację, wizualizację, aktywną wyobraźnię, terapię, spacery w lesie, pisanie dziennika, analizę snów, czy po prostu przez ćwiczenie uwagi w codziennym życiu. Słuchaj siebie i posłuchaj własnej, najlepszej rady!".

Boże, nie mogę uwierzyć, w jakim byłam stanie, kiedy podejmowałam decyzje w pierwszych dniach choroby – presja, strach, gorączkowy pośpiech, zamęt w głowie, brak wiedzy – i patrząc na to dziwię się, że z taką determinacją parłam do przodu, że byłam silna; ale wtedy jeszcze nie rozwinęłam w sobie kontaktu z własną wewnętrzną mądrością i w ten sposób całkowicie utraciłam poczucie spokoju, które mam teraz.

10 października

Enzymy działają fantastycznie – według „małego, śmiesznego testu" doktora Gonzalesa. Jestem zmęczona, ale poza tym czuję się całkiem dobrze, całkiem radośnie. To znaczy przez większość czasu!

Jednak opinie drugiej strony nie są tak obiecujące. Ponieważ w ciągu ostatnich sześciu tygodni poszły w górę wszystkie wskaźniki raka (markery nowotworowe), onkolog zalecił kolejną tomografię komputerową. Pewnego dnia zadzwonił wcześnie rano i zakomunikował, że wszystkie guzy powiększyły się o około 30%, czy mogłabym więc natychmiast przyjść, aby omówić dalsze postępowanie. Naprawdę nie wpadłam w panikę (no, może trochę...), gdyż najpierw chciałam porozmawiać z doktorem Gonzalesem, a poza tym przypomniało mi się to, co mi opowiadała pewna kobieta o swoich badaniach tomograficznych: „Wyglądają gorzej niż wtedy, kiedy zaczęłam program – powiedziała. – Moi lekarze nie wiedzą, co o tym myśleć... Na początku miałam straszne bóle w kościach, a teraz nic mnie nie boli, więc wierzę, że to, co jest na zdjęciach tomograficznych, jest po prostu efektem leczenia". Dzięki Bogu, dotarliśmy do niego tego samego dnia. Był bardzo spokojny i potwierdził swoją opinię, że to enzymy pożerają raka, układ odpornościowy rzuca do walki, co tylko może, np. makrofagi* itp., a tomografia wykrywa tę aktywność, nie pozwalając jednak odróżnić rozwoju guzów od efektów leczenia. „Co najmniej raz na tydzień – powiedział – muszę wyperswadowywać jakiemuś pacjentowi operację albo chemioterapię, gdy pogarszają się wyniki badań". Spytał mnie, czy nasiliły się moje objawy. Odparłam, że nie, niczego nie zauważyłam, co było pocieszające, gdyż powiększenie się raka o 30% powinno dać jakieś objawy. „OK – powiedziałam. – Wierzę, że ma pan rację. Ale na nic nie będę liczyć ani nie pozwolę sobie na zbyt wielkie nadzieje, dopóki nie zobaczy pan tomografii i nie powtórzy, że to rezultat leczenia".

---

* Makrofagi – rodzaj krwinek białych, stanowiących m.in. pierwszą linię obrony przeciwbakteryjnej. Mają też swój udział w walce organizmu z nowotworami, dzięki właściwościom „żernym" (przyp. red.).

Pognaliśmy obejrzeć wyniki tomografii. Wyglądały okropnie, ale to wszystko równie dobrze mogło potwierdzać opinię doktora Gonzalesa. Przemieszczenie w mózgu nie było nasilone (ogromny guz i obrzęk w prawej półkuli nieco przesunęły lewą półkulę). Moje objawy są umiarkowane – falowanie w lewej ćwiartce lewego oka, niekiedy lekkie bóle głowy, dziwne uczucie pełności po medytacjach (a więc więcej czasu poświęcam na jogę) albo po dłuższym siedzeniu bez ruchu przy czytaniu książki, niekiedy lekkie wrażenie zachwianej równowagi i dezorientacji. Czasami czuję silny ból za oczami, co tłumaczę obrzękiem. Odkąd zaczęłam sypiać wyżej, podkładając pod głowę więcej poduszek, problem niemal całkowicie zniknął.

Doktor Gonzales, gdy obejrzał wyniki tomografii, potwierdził swoją pierwotną opinię. Powiedział, że skontaktował się z doświadczonym radiologiem, który był pewien, że to, co wyglądało na rozwój raka, w rzeczywistości było stanem zapalnym – reakcją na obumieranie guza (albo jego śmierć).

Tak więc doktor Gonzales poradził mi, bym dalej stosowała jego program, a ja uznałam – zwłaszcza że inne propozycje były tak kompletnie zniechęcające (ciągła chemioterapia, choć przy użyciu nowych środków) – że jest to gra warta świeczki. Doktor Gonzales z taką pewnością siebie mówi o możliwości wyleczenia, że chyba warto zaryzykować. Zresztą rezygnacja z leczenia klasycznego, które i tak przedłużyłoby moje życie o zaledwie kilka miesięcy, a na pewno nie zapewniłoby tak wspaniałego samopoczucia, jakie mam teraz, stosując program Kelleya, nie wydaje się zbyt wielkim ryzykiem. W połowie grudnia, pół roku od dnia, w którym zaczęłam stosować program, znów zrobimy badanie tomograficzne. Doktor Gonzales mówi, że po sześciu miesiącach u 60 – 70% jego pacjentów tomografia wykazuje poprawę. Z pewnością byłoby miło, gdybym na Gwiazdkę dostała prezent w postaci dobrej wiadomości!

Powiedziałam doktorowi Gonzalesowi, że go podziwiam za to, iż tak twardo obstaje przy swoich poglądach; to świadczy, że naprawdę wierzy w to, co robi. Michael Lerner mówił mi ostatnio, że coś w tym jest – w tej sławie Gonzalesa – gdyż polecają go zarówno Patrick McGrady, jak i Michael Schacter z Nowego Jorku. Michael powiedział również, że do tej pory nie słyszał o Gonzalesie niczego złego i że choć sam Kelley sprawiał wrażenie szarlatana i uzdrowiciela, to w małych miasteczkach Kanady jest wiele osób, które wyzdrowiały po stosowaniu jego programu.

Po enzymach wciąż jestem zmęczona. Czekam na te dwie przerwy w miesiącu (dziesięć dni stosuję program, potem pięć dni odpoczywam, nie biorąc enzymów ani witamin). Pod koniec każdej przerwy czuję się całkiem nieźle!

W CSC są dwie kobiety, którym dobrze zrobiła ciągła chemioterapia – dwadzieścia i dwadzieścia cztery miesiące. Może ich organizmy są silniejsze niż mój. Wydaje mi się, że nie jest to dla mnie dobra metoda. Po prostu odrzuca mnie perspektywa słabnięcia z miesiąca na miesiąc – gdybym nawet czuła się stosunkowo dobrze, to jednak moje ciało byłoby coraz bardziej zgnębione i coraz bardziej przygięte do ziemi. Pamiętam, jak źle wyglądała szósta chemioterapia w porównaniu z pierwszą. Cieszę się, że jest jeszcze inna metoda, która być może poskutkuje i której do pewnego stopnia ufam. Zawsze jednak powtarzam sobie, że brak w odniesieniu do niej przekonujących statystyk i może nie zadziałać pomimo zapewnień Gonzalesa (dr Scheef również był bardzo pewny siebie); że w kurczowym trzymaniu się jej i liczeniu na jakiś pozytywny rezultat kryje się niebezpieczeństwo. Co będzie, to będzie.

Wygląda na to, że wkrótce będę musiała nosić przy sobie tlen, żeby wspomóc płuca. Więcej na ten temat za chwilę...

Tymczasem, by wrócić do bardziej trywialnych spraw, bardzo powoli odrastają mi włosy. Naświetlania i chemioterapia opóźniły cały ten proces. Naprawdę nie przeszkadza mi to, poza tym jednym miejscem na czubku głowy, gdzie prześwituje duża łysina. Na ten obszar naświetlanie działa ze zdwojoną siłą. Można temu zapobiec w czasie terapii, ale zanim zdążyłam o to poprosić, było już za późno. Nie rozumiem, dlaczego ochrona tego miejsca nie jest standardem; ludzie, którzy mają naświetlania z powodu guza mózgu, i tak wystarczająco się męczą; nie powinno się ich jeszcze martwić wielkim, łysiejącym plackiem na czubku głowy. W każdym innym miejscu głowy mam dość włosów, by chodzić bez chustki na głowie, ale ta łysina na czubku tak mnie peszy, że zazwyczaj nakładam czapkę baseballową, żeby ją zakryć. Jeżeli przeżyję i nadal będę miała z tym problem, to poważnie zacznę się zastanawiać nad tym, co zrobiło paru moich znajomych mężczyzn [transplantacja włosów]!

Dużo rozmawiam przez telefon z ludźmi chorymi na raka. Cieszę się, że mają okazję się wygadać, lubię się z nimi dzielić myślami, które wydają mi się ważne, ale serce mi pęka, gdy słyszę ich opowieści – samotne matki opuszczone przez mężów, dziesięć lat zdrowia i nagle nawrót, szczęśliwe życie, nagle ograniczone i zmienione przez chorobę. Ostatnio wiele osób chciało usłyszeć moją opinię o Janker Klinik. Trudno było mi coś odpowiedzieć, gdyż choć wielce szanuję doktora Scheefa i nie mogę jeszcze stanowczo wypowiadać się na temat enzymów, program Janker Klinik to jednak chemioterapia – toksyczna i zazwyczaj niezbyt skuteczna. Z drugiej strony, wprawdzie rezultaty mojego leczenia były gorsze niż się spodziewałam, to jednak Scheef nie był w stanie przeprowadzić normalnego programu z powodu mojego przeziębienia. Oczywiście należy też wziąć pod uwagę wydatki, stres i czas poświęcony na tak długi pobyt w Niemczech. Poza tym dobrze mieć obok siebie taką osobę wspierającą, jaką był Ken, bo rzeczywiście można wpaść w prawdziwe tarapaty. Kiedy weźmie się pod uwagę wszystkie te czynniki, moja aprobata jest dosyć letnia. Doktor Gonzales mówi, że oni odwalają kawał dobrej roboty, ale takie ekstremalne podejście polecałby tylko osobie, która rzeczywiście ma przed sobą zaledwie trzy, cztery miesiące życia.

W Aspen miałam kilka cudownych masaży. Najbardziej w tym wszystkim podobała mi się jednak modlitwa, którą Janet zaczynała każdy zabieg (Janet jest byłą zakonnicą). Modlitwa wywodzi się z tradycji bahajów, jest krótka i uzdrawiająca, a brzmi tak:

> Imię Twe to uzdrowienie, o Boże,
> Pamięć o Tobie jest moim lekarstwem,
> Twoja bliskość jest moją nadzieją,
> Miłość do Ciebie jest moim towarzyszem.
> Twa łaska jest moim uzdrowieniem i moją pomocą
> W tym świecie i w świecie, który ma nadejść.
> Tyś jest prawdziwie szczodry,
> Tyś jest całą wiedzą,
> Całą mądrością.

„Poddanie się" Bogu nadal jest moją mantrą. Ramana Maharishi mówi: „Poddaj Mu się i zaakceptuj Jego wolę, czy pojawia się On, czy znika, oczekuj Jego radości. Jeżeli chcesz, by robił to, czego ty chcesz, to nie jest to poddanie się, lecz rozkaz. Nie możesz wymagać od Niego, by cię słuchał, a jednocześnie uważać, że Mu się poddajesz. Zostaw Mu absolutnie wszystko...". Im głębiej badam w sobie poddawanie się – niezbyt dobrze mi się ono udaje – tym wyraźniej widzę, że praktyka ta prowadzi mnie w to samo miejsce, do którego wiedzie ćwiczenie spokoju, akceptowanie rzeczy takimi, jakie są, bez zmieniania ich i kontroli nad nimi. Buddyzm pomógł mi uniezależnić się od terminologii chrześcijańskiej, mogę więc rozpoznać powszechne prawdy i nauki.

Podoba mi się „zawsze już" w naukach Ramany Maharishiego: to, że jesteśmy zawsze już oświeceni, zawsze już zjednoczeni z Duchem, zawsze już zjednoczeni z całym Wszechświatem. Mówi on:

„Ludzie nie rozumieją oczywistej i prostej prawdy – prawdy o ich codziennej, zawsze obecnej i wiecznej świadomości. Taka jest prawda o Ja. Czy są ludzie nie mający świadomości Ja? Tak, oni nawet nie chcą o tym słyszeć, choć chcieliby wiedzieć, co się pod tym kryje – niebo, piekło, reinkarnacja. Gdyż kochają tajemnicę, a nie prostą prawdę; religie dbają o nich – by w końcu zawrócić ich do Ja. Możesz wędrować, ale w końcu musisz powrócić do Ja, więc dlaczego nie pozostać przy Ja tu i teraz?

„Ale Łaska wciąż jest. Łaska to Ja. Nie jest to coś, co można by osiągnąć. Wystarczy tylko rozpoznać jej istnienie...

„Jeżeli Ja nie jest wieczne, nie jest warte posiadania. Dlatego to, czego szukamy, nie jest czymś, co musimy powołać do istnienia, ale jest wieczne i obecne dokładnie w tej chwili, obecne tak samo, jak twoja własna świadomość".

Wysiłek: „Każdy przechodzi przez różnego rodzaju próby, by w końcu stać się tym, czym już jest. Cały wysiłek polega na pozbyciu się błędnego wrażenia, że jesteśmy ograniczeni i skrępowani niedolami *samsary* (tego życia). Nie można żyć bez żadnego wysiłku. Kiedy jednak schodzisz głębiej, niemożliwe jest dokonanie wysiłku".

20 października

Ostatnio ukończyłam „całkowite oczyszczenie" i „płukanie wątroby". To bardzo interesujące – wykurzyć różne rzeczy czające się w okrężnicy i woreczku żółciowym! Jest to część programu Kelleya, a ponieważ wielu moich znajomych zgłosiło chęć wykonania dwóch programów oczyszczających, dołączam instrukcje i informacje o tym, gdzie można zamówić to, co jest potrzebne. Dla mnie „całkowite oczyszczenie" było procesem, w którym przez całe miesiące wydalałam coś, co się nazywa „pasmami śluzu" w stolcu. Kiedy po raz pierwszy zrobiłam płukanie wątroby, skończyło się to porażką, chyba dlatego, że nie piłam soku jabłkowego. Za drugim razem zwiększyłam dawkę insuliny, więc przez pięć dni mogłam jeść mnóstwo jabłek i w końcu wydaliłam trzydzieści ogromnych kamieni żółciowych i ponad trzydzieści mniejszych. Rzeczywiście były one wyraźnie zielone, tak jak słyszałam, ale nigdy przedtem tego nie widziałam na własne oczy! Wiele osób uważa, że każdy powinien robić to raz na rok dla zdrowia okrężnicy. Pod koniec powiedziałam Kenowi: „Moje życie ogranicza się teraz do oglądania własnych kupek!".

Ken robi dla mnie niemal wszystko. Cały czas przy mnie. Byłby skrępowany słysząc to, ale zawsze nazywam go „moim mistrzem". Gotuje dla mnie, pilnuje mnie, zajmuje się moją dietą, zawozi do lekarzy, pomaga mi z insuliną, nawet pomaga mi przy kąpieli, kiedy czuję się zmęczona. Codziennie wstaje o piątej, by pomedytować przed poświęceniem mi całego dnia. W jego medytacji dzieje się coś naprawdę cudownego. Powiedział mi, że nauczył się służyć, a jego zachowanie naprawdę to potwierdza! Kiedy mu mówię, jak mi przykro, że mój rak „zrujnował" jego karierę, patrzy na mnie tymi ogromnymi, brązowymi oczami i mówi: „Jestem najszczęśliwszym facetem na świecie". Jaki on kochany!

Jak sobie radzi reszta mojego ciała?

Treya nie mogła dokończyć tego listu, gdyż oślepła na lewe oko. Tuż przed tym, jak zaczęła stosować tlen, zauważyłem, że nie reaguje prawidłowo na to, co pojawia się w polu widzenia lewego oka. Badania to potwierdziły: guzy w mózgu zaatakowały ośrodek wzroku i Treya prawdopodobnie na stałe utraciła widzenie lewym okiem.

Nie wiedzieliśmy, czy była to zmiana wywołana wzrostem, czy też obumieraniem guza. Klasyczni lekarze oczywiście twierdzili, że guz rośnie, Gonzales zaś – że umiera. Ale nie to było w tej chwili najważniejsze; głównym punktem naszego zainteresowania był teraz mózg Trei. Zaczęła brać decadron – silny steroid, który miał pomóc na jakiś miesiąc czy dwa; pod koniec tego okresu tkanka znowu będzie ugniatana i niszczona przez guz. Za tym pójdzie gwałtowna utrata różnych funkcji, ból nie do wytrzymania i morfina – już na stałe.

Był to teraz wyścig z czasem. Jeżeli enzymy działają, zaczną zmieniać sytuację za jakiś miesiąc lub dwa. Organizm Trei będzie musiał pozbyć się produktów wytworzonych przez rosnące czy też obumierające komórki rakowe; jeśli to nie nastąpi, rosnące ciśnienie śródczaszkowe zabije Treyę.

Treya wysłuchała wszystkich wyjaśnień – i nawet nie mrugnęła. „Jeżeli to wyścig – powiedziała wreszcie – to ruszajmy".

Gdy wyszliśmy z gabinetu lekarskiego, myślałem, że się rozpłacze, że jakoś zareaguje. Ale tylko poprawiła swoją małą butlę tlenową, uśmiechnęła się do mnie i powiedziała: „Janie, do domu".

Ponieważ teraz była prawie cały czas na tlenie, nawet podczas snu, trzeba ją było połączyć prawie dwudziestometrowym przewodem z ogromnym pojemnikiem. Na płucach było teraz sześćdziesiąt plam (nowe czy stare, „wybuchające" dzięki enzymom?), wątroba puchła i zajmowała niemal całą szerokość brzucha, uciskając jelita (nowy rak wątroby czy stan zapalny?), ciśnienie wewnątrz czaszki rosło. Pięć, sześć razy dziennie musiała sprawdzać poziom cukru we krwi i robić sobie zastrzyki z insuliny, brać sto dwadzieścia pigułek dziennie, sześć razy na dobę robić lewatywę (budziła się w środku nocy, by wziąć pigułki i zrobić lewatywę). Do tego wszystkiego codziennie ćwiczyła na automatycznej bieżni, przemierzając dwie, trzy mile z przewodem tlenowym zwisającym z ramienia. Zawsze z muzyką Mozarta w tle.

Jej lekarz miał rację: nie użalała się nad sobą ani trochę. Nie zamierzała się poddać ani wycofać. Nie bała się umierania, teraz już byłem tego pewien. Ale też nie zamierzała się położyć i czekać na śmierć.

Rozmawialiśmy o słynnym koanie zen, który przypomniała mi jej postawa. Uczeń spytał Mistrza: „Co jest prawdą absolutną?", a Mistrz powiedział tylko: „Idź dalej!".

W tym okresie powstała między nami prawdziwa więź psychiczna. Przez „psychiczna" rozumiem: „paranormalna" (ESP). Osobiście nigdy specjalnie nie zajmowałem się zjawiskami psychicznymi w tym sensie. („Poziom psychiczny", termin, którego używam, oznacza początkowe etapy rozwoju duchowego, kontemplacyjnego, transpersonalnego; mogą one – choć nie muszą – dotyczyć zjawisk paranormalnych, ale nie mają nic wspólnego z ich definicją). Jestem pewien, że istnieją, ale po prostu nie bardzo mnie interesują. Na pewno niewiele mają wspólnego z mistycyzmem *per se,* a za sprawą różnych szarlatanów cała ta dziedzina cieszy się złą sławą. Niezbyt więc chętnie o tym mówię.

Każdy gram mojej energii, każda sekunda mojego życia była przeznaczona dla Trei. Potrafiłem przewidzieć każdą jej potrzebę – wiedziałem, czego chce, zanim jeszcze otworzyła usta, a czasami, zgodnie z jej słowami, jeszcze zanim o tym pomyślała.

– Czy możesz mi zrobić jajko na miękko?

– Już się gotuje, kochanie.

– Pomyślałam sobie, że dziś potrzebuję siedemnaście jednostek insuliny.

– Strzykawka jest napełniona, leży tuż przy twojej nodze.

I tak dalej. Oboje to zauważyliśmy i rozmawialiśmy o tym. Być może była to tylko seria szybkich, podświadomych, logicznych dedukcji – standardowe wyjaśnienie empirysty – ale w wielu przypadkach były one nielogiczne. Nie, stanowczo coś się działo. Wiem tylko, że było to tak, jakbyśmy byli jednym umysłem i jednym sercem.

Dlaczego miałoby mnie to dziwić?

Treya była już wtedy uwięziona w domu, więc Warren Bellows, który robił jej akupunkturę, przychodził do nas. Pracował z Michaelem Broffmanem. Warren był starym przyjacielem Trei z Findhorn i teraz mieszkał w Boulder. Chyba Bóg go nam zesłał. Mądry, delikatny, opiekuńczy, o niezwykłym poczuciu humoru – ktoś w sam raz dla nas. Było to szczególnie istotne, gdyż terapia Trei zajmowała dwie godziny dziennie. Było to ważne również dla mnie, gdyż te dwie godziny to był jedyny czas, kiedy mogłem się zająć swoimi sprawami.

Pewnego wieczoru, kiedy Warren pracował z Treyą, nagle poczuła się bardzo źle. Zaczęła ją potwornie boleć głowa, cała się trzęsła i miała problemy z widzeniem w zdrowym oku. Zadzwoniłem do Gonzalesa do domu. Widział wyniki ostatnich badań. I on, i jego współpracownicy, wykształceni lekarze, nadal byli przekonani, że objawy Trei są związane z obumieraniem guzów.

Powiedział, że Treya ma reakcję toksyczną. Należy zrobić kilka lewatyw, dalej stosować akupunkturę, sole kąpielowe epsom – wszystko, co oczyści organizm. Treya poczuła się lepiej po samej rozmowie z nim.

Ja nie czułem się lepiej. Zadzwoniłem na ostry dyżur do ośrodka medycznego w Boulder i poprosiłem ich, by przygotowali aparaturę do badania mózgu; zadzwoniłem też do miejscowego onkologa i poprosiłem go, by był gotowy. Treya czuła się coraz gorzej i obawiając się duszności zainstalowałem jej butlę tlenową. W piętnaście minut później podano jej silną dawkę decadronu i morfiny. Utracono kontrolę nad obrzękiem mózgu i wkrótce dostała konwulsji.

Parę dni później, 10 listopada, za zgodą wszystkich (w tym Nicka) Treya poddała się operacji usunięcia olbrzymiej masy narosłej w jej mózgu.

Lekarze powiedzieli, że pozostanie w szpitalu przynajmniej pięć dni, może dłużej. Trzy dni poźniej wyszła ze szpitala ze swą małą butlą tlenową przytroczoną do pleców i w *Mütze* na głowie. Za jej namową poszliśmy pieszo do restauracji Wranglera na smażonego kurczaka. Kelnerka spytała ją, czy jest modelką – „Pani jest tak piękna!" – i gdzie kupiła taką śliczną czapkę. Treya sprawdziła sobie poziom cukru we krwi, zrobiła zastrzyk z insuliny i zmiotła kurczaka z talerza.

Operacja mózgu może nie przyczyniła Trei bólu, ale spowodowała, że jej ogólny stan zdrowia był zły. Jednak Treya z namiętnym spokojem trzymała się swego programu: pigułki, lewatywy, insulina, dieta, oczyszczanie i „płukanie wątroby". Codziennie na swej bieżni przemierzała całe mile z przewodem tlenowym zwisającym z pleców.

Po operacji właściwie całkowicie oślepła. Wciąż widziała prawym okiem, ale pole widzenia miała ograniczone. Próbowała wykonywać pracę artystyczną, ale nie mogła skoordynować linii; rezultaty przypominały to, co mógłbym nieudolnie narysować i ja.

– Niezbyt dobrze, co? – mówiła tylko.

Najbardziej jednak żałowała, że nie może czytać swych książek o tematyce duchowej. Wielkimi literami przepisywałem fragmenty z jej ukochanych nauk. Na przykład: „Pozwól, by ja rozwinęło się w szerokiej przestrzeni całego wszechświata", albo: „Kim jestem?".

Kartki te nosiła ze sobą wszędzie i niekiedy widywałem ją o różnych porach dnia, jak siedziała i z uśmiechem je odczytywała, przesuwając przed oczyma i cierpliwie czekając, aż linie powoli uformują się w znajome słowa.

Do końca działania decadronu pozostał miesiąc. Przychodziła do nas rodzina i przyjaciele, sądząc, że Treya jest umierająca. Połowa mnie, która myślała podobnie, rozpaczliwie chciała zobaczyć się z Kalu Rinpochem, „naszym" nauczycielem. Treya również bardzo chciała, żebym do niego pojechał, i zachęcała mnie do tego. W dniu mojego wyjazdu zapisała w dzienniku: „Jestem taka nieszczęśliwa, tak bardzo cierpię. Jeżeli mu o tym powiem, nie wyjedzie. Tak bardzo go kocham – czy on wie, jak bardzo go kocham?".

Nie było mnie trzy dni. Z Treyą została Linda. Ta połowa mnie, która wiedziała, że Treya umrze, chciała odnowić kontakt z Kalu Rinpochem, niezwykłym, oświeconym i szlachetnym człowiekiem. Wszystkie wielkie tradycje utrzymują, że sam moment śmierci jest niezwykle ważną i cenną możliwością: ponieważ człowiek całkowicie opuszcza swe fizyczne ciało, jego świadomość nagle osiąga wyższe wymiary – subtelny i przyczynowy. Jeżeli jest przygotowany i uda mu się je rozpoznać, wówczas może doznać natychmiastowego oświecenia. Jest to teraz o wiele łatwiejsze niż wtedy, gdy był uwięziony w ograniczającym ciele.

Omówię to bardzo dokładnie, gdyż tak właśnie Treya przygotowywała się na swoją bliską śmierć. Opis oparty jest na systemie tybetańskim, który wydaje się najbardziej kompletny, ale w zasadzie to samo przekazują mistyczne tradycje na całym świecie.

Człowiek istnieje na trzech głównych poziomach lub w trzech wymiarach: materialnym (ciało), subtelnym (umysł) i przyczynowym (duch). W procesie umierania najpierw odłączają się niższe poziomy Wielkiego Łańcucha Istnienia, począwszy od doznań zmysłowych. Kiedy odłącza się ciało (przestaje funkcjonować), zaczynają dominować subtelniejsze wymiary umysłu i duszy, a w samym momencie śmierci, kiedy rozłączają się wszystkie poziomy, w świadomości rozbłyska czysty, przyczynowy Duch. Jeżeli człowiek potrafi rozpoznać tego Ducha jako swoją prawdziwą naturę, wówczas natychmiast doznaje oświecenia i na stałe powraca do Boskości jako Boskość.

Jeżeli nie rozpozna Ducha, wówczas człowiek (dusza) wchodzi w stan pośredni, *bardo*, co trwa kilka miesięcy. Wyłania się poziom subtelny i ostatecznie pojawia się poziom materialny; człowiek odradza się w ciele fizycznym, by rozpocząć nowe życie, zabierając ze sobą w swojej duszy tę mądrość (ale nie konkretne wspomnienia), którą zgromadził w poprzednim życiu.

Niezależnie od tego, co myślisz o reinkarnacji, *bardo* czy stanach po życiu, jedno jest pewne: jeżeli w ogóle wierzysz, że jakaś część ciebie uczestniczy w Boskości, jeżeli wierzysz, że masz w sobie Ducha, który przekracza twoje śmiertelne ciało, wówczas moment śmierci jest szalenie istotny: to właśnie wtedy odchodzi śmiertelne ciało, a jeżeli jest tak, że c o ś p o z o s t a j e, to jest to odpowiednia chwila, by się o tym przekonać.

Badania doświadczeń osób, które przeżyły swoją śmierć kliniczną, potwierdzają, że „coś" pozostaje. Chciałbym jednak podkreślić, że istnieją pewne specjalne ćwiczenia medytacyjne, które są „próbą" śmierci i odłączenia. Kiedy Treya opisywała „roztapianie się w całym wszechświecie", stosowała właśnie tę praktykę.

Chciałbym odnowić kontakt z Kalu, by mój umysł był lepiej przygotowany do odłączenia się, rozszerzenia, bym w ten sposób mógł pomóc Trei w jej odłączeniu się. Zgodnie z różnymi tradycjami oświecony nauczyciel, którego umysł jest już „odłączony" albo w stanie transcendencji, może niezwykle pomóc w przejściu przez śmierć, jeżeli istnieje więź między umysłem nauczyciela a umysłem umierającego. Więź tę może ustanowić samo przebywanie w obecności nauczyciela – dlatego właśnie pojechałem spotkać się z Kalu.

Kiedy wróciłem, u Trei zaczął się czas zmagania z dolegliwościami, niekiedy niezwykle bolesnymi. Obrzęk mózgu powodował nie tylko ból, czynił także spustoszenie w emocjach. Nie chciała jednak przyjmować żadnych lekarstw – żadnych środków przeciwbólowych ani uspokajających. Chciała być czysta, by móc być świadkiem; chciała być świadoma. I taką pozostała.

Przyjechały do nas Vicky i Kati. Kiedyś późną nocą Treya zawołała Vicky do swojego pokoju i przez godzinę czy dwie w najbardziej przerażających słowach opisywała jej to, co się w niej działo – to, co odczuwa i jak się czuje, gdy guz mózgu powoli niszczy normalne funkcje jej ciała. Szczegółowo. Vicky była wstrząśnięta; kiedy zeszła na dół, cała się trzęsła.

– Ona chce, żebym wiedziała, jak to jest, bym mogła lepiej pracować z innymi chorymi na raka, którzy są bliscy śmierci. Naszkicowała mi dokładną mapę całego procesu, więc będę mogła jej użyć do pracy z innymi, będę miała więcej zrozumienia i współczucia dla tego, przez co przechodzą, i będę mogła skuteczniej im pomóc. Nie do wiary.

Treya opisała Vicky rezultaty swojej *vipassany* związanej z guzem mózgu. Chciała, by Vicky wykorzystała to w swojej pracy z chorymi na raka w CSC.

Efekty operacji mózgu, połączone z postępującym powiększaniem się guzów w płucach, mózgu i wątrobie, straszliwie odbiły się na organizmie Trei. Mimo to nadal stosowała swój program, nadal chodziła kilka mil dziennie na automatycznej bieżni. I wciąż podawałem jej tlen i decadron.

Nie mogliśmy pojechać do domu na Boże Narodzenie, więc rodzina przyjechała nas odwiedzić przed Świętami. Kiedy Rad i Sue wyjeżdżali, wcisnęli mi do ręki następujący list:

Kochani Treyo i Kenie!

Wasza historia to prawdziwa opowieść o miłości. Wiele par może w szczęściu dzielić życie, a Wasze małżeństwo rozpoczęło się od ogromnego problemu, który przez cały czas Wam towarzyszy. Wasze uczucie i oddanie sobie nawzajem naprawdę są niezwykłe i pomimo problemów zdają się codziennie umacniać.

Ken, bez ciebie Treya byłaby całkowicie zgubiona, Twoja troska o jej zdrowie, ciągła uwaga, zainteresowanie jej cierpieniem i bólem (i jej psami!) są źródłem nieustannej pociechy dla nas i dla niej. Nie moglibyśmy mieć lepszego zięcia.

Mamy nadzieję, że rak się od Was odwróci i Treya znowu wróci do zdrowia. Treya, jeżeli ktokolwiek zasługuje na całkowite wyzdrowienie, to na pewno tą osobą jesteś Ty. Twoja postawa, twoja odwaga niezwykle zadziwia wszystkich Twoich bliskich. Czujemy, że wkrótce wrócisz do pracy w CSC i innych organizacjach, z którymi byłaś związana i których celem była i jest lepsza i pełna wzajemnego zrozumienia społeczność ludzka na świecie. Ken, mamy nadzieję, że będziesz miał czas, by wrócić do swego pisania i pracy naukowej (z której niewiele rozumiemy!) i że przekażesz światu swoje przemyślenia dotyczące możliwości umysłu i duszy.

Mamy nadzieję, że nasze odwiedziny na coś Wam się przydały. Jak wiecie, my i cała rodzina jesteśmy zawsze z Wami; w każdej chwili rzucimy wszystko, gdy będziecie nas potrzebować. Będą to niezwykłe święta, ale i dobre zarazem – może nie dla nas wszystkich, ale to początek powrotu do zdrowia Trei.

Treya, kochamy cię jako człowieka i jako córkę. Ken, nie moglibyśmy sobie wymarzyć lepszego zięcia, bardziej oddanego naszej córce.

Uroniliśmy parę łez, pisząc ten list, gdyż bardzo kochamy Was oboje i zawsze jesteśmy z Wami.

Modlimy się, by był to zmierzch przed świtem. Heroicznie radzicie sobie z tą potworną chorobą i jesteśmy z Was tacy dumni. Nie można mieć wspanialszej córki niż Ty, Treya, a Ken na zawsze pozostanie członkiem naszej rodziny. Boże Narodzenie bez Was to już nie to samo, ale jesteście w naszych sercach.

Z całą naszą miłością

Mama i Tata

W Nowy Rok, kiedy byliśmy sami i siedzieliśmy przytuleni na kanapie, Treya odwróciła się do mnie i powiedziała:

– Kochanie, chyba czas przestać. Nie chcę dłużej tego ciągnąć. Nie chodzi o to, że chcę zrezygnować, ale jeżeli nawet enzymy działają, to nie działają wystarczająco szybko.

Rzeczywiście, decadron powoli przestawał skutkować i choć usiłowaliśmy dopasować dawkę, nic to nie dawało. Złe samopoczucie Trei, jej cierpienie pogłębiało się z dnia na dzień i z pewnością zanim nastąpiłaby najmniejsza poprawa, musiałoby się jeszcze bardziej pogorszyć.

– Będę przy tobie cały czas, kochanie. Tylko powiedz, czego ci potrzeba, powiedz, czego ci potrzeba.

– Myślisz, że w ogóle mam jakąś szansę?

Wiedziałem, że Treya już się zdecydowała i zawsze w takiej sytuacji chciała, żebym całkowicie ją poparł, bez targowania się.

– Nie wygląda to dobrze, prawda?

Długi czas milczeliśmy.

– Może spróbujemy jeszcze tydzień. Tak na wszelki wypadek. Wiesz, ten guz mózgu, który ci usunięto, w 90% był martwą tkanką. Enzymy chyba działają. Mamy jeszcze szansę. Ale to ty musisz zdecydować. Powiedz mi tylko, czego ci potrzeba i zrobimy to.

Spojrzała mi prosto w oczy.

– OK, jeszcze tydzień. Dam radę. Jeszcze jeden tydzień.

Była bardzo spokojna, bardzo opanowana. Rozmawialiśmy bardzo rzeczowo, niemal całkowicie zdystansowani. Nie dlatego, że nic nas to nie obchodziło, ale dlatego, że scenę tę setki razy odegraliśmy już w myślach.

Wstaliśmy i zaczęliśmy wchodzić po schodach. Po raz pierwszy Treya nie miała siły wejść na górę. Usiadła na pierwszym stopniu, odrzuciła przewód tlenowy i zaczęła cicho płakać. Wziąłem ją na ręce i zaniosłem do pokoju.

– Och, kochanie... Miałam nadzieję, że nigdy do tego nie dojdzie. Nie chciałam, żeby do tego doszło. Myślałam, że będę mogła sama chodzić – powiedziała i ukryła twarz w moim ramieniu.

– Uważam, że to najbardziej romantyczne na świecie. Nigdy w życiu byś mi na to nie pozwoliła, więc niech teraz zaniosę moją małą dziewczynkę na górę.

– *Wierzysz mu? – zapytałem Treyę.*

– *Chyba tak.*

Treya dotrzymała słowa i przez tydzień zmagała się z niewyobrażalnym i gwałtownie rosnącym cierpieniem, lecz nadal stosowała program, przestrzegając każdego jego szczegółu. I odmawiała morfiny, by pozostać uważną, świadomą i obecną. Głowę trzymała wysoko i często się uśmiechała – i nie udawała. To było jej: „Idź dalej!". I mogę powiedzieć, ani trochę nie przesadzając, że wykazała przy tym taką odwagę i oświecony spokój, jakich nigdy, przenigdy nie widziałem, i wątpię, czy zobaczę.

W ostatni wieczór tego tygodnia powiedziała cicho:

– Odchodzę.

Mogłem powiedzieć tylko: „OK" i wziąłem ją na ręce, by wnieść na górę.

– Zaczekaj, kochanie. Chciałabym coś zapisać w swoim dzienniku.

Przyniosłem jej zeszyt i pióro, a ona wyraźnie, dużymi literami napisała: „Do tego potrzebna jest łaska, t a k – i moc!”.

Spojrzała na mnie.

– Rozumiesz?

– Chyba tak.

Zamilkłem. Nie musiałem mówić, o czym myślę; ona wiedziała.

– Chodź, mój skarbie. Zaniosę moją małą dziewczynkę na górę.

Goethe powiedział kiedyś: „Wszystko, co dojrzałe, chce umrzeć”. Gdy patrzyłem, jak Treya pisze te słowa, myślałem: „To podsumowuje całe jej życie. Łaska i moc. Bycie i czynienie. Spokój i pasja. Poddanie się i siła woli. Całkowita akceptacja i wściekła determinacja. Te dwie strony jej duszy, z którymi zmagała się przez całe życie, które w końcu połączyła w harmonijną całość – to było jej przesłanie. Widziałem, jak łączyła te dwie strony, widziałem, jak harmonia przenikała wszystkie aspekty jej życia, jak namiętny spokój wypełniał jej duszę. Osiągnęła swój jedyny, najważniejszy cel, a osiągnięcie to zostało brutalnie poddane próbie w okolicznościach, które po prostu zdruzgotałyby słabszą świadomość. Ona tego dokonała, była dojrzała tą mądrością – i chciała umrzeć.

Po raz ostatni wniosłem na górę swoją ukochaną Treyę.

22

Za promieniejącą gwiazdą

Oszołomiona, niepewna, wahająca się,
Skrzydła wilgotne, skulone, nierozwinięte,
Jak gdyby wciąż formowane
Przez ciemność, zmianę, zamieszanie,
Wciąż skulone
W kokonie.

Powietrze drga.
Drżę,
Wciąż wewnątrz tej formy,
Kształtowana przez formę,
Którą teraz niejasno wyczuwam.
Jest pusta, próżna,
Jej praca ukończona.

Muszę się tylko poruszyć –
Jeden krok, kolejny, lękliwie,
I czekam.

Czuję jak powietrze osusza ten dziwny, nowy kształt,
Patrzę jak wzory złote, czarne, pomarańczowe,
Rozwijają się w rzeczywistości,
Rozpościerają się w otwartości,
Gdy powietrze mnie porywa,
Unosi
W zdumienie.

Nie wiem, co robić,
Jednak instynktownie
Rzucam się do przodu,
Złapana przez prąd niewidzialny,
Opadam nisko, unoszę się wysoko, nurkuję
W poddanie się.

Kokon jest teraz pusty,
Schnie w słońcu,
Ograniczenia zapomniane przez życie.

Któregoś dnia może przyjdzie dziecko,
Spyta swoją matkę,
„Co to za dziwne stworzenie mieszkało
W takim małym domku?"

(Treya, 1974)

I tak oto zaczęło się najbardziej niezwykłe czterdzieści osiem godzin naszego wspólnego życia. Treya postanowiła umrzeć. Nie istniał żaden medyczny powód jej śmierci właśnie teraz. Lekarze mówili, że przy lekarstwach i skromnych środkach podtrzymujących życie mogłaby przeżyć jeszcze przynajmniej kilka miesięcy w szpitalu, ale potem – potem by umarła. Lecz Treya podjęła decyzję. Nie zamierzała tak umierać: w szpitalu, przykuta do różnych rurek, bez przerwy na morfinie, mając w perspektywie zapalenie płuc i powolną śmierć przez uduszenie – wszystkie te straszliwe obrazy pojawiały się w mojej wyobraźni w Drachenfels. Miałem wtedy przedziwną pewność, że Treya nam tego oszczędzi. Po prostu ominie to i umrze spokojnie. Bez względu na jej powody, wiedziałem, że gdy już podjęła decyzję, to klamka zapadła.

Położyłem ją do łóżka i usiadłem przy niej. Była nieomal w ekstazie.

– Odchodzę. Nie mogę w to uwierzyć, odchodzę. Jestem taka szczęśliwa, jestem taka szczęśliwa, jestem taka szczęśliwa. – Jak mantrę ostatecznego uwolnienia, ciągle powtarzała: „Jestem taka szczęśliwa, taka szczęśliwa...".

Jej twarz rozjaśniła się. Promieniała. Widziałem również, jak zmieniało się jej ciało. W ciągu jednej godziny zaczęła wyglądać tak, jakby schudła pięć kilogramów. Zupełnie jakby ciało, posłuszne woli, kurczyło się i zapadało w sobie. Zaczęła powstrzymywać swoje funkcje życiowe, zaczęła umierać. W ciągu tej godziny przemieniła się w inną istotę, gotową i pragnącą odejść. Była zdecydowana i bardzo szczęśliwa. Jej ekstatyczna reakcja okazała się zaraźliwa i ze zdumieniem stwierdziłem, że dzielę jej radość.

Potem dosyć gwałtownie powiedziała:

– Ale nie chcę cię opuszczać. Tak bardzo cię kocham. Nie mogę cię opuścić. Tak bardzo cię kocham.

Zaczęła płakać, szlochać i ja też zacząłem płakać i szlochać. Chciałem wypłakać wszystkie łzy z minionych pięciu lat, które powstrzymywałem, by być silnym dla Trei. Przez dłuższy czas rozmawialiśmy o naszej miłości, która uczyniła nas oboje – to zabrzmi staroświecko – która uczyniła nas oboje silniejszymi, lepszymi i mądrzejszymi. Nasza wzajemna troska wchłonęła lata pracy nad rozwojem i teraz, zbierając jej owoce, byliśmy bardzo przejęci. Był to moment największej czułości w moim życiu, z jedyną osobą, która mogła mi go ofiarować.

– Kochanie, skoro czas na odejście, to musisz iść. Nie martw się, odnajdę cię. Odnalazłem cię przedtem, obiecuję, że odnajdę cię znowu. Więc jeżeli chcesz odejść, to nie martw się. Po prostu idź.

– Obiecujesz, że mnie odnajdziesz?

– Obiecuję.

Powinienem wyjaśnić, że w czasie ostatnich dwóch tygodni Treya niemal obsesyjnie wracała do tego, co jej powiedziałem, kiedy prowadziłem ją do ślubu pięć lat temu. Wyszeptałem jej wtedy do ucha: „Gdzie byłaś? Szukałem cię przez całe życie. W końcu cię znalazłem. Musiałem dla ciebie walczyć ze smokami. A gdyby coś miało się wydarzyć, odnajdę cię znowu". Spojrzała mi głęboko w oczy. „Obiecujesz?" „Obiecuję".

Wtedy nie wiedziałem, dlaczego to mówię; z powodów, których nie rozumiałem, powiedziałem po prostu, co czuję. W ciągu ostatnich paru tygodni Treya wciąż wracała do tej wymiany zdań. Jakby dawało jej to niezwykłe poczucie bezpieczeństwa. Świat jest OK, jeśli tylko spełnię swoją obietnicę.

– Obiecujesz, że mnie odnajdziesz? – spytała.

– Obiecuję.

– Na zawsze?

– Na zawsze.

– W takim razie mogę odejść. Jestem taka szczęśliwa. Było o wiele trudniej, niż sobie wyobrażałam. Było tak trudno. Kochanie, było tak trudno.

– Wiem, najdroższa, wiem.

– Ale teraz mogę odejść. Jestem taka szczęśliwa. Tak bardzo cię kocham. Jestem taka szczęśliwa.

Tej nocy spałem na stole do akupunktury w jej pokoju. Chyba śniła mi się ogromna, świetlista chmura białego światła, wisząca nad domem, jasna jak światło tysiąca słońc lśniące na ośnieżonym szczycie góry. Mówię „chyba", bo teraz nie jestem pewien, czy to był sen.

Kiedy następnego dnia wcześnie rano spojrzałem na Treyę (była to niedziela), dopiero co się obudziła. Miała przytomne oczy, była bardzo skoncentrowana i bardzo zdecydowana.

– Odchodzę. Jestem szczęśliwa. Będziesz tam?

– Będę tam, maleńka. Zróbmy to. Chodźmy tam.

Zadzwoniłem do rodziny. Nie pamiętam dokładnie, co powiedziałem, ale było to coś w rodzaju: „Proszę, przyjedźcie jak najszybciej". Zadzwoniłem do Warrena, naszego drogiego przyjaciela, który przez ostatnich kilka miesięcy robił Trei akupunkturę. I znowu – nie pamiętam, co mówiłem. Ale wydaje mi się, że mój głos powiedział: „Czas umierać".

Tego dnia zaczęła się zjeżdżać rodzina i każdy mógł po raz ostatni porozmawiać z Treyą. Pamiętam, że mówiła, jak bardzo kocha swoją rodzinę, że czuje się szczęśliwa, mając ich wszystkich, że są najlepszą rodziną, jaką tylko sobie można wymarzyć. Zupełnie jakby z każdym chciała „wyjaśnić wszystko do końca". Pragnęła odejść czysta, nie pozostawiając w sobie niewypowiedzianych słów, poczucia winy, wyrzutów sumienia. O ile wiem, udało jej się to.

Wieczorem położyliśmy ją do łóżka – była to niedziela – a ja znowu leżałem na stole do akupunktury, na wszelki wypadek, gdyby mnie potrzebowała. W tym domu miało się wydarzyć coś nadzwyczajnego i wszyscy o tym wiedzieliśmy.

O wpół do czwartej Treya nagle się obudziła. Atmosfera była niemalże halucynogenna. Obudziłem się natychmiast i spytałem, jak się czuje.

– Czy to pora na morfinę? – zapytała z uśmiechem. W całej historii swojego raka, poza operacją, Treya wzięła w sumie cztery tabletki morfiny.

– Jasne, kochanie, co tylko zechcesz. – Dałem jej tabletkę morfiny, łagodny środek na sen i odbyliśmy naszą ostatnią rozmowę.

– Kochanie, chyba czas odejść – zaczęła.

– Jestem tu, najdroższa.

– Jestem taka szczęśliwa – długa przerwa. – Ten świat jest taki dziwny. Jest taki dziwny. Ale ja odchodzę.

Była w radosnym nastroju, zdecydowana.

Zacząłem powtarzać wersety z tekstów różnych tradycji, które uważała za ważne i które według jej życzenia miałem powtarzać aż do końca. Zawsze nosiła je przy sobie zapisane na karteczkach.

– Odpręż się w tym, co jest – zacząłem. – Pozwól, by ja rozwinęło się w szerokiej przestrzeni całego wszechświata. Twój odwieczny umysł jest nienarodzony i nieumierający; nie został narodzony w tym ciele i nie umrze w tym ciele. Rozpoznaj swój umysł jako wiecznie zjednoczony z Duchem.

Jej twarz rozluźniła się, spojrzała na mnie bardzo jasno i bezpośrednio.

– Odnajdziesz mnie?

– Obiecuję.

– W takim razie czas odejść.

Nastąpiło długie milczenie, pokój wydawał mi się rozświetlony, co było dziwne, bo było jeszcze ciemno. To najświętsza chwila, najprostsza, najbardziej oczywista spośród tych, jakich doznałem w życiu. Najbardziej oczywista. Najdoskonalej oczywista. Nigdy nie przeżyłem czegoś takiego. Nie wiedziałem, co robić. Po prostu byłem obecny dla Trei.

Przysunęła się do mnie, usiłowała coś pokazać, coś powiedzieć, chciała, żebym coś zrozumiał. Ostatnią rzeczą, jaką powiedziała, było:

– Jesteś najwspanialszym człowiekiem. Jesteś najwspanialszym człowiekiem. Mój zwycięzca...

Wciąż to powtarzała: „Mój zwycięzca". Pochyliłem się nad nią, by powiedzieć, że jest jedyną naprawdę oświeconą osobą, jaką znam. Że wszechświat, który stworzył Treyę, jest świętym wszechświatem. Że Bóg istnieje z jej powodu. Wszystkie te myśli przemykały mi przez głowę. Wszystko to chciałem powiedzieć. Wiedziałem, że była świadoma tego, co czuję; miałem ściśnięte gardło, nie mogłem mówić. Nie płakałem, po prostu nie mogłem mówić. Wymamrotałem tylko:

– Odnajdę cię, kochanie, odnajdę cię...

Treya zamknęła oczy i nigdy już ich nie otworzyła.

Serce mi pękło. W umyśle pojawiło się zdanie wypowiedziane przez Da Free Johna: „Ćwicz ranę miłości... Ćwicz ranę miłości". Prawdziwa miłość rani, prawdziwa miłość sprawia, że jesteś całkowicie bezbronny i otwarty, prawdziwa miłość wynosi cię poza ciebie samego i dlatego prawdziwa miłość cię zniszczy. Ciągle sobie powtarzałem: jeżeli miłość cię nie niszczy, to nie znasz miłości, oboje ćwiczyliśmy ranę miłości i teraz oto byłem zdruzgotany. Kiedy spoglądam wstecz, wydaje mi się, że umarliśmy wtedy oboje.

W tym właśnie momencie zauważyłem, że atmosfera zrobiła się bardzo niespokojna. Minęło kilka minut, nim zrozumiałem, że nie chodzi o moje zdenerwowanie czy żal. Na zewnątrz wiał dziko wiatr. Nie tylko wiało. Zaczęła się wściekła burza: solidny jak skała dom trząsł się i drżał w posadach. Następnego dnia prasa podała, że dokładnie o czwartej rano przeszły przez Boulder niespotykane wiatry (nie wiadomo, dlaczego nie tknęły żadnego innego miejsca w Kolorado), których prędkość sięgała 115 mil na godzinę. Wichura poprzewracała samochody – przewróciła nawet jeden samolot! – co podano następnego dnia w gazetach.

Przypuszczam, że był to przypadkowy zbieg okoliczności. Pośród nagłych wstrząsów ogarniających nasz dom miałem jednak wrażenie, że dzieje się coś nieziemskiego. Pamiętam, że próbowałem usnąć, ale dom tak mocno się trząsł, że wstałem i poutykałem kocami okna w sypialni, bojąc się o szyby. W końcu usnąłem z myślą: „Treya umiera, nic nie jest wieczne, wszystko jest puste. Treya umiera...".

Następnego dnia rano Treya przyjęła pozycję, w której później umarła – wsparta o poduszki, z rękoma wyciągniętymi wzdłuż ciała i z malą w dłoni. Poprzedniej nocy zaczęła po cichu powtarzać *„Om mani padme hung"*, buddyjską mantrę współczucia, i „poddanie się Bogu" – swą ulubioną chrześcijańską modlitwę. Sądzę, że nadal ją powtarzała.

Zaprosiliśmy członka ruchu Hospicjum i o umówionej godzinie – około jedenastej rano – przyjechała Claire. Chciałem, by ktoś taki był z nami, gdyż musiałem się upewnić, że zrobiłem wszystko, by Treya miała bezbolesną i spokojną śmierć we własnym łóżku – tak jak chciała.

Claire była doskonała. Wyglądała jak piękny anioł pokoju. Weszła i powiedziała, że chciałaby sprawdzić u Trei oznaki życia.

– Treya – zapytała – czy mogę zmierzyć ci ciśnienie?

Claire chyba nie oczekiwała, że Treya odpowie, ale członkowie Hospicjum wiedzą, że umierający człowiek całkiem wyraźnie wszystko słyszy aż do samego końca, a może i później. Treya nie odzywała się od kilku godzin. Ale kiedy Claire zadała to proste pytanie, nagle odwróciła głowę (oczy miała nadal zamknięte) i bardzo wyraźnie powiedziała: „Oczywiście". Od tego momentu wiedzieliśmy, że Treya, choć „nieprzytomna", była w pełni świadoma wszystkiego, co się działo.

(W pewnej chwili Kati, która podobnie jak my wszyscy sądziła, że Treya jest „nieprzytomna", spojrzała na mnie i powiedziała: „Ken, ona jest taka piękna". Wówczas Treya powiedziała bardzo wyraźnie: „Dziękuję". Było to jej ostatnie słowo – „Dziękuję").

Wiatr wył, domem strasznie trzęsło. Rodzina czuwała przy Trei. Sue, Rad, Kati, Tracy, David, Mary Lamar, Michael, Warren – wszyscy jej dotykali i szeptali jej coś do ucha.

Treya trzymała swoją *mala,* którą dostała na odosobnieniu medytacyjnym z Kalu Rinpochem. Ślubowała tam, że będzie ćwiczyła współczucie, które jest jej drogą do oświecenia. Duchowe imię, które wówczas nadał jej Kalu Rinpoche, brzmiało Dakini Wind (to znaczy „wiatr oświecenia").

O drugiej po południu (poniedziałek) Treya przestała reagować na jakiekolwiek bodźce. Oczy miała zamknięte; oddychała płytko, z długimi przerwami, ręce i nogi miała zimne. Claire wzięła nas na bok i powiedziała, że według niej Treya wkrótce umrze, być może za parę godzin. Pożegnała się z nami miło i obiecała, że wróci, jeżeli będzie to konieczne.

Popołudnie ciągnęło się niemiłosiernie. Wichura nadal trzęsła domem, co potęgowało niesamowitą atmosferę. Przez parę godzin trzymałem Treyę za rękę, szepcząc jej do ucha:

– Treya, możesz już odejść. Wszystko tu jest ukończone. Po prostu pozwól, by się to stało. Wszyscy tu jesteśmy, kochanie, po prostu pozwól, by się to stało.

(Nagle, tracąc panowanie nad sobą, zacząłem się śmiać w duchu, myśląc: „Treya nigdy nie zrobiła niczego, co jej ktoś kazał. Może powinienem przestać tak mówić. Nigdy nie odejdzie, jeżeli się nie zamknę").

Zacząłem powtarzać jej ulubione wersety: „Idź w kierunku Światła, Treya. Szukaj pięcioramiennej kosmicznej gwiazdy, świetlistej, jasnej i wolnej. Idź do Światła, kochanie, po prostu idź do Światła. Zostaw nas, idź do Światła".

Powinienem wspomnieć, że w tym samym roku, kiedy Treya skończyła czterdzieści lat, nasz wspólny nauczyciel, Da Free John, opisał wizję ostatecznego oświecenia: człowiek widzi pięcioramienną kosmiczną gwiazdę, kosmiczną mandalę, czystą, białą i świetlistą, przekraczającą wszelkie ograniczenia. Treya nie znała tej wypowiedzi Da Free Johna, ale właśnie wtedy zmieniła imię z Terry na Estrella – Treya – co po hiszpańsku oznacza „gwiazda". W chwili śmierci każdej duszy ukazuje się ogromna, pięcioramienna gwiazda, czysta, świetlista pustka albo po prostu Duch, świetliste Bóstwo. Wierzę, że taką wizję Treya miała trzy lata wcześniej – we śnie, tuż po przekazaniu upoważnienia z udziałem Przewielebnego Kalu Rinpoche. Choć była oczywista i towarzyszyły jej wszystkie charakterystyczne znaki, Treya nikomu o niej nie powiedziała. Nie zmieniła imienia dlatego, że Da Free John opisał ostateczną wizję; po prostu ją miała – bardzo oczywistą i rzeczywistą wizję świetlistej kosmicznej gwiazdy. Dlatego w chwili jej śmierci pomyślałem, że Treya nie pierwszy raz ujrzy własną Prawdziwą Twarz. Nie pierwszy raz doświadczy własnej prawdziwej natury w postaci światła promieniejącej gwiazdy.

Jedyną biżuterią, jaką sobie ceniła, był naszyjnik z pięcioramienną gwiazdą, który kazali dla niej zrobić Rad i Sue (na podstawie rysunku wykonanego przez Treyę pod wrażeniem wizji). Pomyślałem o tej gwieździe, że jest, używając chrześcijańskiej terminologii, „zewnętrznym i widzialnym znakiem wewnętrznej i niewidzialnej łaski". Treya umarła z tą gwiazdą na szyi.

Chyba wszyscy rozumieli, że szalenie istotne jest, by pozwolić Trei na odejście – i każdy na swój własny sposób ją uwolnił. Chciałbym opisać, co działo się w tych chwilach. Wszyscy zachowywali się z ogromną szlachetnością i subtelnością – podchodzili do niej, delikatnie dotykali i coś cicho do niej mówili. Myślę, że Treya chciałaby, bym napisał o tym, że Rad dotknął jej czoła i powiedział: „Jesteś najlepszą córką, jaką mógłbym sobie wymarzyć", a Sue: „Tak bardzo cię kocham".

Na chwilę wyszedłem napić się wody, gdy nagle Tracy zawołała:

– Ken, chodź szybko.

Wbiegłem na górę, dopadłem łóżka i złapałem Treyę za rękę. Cała rodzina i nasz drogi Warren – wszyscy byli w pokoju. Treya otworzyła oczy, łagodnie spojrzała na każdego, spojrzała prosto na mnie, zamknęła oczy i przestała oddychać.

Wszyscy w pokoju byli w pełni obecni dla Trei. Potem wszyscy zaczęli płakać. Trzymałem ją za rękę, drugą ręką trzymałem się za serce. Opanowało mnie gwałtowne drżenie. W końcu się to stało. Wyszeptałem jej do ucha kilka najważniejszych wersetów z Księgi Umarłych („Rozpoznaj to czyste światło jako własny odwieczny Umysł, rozpoznaj, że teraz jesteś jednością z Oświeconym Duchem"). Ale przede wszystkim płakaliśmy.

Najlepsza, najsilniejsza, najbardziej oświecona, najuczciwsza, najpiękniejsza, najbardziej inspirująca, najcnotliwsza, najbardziej uwielbiana osoba, jaką znałem, właśnie umarła. Czułem, że wszechświat już nigdy nie będzie taki sam.

Dokładnie pięć minut po jej śmierci odezwał się Michael:

– Posłuchajcie. Posłuchajcie tego.

Potworne wiatry całkowicie ustały; zrobiło się zupełnie cicho.

Zostało to odnotowane następnego dnia w gazetach, dokładnie co do minuty. Jest takie stare powiedzenie: „Kiedy umiera wielka dusza, wiatry wieją jak oszalałe". Im większa dusza, tym większy wiatr, by mógł ją unieść. Być może był to zbieg okoliczności, ale nie mogłem pozbyć się tej myśli: umarła wielka dusza, a wiatr odpowiedział.

Podczas ostatnich sześciu miesięcy życia Trei służyliśmy sobie, jak tylko potrafiliśmy. Zrezygnowałem wreszcie z narzekania, które u osoby wspierającej jest czymś całkiem normalnym. U mnie spowodowane było ono tym, że odłożyłem na bok karierę, by pomagać Trei. Po prostu wszystko rzuciłem w kąt. Nie miałem absolutnie żadnego żalu. Czułem tylko wdzięczność za jej obecność i za nadzwyczajną łaskę służenia jej. Ona z kolei przestała narzekać, że jej choroba „tak zrujnowała" moje życie. Po prostu na jakimś głębokim poziomie zawarliśmy pakt, że przejdziemy oboje przez ten proces i będzie, co ma być. Był to bardzo świadomy wybór. Oboje byliśmy co do tego mocno przekonani, zwłaszcza podczas ostatnich sześciu miesięcy. Po prostu służyliśmy sobie nawzajem, wymieniając ja na inne i dlatego dostrzegając wiecznego Ducha, który przekracza zarówno ja, jak i inne, zarówno „mnie", jak i „moje".

– Zawsze cię kochałam – powiedziała trzy miesiące przed śmiercią. – Ale ostatnio bardzo się zmieniłeś. Zauważyłeś to?

– Tak.

– Co to jest?

Zapadło długie milczenie. Było to zaraz po moim powrocie z odosobnienia *dzogczen,* ale nie to było główną przyczyną zmiany, którą we mnie zauważyła.

– Nie wiem, maleńka. Kocham cię, więc ci służę. Brzmi to dosyć prosto, prawda?

– Jest w tobie jakaś świadomość, która pomaga mi od paru miesięcy. Co to jest? – powtarzała, jak gdyby było to szalenie ważne. – Co to jest? – Miałem przedziwne uczucie, że to nie pytanie, ale raczej jakiś test, którego nie rozumiałem.

– Wydaje mi się, że to dlatego, że jestem przy tobie, kochanie, jestem przy tobie.

– To dlatego żyję – powiedziała w końcu, i nie był to komentarz na mój temat. Chodziło o to, że oboje nawzajem podtrzymywaliśmy się i w ciągu tych ostatnich niezwykłych miesięcy staliśmy się dla siebie nauczycielami. Moja służba dla Trei wzbudziła w niej ogromne uczucie wdzięczności, a miłość, którą mnie obdarzała, podsycała moje istnienie. Dzięki Trei stałem się pełny. Było to tak, jakbyśmy budzili w sobie nawzajem oświecone współczucie, które tak długo wypróbowywaliśmy. Czułem, że ciągle odpowiadając na jej potrzeby, wypalam całe lata swojej *karmy*, a może kilka żywotów. Także Treya osiągnęła pełnię w swojej miłości i współczuciu dla mnie. Nie było wolnego miejsca w jej duszy, ani jednego zakątka nie tkniętego przez miłość, nie było żadnego cienia w jej sercu.

Nie jestem już pewien, co oznacza „oświecenie". Wolę to rozumieć jako „oświecone zrozumienie", „oświeconą obecność" czy „oświeconą świadomość". Wiem, co znaczy, i myślę, że mogę je rozpoznać. I niewątpliwie było ono w Trei. Nie mówię tak dlatego, że odeszła. Dokładnie widziałem to u niej w czasie tych kilku miesięcy, kiedy wyszła naprzeciw cierpieniu i śmierci czystą i prostą obecnością, która przesłoniła jej ból, która jasno mówiła, kim Treya jest. Widziałem tę oświeconą obecność.

Ci, którzy z nią wtedy byli, widzieli ją również.

Chciałem, by ciało Trei pozostawiono w spokoju przez dwadzieścia cztery godziny. Godzinę po jej śmierci wyszliśmy z pokoju, by jakoś się pozbierać. Przez ostatnią dobę Treya siedziała wsparta na poduszkach, więc miała opuszczoną szczękę. Próbowaliśmy zamknąć jej usta, ale nie dawaliśmy rady. Przez jakiś czas jeszcze szeptałem jej do ucha jej ulubione wersety, a potem wszyscy wyszliśmy z pokoju.

Czterdzieści pięć minut później wróciliśmy do pokoju i ujrzeliśmy coś niesamowitego: Treya miała zamknięte usta, a na twarzy cudowny uśmiech, pełen zadowolenia, spokoju, spełnienia, uwolnienia. Nie był to zwyczajny, „sztywny uśmiech" – jej rysy całkowicie się zmieniły. Wyglądała jak statuetka uśmiechniętego Buddy. Wyraz cierpienia, wyczerpania i bólu całkowicie zniknął. Jej twarz była czysta, gładka, bez żadnych zmarszczek, promienna, lśniąca, zadowolona. Powiedziałem głośno, pochylając się delikatnie nad jej ciałem: „Treya, spójrz na siebie! Treya, kochanie, spójrz na siebie!".

Ten uśmiech zadowolenia i uwolnienia gościł na jej twarzy przez całe dwadzieścia cztery godziny, kiedy była w domu. W końcu jej ciało wyniesiono, ale myślę, że pozostał w jej duszy na całą wieczność.

Tego wieczora wszyscy poszli na górę, by się z nią pożegnać. Ja pozostałem i czytałem jej do trzeciej rano. Przeczytałem jej ulubione fragmenty dzieł religijnych (Suzuki Roshi, Ramana Maharishi, Kalu, święta Teresa, święty Jan, Norbu, Trungpa, *Kurs*), powtarzałem jej ulubione modlitwy chrześcijańskie („Poddanie się Bogu"), wykonałem jej ulubioną *sadhanę,* czyli praktykę duchową (*chenrezi,* Budda współczujący), a przede wszystkim przeczytałem jej podstawowe instrukcje z Księgi Umarłych. (Przeczytałem je czterdzieści dziewięć razy. Istotą tych instrukcji jest to, że, używając terminologii chrześcijańskiej, w momencie śmierci porzucasz fizyczne ciało i indywidualne ego i stajesz się jednością z absolutnym Duchem czy Bogiem. Rozpoznanie promienistości i światłości, które w sposób naturalny pojawiają się w chwili śmierci, to rozpoznanie własnej świadomości jako wiecznie oświeconej albo tożsamej z Bóstwem. Po prostu powtarza się te instrukcje umarłemu, zakładając, że jego dusza nadal cię słyszy. Tak też zrobiłem).

Być może to tylko moja wyobraźnia, ale przysięgam, że gdy po raz trzeci czytałem instrukcję rozpoznania, że dusza jest tożsama z Bogiem, w pokoju coś wyraźnie zatrzeszczało. Straciłem oddech z wrażenia. Wydaje mi się, że o drugiej w nocy Treya bezpośrednio rozpoznała swoją prawdziwą naturę. Innymi słowy, potwierdziła, po wysłuchaniu mnie, wielkie wyzwolenie, oświecenie, które zawsze należało do niej. Czułem, że roztopiła się w Cały Wszechświat, połączyła z całym wszechświatem, podobnie jak w doświadczeniu, które miała jako trzynastoletnia dziewczynka, jak w medytacji – i w zgodzie ze swoimi nadziejami dotyczącymi ostatecznej śmierci.

Nie wiem, może to moja wyobraźnia. Ale o ile znam Treyę, mogła to nie być tylko wyobraźnia.

Kilka miesięcy później czytałem znakomity tekst *dzogczen,* który opisuje etapy umierania. Wymienione są w nim dwa fizyczne znaki wskazujące na to, że zmarły rozpoznał swą Prawdziwą Naturę i stał się jednością ze świetlanym Duchem – a potem rozpuścił w Całym Wszechświecie. Dwa znaki?

> Jeżeli pozostaniesz w Podstawowej Światłości,
> Jako znak tego, będziesz miał miły wygląd...
> I naucza się również, że usta twe będą się uśmiechały.

Tej nocy zostałem w pokoju Trei. Kiedy w końcu usnąłem, miałem sen. Ale to nie był sen, lecz raczej obraz: widziałem kroplę deszczu, która wpadła do oceanu, w ten sposób stając się jednością ze wszystkim. Najpierw pomyślałem, że to oznacza, iż Treya została oświecona, że ona jest tą kroplą, która połączyła się w jedność z oceanem oświecenia. I był w tym jakiś sens.

Potem jednak uświadomiłem sobie, że sen ten był o wiele głębszy: to ja byłem kroplą, a Treya oceanem. Nie została uwolniona, ona *już była* uwolniona. To ja zostałem uwolniony przez służenie jej.

To dlatego tak bardzo prosiła mnie, bym obiecał, że ją odnajdę. Ona tego nie potrzebowała; chodziło o to, że dzięki mojej obietnicy ona mnie odnajdzie i pomoże mi. Zrozumiałem to wszystko opacznie: myślałem, że to ja jej mam pomóc swoją obietnicą, gdy tak naprawdę to ona miała dotrzeć do mnie i pomagać mi – zawsze, tak długo, dopóki się nie przebudzę, dopóki nie uznam, nie uświadomię sobie Ducha, którego mi obwieszczała. Treya przyszła także dla wszystkich swoich przyjaciół, dla swojej rodziny, a zwłaszcza dla tych, którzy zmagają się z tą straszliwą chorobą. Treya była obecna.

Dwadzieścia cztery godziny później ucałowałem ją w czoło i pożegnaliśmy się z nią. Treya, wciąż uśmiechająca się, została zabrana do krematorium. „Do widzenia" – to niewłaściwe słowo. Być może *au revoir* – „aż znowu się zobaczymy", albo *aloha* – „do widzenia – witaj" – brzmiałoby lepiej.

Wraz z Rockiem Fieldsem, naszym przyjacielem, napisaliśmy wiersz o jej śmierci. Zawierał wszystko:

Najpierw nas tu nie ma
Potem jesteśmy
Potem nas nie ma

Patrzyłaś jak
Przychodzimy i odchodzimy
Twarzą w Twarz

Dłużej niż większość z nas
Z największą odwagą i gracją
Nigdy takich nie widziałem
Uśmiechałaś się
Cały czas.

Nie ma w tym żadnej przesady, jedynie proste stwierdzenie faktu: nie spotkałem człowieka, który znając Treyę, nie uznałby, że miała w sobie więcej prawości i uczciwości niż wszyscy inni. Jej prawość była absolutna, nie skażona żadnymi, nawet najbardziej niesprzyjającymi okolicznościami; zdumiewało to wszystkich, którzy ją znali.

Z pewnością nikt z nas nie spotka już Trei. Chcę jednak powiedzieć, i jest to moje najgłębsze przekonanie, że za każdym razem, kiedy ty i ja – i każdy, kto ją znał – za każdym razem, kiedy okazywać będziemy prawość, uczciwość, siłę i współczucie – za każdym razem, teraz i zawsze, znowu spotkamy umysł i duszę Trei.

Moja obietnica złożona Trei – jedyna, którą kazała mi powtarzać – że ją odnajdę, naprawdę oznaczała, że odnajdę własne oświecone Serce.

Wiem, że podczas tych ostatnich sześciu miesięcy to mi się udało. Wiem, że odnalazłem jaskinię oświecenia, gdzie w łasce wziąłem ślub i w łasce umarłem. To była właśnie ta zmiana, którą zauważyła we mnie Treya i o którą ciagle pytała: „Co to jest?". Tak naprawdę wiedziała, co to jest. Po prostu chciała się przekonać, czy ja wiem. („I dla Serca – to jest Brahman, to jest Całość. Nas dwoje, teraz w jednym, umarli dla siebie, żyjemy życiem wiecznym").

I wiem też, że podczas tych kilku ostatnich chwil samej jej śmierci i następnej nocy, kiedy światłość Trei wstrząsnęła moją duszą i na zawsze przyćmiła śmiertelny świat, że wtedy wszystko stało się dla mnie doskonale jasne. Dzięki Trei w mojej duszy nie pozostało ani jedno kłamstwo. Treyo, moje kochanie, moja najdroższa, najsłodsza Treyo, obiecuję, że zawsze będę cię odnajdywał w swoim Sercu jako prostą świadomość tego, co jest.

Kiedy powróciły do nas prochy Trei, odbyliśmy zwykłą ceremonię ich rozrzucenia.

Ken McLeod przeczytał ustępy o rozwoju współczucia, które Treya studiowała pod kierunkiem Kalu. Roger Walsh odczytał fragment o wybaczaniu z *Kursu cudów*, który Treya codziennie ćwiczyła. Te dwa motywy – współczucie i wybaczanie – stały się ścieżką najbardziej cenioną przez Treyę jako sposób na wyrażenie swojego oświecenia.

Potem Sam celebrował ostatnią ceremonię, podczas której spaliliśmy zdjęcie Trei, co miało symbolizować ostateczne uwolnienie. Treya chciała, żeby to Sam („najdroższy Sammy", jak go nazywała) był osobą, która odprawi ten obrzęd.

Niektórzy wspominali Treyę, inni milczeli. Dwunastoletnia Chloe, córka Steve'a i Lindy, napisała:

Treya, mój aniele stróżu, byłaś gwiazdą na niebie i dałaś nam wszystkim ciepło i światło, ale każda gwiazda musi zgasnąć, by się znowu narodzić, tym razem w niebie, i zamieszkać w wiecznej światłości duszy. Wiem, że teraz tańczysz wśród chmur i cieszę się, czując Twoją radość. Patrzę na niebo i wiem, że promieniejesz swoim cudownym uśmiechem.

Kocham Cię, Treya, będzie mi Cię brakować, ale tak się cieszę Twoją radością! Porzuciłaś swoje ciało i cierpienie i możesz teraz tańczyć taniec prawdziwego życia, to znaczy życia duszy. Tańczę z Tobą w swoich snach i w swoim sercu. Nie jesteś martwa, Twoja dusza wciąż żyje, żyje w niebie i w sercach Twoich bliskich.

Dałaś mi najważniejszą lekcję: nauczyłaś mnie, czym jest życie i miłość.

Miłość jest pełnym i szczerym szacunkiem dla innej istoty...
Jest ekstazą prawdziwego ja...
Miłość przekracza wszystkie wymiary i jest bezgraniczna...
Po milionach lat i milionach śmierci ona wciąż żyje...
I mieszka tylko w sercu i w duszy...
Życie jest tylko duszy, i tylko jej...
Towarzyszą mu miłość i śmiech, ale również ból i strach...

GDZIEKOLWIEK PÓJDĘ
I COKOLWIEK ZOBACZĘ
W MOIM SERCU I DUSZY
ZAWSZE BĘDZIESZ ZE MNĄ.

Spojrzałem na Sama i zwróciłem się do zebranych:

– Niewiele osób pamięta, że to właśnie tu, w Boulder, oświadczyłem się Trei. Mieszkaliśmy wtedy w San Francisco, ale przywiozłem tu Treyę, żeby poznała Sama. Chciałem wiedzieć, co o niej myśli. Po kilku minutach rozmowy z Treyą Sam roześmiał się i powiedział: „Nie tylko pochwalam wybór, ale martwię się, że to właśnie tobie się ona dostała". Tak więc w pewnym sensie nasze wspólne życie zaczęło się tu, w Boulder, z Sammym i zakończyło w Boulder z Sammym.

Potem w San Francisco odbyło się spotkanie poświęcone pamięci Trei, podczas którego wspominali ją Vicky Wells, Roger Walsh, Frances Vaughan, Ange Stephens, Joan Steffy, Judith Skutch i Huston Smith. Podobna uroczystość odbyła się w Aspen z udziałem Steve'a, Lindy i Chloe Conger, Toma i Cathy Crum, Amory

Lovins, ojca Michaela Abdo i mnichów ze Snowmass. Ale tego dnia, gdy paliliśmy zdjęcie Trei, Sam powiedział tylko dwa zdania:

– Treya była najsilniejszą z osób, które znam. Nauczyła nas, jak żyć, i nauczyła nas, jak umierać.

Zaczęły nadchodzić listy. Najbardziej uderzyło mnie to, że wszystkie mówiły o tych samych wydarzeniach, które opisałem. Wyglądało na to, że setki osób uczestniczyły w tym, co działo się przez ostatnie dwa dni.

Oto list od mojej rodziny – a właściwie wiersz, który przysłała moja ciocia. („Jest to symboliczny wiersz o Trei. Wierzymy, że któregoś dnia wszyscy się połączymy. Jesteśmy tego absolutnie pewni").

We wszystkich listach powtarzały się słowa „wiatr", „jasność", „blask słońca", „gwiazda". Nie mogłem się pozbyć myśli: „Skąd wiedzieli?".

Wiersz, który dostałem od cioci, był bardzo prosty:

Nie stójcie nad moim grobem i nie płaczcie;
Nie ma mnie tam. Ja nie śpię.
Jestem tysiącem wiatrów, które wieją;
Jestem diamentowym blaskiem na śniegu.
Jestem światłem słonecznym na dojrzewającym zbożu;
Jestem łagodnym jesiennym deszczem.
Kiedy budzicie się w porannej ciszy,
Jestem śmigłym lotem
Cichych ptaków.
Jestem łagodną gwiazdą, która świeci w nocy.
Nie stójcie nad moim grobem i nie płaczcie,
Nie ma mnie tam...

Oto list od osoby, która tylko raz spotkała Treyę, a mimo to była oszołomiona jej obecnością (ciągle myślałem: „To takie typowe, bo wystarczyło, żebyście t y l k o r a z spotkali Treyę"):

Śniło mi się to poniedziałkowej nocy, dziewiątego, zanim dowiedziałam się, że Treya jest umierająca.

Jak wszyscy, czułam obecność jej wielkiej duszy i uniosłam ją ze światłem, które ją otaczało. Tylko raz widziałam i czułam takie światło, a było to w obecności Kalu Rinpochego.

(Kiedy Kalu dowiedział się o jej śmierci, odmówił specjalną modlitwę za Treyę. Za Dakini Wind).

Może dlatego tamtej nocy wyłoniła się ścieżka snów o jej odejściu. Treya wielu z nas głęboko poruszyła.

We śnie leżała... unosiła się w powietrzu... Nagle usłyszałam jakiś niezwykły dźwięk i wkrótce zdałam sobie sprawę, że nadchodzi wichura. Wiatr ze wszystkich stron omiatał jej ciało i wtedy zaczęło się ono rozciągać, aż stało się na wpół przezroczyste i przybrało postać delikatnej poświaty. Wiatr wciąż wiał wokół niej i poprzez nią, wydając harmonijny dźwięk, który zdał się muzyką. Jej ciało stawało się coraz bardziej przezroczyste i w końcu powoli zaczęło się łączyć ze śniegiem na zboczu góry... a potem uniosło się wraz z wiatrem w postaci delikatnego, krystalicznego pyłu, który stał się trylionem gwiazd i wreszcie samym niebem.

Tego ranka obudziłam się z płaczem, przepełniona podziwem, poruszona pięknem...

Po ceremonii rozrzucenia prochów obejrzeliśmy kasetę z wystąpienia Trei w Windstar. W myślach ujrzałem obraz, najsmutniejszy, jaki pamiętam; nigdy już mnie nie opuścił. Kiedy z Windstar przysłano kasetę, pokazałem ją Trei. Siedziała w fotelu, zbyt zmęczona, by się poruszać, przytroczona do butli tlenowej; bardzo źle się czuła. Puściłem film. Jeszcze parę miesięcy wcześniej mówiła zdecydowanie i wyraźnie: „Ponieważ nie mogę już ignorować śmierci, więcej uwagi poświęcam życiu". To wystąpienie wszystkich poruszyło – dorośli mężczyźni płakali, ludzie klaskali w uniesieniu.

Patrzyłem na Treyę i patrzyłem na film. Połączyłem oba te obrazy. Treya silna – a teraz Treya okaleczona przez okrutną chorobę. I wtedy spytała mnie w swym wielkim cierpieniu: „Czy dałam sobie radę?".

W tym istnieniu, w tym ciele widziałem ogromną, pięcioramienną kosmiczną gwiazdę, promieniejącą gwiazdę ostatecznego uwolnienia, której imię dla mnie zawsze będzie... „Treya".

Aloha, i niech cię Bóg prowadzi, moja najukochańsza Treyo. Zawsze, już, odnajdę ciebie.

– Obiecujesz? – wyszeptała znowu.

– Obiecuję, moja najdroższa Treyo.

Obiecuję.

Po dziesięciu latach

W chwili, gdy piszę te słowa, mija dziesięć lat od śmierci Trei. Jej obecność sprawiła, że jestem nieporównanie więcej i nieporównanie mniej. Nieporównanie więcej dlatego, że ją znałem, a nieporównanie mniej dlatego, że ją utraciłem. Ale może podobnie jest z wszystkimi wydarzeniami w naszym życiu – jednocześnie wypełniają nas one i ogołacają. Chodzi tylko o to, że tak niezmiernie rzadko pojawia się wśród nas ktoś taki jak Treya i dlatego zarówno radość, jak i ból odczuwa się znacznie intensywniej.

Trei jest tyle, ile osób, które ją znały. W tej książce odnajdujecie moją Treyę. Nie twierdzę, że jest to jedyna Treya, ani nawet że najlepsza. Uważam jednak, że ta relacja jest dokładna, rzetelna i wyważona. W szczególności obficie posiłkuje się własnymi pamiętnikami Trei, które prowadziła ona przez większość dorosłego życia, a prawie codziennie w okresie, kiedy byliśmy razem.

Zawsze miałem zamiar zniszczyć te pamiętniki po śmierci Trei, i to bez czytania ich samemu, jako że stanowiły dla niej coś niezwykle intymnego. Nigdy nikomu ich nie pokazywała, nawet mnie. Nie znaczyło to wcale, że była skryta i nie ujawniała swoich „prawdziwych uczuć", co zmuszałoby ją do „ukrywania" ich w swoich pamiętnikach. Przeciwnie, jedną z najbardziej niezwykłych cech Trei – mógłbym wręcz powiedzieć, że cechą zdecydowanie najbardziej zdumiewającą – było to, że prawie nie istniało rozszczepienie pomiędzy jej wizerunkiem publicznym a jej osobowością. Nie było w niej żadnych „tajemnych" myśli, którymi obawiałaby się lub wstydziła podzielić ze światem. Jeśli się ją o to spytało, mówiła dokładnie to, co myślała – o tobie czy kimkolwiek innym – ale w sposób tak łagodny, bezpośredni i szczery, że ludziom rzadko sprawiało to przykrość. To stanowiło fundament jej bezkompromisowej uczciwości i prawości – ludzie od razu nabierali do niej zaufania, zdawali się bowiem wyczuwać, że nigdy ich nie okłamie, i o ile wiem, rzeczywiście nigdy tego nie zrobiła.

Zamierzałem zniszczyć te pamiętniki po prostu dlatego, że kiedy prowadziła w nich zapiski, był to dla niej czas szczególny, gdy mogła być sam na sam ze sobą, i czułem, że nikt, włącznie ze mną, nie powinien tej przestrzeni naruszać. Ale na krótko przed śmiercią wskazała na nie i powiedziała: „Będą ci potrzebne". Prosiła mnie, abym napisał o naszym trudnym doświadczeniu, i wiedziała, że te pamiętniki będą mi potrzebne, aby przekazać jej myśli.

Pisząc *Śmiertelnych nieśmiertelnych*, przeczytałem wszystkie pamiętniki (około dziesięciu dużych notatników i wiele plików komputerowych) i udało mi się tam odnaleźć fragmenty wiążące się z niemal każdym z poruszanych na stronach tej książki tematów. W ten sposób Treya mogła tu przemówić bezpośrednio, własnymi słowami, po swojemu. Czytając te dzienniki, przekonałem się, że jest dokładnie tak, jak przypuszczałem: nie było tam żadnych tajemnic, żadnych spraw, których by nie poruszała w rozmowach z innymi – ze mną, z rodziną czy przyjaciółmi. U Trei rozszczepienie pomiędzy wizerunkiem publicznym a osobowością po prostu nie istniało. Sądzę, że stanowiło to właśnie jeden z dowodów jej ogromnej prawości i bezpośrednio wiązało się z czymś, co nazwać można chyba tylko nieustraszonością. Treya odznaczała się siłą, która nie drżała absolutnie przed niczym, i mówię to najzupełniej poważnie. Prawie nie odczuwała lęku, gdyż niewiele miała do ukrycia – przed wami, przede mną, przed Bogiem czy kimkolwiek innym. Dla rzeczywistości, dla Boskości, dla świata była przezroczysta, dlatego nie miała się czego lękać. Byłem świadkiem jej wielkiego bólu i cierpienia, jej wielkiego gniewu. Nigdy nie dostrzegłem u niej lęku.

Nietrudno zrozumieć, dlaczego w jej obecności ludzie czuli się ożywieni, rozbudzeni i przytomni. Nawet w różnych szpitalach, gdzie Treya musiała poddawać się rozmaitym okropnym i poniżającym zabiegom, w jej pokoju przesiadywali zawsze ludzie (pielęgniarki, odwiedzający, inni pacjenci, ich najbliżsi), po prostu po to, aby być bliżej tej przytomności, życia i energii, jakie zdawały się od niej promieniować. Pamiętam, jak w niemieckim szpitalu w Bonn musiałem czekać w kolejce, żeby dostać się do jej pokoju.

Potrafiła być uparta, to częsta cecha silnych osobowości. Ale płynęło to z tego jądra wyrazistej obecności i przytomności i było bardzo ożywcze. Że spotkania z Treyą ludzie wychodzili często bardziej żywotni i otwarci, bardziej bezpośredni. Jej obecność miała działanie transformujące – czasem trochę, czasem bardzo, ale zawsze coś się w człowieku zmieniało. Powodowała, że człowiek stawał się bardziej obecny w Teraźniejszości, przypominał sobie, żeby się przebudzić.

Jeszcze jedno: Treya była wyjątkowo piękna, a jednak (jak zauważycie na kartach tej książki) pozbawiona była niemal zupełnie próżności, co było doprawdy zadziwiające. Nawet wśród znanych mi głęboko oświeconych nauczycieli trudno byłoby wskazać kogoś, kto byłby bardziej bezpretensjonalny, bardziej sobą. Treya była po prostu i bez reszty obecna. To, że tak niewiele zależało jej na tym, jakie robi wrażenie, sprawiało, że jej obecność była jeszcze bardziej namacalna. W pobliżu Trei świat stawał się bezpośredni i wyrazisty, klarowny i ponętny, jasny i uczciwy, otwarty i żywy.

Śmiertelni nieśmiertelni to jej historia i nasza historia. Wielu ludzi pytało mnie, dlaczego, skoro tak pieczołowicie dbałem o to, aby na stronach tej książki zabrzmiał jej własny głos, nie wymieniłem jej jako współautora. Myślałem o tym od samego początku, ale po rozmowach z redaktorem i wydawcą stało się jasne, że takie posunięcie byłoby mylące (jak ujął to jeden z redaktorów: „Współautor to ktoś, kto aktywnie współpracuje z kimś innym przy pisaniu książki. To coś innego od wzięcia czyichś tekstów i wplecenia ich w treść książki"). Mam więc nadzieję, że ci czytelnicy, którzy mieli wrażenie, iż nie oddałem sprawiedliwości wkładowi Trei, zrozumieją, że z pewnością nie taka była moja intencja i że autentyczny głos Trei pobrzmiewa niemal na każdej stronie, gdzie zamieściłem napisane przez nią słowa.

W pewnym miejscu w swoim pamiętniku Treya napisała: „Lunch zjedliśmy z Emily Hilburn Sell, redaktorką z wydawnictwa Shambhala. Bardzo ją lubię i ufam jej zdaniu. Opowiadałam jej o książce, nad którą pracuję – o raku, psychoterapii i duchowości – i spytałam, czy nie zechciałaby jej zredagować. Odpowiedziała, że byłaby tym zachwycona, co sprawiło, że moje postanowienie, aby doprowadzić to przedsięwzięcie do końca, jeszcze bardziej się wzmocniło!". Treya nie zdążyła dokończyć swej książki – dlatego właśnie poprosiła mnie, abym napisał tę – ale miło mi poinformować, że Emily zredagowała *Śmiertelnych nieśmiertelnych* i uczyniła to znakomicie.

Jeszcze kilka drobniejszych kwestii. Większość ludzi czyta tę książkę nie dla informacji teoretycznych o mojej pracy, ale ze względu na historię Trei. Jak zwracam na to uwagę w nocie *Do czytelnika*, rozdział 11 jest wybitnie teoretyczny i można go z powodzeniem opuścić, nie tracąc niczego z treści! (Właściwie, jeśli rzeczywiście zechcecie ominąć ten rozdział, przeczytajcie tylko kilka wplecionych akapitów, nie stanowiących tekstu wywiadu, jako że zawierają one pewne ważne elementy całej historii. Resztę można pominąć. Czytelnicy zainteresowani bardziej aktualnymi informacjami na temat mojej pracy mogą sięgnąć po książkę *Psychologia integralna*).

W tej książce wszystkie wyjątki z pamiętników Trei wyróżnione są nieco większą czcionką i zwężoną kolumną. Różnią się od – powiedzmy – jej zamieszczonych tu listów, które nie są tak oznaczone. Listy te, nawet jeśli dotyczyły jej prywatnych spraw, były mimo to dostępne dla innych (a mianowicie adresatów). Natomiast każdy fragment oznaczony w powyższy sposób pochodzi z jej dzienników i nie był uprzednio dostępny.

Śmiertelni nieśmiertelni spotkali się z oszałamiającym przyjęciem, i to bynajmniej nie w związku z moją osobą. Otrzymałem do tej pory blisko tysiąc listów od ludzi z całego świata – ogromna większość pisze o tym, jakie znaczenie miała dla nich historia Trei i jak zmieniło to ich życie. Niektórzy przysłali mi zdjęcia swoich nowo narodzonych córeczek, którym nadano imię Treya, i jako najzupełniej obiektywny świadek mogę was zapewnić, że są to najpiękniejsze dziewczynki na świecie. Niektórzy z piszących chorują na raka i początkowo obawiali się przeczytać tę książkę, ale kiedy już to zrobili, często przestawali się bać, czasem całkowicie. Szczerze wierzę, że to dar, który otrzymali od Trei.

Drogi Kenie,

W sierpniu otrzymałam diagnozę, że cierpię na raka sutka. Przeszłam operację częściowego usunięcia piersi, punkcję węzłów chłonnych oraz trzytygodniowe naświetlania. Obcuję z nowotworem nieustannie, na wszystkich poziomach. Kilka tygodni temu przyjaciel powiedział mi o Twojej książce i wiedziałam, że muszę ją przeczytać. Myśl o tym budziła we mnie lęk, bo znałam przecież jej zakończenie.

Ale – pomyślałam – ona miała jakiś inny, groźniejszy rodzaj raka. Co powiesz na tego rodzaju mechanizm zaprzeczania? Fakty mówią jednak, że cierpię na taki sam rodzaj okropnego raka jak Treya. Prawda jest taka, że ta książka chwilami budziła we mnie przerażenie, ale była jednocześnie ogromnie wyzwalająca...

Wyzwalająca, gdyż Treya opisuje, niemal krok po kroku, drogę osoby chorej na raka poprzez ból i cierpienie ku duchowej wolności i wyzwoleniu, które przyćmiewają śmierć i towarzyszące jej przerażenie. Jak napisane zostało w jednym z moich ulubionych listów (przytaczam go w całości):

Drogi Kenie Wilberze,

Mam czternaście lat. Od kiedy pamiętam, zawsze bardzo bałam się śmierci. Odkąd przeczytałam historię Trei, już nie boję się umierać. Chciałam Ci o tym powiedzieć.

Albo w innym:

Drogi Kenie,

W zeszłym roku odkryto u mnie zaawansowanego raka sutka z przerzutami. Pewien przyjaciel poradził mi, abym przeczytała książkę „Śmiertelni nieśmiertelni", ale kiedy spytałam, jak się kończy, odparł: „Ona umarła". Długo bałam się po nią sięgnąć.

Ale teraz, kiedy ją wreszcie skończyłam, z głębi serca chciałam podziękować Tobie i Trei. Wiem, że ja też mogę umrzeć, ale prześledzenie historii Trei jakoś sprawiło, że mój lęk się ulotnił. Po raz pierwszy czuję się wolna od lęku...

Większość ludzi, którzy do mnie piszą, nie cierpi na raka. Chodzi po prostu o to, że historia Trei to historia każdego. Mogłoby się wydawać, że Treya „miała wszystko": inteligencję, piękno, wdzięk, charakter, szczęśliwe małżeństwo, cudowną rodzinę. Ale tak jak każdy z nas, Treya miała różne wątpliwości, poczucie niepewności, krytyczny stosunek do siebie samej i głębokie rozterki dotyczące własnej wartości i celu życia... nie wspominając już o brutalnych zmaganiach ze śmiertelną chorobą. Walczyła jednak dzielnie z wszystkimi tymi cieniami... i wygrała, w każdym znaczeniu słowa „wygrywać". Historia Trei przemawia do każdego z nas, ponieważ stawiła ona czoło wszystkim tym koszmarom z odwagą, godnością i gracją.

I pozostawiła nam swoje pamiętniki, z których dokładnie wynika, jak to zrobiła. Jak poprzez medytacyjną świadomość radziła sobie z bólem, wymykając się jego przytłaczającemu wpływowi. Jak zamiast zamknąć się w sobie i pogrążyć w goryczy i gniewie, witała świat płynącą z serca miłością. Jak mierzyła się z rakiem z „namiętnym spokojem". Jak przestała się nad sobą litować i radośnie postanowiła się nie poddawać. Jak była nieustraszona – nie dlatego, że nie odczuwała lęku, lecz ponieważ natychmiast go przyjmowała, nawet wtedy, gdy stało się oczywiste, że wkrótce umrze: „Wprowadzę lęk do swojego serca. Chcę spotkać się z bólem i lękiem w sposób otwarty, ogarnąć je, przyjąć. Taka postawa czyni to życie czymś zdumiewającym. To raduje me serce i żywi duszę. Czuję taką radość. Nie staram się «pokonać» swojej choroby, odnajduję się w niej, przebaczam jej. Będę szła dalej, nie z gniewem i goryczą, ale z determinacją i radością".

I tak też uczyniła, witając zarówno życie, jak i śmierć z determinacją i radością, które przyćmiewały serwowane przez nie uciążliwe męczarnie. Jeśli Trei się udało, uda się i nam: to jest przesłanie książki i o tym właśnie piszą do mnie ludzie. O tym, jak poruszyła ich jej historia, sprawiając, że przypominają sobie, co tak naprawdę jest ważne. O tym, jak jej usiłowania, aby zrównoważyć w sobie aspekt męski/działania i żeński/bycia, bezpośrednio dotykały ich własnych najgłębszych rozterek dnia dzisiejszego. O tym, jak zainspirowała ich jej niewiarygodna odwaga, pomagając im – zarówno kobietom, jak i mężczyznom – radzić sobie z własnym, przekraczającym granice wytrzymałości cierpieniem. O tym, jak jej przykład pomógł im przebrnąć przez mroczne godziny własnych koszmarów. O tym, jak „namiętny spokój" kierował ich wprost ku własnej prawdziwej Jaźni. I o tym, dlaczego wszyscy z nich rozumieli, że na najgłębszym poziomie ta książka ma bardzo szczęśliwe zakończenie.

(Wielu z korespondentów to również osoby towarzyszące chorym, które cierpią podwójnie: muszą być świadkami cierpień ukochanej osoby i nie mogą sobie pozwolić na żadne własne problemy. Mam nadzieję, że *Śmiertelni nieśmiertelni* to również książka o nich. Osoby chcące zapoznać się z częścią korespondencji na temat *Śmiertelnych nieśmiertelnych* mogą sprawdzić zapis z 7 marca w książce *Jeden Smak*).

Kiedy piszę te słowa, wszyscy członkowie rodziny Trei – Rad i Sue, Kati, David, Traci i Michael – jeszcze żyją i mają się bardzo dobrze. Treya często powtarzała, że nie potrafiłaby wyobrazić sobie lepszej rodziny i po dziś dzień w tym się z nią zgadzam.

Społeczność Wspierania Chorych na Raka założona przez Treyę i Vicky Wells nadal prężnie działa i otrzymuje nagrody. Gdybyście chcieli przekazać jakąś darowiznę albo jeśli potrzebne Wam są jej usługi, możecie ją zlokalizować, dzwoniąc na informację telefoniczną San Francisco.

Treya i ja byliśmy razem przez pięć lat. Te lata wryły się w moją duszę. Naprawdę wierzę w to, że dotrzymałem swojej obietnicy, i naprawdę uważam, że stało się to dzięki jej łasce. Szczerze wierzę też w to, że każdy z nas może znów spotkać Treyę, kiedykolwiek zechce, poprzez działanie naznaczone uczciwością, prawością i nieustraszonością – albowiem to właśnie jest serce i dusza Trei.

Jeśli Trei się udało, uda się i nam. Oto przesłanie *Śmiertelnych nieśmiertelnych*.

Ken Wilber

(przełożył Jacek Majewski)

Inne książki Kena Wilbera

The Spectrum of Consciousness. Wheaton, Ill., Quest 1997.

No Boundary: Eastern and Western Approaches to Personal Growth. Boston and London, Shambhala Publications 1979 (wyd. pol.: *Niepodzielone*, Poznań, Zysk i S-ka 1996).

The Atman Project: A Transpersonal View of Human Development. Wheaton, Ill., Quest 1980.

Up from Eden: A Transpersonal View of Human Evolution. Shambhala 1982 (wyd. pol.: *Eksplozja świadomości*, Zabrze, Abraxas 1997).

A Sociable God: A Brief Introduction to a Transcendental Sociology. Shambhala 1983.

Quantum Questions: Mystical Writings of the World's Great Physicists. Shambhala 1984.

The Holographic Paradigm: Exploring the Leading Edge of Science. Shambhala 1985.

Eye to Eye: The Quest for the New Paradigm. Shambhala 1990.

Transformations of Consciousness: Conventional and Contemplative Perspectives on Development (współautorzy: Jack Engler i Daniel P. Brown). Shambhala 1986.

Sex, Ecology, Spirituality. Shambhala 1995 (wydanie polskie w przygotowaniu).

A Brief History of Everything. Shambhala 1996 (wyd. pol.: *Krótka historia wszystkiego*, Warszawa, Jacek Santorski & Co 1997, 2007).

The Marriage of Sense and Soul. New York, Random House 1998.

One Taste: the Journals of Ken Wilber. Shambhala 1998 (wyd. pol.: *Jeden Smak. Przemyślenia nad integralną duchowością*, Warszawa, Jacek Santorski & Co 2002).

The Collected Works of Ken Wilber, vol. 1 – 8. Shambhala 2000.

Integral Psychology: Consciousness, Spirit, Psychology, Therapy. Shambhala 2000 (wyd. pol.: *Psychologia integralna. Świadomość, duch, psychologia, terapia*, Warszawa, Jacek Santorski & Co 2002).